EM CASA

A marca FSC é a garantia de que a madeira utilizada na fabricação do papel deste livro provém de florestas que foram gerenciadas de maneira ambientalmente correta, socialmente justa e economicamente viável, além de outras fontes de origem controlada.

BILL BRYSON

Em casa
Uma breve história da vida doméstica

Tradução
Isa Mara Lando

Copyright © 2010 by Bill Bryson

Grafia atualizada segundo o Acordo Ortográfico da Língua Portuguesa de 1990, que entrou em vigor no Brasil em 2009.

Título original
At home: a short history of private life

Capa
Kiko Farkas e Thiago Lacaz/ Máquina Estúdio

Preparação
Maria Fernanda Alvares

Índice remissivo
Luciano Marchiori

Revisão
Carmen S. da Costa
Luciane Helena Gomide

Dados Internacionais de Catalogação na Publicação (CIP)
(Câmara Brasileira do Livro, SP, Brasil)

Bryson, Bill
Em casa : uma breve história da vida doméstica / Bill Bryson ; tradução Isa Mara Lando. — São Paulo : Companhia das Letras, 2011.

Título original: At home : a short history of private life.
ISBN 978-85-359-1947-9

1. Aposentos – Aspectos ambientais 2. Aposentos – Aspectos psicológicos 3. Habitações – Aspectos ambientais 4. Habitações – Aspectos psicológicos I. Título.

11-08452   CDD-643.1

Índices para catálogo sistemático:
1. Habitações : Vida privada : Vida doméstica   643.1
2. Moradias : Vida privada : Vida doméstica   643.1

[2011]
Todos os direitos desta edição reservados à
EDITORA SCHWARCZ LTDA.
Rua Bandeira Paulista 702 cj. 32
04532-002 — São Paulo — SP
Telefone: (11) 3707-3500
Fax: (11) 3707-3501
www.companhiadasletras.com.br
www.blogdacompanhia.com.br

Para Jesse e Wyatt

Sumário

Introdução 15

1. Aquele ano 21
2. O ambiente 43
3. O vestíbulo 60
4. A cozinha 83
5. A área de serviço e a despensa 104
6. A caixa de fusíveis 130
7. A sala de estar 155
8. A sala de jantar 184
9. O porão 212
10. O corredor 234
11. O estúdio 260
12. O jardim 278
13. A sala cor de ameixa 310
14. A escada 333
15. O quarto de dormir 345
16. O banheiro 369
17. O quarto de vestir 399

18. O quarto das crianças 429
19. O sótão 459

Bibliografia 481
Agradecimentos 501
Lista de ilustrações 502
Índice remissivo 505

EM CASA

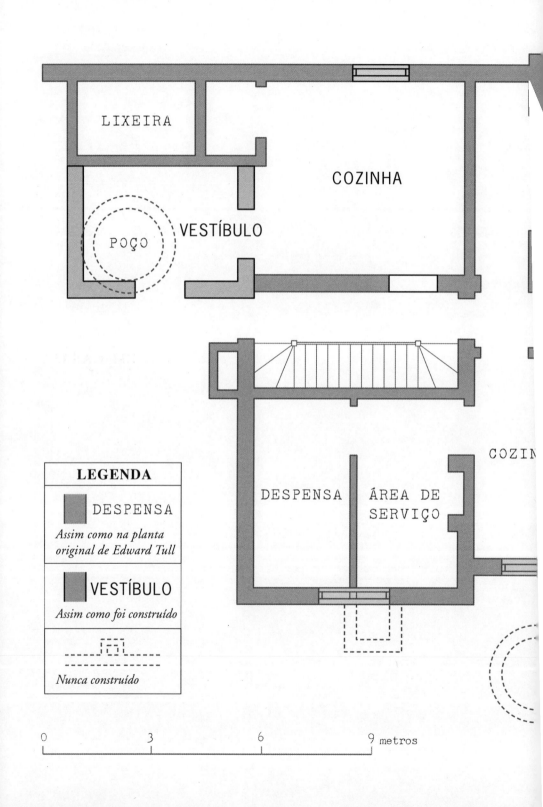

ANDAR TÉRREO

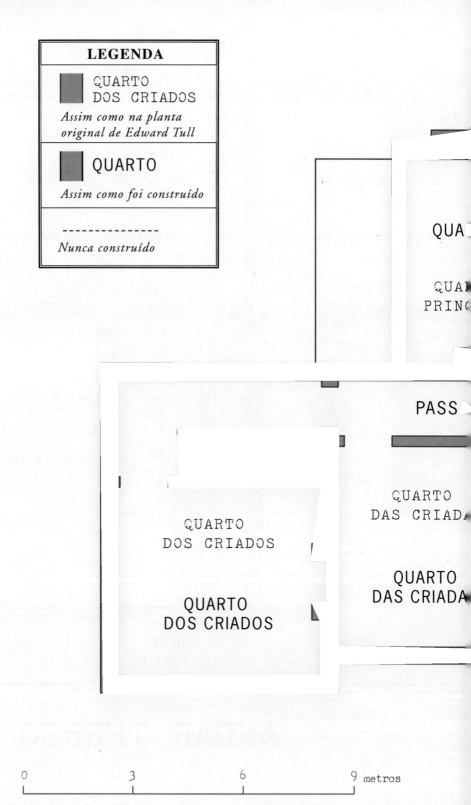

SEGUNDO ANDAR

Introdução

Pouco depois que mudei, com minha família, para a antiga casa paroquial de uma igreja anglicana, em uma aldeia tranquila e anônima de Norfolk, extremo leste da Inglaterra, tive de subir ao sótão para descobrir a origem de uma misteriosa goteira. Como na casa não havia escada para o sótão, precisei subir por uma escada de mão e me contorcer, sem nenhuma elegância, através de uma portinhola no teto. Aliás, foi por isso mesmo que eu nunca havia subido ali (nem me animei a voltar depois).

Quando por fim desabei no chão empoeirado, na escuridão do sótão, e consegui me levantar, fiquei surpreso ao descobrir uma porta secreta, não visível de fora da casa, em uma parede externa. A porta se abriu com facilidade e levou a um minúsculo espaço no telhado, não muito maior que uma mesa, entre as empenas frontal e traseira. Muitas casas vitorianas são uma coleção de esquisitices arquitetônicas, mas essa era totalmente incompreensível: por que um arquiteto haveria de colocar uma porta dando para um espaço sem nenhuma utilidade? Não havia explicação; mas teve o efeito mágico e inesperado de me proporcionar uma vista maravilhosa.

É emocionante estar em um lugar onde você pode contemplar um mundo que conhece bem, mas nunca tinha visto daquele ângulo. Eu estava a uns quinze metros de altura, o que em Norfolk mais ou menos garante uma boa paisagem. Logo na minha frente ficava a antiga igreja de pedra, que outrora pertencera a nosso presbitério. A alguma distância, em um ligeiro declive, ficava a aldeia a que ambos pertenciam. Mais longe, no outro sentido, vi a abadia de Wymondham, em seu esplendor medieval, dominando o horizonte ao sul. Em um campo a meia distância, um trator roncava, traçando linhas retas no chão. Tudo o mais em todas as direções era tranquilo, agradável, atemporal, despretensioso — a paisagem campestre inglesa por excelência.

O que dava a tudo isso mais relevância era que na véspera eu tinha caminhado por essa mesma área com um amigo, Brian Ayers. Brian acabava de se aposentar como arqueólogo do condado, e possivelmente sabe mais sobre a história e a geografia de Norfolk do que qualquer outra pessoa no mundo. Ele nunca tinha estado na igreja da cidade e queria muito dar uma olhada. É uma bela igreja, e muito velha — mais velha que a Notre Dame de Paris, mais ou menos da mesma safra que as catedrais de Chartres e Salisbury. Mas Norfolk está cheia de igrejas medievais — há nada menos do que 659 no condado —, de modo que é fácil esquecer alguma delas.

"Você já percebeu", perguntou Brian quando entramos na igreja, "que as igrejas do interior parecem afundadas no chão?" E mostrou que aquela estava aninhada em uma ligeira depressão, como um peso colocado sobre uma almofada. Os alicerces ficavam quase um metro abaixo do pátio da igreja ao redor. "Sabe por quê?"

Reconheci, como tantas vezes faço ao acompanhar Brian em suas caminhadas, que eu não fazia ideia.

"Bem, não é que a igreja esteja afundando", disse Brian, sorrindo. "É que o pátio ao redor se levantou. Quantas pessoas você acha que estão enterradas aqui?"

Dei uma avaliada nas lápides ao redor e disse: "Não sei. Umas oitenta? Cem?".

"Acho que você está subestimando *um pouquinho*", respondeu Brian com ar bondoso e equânime. "Pense um pouco. Uma paróquia do interior como esta tem, em média, 250 pessoas, ou seja, cerca de mil mortes de adultos por século, além de alguns milhares de pobres almas que não chegaram à maturidade. Multiplique isso pelo número de séculos de existência da igreja e você verá que o que temos aqui não são oitenta ou cem sepultamentos, mas, provavelmente, algo em torno de 20 mil."

Isso tudo, veja bem, a poucos passos da porta da minha casa. Falei: "Vinte *mil*?".

Ele confirmou tranquilamente. "No total, acaba sendo uma massa enorme, nem é preciso dizer. Por isso, o solo levantou quase um metro." Parou um momento para me deixar absorver o fato, e continuou: "Há mil paróquias em Norfolk. Multiplique todos os séculos de atividade humana por mil paróquias e você verá que temos à nossa volta um volume enorme de cultura material". Apontou as várias torres de igreja visíveis na paisagem ao redor. "Daqui podemos ver doze outras paróquias, de modo que temos, provavelmente, um quarto de milhão de sepultamentos bem aqui, nesta área à nossa volta — e tudo isso em um lugar que sempre foi apenas calmo e rural, onde nada de muito importante aconteceu."

Foi dessa maneira que Brian explicou como um condado bucólico, esparsamente povoado como Norfolk, podia produzir 27 mil achados arqueológicos a cada ano, mais que qualquer outro condado na Inglaterra. "Há muito tempo que as pessoas deixam cair objetos no chão por aqui — desde muito antes de a Inglaterra ser a Inglaterra." E me mostrou um mapa com todos os achados arqueológicos da nossa paróquia. Quase todos os campos cultivados tinham rendido alguma coisa — ferramentas da era neolítica, moedas e cerâmicas romanas, broches saxões, sepulturas da Idade do Bronze, fazendas vikings. Em 1985, logo além dos limites da nossa propriedade, um agricultor que atravessava o campo encontrou um artefato raro, impossível de interpretar equivocadamente: um pingente fálico romano.

Para mim isso foi, e continua a ser, algo espantoso: pensar em um homem de toga, parado ali na divisa da minha propriedade, dando uns tapinhas no pescoço e percebendo, consternado, que acabava de perder seu precioso pingente. Este, por sua vez, depois ficou enterrado por dezessete ou dezoito séculos, passando por incontáveis gerações de atividade humana, durante as idas e vindas de saxões, vikings e normandos, a ascensão do idioma inglês, o nascimento da nação inglesa, o desenvolvimento da monarquia contínua e tudo o mais, até finalmente ser apanhado por um agricultor do século xx, talvez com um olhar consternado.

Agora, postado no telhado da minha casa, absorvendo essa vista inesperada, fiquei impressionado ao pensar neste fato que é mesmo glorioso: em 2 mil anos de atividade humana, a única coisa que despertou a atenção do mundo exterior, ainda que brevemente, foi o achado de um pendente fálico romano. O resto foram apenas séculos e séculos de gente tratando, sem alarde, dos seus afazeres diários — comer, dormir, fazer sexo, tentar se divertir —, e ocorreu-me, com o vigor de uma ideia pensada em 360 graus, que a maior parte da história é realmente isto: as massas humanas fazendo suas atividades comuns. Até mesmo Einstein deve ter passado grandes trechos da vida pensando nas férias, ou no que comeu no jantar, ou no gracioso tornozelo da moça que descia do bonde do outro lado da rua. São coisas desse tipo que preenchem a nossa vida e os nossos pensamentos; e, no entanto, nós as tratamos como incidentais e indignas de séria consideração. Não sei quantas horas dos meus anos de escola foram gastas estudando o Compromisso do Missouri ou a Guerra das Rosas; mas foi imensamente mais do que me incentivaram ou permitiram dedicar à história do comer, dormir, fazer sexo e tentar se divertir.

Pensei, então, que poderia ser interessante escrever um livro sobre as coisas comuns da vida — finalmente observá-las e tratá-las como se elas também fossem importantes. Observando a minha casa, fiquei surpreso e um pouco chocado ao perceber como eu sabia pouco sobre o mundo doméstico ao meu redor. Sentado à mesa da cozinha certa tarde, brincando distraidamente com o saleiro e o pimenteiro, ocorreu-me que eu não fazia a menor ideia do porquê, entre todas as especiarias do mundo, temos um apego tão duradouro a essas duas. Por que não pimenta e cardamomo, digamos? Ou sal e canela? E por que os garfos têm quatro dentes e não três ou cinco? Cada uma dessas coisas deve ter o seu motivo.

Ao me vestir, me perguntei por que todos os meus paletós têm uma fileira de botões inúteis em cada manga. Ouvi no rádio algo sobre alguém que pagava pela hospedagem [*room and board*], e percebi que não sei de que *board* [tábua] estão falando. De repente, a casa me pareceu um lugar misterioso.

Concebi então a ideia de fazer uma viagem ao redor da casa, passear de aposento em aposento e considerar o papel de cada um na evolução da vida privada. O banheiro daria uma história da higiene; a cozinha, do preparo dos alimentos; o quarto trataria do sexo, da morte e do sono; e assim por diante. Enfim, eu escreveria uma história do mundo sem sair de casa.

Devo dizer que a ideia tinha certo atrativo. Eu tinha acabado de escrever um livro em que tentava compreender o universo e como ele se articula — uma empreitada considerável, como você há de concordar. Assim, a ideia de lidar com algo tão bem delimitado e confortavelmente finito como a antiga casa de um pároco em uma aldeia inglesa tinha seus atrativos óbvios. Eis um livro que eu poderia fazer de chinelos.

Mas, na verdade, não foi nada disso. Uma casa é um repositório incrivelmente complexo. O que descobri, para minha grande surpresa, é que tudo que acontece no mundo — tudo que é descoberto, ou criado, ou ferrenhamente disputado — vai acabar, de uma forma ou de outra, na casa das pessoas. As guerras, as fomes, a Revolução Industrial, o Iluminismo — tudo isso está lá, no seu sofá e na sua cômoda, escondido nas dobras das suas cortinas, na maciez dos seus travesseiros, na tinta das suas paredes, na água das suas tubulações. Assim, a história da vida doméstica não é apenas uma história de camas, sofás e fogões, como eu vagamente supunha, mas sim do escorbuto e do guano, da Torre Eiffel e dos percevejos, dos ladrões de cadáveres e de mais ou menos tudo que já aconteceu. As casas não são refúgios contra a história. É nelas que os fatos históricos vão desembocar.

Nem preciso salientar que qualquer tipo de história tende a se expandir para todos os lados. Para que a história da vida privada coubesse em um único volume, era evidente que desde o início eu deveria ser extremamente seletivo. Assim, embora de vez em quando eu me aventure no passado distante (por exemplo, não se pode falar sobre o banho sem falar nos romanos), o que se segue se concentra, sobretudo, em acontecimentos dos últimos 150 anos, quando o mundo moderno realmente nasceu — coincidentemente, o período em que a casa que estamos prestes a conhecer existiu.

Estamos tão acostumados ao conforto em nossas vidas — limpeza, aquecimento e boa alimentação —, que esquecemos o quanto isso é recente. Na verdade, demoramos séculos para conquistar essas coisas, e então elas nos atropelaram. Como e quando isso aconteceu e por que demorou tanto é o que veremos nas páginas seguintes.

Embora eu não tenha identificado a aldeia onde fica a nossa Old Rectory [Velho Presbitério], a casa é real, assim como são (ou eram) reais as pessoas mencionadas em relação a ela. Gostaria de salientar enfim que a passagem referente ao reverendo Thomas Bayes, no capítulo 1, apareceu ligeiramente modificada na introdução que escrevi para *Seeing further: the story of science and the Royal Society* [Vendo além: a história da ciência e da Royal Society].

Vista interna do Palácio de Cristal, a construção etérea de Joseph Paxton, na Grande Exposição de 1851. Os portões ainda estão de pé em Kensington Gardens.

1. Aquele ano

I

No outono de 1850, no Hyde Park de Londres, surgiu um edifício extraordinário: uma gigantesca estrutura de ferro e vidro cobrindo mais de sete hectares de terreno, com um vasto espaço interior onde caberiam quatro igrejas do tamanho da catedral de Saint Paul. Durante sua breve existência, foi o maior edifício do mundo. Conhecido oficialmente como Palácio da Grande Exposição dos Trabalhos da Indústria de Todas as Nações, era decerto magnífico; porém mais ainda por ser tão repentino, tão surpreendente por ser todo de vidro, tão gloriosa e inesperadamente *real*. Douglas Jerrold, colunista da revista semanal *Punch*, apelidou-o de Palácio de Cristal, e o nome pegou.

Sua construção levara apenas cinco meses. O simples fato de ter sido construído já fora um milagre — menos de um ano antes ele não existia nem sequer como ideia. A exposição para a qual fora concebido foi o sonho de um funcionário público chamado Henry Cole, cujo outro feito histórico foi inventar o cartão de Natal (para incentivar as pessoas a usarem o novo selo de um *penny*). Em 1849 Cole visitou a Exposição de Paris — um evento relativamente provinciano, limitado a fabricantes franceses — e se apaixonou pela ideia de tentar algo semelhante na Inglaterra, porém mais grandioso. Conseguiu que muitas pessoas ilustres, inclusive o príncipe Albert, se entusiasmassem com a ideia de uma Grande Exposição, e em 11 de janeiro de 1850 foi realizada a primeira reunião, visando inaugurá-la em 1º de maio do ano seguinte. Isso lhes daria menos de quinze meses para projetar e construir o maior edifício jamais imaginado, atrair e instalar dezenas de milhares de estandes vindos de todas as partes do globo, equipar restaurantes e banheiros, contratar pessoal, conseguir seguros e proteção policial, imprimir panfletos e mais um milhão de coisas, em um país que ainda nem estava convencido de que desejava uma produção tão cara e complicada. Era claro que se tratava de uma ambição inatingível, e nos meses seguintes ficou evidente que eles não conseguiram alcançá-la. Em um concurso público foram apresentados 245 projetos para o edifício da exposição. Todos foram rejeitados como impraticáveis.

Temendo um desastre, a comissão fez o que às vezes fazem as comissões em circunstâncias desesperadoras: encomendou outra comissão, com um título melhor. O Comitê da Edificação da Real Comissão para a Grande Exposição dos Trabalhos da Indústria de Todas as Nações se compunha de quatro homens — Matthew Digby Wyatt, Owen Jones, Charles Wild e o grande engenheiro Isambard Kingdom Brunel —, e recebeu uma única instrução: apresentar um projeto digno da maior exposição da história, a ser iniciada em dez meses, dentro de um orçamento limitado e já reduzido. Dos quatro membros da comissão, apenas o jovem Wyatt era arquiteto formado, e na prática ainda não havia construído nada; nessa fase da carreira, ganhava a vida como escritor. Wild era um engenheiro com experiência quase exclusiva com barcos e pontes. Jones era decorador. Apenas Brunel tinha experiência com projetos de grande escala. Era, sem dúvida, um gênio, mas um gênio irritante, pois quase sempre eram necessárias quantidades épicas de tempo e dinheiro para encontrar a interseção entre suas visões grandiosas e a realidade viável.

A estrutura concebida pelos quatro homens era espantosa, e nada feliz: uma espécie de enorme galpão, baixo e escuro, prenhe de melancolia, de espírito tão vivaz e animado como um matadouro. Parecia algo concebido às pressas por quatro pessoas trabalhando separadamente. O custo mal podia ser calculado, mas de qualquer forma aquilo parecia irrealizável. A construção exigiria 30 milhões de tijolos, e ninguém garantia que essa quantidade pudesse ser adquirida, muito menos assentada, no prazo. O conjunto seria coroado pela contribuição de Brunel: uma cúpula de ferro de sessenta metros de diâmetro — uma estrutura notável, sem dúvida, mas bastante estranha em um edifício térreo. Ninguém jamais construíra algo tão maciço feito de ferro; e Brunel não podia, naturalmente, começar a experimentar e içar peças sem que antes houvesse um edifício embaixo. E tudo isso tinha que ser realizado e concluído em dez meses, para um projeto destinado a existir por menos de meio ano. Quem iria desmontar tudo aquilo depois, e o que seria feito da sua poderosa cúpula e dos seus milhões de tijolos? Eram perguntas incômodas demais para enfrentar.

Nessa crise que se desenrolava entrou a figura calma de Joseph Paxton, jardineiro-chefe de Chatsworth House, a mansão principal do duque de Devonshire (mas localizada, à peculiar maneira inglesa, em Derbyshire). Paxton era um assombro. Nascido em 1803 em Bedfordshire, filho de uma família rural pobre, aos catorze anos foi mandado para trabalhar como aprendiz de jardineiro, mas distinguiu-se de tal maneira que em seis anos estava dirigindo um arboreto experimental na nova e prestigiosa Horticultural Society (que logo se tornaria a Royal Horticultural Society), no oeste de Londres — cargo de responsabilidade surpreendente para alguém que ainda era apenas um rapazola. Certo dia ele teve uma conversa com o duque de Devonshire, que possuía a vizinha Chiswick House e mais uma grande parte das Ilhas Britânicas — cerca de 80 mil hectares de terras produtivas estendendo-se ao pé de sete grandes mansões senhoriais. O duque gostou de Paxton de imediato, não tanto porque este demonstrasse qualquer talento especial mas, ao que consta, porque falava com voz forte e clara. O duque ouvia mal e apreciava a clareza da fala. Em um impulso, convidou Paxton para ser jardineiro-chefe de Chatsworth, e Paxton aceitou. Tinha 22 anos de idade.

Foi a iniciativa mais sábia jamais tomada por um aristocrata. Paxton mergulhou no trabalho com uma energia e dedicação que a todos deslumbrava. Projetou e instalou a famosa Fonte do Imperador, que lançava um jato de água a oitenta metros no ar — proeza de engenharia hidráulica que até hoje só foi superada uma vez na Europa; construiu o maior jardim de pedras ornamentais do país; projetou um novo bairro residencial na propriedade; tornou-se o maior especialista mundial em dálias; ganhou prêmios por produzir os melhores melões, figos, pêssegos e nectarinas do país; e criou uma enorme estufa tropical, conhecida como "Grande Fogão", que cobria 4 mil metros quadrados de terreno e era tão espaçosa que em 1843, durante uma visita, a rainha Vitória excursionou dentro dela em uma carruagem com cavalos. Melhorando a administração das propriedades, eliminou dívidas do duque num total de 1 milhão de libras esterlinas. Com as bênçãos do duque, lançou e dirigiu duas revistas de jardinagem e um jornal diário nacional, o *Daily News*, que durante um breve período foi editado por Charles Dickens. Escreveu livros sobre jardinagem; investiu tão sabiamente em ações de empresas ferroviárias que foi convidado para o conselho de três delas; e, em Birkenhead, perto de Liverpool, projetou e construiu o primeiro parque municipal do mundo. O parque encantou de tal maneira o americano Frederick Law Olmsted que este o tomou como modelo para construir o Central Park em Nova York. Em 1849, o botânico-chefe do jardim botânico Kew Gardens enviou a Paxton um raro espécime de lírio atacado de doença, perguntando se ele poderia salvá-lo. Paxton projetou uma estufa especial e — você não ficará surpreso ao saber — em três meses o lírio entrou em floração.

Quando soube que os responsáveis pela Grande Exposição estavam com dificuldades para encontrar um projeto para o salão, ocorreu-lhe que algo como a sua estufa poderia dar certo. Enquanto presidia uma reunião de um comitê da ferrovia Midland, rabiscou um esboço em um pedaço de mata-borrão e em duas semanas completou os desenhos prontos para apresentação. O projeto infringia todas as regras da concorrência pública. Foi apresentado após a data de encerramento; e, apesar de todo o seu vidro e ferro, incorporava muitos materiais combustíveis, como milhares de metros quadrados de pisos de madeira, estritamente proibidos pelas regras. Os consultores arquitetônicos observaram, não sem razão, que Paxton não era arquiteto e nunca tinha tentado nada nessa escala. Nem ele nem ninguém, é claro. Por essa razão, ninguém podia afirmar com total confiança que o projeto daria certo. Muitos temiam que o edifício ficaria insuportavelmente quente com o sol e a multidão de visitantes. Outros temiam que as barras de ferro fossem expandir-se no calor do verão e os gigantescos painéis de vidro se soltariam, silenciosamente, despencando sobre os visitantes lá embaixo. A preocupação mais profunda era com que todo o edifício, de aparência tão frágil, seria simplesmente derrubado por uma tempestade.

Assim, os riscos eram consideráveis e agudamente sentidos; mas, depois de alguns poucos dias de hesitação e impaciência, a comissão aprovou o plano de Paxton. Não há nada — absolutamente nada — mais revelador sobre a Inglaterra vitoriana e o seu ocasional brilho do que o fato de o edifício mais ousado e mais emblemático do século ter sido confiado a um jardineiro. O Palácio de Cristal de Paxton não necessitava de tijolo algum — tampouco de cimento, argamassa ou alicerces. Foi apenas montado, aparafusando-se as peças, e assentado no solo como uma tenda. Mais que uma solução engenhosa para um desafio monumental, era uma mudança radical a partir de qualquer coisa já tentada.

A virtude básica do arejado palácio de Paxton era ser pré-fabricado a partir de peças padronizadas. Sua peça-chave era um único componente: uma treliça de vigas de ferro fundido, com sete metros de comprimento e noventa centímetros de largura, que podia ser montada com outras treliças correspondentes, formando uma armação na qual se encaixavam os painéis de vidro — mais de 90 mil metros quadrados de painéis, ou seja, um terço de todo o vidro normalmente produzido na Grã-Bretanha em um ano. Foi projetada uma plataforma móvel especial que se movia ao longo dos suportes do teto, permitindo que os operários instalassem 18 mil painéis de vidro por semana — uma produtividade que era, e ainda é, uma maravilha de eficiência. Para dar conta da enorme quantidade de calhas necessárias — cerca de trinta quilômetros ao todo —, Paxton projetou uma máquina, operada por uma pequena equipe, capaz de instalar seiscentos metros de calhas por dia — quantidade que normalmente exigiria um dia de trabalho de trezentos homens. Em todos os sentidos, o projeto era uma maravilha.

Paxton teve muita sorte, pois justamente na época da Grande Exposição o vidro de repente se tornou bastante disponível, como nunca acontecera. O vidro sempre fora um material complicado. Não era fácil de fazer, e muito difícil de fabricar com boa qualidade; por isso, em grande parte da sua história foi artigo de luxo. Felizmente, dois recentes avanços tecnológicos mudaram a situação. Em primeiro lugar, os franceses inventaram a chapa de vidro — assim chamada porque o vidro derretido era espalhado em cima de chapas. Isso permitiu, pela primeira vez, a criação de grandes painéis de vidro, possibilitando o surgimento das vitrines. Os painéis, porém, tinham que ser resfriados por dez dias depois de fabricados, e assim cada chapa de apoio ficava sem uso a maior parte do tempo; depois disso o vidro tinha que ser lixado e polido. Isso tudo, naturalmente, encarecia o produto. Em 1838 foi desenvolvido um refinamento mais barato — a placa de vidro. Esta tinha a maioria das virtudes das chapas, mas esfriava mais depressa e exigia menos polimento, barateando a produção. De repente, placas de vidro de bom tamanho podiam ser produzidas economicamente, em volumes ilimitados.

Aliada a isso veio a oportuna abolição dos dois antigos impostos: o imposto sobre as janelas e o imposto sobre o vidro (a rigor, um imposto sobre artigos de luxo). O imposto sobre as janelas datava de 1696 e era tão pesado que as pessoas realmente evitavam ao máximo colocar janelas nos edifícios. As aberturas de janelas tapadas com tijolos, tão características de muitas construções antigas e que ainda vemos na Grã-Bretanha de hoje, com frequência eram pintadas para parecerem janelas. (De certa forma, é pena que não sejam mais.) A população se ressentia extremamente do chamado "imposto sobre o ar e a luz", que condenava muitos criados e outros de poucos meios a viver em aposentos abafados e escuros.

O segundo imposto, introduzido em 1746, não se baseava no número de janelas, mas no peso do vidro que as compunha, de modo que durante todo o período georgiano se fabricou vidro fino e quebradiço, e os batentes das janelas tinham que ser mais resistentes para compensar. As conhecidas vidraças olho de boi também entraram na moda nesse momento. São consequência da fabricação do chamado vidro "coroa" (assim chamado por ser ligeiramente convexo, ou em forma de coroa). O olho de boi marcava o lugar da placa de vidro onde o artesão tinha fixado o pontil — o tubo metálico por onde se sopra o vidro. Como essa parte do vidro ficava danificada, escapava do imposto; e assim se tornou atraente como material econômico. As vidraças olho de boi se tornaram populares em pousadas e estabelecimentos menos nobres, e também na traseira das residências, onde não se exigia qualidade. Esse imposto foi abolido em 1845, pouco antes do seu centésimo aniversário; e logo se seguiu a abolição do imposto sobre o vidro — por uma feliz casualidade, em 1851. Justo no momento em que Paxton precisava de mais vidro do que jamais fora necessário, o preço caiu a menos da metade. Isso, somado às mudanças tecnológicas que aceleravam a produção, foi o impulso que possibilitou a construção do Palácio de Cristal.

Quando terminado, o edifício tinha exatamente 1851 pés de comprimento (em comemoração ao ano), ou seja, 564 metros; 124 metros de largura e quase 33 metros de altura ao longo da sua espinha dorsal central. Sua altura lhe permitia abrigar uma admirada alameda de olmos, que do contrário teriam que ser derrubados. Devido ao seu tamanho, a estrutura exigiu uma quantidade enorme de materiais: 293 655 painéis de vidro, 33 mil treliças de ferro e milhares de metros quadrados de pisos de madeira; contudo, graças aos métodos de Paxton, o custo final foi extremamente modesto: apenas 80 mil libras. Do início ao fim, a construção levou menos de 35 semanas. A catedral de Saint Paul necessitara de 35 anos.

A três quilômetros dali, o novo Parlamento já estava em construção havia uma década, ainda longe de ser terminado. Um escritor da *Punch* sugeriu, meio brincando, meio a sério, que o governo encomendasse a Paxton o projeto de um "Parlamento de Cristal". Surgiu um clichê para qualquer problema que parecesse insolúvel: "Pergunte ao Paxton".

O Palácio de Cristal era ao mesmo tempo o maior edifício do mundo e o mais leve, o mais etéreo. Hoje estamos acostumados a encontrar grandes quantidades de vidro, mas para alguém que vivia em 1851 a ideia de passear dentro de um enorme espaço, iluminado e arejado, *dentro* de um edifício, devia ser deslumbrante — até vertiginosa. A imagem que os visitantes tinham ao ver de longe o Pavilhão de Exposições, todo transparente, a brilhar, vai além de nossa imaginação. Pareceria tão delicado e evanescente, tão implausível e miraculoso como uma bolha de sabão. Para quem chegasse ao Hyde Park, a primeira visão do Palácio de Cristal flutuando acima das árvores, faiscando ao sol, seria um momento de esplendor, de deixar qualquer um de pernas bambas.

II

Enquanto o Palácio de Cristal se elevava em Londres, 170 quilômetros ao nordeste, ao lado de uma antiga igreja do interior, sob o vasto céu de Norfolk, uma construção bem mais modesta foi erigida em 1851, em uma aldeia perto de Wymondham, cidade conhecida por seu mercado: um presbitério amplo e meio desconexo, sob um telhado irregular, com empenas tapadas por tábuas e chaminés em estilo mais ou menos gótico. "Uma casa de bom tamanho e bastante confortável à sua maneira — firme, feia e respeitável", como disse Margaret Oliphant, prolífica romancista vitoriana imensamente popular, ao descrever esse tipo de construção em seu romance *The curate in charge* [O clérigo em seu posto].

Esse é o edifício ao qual vamos nos referir nas próximas páginas. Foi projetado por certo Edward Tull de Aylsham, um arquiteto desprovido de qualquer talento convencional, como veremos, como moradia de um jovem clérigo de boa família chamado Thomas J. G. Marsham. Aos 29 anos, Marsham era beneficiário de um sistema que lhe proporcionava, assim como a outros como ele, uma vida muito boa, exigindo pouca coisa em troca.

Em 1851, quando começa a nossa história, havia 17621 clérigos anglicanos e um reitor de aldeia, tendo apenas umas 250 almas sob seus cuidados, que desfrutavam de uma renda anual média de cinquentas libras — o mesmo que um alto funcionário como Henry Cole, o criador da ideia da Grande Exposição. A igreja se tornou uma das duas únicas profissões de praxe para os filhos mais novos dos aristocratas e da pequena nobreza (a outra era a carreira militar); assim, muitas vezes eles também traziam para o cargo a riqueza da família. Muitos obtinham mais uma renda substancial arrendando as glebas ou terras agrícolas que recebiam com o cargo. Até os clérigos menos privilegiados em geral estavam bem de vida. Jane Austen foi criada em uma casa paroquial em Steventon, Hampshire, que ela considerava vergonhosamente precária, mas tinha cozinha, sala de estar, sala de visitas, biblioteca e sete quartos — não se poderia considerar uma residência pobre. As melhores condições de vida ficavam em Doddington, Cambridgeshire, que tinha 15 mil hectares de terra e gerava uma renda anual de 7300 libras — digamos, 5 milhões de libras em moeda atual — para o homem de sorte com o cargo de pároco, até que a propriedade foi desmembrada, em 1865.*

Os clérigos da Igreja Anglicana eram de dois tipos: vigários e reitores. A diferença eclesiástica era pequena, mas a econômica era vasta. Historicamente, os vigários substituíam os reitores (a palavra é relacionada com *vicário*, ou substituto), mas na época de Marsham essa distinção já havia quase desaparecido. O pároco (em inglês *parson*, que vem de *ecclesiae persona*, "pessoa da igreja") podia ser chamado de vigário ou de reitor, sobretudo em função da tradição local. Havia, porém, uma persistente diferença de renda.

* Comparar valores de 1851 com os de hoje não é simples, pois se pode calcular usando muitas medidas diferentes, e coisas que hoje são caras (terras, criados domésticos) podiam ser relativamente baratas na época, e vice-versa. Agradeço ao professor Ranald Michie, da Universidade de Durham, por sugerir que a medida mais exata seria uma comparação dos índices de preço no varejo entre 1851 e o presente. Por esse cálculo, as quinhentas libras anuais do sr. Marsham valeriam cerca de 400 mil libras (ou 630 mil dólares) em dinheiro de hoje. A renda anual per capita na Grã-Bretanha em 1851 era de pouco mais de vinte libras.

O salário de um clérigo não vinha da Igreja, mas sim de aluguéis e dízimos. Os dízimos eram de dois tipos: os grandes, provindos de plantações importantes como trigo e cevada, e os pequenos, vindos de hortas, bolotas de carvalho para cevar porcos, forragem e outros alimentos ocasionais. Como os reitores recebiam os grandes dízimos e os vigários os pequenos, os reitores eram mais ricos — por vezes consideravelmente. Os dízimos eram um motivo constante de tensão entre a Igreja e os agricultores, e em 1836, um ano antes de a rainha Vitória subir ao trono, decidiu-se simplificar as coisas. Dali em diante, em vez de dar aos clérigos locais uma parcela da colheita, o agricultor teria de lhe pagar um montante fixo anual, com base no valor geral da terra. Isso significava que o clero tinha direito à cota que lhe era atribuída, mesmo quando os fazendeiros tinham um ano ruim — ou seja, para os clérigos só havia anos bons.

O papel de um clérigo do interior era notavelmente vago. Não se exigia, nem sequer se esperava, religiosidade. Para se ordenar na Igreja Anglicana era preciso um diploma universitário, mas os ministros em geral estudavam os autores clássicos e não tinham nenhuma formação em teologia; assim, não eram treinados para pregar sermões, oferecer inspiração, consolo ou outros tipos de apoio do cristianismo. Muitos nem se davam ao trabalho de escrever sermões; compravam um volumoso livro de sermões já preparados e liam em voz alta um por semana ao subir ao púlpito.

Embora ninguém tivesse essa intenção, o efeito foi criar uma classe de gente rica e bem-educada, com muito tempo livre para gastar. Em consequência, muitos começaram, espontaneamente, a fazer coisas notáveis. Nunca na história um grupo de pessoas se envolveu em uma variedade tão ampla de atividades meritórias nas quais não estava formalmente empregado.

Considere alguns exemplos.

George Bayldon, vigário de uma área remota da região de Yorkshire, tinha tão poucos fiéis em seus serviços que converteu metade da sua igreja em galinheiro, mas como autodidata tornou-se uma autoridade em linguística e compilou o primeiro dicionário de islandês. Não muito longe, Laurence Sterne, vigário de uma paróquia perto de York, escreveu romances populares, o mais lembrado dos quais é *A vida e as opiniões do cavalheiro Tristram Shandy*. Edmund Cartwright, reitor de uma paróquia rural em Leicestershire, inventou o tear mecânico, que na verdade tornou a Revolução Industrial realmente industrial; na época da Grande Exposição, mais de 250 mil de seus teares estavam em uso apenas na Inglaterra.

Em Devon, o reverendo Jack Russell criou a raça de cães terrier, que leva o seu nome, enquanto em Oxford o reverendo William Buckland escreveu a primeira descrição científica dos dinossauros e, não por acaso, tornou-se a maior autoridade mundial em coprólitos — fezes fossilizadas. Thomas Robert Malthus, em Surrey, escreveu o *Ensaio sobre o princípio da população* (que, como você deve se lembrar dos dias de colégio, sugeria que o aumento da produção de alimentos nunca poderia acompanhar o crescimento da população, por razões matemáticas), fundando assim a disciplina de economia política. O reverendo William Greenwell, de Durham, foi um dos fundadores da arqueologia moderna, embora seja mais lembrado entre os pescadores como o inventor da "Glória de Greenwell", a mais amada das iscas para trutas.

Em Dorset, um reverendo com o aristocrático nome de Octavius Pickard-Cambridge tornou-se a maior autoridade mundial em aranhas, enquanto seu contemporâneo, o reverendo William Shepherd, escreveu uma história das piadas sujas. John Clayton, de Yorkshire, deu a primeira demonstração prática da iluminação a gás. O reverendo George Garrett, de Manchester, inventou o submarino.* Adam Buddle, vigário de Essex e botanista, foi a inspiração para a flor homônima, a *buddleia*. John Mackenzie Bacon, de Berkshire, foi pioneiro dos balões de ar quente e pai da fotografia aérea. O reverendo Sabine Baring-Gould escreveu o hino "Avante, soldados de Cristo" e, surpreendentemente, o primeiro livro a apresentar um lobisomem. O reverendo Robert Stephen Hawker, da Cornualha, escreveu poesia de bom nível e era muito admirado por Longfellow e Tennyson, embora alarmasse um pouco seus paroquianos por usar na cabeça um fez cor-de-rosa e passar grande parte da vida sob a influência poderosa e serena do ópio.

Gilbert White, em Western Weald, Hampshire, tornou-se o naturalista mais apreciado da sua época e escreveu a luminosa e ainda muito querida *Na-*

---

* A embarcação se chamava *Resurgam*, que em latim significa "voltarei a subir", um nome bastante desafortunado, já que afundou em uma tempestade no mar da Irlanda três meses após seu lançamento, em 1878, e nunca voltou a subir. Aliás, nem tampouco Garrett. Desanimado com suas experiências, desistiu dos sermões e dos inventos e mudou-se para a Flórida, onde entrou na agricultura. Essa atividade também foi um desastre, e ele terminou a vida, em implacável decepção e decadência, como soldado raso na Guerra Hispano-Americana, acabando por morrer de tuberculose em Nova York em 1902, pobre e esquecido.

tural history of Selborne [História natural de Selborne]. Em Northamptonshire, o reverendo M. J. Berkeley tornou-se a maior autoridade em fungos e doenças de plantas; mas, numa virada menos feliz, parece ter sido responsável pela disseminação de muitas doenças prejudiciais, inclusive a mais perniciosa das pragas hortícolas, o míldio. John Michell, reitor em Derbyshire, ensinou a William Herschel como construir um telescópio, que Herschel depois usou para descobrir Urano. Michell também desenvolveu um método para pesar a Terra, talvez o mais engenhoso experimento científico prático de todo o século XVIII. Morreu antes que pudesse ser realizado o experimento, o qual por fim foi concluído em Londres por Henry Cavendish, um homem brilhante, parente do empregador de Paxton, o duque de Devonshire.

Talvez o clérigo mais extraordinário de todos tenha sido o reverendo Thomas Bayes, de Tunbridge Wells, em Kent, que viveu de 1701 a 1761. Segundo todos os relatos, como pregador era tímido e sem talento algum, mas foi um brilhante matemático. Em algum momento — não se sabe bem quando — ele inventou a equação matemática que ficou conhecida como teorema de Bayes, e que é a seguinte:

$$p(\theta|y) = \frac{p(\theta)p(y|\theta)}{\int p(\eta)p(y|\eta)d\eta}$$

Os que compreendem essa fórmula podem usá-la para calcular vários problemas extremamente complexos sobre a distribuição das probabilidades — ou probabilidades inversas, como também são chamadas. É uma maneira de chegar a probabilidades estatísticas confiáveis com base em informações parciais. O mais marcante no teorema de Bayes é que não tinha nenhuma aplicação prática na sua época. É preciso ter computadores poderosos para dar conta do volume de cálculos necessários para resolver qualquer problema do tipo; portanto, na época de Bayes, foi apenas um exercício interessante, mas basicamente inútil. Bayes dava tão pouca importância ao seu teorema que evidentemente nem se preocupou em divulgá-lo. Um amigo o enviou para a Royal Society de Londres em 1763, dois anos após a morte de Bayes, onde foi publicado na *Philosophical Transactions* da associação com o modesto título de "An essay towards solving a problem in the doctrine of chances" [Uma tentativa de resolver um problema na doutrina das probabilidades]. Na verdade, foi um marco grandioso na história da matemática. Hoje o teorema de Bayes é crucial para os modelos de mudanças climáticas, a interpretação da datação de radiocarbono, e ainda na astrofísica, na análise de mercado de ações, na previsão do tempo, na definição de políticas sociais e onde quer que entrem as probabilidades — e tudo por causa das anotações de um pensativo clérigo inglês do século XVIII.

Muitos clérigos não produziram grandes obras, mas sim grandes filhos. John Dryden, Christopher Wren, Robert Hooke, Thomas Hobbes, Oliver Goldsmith, Jane Austen, Joshua Reynolds, Samuel Taylor Coleridge, Horatio Nelson, as irmãs Brontë, Alfred Lord Tennyson, Cecil Rhodes, Lewis Carroll (que também se ordenou, mesmo sem nunca praticar o sacerdócio) — todos eles foram filhos de párocos. Pode-se perceber a influência desproporcional dos clérigos britânicos fazendo-se uma busca por palavra na versão eletrônica do *Dictionary of national biography*. Digite "reitor" e você encontrará cerca de 4600 verbetes; "vigário" gera mais 3300. Compare-se com resultados decididamente mais modestos, como 338 para "físico", 492 para "economista", 639 para "inventor" e 741 para "cientista". (É interessante notar que esses últimos verbetes não são muito mais numerosos do que os que obtemos digitando "namorador", "assassino" ou "louco", e ficam muito atrás de "excêntrico", com 1010 verbetes.)

Houve tantos homens distintos entre os clérigos que é fácil esquecer que esses eram, na verdade, exceções; a maioria se parecia mais com o nosso sr. Marsham, que, se teve alguma realização ou mesmo ambição, delas não deixou vestígio algum. Sua única ligação com a fama vem do fato de que seu bisavô, Robert Marsham, foi o inventor da fenologia, a ciência (se não for demais chamá-la assim) de acompanhar as mudanças das estações — os primeiros brotos nas árvores, o primeiro cuco da primavera, e assim por diante. Poderíamos pensar que isso é algo que as pessoas fariam de qualquer maneira, espontaneamente; mas na verdade ninguém o tinha feito ainda de forma sistemática, e sob a influência de Marsham tornou-se um passatempo extremamente popular e respeitado no mundo todo. Nos Estados Unidos, Thomas Jefferson foi um devotado seguidor. Mesmo quando era presidente, encontrou tempo para anotar a primeira e a última aparição de 37 tipos de frutas e verduras nos mercados de Washington, e mandava um funcionário fazer observações semelhantes em sua residência, em Monticello, para verificar se as datas mostravam diferenças climatológicas significativas entre os dois lugares. Quando os climatologistas modernos dizem que as flores das macieiras estão surgindo três semanas antes do que ocorria antigamente, e coisas do gênero, muitas vezes sua fonte de informações são os registros de Robert Marsham. Esse Marsham também foi um dos mais ricos proprietários de terras de East Anglia, com uma grande propriedade na aldeia que tem o curioso nome de Stratton Strawless, perto de Norwich. Ali nasceu Thomas John Gordon Marsham, em 1821, e ali passou a maior parte da vida antes de viajar cerca de vinte quilômetros para ocupar o cargo de reitor na nossa aldeia.

Não sabemos quase nada sobre a vida que Marsham levou ali; mas, casualmente, sabemos muito sobre a vida cotidiana dos párocos de aldeia, nessa época do seu esplendor, graças às dedicadas anotações de um deles, que viveu na paróquia vizinha de Weston Longville, oito quilômetros ao norte pelos campos (e ainda visível do telhado da nossa casa). Seu nome era reverendo James Woodforde, e precedeu a Marsham cinquenta anos; mas a vida não deve ter mudado muito nesse ínterim. Woodforde não era especialmente dedicado, instruído ou talentoso, mas gostava de viver e durante 45 anos manteve um animado diário, que nos fornece uma visão excepcionalmente detalhada da vida de um clérigo de aldeia. Esquecido por duzentos anos, foi redescoberto e publicado em forma condensada em 1924 como *The diary of a country parson* [Diário de um pároco do interior]. Tornou-se um best-seller internacional, embora fosse, como notou um crítico, "pouco mais do que uma crônica da gula".

A quantidade de comida posta nas mesas do século XVIII era espantosa, e Woodforde raramente fazia uma refeição sem registrá-la com amor, e na íntegra. Eis aqui os pratos que lhe serviram em um jantar típico em 1784: linguado ao molho de lagosta, galeto, língua de boi, rosbife, sopa, filé de vitela com cogumelos e trufas, torta de pombo, miúdos de carneiro, ganso com ervilhas, geleia de damasco, torta de queijo, compota de cogumelos e pudim de frutas. Em outra refeição, podia escolher entre os seguintes pratos: carpa, presunto, três tipos de galinha, dois patos assados, pescoço de porco, pudim e torta de ameixa, torta de maçã e diversas frutas e nozes, tudo bem regado com vinhos tintos e brancos, cerveja e cidra. Para ele, nada atrapalhava uma boa refeição. Quando sua irmã morreu, Woodforde registrou sua sincera tristeza no diário, mas também achou espaço para anotar: "O jantar de hoje foi um ótimo peru assado". Tampouco interferia qualquer coisa do mundo exterior. A Guerra da Independência americana quase não é citada. A Queda da Bastilha, em 1789, foi mencionada, mas ele dedicou mais espaço para o que lhe serviram no café da manhã. É bem apropriado que a anotação final do seu diário seja o registro de uma refeição.

Woodforde era um ser humano bastante decente — mandava comida aos pobres de vez em quando e levava uma vida de virtude irrepreensível. Mas em todos os anos registrados em seu diário não há nenhuma indicação de que jamais tenha dedicado um momento para compor um sermão, ou que tenha sentido qualquer apego a seus paroquianos, além da alegria de acompanhá-los em um jantar sempre que o convidavam. Se ele não representa uma vida típica, decerto representa uma vida possível.

Quanto a saber onde o sr. Marsham se encaixa em tudo isso, não há como dizer. Se era seu objetivo na vida causar um mínimo de impressão na história humana, ele o atingiu gloriosamente. Em 1851, tinha 29 anos de idade e era solteiro — condição que manteve por toda a vida. Sua governanta, uma mulher com o nome incomum de Elizabeth Worm, ficou com ele durante quarenta anos, até morrer, em 1899; assim, parece que ela, pelo menos, achava a sua companhia agradável; mas se alguém mais também achava, ou não, isso não se pode saber.

Há, no entanto, uma pista pequena e animadora. No último domingo de março de 1851, a Igreja Anglicana realizou uma pesquisa nacional para ver quantas pessoas realmente tinham ido à igreja naquele dia. Os resultados foram chocantes. Mais da metade das pessoas na Inglaterra e no País de Gales não tinha ido à igreja, e apenas 20% tinham assistido a um serviço anglicano. Por mais engenhosos que fossem para criar teoremas matemáticos ou compilar dicionários do idioma islandês, é bem claro que os clérigos já não eram tão importantes para as suas comunidades como já tinham sido. Felizmente, ainda não havia sinal disso na paróquia do sr. Marsham. Os dados do censo mostram que 79 fiéis assistiram ao seu serviço naquela manhã de domingo e 86 vieram à tarde. Isso representava quase 70% dos seus paroquianos — um resultado muito melhor do que a média nacional. Assumindo que fosse um domingo típico para ele, então o nosso sr. Marsham, ao que parece, era um homem bem considerado.

III

No mesmo mês que a Igreja Anglicana fez essa pesquisa de frequência, a Grã-Bretanha fez seu censo nacional, realizado a cada dez anos, computando a população nacional precisamente em 20 959 477 pessoas. Era apenas 1,6% do total mundial, mas podemos dizer com segurança que em parte alguma havia uma fração mais rica e produtiva da humanidade. Esse 1,6% produzia a metade do carvão e do ferro do mundo todo, controlava quase dois terços da marinha mercante e participava de um terço de todo o comércio mundial. Praticamente todo o tecido de algodão do mundo era produzido nas fábricas britânicas, em máquinas inventadas e construídas na Grã-Bretanha. Os bancos de Londres tinham mais dinheiro depositado do que todos os outros centros financeiros do mundo combinados. Londres era o centro de um império imenso e sempre crescente, que em seu auge haveria de abranger 30 milhões de quilômetros quadrados, fazendo de "God save the queen" [Deus salve a rainha] o hino nacional de um quarto da população mundial. A Grã-Bretanha liderava o mundo em quase todas as categorias mensuráveis. Era o país mais rico, mais inovador, mais realizador da época — um país onde até um jardineiro podia elevar-se a uma situação de grandeza.

De repente, pela primeira vez na história, existiam os mais variados objetos, em grande quantidade, na vida da maioria das pessoas. Karl Marx, vivendo em Londres, observou em tom de espanto e admiração que na Grã-Bretanha era possível comprar quinhentos tipos diferentes de martelos. Havia atividade por toda parte. Os londrinos de hoje vivem em uma grandiosa cidade vitoriana; os vitorianos viviam passando através dela, por assim dizer. Em doze anos foram inauguradas na cidade oito estações ferroviárias. Pense na escala do transtorno — valetas, túneis, escavações lamacentas, o congestionamento de carroças e outros veículos, a fumaça, o barulho, a desorganização — resultante de encher a cidade com vias férreas, pontes, esgotos, estações de bombeamento, centrais elétricas, linhas de metrô e tudo o mais. A Londres vitoriana não era apenas a maior cidade do mundo, mas a mais suja, a mais ruidosa, a mais enlameada, movimentada, fumacenta e esburacada que o mundo já vira.

O censo de 1851 também mostrou que na Grã-Bretanha mais pessoas viviam nas cidades do que no campo — pela primeira vez na história humana —, e a consequência mais visível disso eram multidões em uma escala nunca vista. As pessoas agora trabalhavam em massa, viajavam em massa, eram educadas, presas e hospitalizadas em massa. Quando saíam para se divertir, saíam em massa, e em parte alguma iam com tanto entusiasmo e arrebatamento como ao Palácio de Cristal.

Se o edifício em si já era assombroso, as maravilhas em seu interior não eram menos. Havia quase 100 mil objetos expostos, distribuídos em cerca de 14 mil estandes. Entre as novidades havia uma faca com 1851 lâminas, móveis esculpidos em grandes blocos de carvão (apenas para mostrar que isso podia ser feito), um piano de quatro lados para quartetos em família, uma cama que se transformava em bote salva-vidas, outra que jogava, automaticamente, seu assustado ocupante em uma banheira cheia de água; engenhocas voadoras de todo tipo (apesar de não funcionarem), instrumentos para sangria, o maior espelho do mundo, um pedaço enorme de guano do Peru, os famosos diamantes Esperança e Koh-i-Noor,* uma maquete de uma ponte pênsil que uniria a Grã-Bretanha à França, e intermináveis mostras de maquinária, têxteis e manufaturas de todo tipo, vindas do mundo inteiro. O *Times* calculou que seriam necessárias duzentas horas para ver tudo.

Nem todos os estandes eram igualmente fascinantes. Newfoundland dedicou toda a área da sua mostra à história e à fabricação de óleo de fígado de bacalhau, e assim se tornou um oásis de tranquilidade, muito apreciado pelos que procuravam alívio para o empurra-empurra da multidão. A mostra dos Estados Unidos escapou por pouco de ficar vazia. O Congresso americano, em clima de parcimônia, se recusou a financiá-la, e foi preciso levantar verbas com doadores privados. Infelizmente, quando os produtos americanos chegaram a

---

* O Koh-i-Noor se tornara uma das Joias da Coroa britânica dois anos antes, depois de ser liberado (ou saqueado, dependendo da sua perspectiva) pelo Exército britânico durante a conquista do Punjab, na Índia. A maioria das pessoas considerou o Koh-i-Noor uma decepção. Apesar de enorme, com quase duzentos quilates, fora mal lapidado e era muito deficiente em brilho. Depois da exposição, foi corajosamente reduzido para 109 quilates, tornando-se muito mais brilhante, e engastado na coroa real.

Londres, constatou-se que os organizadores haviam pago apenas o suficiente para levá-los até o cais do porto, e não até o Hyde Park. Nem fora alocada nenhuma verba, evidentemente, para montar os estandes e cuidar deles durante cinco meses. Felizmente, o filantropo americano George Peabody, vivendo em Londres na ocasião, entrou em cena e ofereceu 15 mil dólares em fundos de emergência, salvando a delegação norte-americana da crise que ela própria causara. Tudo isso reforçou a convicção mais ou menos universal de que os americanos não passavam de uns caipiras simpáticos, que ainda não estavam prontos para sair pelo mundo sem supervisão.

Assim, causou certa surpresa descobrir, quando os estandes foram montados, que a seção americana era um posto avançado de magia e maravilhas. Quase todas as máquinas faziam coisas que o mundo desejava ardentemente que as máquinas fizessem — arrancar pregos, talhar pedras, moldar velas de cera —, mas com tanta precisão, presteza e incansável confiabilidade que deixavam os outros países atônitos. A máquina de costura de Elias Howe deslumbrava as senhoras, apresentando a promessa impossível de que essa atividade tão trabalhosa da vida doméstica poderia se tornar um passatempo empolgante e divertido. Cyrus McCormick exibiu uma ceifadora capaz de fazer o trabalho de quarenta homens — uma afirmação tão ousada que quase ninguém acreditou, até que a máquina foi levada para uma fazenda nos arredores de Londres e mostrou que realizava tudo o que foi prometido. O mais emocionante era o revólver de repetição de Samuel Colt, não apenas maravilhosamente mortal, mas feito com peças intercambiáveis — um método de fabricação tão especial que ficou conhecido como "sistema americano". Apenas uma criação britânica estava à altura desse virtuosismo todo, dessa exibição de utilidade, novidade e precisão da era da máquina — o próprio Palácio de Cristal de Paxton, que iria desaparecer quando a exposição terminasse. Para muitos europeus, foi o primeiro sinal preocupante de que aqueles matutos mascadores de tabaco do outro lado do oceano estavam criando, sem alarde, o próximo colosso industrial — uma transformação tão impensável que a maioria não conseguia acreditar, embora já estivesse em pleno andamento.

Mas a atração mais popular da Grande Exposição não era nenhum estande, mas sim as elegantes "salas de descanso", onde os visitantes podiam aliviar-se confortavelmente — oferecimento aceito com gratidão e entusiasmo por 827 mil pessoas, 11 mil em um único dia. Em 1851 havia uma carência terrível de banheiros públicos em Londres. No Museu Britânico, até 30 mil visitantes por dia tinham que usar apenas duas latrinas externas. Mas no Palácio de Cristal os banheiros tinham descarga de água, encantando os visitantes a tal ponto que começou a moda de instalar banheiros com descarga em casa — novidade que logo trouxe consequências catastróficas para Londres, como veremos adiante.

A Grande Exposição ofereceu um grande avanço social, além de sanitário — era a primeira vez que pessoas de todas as classes sociais se reuniam no mesmo local e podiam misturar-se em íntima proximidade. Muitos temiam que as pessoas comuns — a plebe ignara, ou "a grande massa dos mal lavados" ["the great unwashed"], como as chamou William M. Thackeray no ano anterior, em seu romance *The history of Pendennis* [A história de Pendennis] — se revelariam indignas dessa confiança e estragariam o prazer dos seus superiores. Poderia até haver sabotagem. A exposição aconteceu, afinal, apenas três anos depois das revoltas populares de 1848, que derrubaram governos em Paris, Berlim, Cracóvia, Budapeste, Viena, Nápoles, Bucareste e Zagreb.

O pior medo era o de que a exposição atrairia os cartistas e seus companheiros de viagem. O cartismo (*chartism*) foi um movimento popular, assim chamado segundo a Carta do Povo de 1837, que buscava uma série de reformas políticas — todas bastante modestas, em retrospecto — desde a supressão dos chamados "burgos podres" e "burgos de bolso"* até a adoção do sufrágio universal masculino. Ao longo de uma década, os cartistas apresentaram uma série de petições ao Parlamento, uma delas com mais de nove quilômetros de comprimento e, pelo que se dizia, assinada por 5,7 milhões de pessoas. O Parlamento ficou impressionado, mas rejeitou todas, para o bem do próprio povo. O sufrágio universal, segundo a opinião geral, era uma ideia perigosa —

---

* "Burgos podres" eram aqueles em que um membro do Parlamento podia ser eleito por um número reduzido de pessoas, como em Bute, na Escócia, onde apenas um dos 14 mil residentes tinha o direito de votar, e obviamente podia eleger a si mesmo. Os "burgos de bolso" eram distritos eleitorais sem nenhum habitante, mas que conservavam um assento no Parlamento, que poderia ser vendido ou doado (para um filho desempregado, por exemplo) pela pessoa que o controlava. O mais famoso burgo de bolso foi Dunwich, cidade costeira no condado de Suffolk, que outrora fora um grande porto — o terceiro maior da Inglaterra — mas que foi arrastado para o mar durante uma tempestade em 1286. Apesar da sua evidente não existência, foi representado no Parlamento até 1832 por uma sucessão de nulidades privilegiadas.

"totalmente incompatível com a existência da civilização", como disse Thomas Babington Macaulay, historiador e membro do Parlamento.

Em Londres os acontecimentos chegaram ao auge em 1848, quando os cartistas anunciaram um grande comício em Kennington Common, ao sul do Tâmisa. Temia-se que eles entrassem num frenesi de indignação, marchassem pela ponte de Westminster e tomassem de assalto o Parlamento. Edifícios do governo em toda a cidade foram fortificados e ficaram em prontidão. No Ministério das Relações Exteriores o chanceler lorde Palmerston bloqueou as janelas com volumes encadernados do *Times*. No Museu Britânico postaram-se homens no telhado com um estoque de tijolos para jogar na cabeça de quem tentasse tomar o edifício. Canhões foram colocados na porta do Banco da Inglaterra e funcionários de várias instituições governamentais receberam espadas e antigos mosquetes, de manutenção duvidosa, tão perigosos para os seus usuários quanto para quem se atrevesse a se postar na frente deles. Ficaram de prontidão 170 mil policiais especiais — a maioria homens ricos e seus criados —, sob o comando do duque de Wellington, já senil com seus 82 anos, e totalmente surdo para qualquer coisa que não fosse um grito altissonante.

Na realidade o comício fracassou por vários motivos: o líder dos cartistas, Feargus O'Connor, se comportava de maneira estranha, devido à demência sifilítica, ainda não diagnosticada (pela qual ele seria internado em um hospício no ano seguinte); os participantes em geral não tinham, na verdade, um coração revolucionário e não queriam causar derramamento de sangue; e ainda uma oportuna chuvarada fez com que retirar-se para um pub parecesse, de súbito, uma opção mais atraente do que tomar de assalto o Parlamento. O *Times* concluiu que a "plebe londrina, embora nem heroica, nem poética, nem patriótica, nem esclarecida, nem limpa, é uma entidade relativamente de boa índole"; e essa definição, embora paternalista, era bastante correta.

Apesar desse alívio, os sentimentos em alguns setores continuaram fortes em 1851. Henry Mayhew, em seu influente livro *London labour and the London poor* [O trabalho de Londres e os pobres de Londres], publicado naquele ano, observou que os trabalhadores, "quase unanimemente", eram "proletários exaltados, que cultivam opiniões violentas".

Mas ao que parece até mesmo os proletários mais incendiários adoravam a Grande Exposição. Foi aberta em 1º maio de 1851, sem nenhum incidente — "um belo espetáculo, imponente e comovente", nas palavras da radiante rainha Vitória, que chamou a inauguração de "o dia mais grandioso da nossa história", e o disse com sinceridade. Vinha gente de todos os cantos do país. Uma mulher chamada Mary Callinack, de 85 anos, ganhou fama ao vir a pé desde a Cornualha, caminhando quase quatrocentos quilômetros. No total, vieram 6 milhões de visitantes nos cinco meses e meio em que a Grande Exposição ficou aberta. Em seu dia mais movimentado, 7 de outubro, entraram quase 110 mil. Em certo momento havia 92 mil almas no edifício ao mesmo tempo — o maior número de pessoas jamais reunido em um local coberto.

Nem todos os visitantes se encantavam. William Morris, futuro designer e esteta, na época com dezessete anos, ficou tão horrorizado com o que considerou falta de gosto e veneração do excesso que saiu do prédio cambaleando para vomitar lá fora. Mas a maioria das pessoas adorava, e quase todos se comportavam bem. Durante todo o tempo que durou a Grande Exposição apenas 25 pessoas foram acusadas de delitos — quinze por bater carteiras e dez por furto. A ausência de crimes foi ainda mais notável do que parece, pois na década de 1850 Hyde Park era notoriamente perigoso, em especial depois do escurecer, quando o risco de roubo era tão grande que surgiu a prática de atravessá-lo apenas em grupo. Graças às multidões, por pouco menos de meio ano o parque se tornou um dos lugares mais seguros de Londres.

A Grande Exposição obteve um lucro de 186 mil libras, suficiente para comprar doze hectares de terra ao sul de Hyde Park, numa área chamada informalmente de Albertópolis. Ali foram construídos os grandes museus e instituições que até hoje dominam a área — o Royal Albert Hall, o Victoria and Albert Museum, o Museu de História Natural, o Royal College of Art, o Royal College of Music, entre outros.

O poderoso Palácio de Cristal de Paxton continuou montado em Hyde Park até o verão de 1852, enquanto se decidia o que fazer com ele. Quase ninguém queria vê-lo desaparecer de vez, mas não havia acordo sobre o que deveria ser feito dele. Uma proposta um tanto exaltada foi convertê-lo em uma torre de vidro de trezentos metros de altura. Finalmente se decidiu transportá-lo para um novo parque, a ser chamado de Parque do Palácio de Cristal, em Sydenham, no sul de Londres. Durante esse processo o novo Palácio de Cristal cresceu, tornando-se uma vez e meia maior que o edifício original, e empregando o dobro do volume de vidro. Como se assentava agora em uma encosta, reerguê-lo foi um desafio muito maior. Quatro vezes ele desabou. Cerca de 6400 trabalhadores foram necessários para montar o novo edifício, trabalhando mais de dois anos. Dezessete deles ali perderam a vida. Tudo no Palácio de Cristal que antes parecia mágico e abençoado estranhamente se esvaiu, e ele nunca recuperou seu lugar central nos afetos da nação. Em 1936 foi totalmente queimado durante um enorme incêndio.

Dez anos após a Grande Exposição o príncipe Albert morreu, e a grande nave espacial gótica conhecida como Albert Memorial logo foi construída a oeste do local onde antes ficava o Palácio de Cristal, a um custo estarrecedor de 120 mil libras, ou seja, uma vez e meia o custo do próprio Palácio de Cristal. Ali está, até hoje, Albert sentado no trono, sob um enorme dossel dourado. No colo ele segura um livro: o catálogo da Grande Exposição. Não há em Londres estátuas ou monumentos dedicados a Joseph Paxton ou Henry Cole. Tudo que resta do Palácio de Cristal original é um par de grandes portões decorativos de ferro batido, que antes protegiam a bilheteria na entrada do grande salão; agora, despercebidos, marcam um pequeno trecho da divisa entre o Hyde Park e Kensington Gardens.

A época de ouro do clero britânico também terminou abruptamente. A década de 1870 viu o início de uma depressão agrícola brutal, que atingiu os proprietários de terras e todos que dependiam da prosperidade destes. Em seis anos, 100 mil agricultores e trabalhadores rurais abandonaram as terras. Na nossa paróquia a população caiu quase pela metade em quinze anos. Em meados da década de 1880 o valor tributável da paróquia inteira não passava de 1713 libras — apenas cem libras a mais do que havia custado a Thomas Marsham construir sua casa paroquial três décadas antes.

Até o final do século a renda média do clérigo inglês caiu para a metade do que havia sido cinquenta anos antes. Ajustada pelo poder aquisitivo, era uma ninharia ainda mais miserável. Ser pároco no interior deixou de ser uma atraente sinecura. Muitos clérigos já não podiam se dar ao luxo de casar. Aqueles que tinham cérebro e oportunidade levaram seus talentos para outros lugares. Na virada do século, escreve David Cannadine, "as melhores mentes da geração se encontravam fora da Igreja, e não dentro".

Em 1899 a propriedade da família Marsham foi dividida e vendida, e assim terminou a relação benigna e dominante da família com o condado. Curiosamente, algo inesperado que sucedeu na cozinha foi responsável, em grande parte, pela devastadora depressão agrícola iniciada na década de 1870. Chegaremos a essa história em breve, mas, antes de começar nossa excursão pela casa, seria bom tomar algumas páginas para analisar a questão, que de súbito se torna pertinente, de por que, afinal, as pessoas residem em casas.

2. O ambiente

I

Se tivéssemos alguma forma de trazer o reverendo Thomas Marsham de volta à vida e devolvê-lo à sua casa paroquial, talvez a sua maior surpresa — além de estar vivo aqui, é claro — seria descobrir que a casa se tornara, por assim dizer, invisível. Hoje ela fica em meio a uma densa floresta particular, que lhe dá um ar de reclusão; mas em 1851, quando era nova, ela se erguia, bem distinta, até surpreendente, em um campo aberto — uma construção de tijolos vermelhos em meio a um terreno vazio.

Nos outros aspectos, porém, e com a exceção de certo envelhecimento e da introdução de fios elétricos e uma antena de tevê, ela se conserva praticamente inalterada desde 1851. É agora, como era então, manifestamente, uma casa. Sua aparência é aquela que uma casa deve ter. Parece um lar; tem um ar doméstico.

Talvez seja, então, um tanto surpreendente refletir que não há nada nessa casa, ou em qualquer casa, que seja inevitável. Tudo teve de ser pensado — portas, janelas, chaminés, escadas — e boa parte disso, como veremos agora, exigiu muito mais tempo e experimentação do que se poderia imaginar.

Na verdade, as casas são coisas muito estranhas. Elas quase não têm qualidades universais: podem assumir praticamente qualquer forma, incorporar praticamente qualquer material, ser de qualquer tamanho, ocupar qualquer espaço. No entanto, onde quer que se ande pelo mundo, nós conhecemos casas e reconhecemos o que é uma casa assim que a vemos. Essa aura doméstica é, ao que parece, muito antiga, e o primeiro sinal desse fato marcante foi descoberto por acaso, bem no momento em que nosso velho presbitério estava sendo construído, no inverno de 1850, quando uma poderosa tempestade atingiu a Grã-Bretanha.

Foi uma das piores tempestades em décadas, e causou devastação generalizada. Em Goodwin Sands, no litoral de Kent, cinco navios foram despedaçados, com perda de todas as vidas. Na costa de Worthing, em Sussex, onze homens em um bote salva-vidas, partindo para socorrer um navio em dificuldades, se afogaram quando o barco foi virado por uma gigantesca onda. Em Kilkee um veleiro irlandês chamado *Edmund*, rumando para a América, perdeu a direção, e os passageiros e a tripulação assistiram, impotentes, ao navio ficar à deriva, chocar-se contra uns rochedos e estilhaçar-se em pedacinhos. Noventa e seis pessoas morreram afogadas; algumas conseguiram lutar até chegar a terra, incluindo uma senhora idosa que se agarrou às costas do bravo capitão Wilson — o qual era, segundo registrou o *Illustrated London News* com uma satisfação lúgubre, de nacionalidade inglesa. Ao todo mais de duas centenas de pessoas perderam a vida no mar em torno das Ilhas Britânicas naquela noite.

Em Londres, no semiconstruído Palácio de Cristal que ia se erguendo no Hyde Park, painéis de vidro recém-instalados se levantaram e bateram, mas ficaram no lugar, e o edifício resistiu à fúria dos ventos mal soltando um gemido — para alívio de Joseph Paxton, que prometera que ele seria à prova de tempestades, e apreciou a confirmação. Mil quilômetros ao norte, nas Ilhas Orkney, na Escócia, a tempestade rugiu durante dois dias. E em um lugar chamado Bay'Skaill o vendaval arrancou toda a camada externa de uma colina grande e irregular, de um tipo conhecido localmente como *howie*, que era um marco geográfico do local desde tempos imemoriais.

Quando, finalmente, a tempestade cessou e os moradores da ilha apareceram na praia, agora toda reconfigurada, ficaram espantados ao descobrir que onde antes ficava o *howie* agora se revelavam os vestígios de uma antiga e compacta aldeia com casas de pedra. Faltavam os tetos, mas, apesar disso, estava maravilhosamente intacta. Composta de nove casas, todas ainda contendo boa parte de seus objetos originais, a aldeia data de 5 mil anos atrás. É mais antiga que Stonehenge e as Grandes Pirâmides, mais antiga que quase todas as estruturas construídas na terra. Extremamente rara e importante, é conhecida como Skara Brae.

Por ser tão completa e bem preservada, Skara Brae oferece um cenário de domesticidade íntima, até perturbadora. Em lugar algum se pode ter uma noção mais poderosa do que era a vida doméstica na Idade da Pedra. Como observam todos os visitantes, é como se os habitantes tivessem acabado de sair de lá. E o mais surpreendente em Skara Brae é a sofisticação. Eram moradias do período neolítico, mas as casas tinham trancas nas portas, um sistema de drenagem e até mesmo, parece, uma canalização básica, com ranhuras nas paredes para conduzir a água servida. O interior era espaçoso. As paredes, que continuam em pé, tinham um belo pé-direito, de quase três metros de altura, e os pisos eram pavimentados. Cada casa tem gaveteiros embutidos de pedra, alcovas para armazenamento, recantos fechados que provavelmente eram camas, tanques de água e valetas para escoar a umidade que mantinham o interior seco e confortável. As casas são todas do mesmo tamanho e construídas segundo a mesma planta, sugerindo uma espécie de comunidade aprazível, e não uma hierarquia tribal tradicional. Há passagens cobertas entre as casas, levando a uma área aberta pavimentada — apelidada de "mercado" pelos primeiros arqueólogos —, onde as tarefas podiam ser feitas em um ambiente social.

Parece que os habitantes de Skara Brae levavam uma boa vida. Tinham joias e cerâmicas, cultivavam trigo e cevada e desfrutavam de mariscos e peixes em abundância, incluindo um bacalhau que pesava 35 quilos. Criavam vacas, ovelhas, porcos e cães. A única coisa que lhes faltava era a madeira. Para obter calor queimavam algas, que é um combustível muito ineficiente; mas o que para eles era um problema crônico, para nós foi uma sorte. Se suas casas fossem de madeira, nada restaria delas e jamais poderíamos imaginar como era Skara Brae no passado.

Skara Brae tem uma raridade e um valor extremos. A Europa pré-histórica era quase vazia. Há 15 mil anos, a população em todo o território das Ilhas Britânicas talvez fosse de apenas 2 mil habitantes. Na época de Skara Brae o número havia subido para cerca de 20 mil, mas a média era de apenas uma pessoa por 1200 hectares, de modo que encontrar qualquer sinal de vida do período neolítico é sempre emocionante. Mesmo na época deve ter sido empolgante.

Skara Brae também apresenta várias curiosidades. Uma moradia, ligeiramente afastada das outras, se trancava pelo lado de fora, prendendo quem estivesse lá dentro, o que estraga um pouco a impressão de uma sociedade onde reinava a serenidade universal. Por que seria necessário confinar alguém em uma comunidade tão pequena é, obviamente, uma pergunta que não pode ser respondida a uma distância tão grande no tempo. Também são um tanto incompreensíveis os recipientes de armazenamento à prova d'água encontrados em cada habitação. A explicação comum é que eram usados para guardar lapas, um molusco de casca dura que abunda nos arredores. Mas por que eles desejariam estocar lapas frescas em casa? Não há resposta fácil, nem mesmo uma conjectura, pois as lapas são um péssimo alimento, fornecendo apenas cerca de uma caloria cada uma e com uma consistência de borracha que as torna praticamente intragáveis; na verdade, elas consomem mais energia para mastigar do que oferecem como nutrição.

Não sabemos absolutamente nada sobre essas pessoas — de onde vieram, que língua falavam, o que as levou a se instalarem em um local tão solitário, despido de árvores, nos limites setentrionais da Europa —, mas as evidências ali indicam que Skara Brae desfrutou de seiscentos anos ininterruptos de conforto e tranquilidade. E um belo dia, por volta de 2500 a.C., os ocupantes desapareceram — de repente, ao que parece. No corredor em frente a uma casa foram encontradas contas ornamentais, possivelmente preciosas para o seu dono, espalhadas pelo chão, sugerindo que um colar tinha se partido e o dono ou dona, tomado de pânico ou de pressa, não parou para recuperá-lo. Por que o idílio feliz de Skara Brae chegou a um fim súbito? Como tantas outras coisas, é impossível saber.

É notável que após a descoberta de Skara Brae quase um século se passou até que alguém examinasse bem o local. William Watt, da Skaill House, nas proximidades, salvou alguns objetos; mas é horripilante saber que mais tarde apareceu um grupo de gente, vindo da mesma casa, todos armados com pás e ferramentas, que alegremente saqueou todo o local em um fim de semana de 1913, tirando sabe-se lá o que como suvenir; foi só essa a atenção que Skara Brae atraiu. Em 1924 outra tempestade arrebentou parte de uma casa e a arrastou para o mar; assim, foi decidido que era necessário examinar formalmente o local e preservá-lo em segurança. O trabalho recaiu sobre um brilhante professor marxista da Universidade de Edimburgo, australiano de nascimento, um tanto excêntrico, que detestava o trabalho de campo e evitava ao máximo sair do seu gabinete. Seu nome era Vere Gordon Childe.

Childe não era arqueólogo — poucas pessoas no início da década de 1920 tinham essa formação. Cursara estudos clássicos e filologia na Universidade de Sydney, onde também criou um profundo e permanente apego ao comunismo. Essa paixão, que o deixava cego aos excessos de Joseph Stalin, deu a seu trabalho com a arqueologia uma coloração interessante e produtiva. Em 1914 entrou na pós-graduação na Universidade de Oxford, e aí começou a ler e refletir, até se tornar a principal autoridade da época quanto à vida e às migrações dos povos primitivos. Em 1927 a Universidade de Edimburgo o nomeou para o cargo, recém-criado, de professor de arqueologia pré-histórica da cátedra Abercrombie, tornando-se o único arqueólogo acadêmico da Escócia. Por isso, quando foi necessário pesquisar Skara Brae ele foi chamado. E foi assim que, no verão de 1927, Childe viajou para o norte, de trem e de barco, até Orkney.

Quase todas as descrições escritas sobre Childe se demoram, até amorosamente, nas suas maneiras estranhas e aparência peculiar. Seu colega Max Mallowan (hoje mais lembrado como segundo marido de Agatha Christie) disse que seu rosto "era tão feio que até doía olhar". Outro colega de Childe recorda que ele era "alto, desengonçado e feio, excêntrico no vestir e muitas vezes brusco de maneiras, com uma personalidade curiosa e com frequência alarmante". As poucas fotos de Childe que sobrevivem confirmam que ele não era nenhuma beldade — era magro e sem queixo, com olhinhos apertados por trás de óculos tipo coruja, e parecia que seu bigode a qualquer momento iria criar vida e sair rastejando. Mas, apesar dos comentários nada caridosos sobre o exterior da sua cabeça, o fato é que o interior dela era um lugar de dourado esplendor. Childe tinha uma mente magnífica, excelente memória e facilidade excepcional para línguas. Lia em pelo menos uma dúzia de idiomas vivos e mortos, o que lhe permitia vascular textos antigos e modernos sobre qualquer assunto que lhe interessasse — e praticamente tudo lhe interessava. A combinação da aparência estranha, resmungos tímidos, físico desajeitado e intelecto poderoso era insuportável para muita gente. Um aluno seu recorda que em uma única noite, em um evento social, Childe dirigiu-se aos presentes em meia dúzia de línguas, demonstrou como fazer divisão com algarismos

Vere Gordon Childe em Skara Brae, 1930.

romanos, dissertou sobre os princípios químicos das datações da Idade do Bronze, e citou longamente, de memória, nos idiomas originais, uma série de clássicos da literatura. A maioria das pessoas o achava simplesmente exaustivo.

Não era alguém nascido para escavar, para dizer o mínimo. Um colega, Stuart Piggott, observou quase com reverência a "incapacidade de Childe de apreciar a natureza das evidências arqueológicas em campo, e os processos envolvidos na sua recuperação, reconhecimento e interpretação". Quase todos os seus numerosos livros se baseavam em leituras e não na experiência pessoal. Até o seu domínio de idiomas era só parcial. Embora soubesse ler nessas línguas com perfeição, quando falava a pronúncia das palavras era inventada à sua própria moda, e nenhum falante daquelas línguas conseguia compreender. Certa vez na Noruega, esperando impressionar os colegas, tentou pedir um prato de framboesas — mas trouxeram uma dúzia de cervejas.

Apesar das suas deficiências em aparência e maneiras, Childe foi, sem dúvida, uma força benéfica na arqueologia. Ao longo de três décadas e meia, produziu seiscentos artigos e livros, tanto populares como acadêmicos, incluindo os best-sellers *Man makes himself* [O homem faz a si mesmo] (1936) e *What happened in history* [O que aconteceu na história] (1942), mais tarde citado por muitos arqueólogos como o livro que os inspirou a seguir a profissão. Acima de tudo, era um pensador original; e, bem na época em que fazia escavações em Skara Brae, teve um insight que talvez tenha sido a maior e mais original ideia da arqueologia do século xx.

Tradicionalmente se divide o passado humano em três épocas muito desiguais. Temos o Paleolítico (isto é, "período antigo da Idade da Pedra", ou idade da pedra lascada), que se estendeu desde 2,5 milhões de anos atrás até cerca de 10 mil anos atrás; o Mesolítico ("período médio da Idade da Pedra"), que vai de 10 mil a 6 mil anos atrás, abrangendo a fase de transição da vida de caçadores-coletores para a difusão da agricultura; e o Neolítico ("nova Idade da Pedra", ou idade da pedra polida), que compreende os últimos 2 mil anos da pré-história, desde seu final até a Idade do Bronze, um período extremamente produtivo. Dentro de cada período há muitos subperíodos — olduvaiense, musteriense, gravetiano etc. — que de modo geral só interessam aos especialistas e não precisam desviar nossa atenção aqui.

A ideia importante a reter é que nos primeiros 99% da nossa história de seres humanos não fizemos quase mais nada além de procriar e sobreviver; mas foi então que pessoas do mundo todo descobriram a agricultura, a irrigação, a escrita, a arquitetura, o governo e outros refinamentos que, em conjunto, formam o que chamamos carinhosamente de civilização. Essa fase já foi muitas vezes definida como o evento mais importante na história da humanidade, e a primeira pessoa que reconheceu plenamente e conceituou todo esse processo complexo foi Vere Gordon Childe. Ele o chamou de "Revolução Neolítica".

Essa revolução continua sendo um dos grandes mistérios do desenvolvimento humano. Hoje os cientistas podem nos dizer onde e quando isso aconteceu; mas não sabem o porquê. Quase com certeza (pelo que supomos), teve algo a ver com grandes mudanças no clima. Há cerca de 12 mil anos a Terra entrou num rápido aquecimento; e em seguida, por razões desconhecidas, voltou abruptamente para o frio intenso durante cerca de mil anos — uma espécie de último suspiro das eras glaciais. Esse período frio é conhecido pelos cientistas como Dryas recente. (Foi assim chamado segundo uma planta do Ártico, a drias, uma das primeiras a recolonizar a terra depois que uma camada de gelo retrocede. Houve também o período Dryas antigo, mas não foi importante para o desenvolvimento humano.) Depois de mais dez séculos de frio cortante, o mundo se aqueceu de novo com rapidez, e vem se conservando relativamente quente desde então. Quase tudo o que realizamos como seres avançados foi feito nesse breve período de glória climatológica.

O interessante da Revolução Neolítica é que ela aconteceu em todo o planeta, entre povos que não faziam a menor ideia de que outros, em lugares distantes, estavam fazendo exatamente as mesmas coisas. A agricultura foi inventada de forma independente pelo menos sete vezes — na China, no Oriente Médio, na Nova Guiné, nos Andes, na bacia amazônica, no México e na África Ocidental. Da mesma forma, as cidades surgiram em seis lugares — China, Egito, Índia, Mesopotâmia, América Central e Andes. Quando se considera que todas essas coisas aconteceram por toda parte, muitas vezes sem possibilidade alguma de contato, é algo realmente muito estranho. Como disse um historiador: "Quando Cortez desembarcou no México, encontrou estradas, canais, cidades, palácios, escolas, tribunais, mercados, obras de irrigação, reis, sacerdotes, templos, camponeses, artesãos, exércitos, astrônomos, comerciantes, esportes, teatro, arte, música e livros" — tudo inventado de modo independente de avanços similares em outros continentes. E alguns elementos disso são bastante estranhos. Os cães, por exemplo, foram domesticados mais ou menos na mesma época em lugares distanciados — Inglaterra, Sibéria, América do Norte.

É tentador pensar nisso como um momento em que uma lâmpada se acendesse no mundo todo; mas seria forçar as coisas. A maioria dos avanços resultou de vastos períodos de experiência, erro e ajuste, muitas vezes ao longo de milhares de anos. A agricultura começou há 11 500 anos no Levante, mas há 8 mil anos na China e há pouco mais de 5 mil anos na maior parte das Américas. As pessoas já conviviam com animais domesticados há 4 mil anos até que ocorreu a alguém colocar os maiores deles para trabalhar, puxando arados. Os ocidentais usaram um arado desajeitado, pesado, extremamente ineficiente, com pás retas, por mais 2 mil anos, até que se introduziu o simples arado curvo, que os chineses já usavam desde tempos imemoriais. Os mesopotâmios inventaram e usaram a roda, mas o vizinho Egito esperou 2 mil anos para adotá-la. Na América Central, os maias também inventaram a roda, de forma independente, mas não conseguiram pensar em nenhuma aplicação prática para ela e a reservaram apenas para brinquedos infantis. Os incas não tinham roda alguma, nem dinheiro, nem ferro, nem escrita. Em suma, a marcha do progresso não tem sido nada previsível nem rítmica.

Durante muito tempo se pensou que fixar-se em um só local — o sedentarismo, como é conhecido — e a agricultura caminhavam de mãos dadas. Assumia-se que as pessoas abandonaram o nomadismo e adotaram a agricultura para garantir seu suprimento alimentar. Matar animais selvagens é difícil e depende da sorte; muitas vezes os caçadores voltavam para casa de mãos vazias. É muito melhor controlar as fontes de alimento e tê-las ao alcance da mão de forma permanente e prática. Mas, na verdade, os pesquisadores perceberam logo que o sedentarismo não foi tão simples assim. Mais ou menos na mesma época em que Childe fazia suas escavações em Skara Brae, uma arqueóloga da Universidade de Cambridge, Dorothy Garrod, trabalhando na Palestina em um lugar chamado Shubakh, descobriu uma antiga cultura que chamou de Natufiana, seguindo um *wadi*, ou leito de rio seco, que ficava nas proximidades. Os natufianos construíram as primeiras aldeias e fundaram Jericó, a primeira cidade verdadeira do mundo. Assim, eram um povo sedentário, bem assentado; e no entanto não praticava a agricultura. Essa descoberta foi inesperada; mas outras escavações no Oriente Médio também mostraram que não era incomum que as pessoas se fixassem em comunidades permanentes muito antes de começarem a praticar a agricultura — por vezes, 8 mil anos antes.

Sendo assim, se as pessoas não se fixavam a fim de praticar a agricultura, por que, então, embarcaram nesse modo de vida inteiramente novo? Não temos ideia — ou melhor, temos muitas ideias, mas não sabemos se alguma delas é correta. Segundo Felipe Fernández-Armesto, pelo menos 38 teorias já foram propostas para explicar por que as pessoas começaram a viver em comunidades: foram levadas a isso por mudanças climáticas, ou pelo desejo de ficar perto dos seus mortos, ou por um poderoso desejo de fabricar e beber cerveja, que só poderia ser satisfeito se permanecessem no mesmo lugar. Uma teoria, sugerida a sério (Jane Jacobs a cita em seu trabalho decisivo de 1969, *The economy of cities* [A economia das cidades]), é que "chuvas fortuitas" de raios cósmicos causaram mutações em gramíneas, que de repente se tornaram atraentes como alimento. A resposta, em suma, é que ninguém sabe por que a agricultura se desenvolveu do modo como ocorreu.

Fazer alimentos a partir das plantas é um trabalho duro. A transformação de trigo, arroz, milho, painço, cevada e outras gramíneas em alimentos básicos é uma das grandes conquistas da história humana, mas também uma das mais inesperadas. Basta olhar pela janela e refletir um pouco sobre o seu gramado para perceber que a grama, em seu estado natural, não é um alimento óbvio para os não ruminantes como nós. Para o ser humano, tornar a grama comestível é um desafio que só pode ser resolvido com muitas manipulações cuidadosas e prolongado engenho. Pense no trigo. É inútil como alimento até se transformar em algo muito mais complexo e ambicioso, como o pão, o que exige um grande esforço. Em primeiro lugar alguém tem que separar os grãos e moê-los, até virarem farinha grossa; em seguida, converter essa farinha em farinha fina e misturá-la a outros ingredientes, como fermento e sal, para fazer a massa. Esta deve então ser sovada até atingir determinada consistência; e por fim a massa resultante deve ser assada no forno, com precisão e cuidado. A possibilidade de fracasso, só nessa última etapa, é tão grande que em todas as sociedades que consomem pão a atividade de assá-lo ficou a cargo de profissionais desde os primórdios.

Também não vamos pensar que a agricultura trouxe uma grande melhoria no nível de vida. Um típico caçador-coletor desfrutava de uma dieta mais variada e consumia mais proteínas e calorias do que os sedentários, e cinco vezes mais vitamina C do que a pessoa média de hoje. Até nas profundezas das eras glaciais, como sabemos agora, a alimentação dos nômades era surpreendentemente boa e saudável. Já os assentados, pelo contrário, se tornaram dependentes de uma gama muito menor de alimentos, o que resultava em insuficiência alimentar. Os três grandes cultivos agrícolas pré-históricos foram arroz, trigo e milho; mas os três tinham desvantagens significativas como alimentos básicos. Como explica John Lanchester: "O arroz inibe a atividade da vitamina A; o trigo tem uma substância química que impede a ação do zinco e pode prejudicar o crescimento; o milho é deficiente em aminoácidos essenciais e contém fitatos, que impedem a absorção do ferro". De fato, a altura média das pessoas caiu quase quinze centímetros nos primórdios da agricultura no Oriente Próximo. Mesmo em Orkney, onde a vida pré-histórica provavelmente era tão boa como possível, uma análise de 340 esqueletos antigos mostrou que quase ninguém passava da casa dos vinte anos.

O que matou os orcadianos não foi a deficiência alimentar, mas sim a doença. Pessoas que vivem em comunidade têm muito mais chances de espalhar as doenças de casa em casa; e devido ao contato com animais, resultado da domesticação, a gripe (vinda dos suínos ou das aves), a varíola e o sarampo (de vacas e ovelhas) e o antraz (de cavalos, cabras, entre outros) também podiam fazer parte da condição humana. Pelo que sabemos, quase todas as doenças infecciosas só se tornaram endêmicas depois que as pessoas começaram a viver juntas. O sedentarismo também trouxe um enorme aumento no número de "comensais do homem" — ratos, camundongos e outras criaturas que vivem conosco e às nossas expensas —, que também agem como vetores de doenças.

Vemos então que o sedentarismo significou uma alimentação mais pobre, mais doenças, muita dor de dente e males das gengivas, e mortes mais prematuras. O extraordinário é que todos esses fatores ainda estão presentes na nossa vida. Dos 30 mil tipos de plantas comestíveis que acreditamos existir na terra, apenas onze — milho, arroz, trigo, batata, mandioca, sorgo, painço, feijão, cevada, centeio e aveia — constituem 93% de tudo que os seres humanos comem, e todas elas começaram a ser cultivadas pelos nossos antepassados ainda no Neolítico. O mesmo vale para a criação de animais. Os que criamos hoje para a nossa alimentação não são consumidos por serem especialmente saborosos e nutritivos, ou agradáveis como companhia, mas porque foram os primeiros a serem domesticados na Idade da Pedra.

Nós mesmos somos, da maneira mais fundamental, gente da Idade da Pedra. Do ponto de vista alimentar, continuamos no Neolítico. Podemos salpicar os pratos com folhas de louro ou erva-doce picada, mas por baixo disso a comida é a da Idade da Pedra. E, quando ficamos doentes, são as doenças da Idade da Pedra que nos atacam.

II

Se há 10 mil anos alguém lhe pedisse para adivinhar onde se localizariam as maiores civilizações futuras, você provavelmente escolheria alguma parte da América Central ou do Sul, devido às coisas espantosas que esses povos já faziam com os alimentos. Os acadêmicos chamam essa parte do Novo Mundo de Mesoamérica, um termo vago, bem conveniente, que pode ser definido como a América Central mais alguns trechos da América do Norte e do Sul — quantos forem necessários para dar sustentação a uma hipótese.

Os mesoamericanos foram os maiores cultivadores da história; mas, entre todas as suas inovações horticulturais, nenhuma foi tão duradoura, importante e inesperada como a criação do milho.* Ainda não temos ideia de como eles fizeram isso. Se você examinar formas primitivas de arroz, cevada ou trigo e compará-las com suas versões modernas, verá de imediato as afinidades. Mas nenhuma planta silvestre se assemelha nem remotamente ao milho moderno. Geneticamente, seu parente mais próximo é uma gramínea rala chamada teosinto, mas para além do nível dos cromossomas não se percebe parentesco. O milho cresce formando uma espiga pesada, uma só por caule, e seus grãos ficam encerrados sob a proteção de uma casca rígida. Em comparação, uma es-

---

* Na Grã-Bretanha a palavra *corn* significa qualquer cereal, desde a época dos anglo-saxões. Daí passou a significar qualquer pequeno objeto redondo, o que explica "corns" na acepção de calos nos pés. A carne enlatada se chama "corned beef" porque originalmente era curada com colheradas de sal, que vinha em grumos. Devido à importância do milho nos Estados Unidos (ali chamado de *maize*), a palavra "corn" passou a denominar exclusivamente o milho no início do século XVIII.

piga de teosinto mede cerca de dois centímetros de comprimento; não tem casca protetora; e no mesmo caule crescem várias. É quase sem valor como alimento; um único grão de milho é mais nutritivo do que toda uma espiga de teosinto.

Seria impossível adivinhar como algum povo poderia criar espigas de milho a partir de uma planta tão pequenina e nada promissora — ou mesmo tentar criá-la. Na esperança de resolver a questão, em 1969 cientistas da alimentação de todo o mundo se reuniram na Conferência sobre a Origem do Milho, na Universidade de Illinois; mas os debates se tornaram tão injuriosos e agressivos, às vezes com ataques pessoais, que a conferência acabou em confusão, sem que nenhum artigo fosse publicado. Nenhuma outra tentativa do gênero foi feita desde então. Mas hoje os cientistas têm bastante certeza de que o milho foi domesticado nas planícies do oeste do México; e, graças às maravilhas da genética, eles não têm mais dúvida de que proveio do teosinto, mediante muito trabalho; mas a maneira como isso foi feito continua sendo um mistério.

Seja qual for o método, o certo é que conseguiram criar a primeira planta totalmente "fabricada" ou "engenheirada" que o mundo já viu — tão completamente manipulada que agora depende de nós para sobreviver. Como os grãos de milho não se soltam espontaneamente da espiga, se não forem deliberadamente debulhados e plantados, o milho não pode se reproduzir. Se o homem não cuidasse dele continuamente há milhares de anos, o milho estaria extinto. Os inventores do milho não criaram apenas um novo tipo de planta; criaram também — a partir do nada, realmente — um novo tipo de ecossistema que não existia em parte alguma do seu mundo. Na Mesopotâmia já havia pradarias naturais por toda parte; portanto, o cultivo se resumia em transformar esses campos de grãos nativos em plantações manipuladas pelo homem, de qualidade superior. No entanto, nas regiões áridas da América Central as plantações naturais eram desconhecidas. Tiveram de ser criadas a partir do zero por gente que nunca vira tal coisa antes. Era como se alguém em pleno deserto imaginasse um gramado.

Hoje o milho é muito mais indispensável do que a maioria das pessoas imagina. O amido de milho é usado na fabricação de refrigerantes, gomas de mascar, sorvetes, manteiga de amendoim, cola para encadernar livros, ketchup, pintura de automóveis, formol, pólvora, inseticidas, desodorantes, sabonetes, batata frita, curativos cirúrgicos, esmaltes de unha, talco, molhos de salada e centenas de outras coisas. Citando Michael Pollan, parece que nós não domesticamos o milho; na verdade, foi o milho que nos domesticou.

A preocupação atual é que, à medida que as culturas vão sendo manipuladas até chegar a um estado de perfeição genética uniforme, elas perderão a variabilidade que lhes dá proteção. Hoje, quando passamos de carro por um milharal, cada pé de milho é idêntico a todos os outros — não só extremamente semelhante, mas, o que é inquietante, idêntico no aspecto molecular. Todos esses replicantes vivem em perfeita harmonia, já que nenhum consegue vencer na competição com os outros. Mas eles também têm uma vulnerabilidade correspondente. Em 1970, o mundo do milho sofreu um verdadeiro susto quando uma doença chamada helmintosporiose (ferrugem da folha do milho) começou a matar a planta nos Estados Unidos e percebeu-se que praticamente toda a safra nacional fora plantada a partir de sementes com citoplasmas geneticamente idênticos. Se o citoplasma tivesse sido diretamente afetado, ou se a doença tivesse se mostrado mais violenta, hoje os cientistas de alimentos estariam pesquisando, perplexos, as miniespigas de teosinto, e nós todos estaríamos comendo batatas fritas e sorvetes com sabor estranho.

A batata, a outra grande cultura alimentar do Novo Mundo, apresenta outros mistérios também intrigantes. As batatas são da família das solanáceas, notoriamente tóxica, que em seu estado silvestre está cheia de glicoalcaloides venenosos — a mesma substância que, em doses mais baixas, dá a energia na cafeína e na nicotina. Tornar a batata silvestre segura para a alimentação exige reduzir de quinze a vinte vezes seu teor normal de glicoalcaloides. Isso suscita muitas perguntas: De que modo eles fizeram isso? E, durante o processo, como *sabiam* o que estavam fazendo? Como se pode saber se o teor de veneno foi reduzido, digamos, 20% ou 35%, ou algum outro índice intermediário? Como se avalia o progresso nesse processo? E, acima de tudo, como eles sabiam que esse esforço todo valia a pena, e que no final obteriam um alimento seguro e nutritivo?

Também é possível, sem dúvida, que tenha havido uma mutação espontânea para uma batata não tóxica, poupando-lhes várias gerações de reprodução seletiva experimental. Mas, se foi assim, como eles sabiam que aquela planta sofreu essa mutação e que, de todas as batatas silvestres venenosas ao redor, aquela, afinal, era segura para se comer?

O fato é que as pessoas da Antiguidade muitas vezes faziam coisas não só surpreendentes, mas que escapam à nossa compreensão.

III

Enquanto os mesoamericanos colhiam milho e batata (e também abacate, tomate, feijão e uma centena de outras plantas que nos deixariam desolados se nos faltassem agora), do outro lado do planeta se construíam as primeiras cidades — também misteriosas e surpreendentes.

Veja-se esta importante descoberta feita na Turquia em 1958. Um dia, no final daquele ano, um jovem arqueólogo britânico, James Mellaart, estava passando de carro com dois colegas por uma região bastante deserta da Anatólia central, quando percebeu uma colina de aparência não natural — "uma corcova coberta de cardos" — que se estendia por uma planície árida, com cerca de quinze ou dezoito metros de altura e seiscentos metros de comprimento. No total, abrangia cerca de treze hectares — uma área de imensidão misteriosa. Voltando no ano seguinte, Mellaart fez uma escavação experimental e, para sua surpresa, descobriu que a colina continha vestígios de uma cidade antiga.

Era algo inesperado, inédito. As cidades antigas, como até os leigos sabiam, eram fenômenos da Mesopotâmia e do Levante. Não deveriam existir na Anatólia. No entanto, aqui estava uma das mais antigas — possivelmente, *a mais antiga de todas* —, bem no meio da Turquia, e de um tamanho sem precedentes. Catalhöyük (nome que significa "monte bifurcado") tinha 9 mil anos de idade. Fora habitada continuamente por mais de mil anos, e em seu auge teve uma população de 8 mil pessoas.

Mellaart chamou Catalhöyük de "primeira cidade do mundo", conclusão que ganhou mais peso e publicidade com o influente trabalho de Jane Jacobs, *The economy of cities*; mas é uma definição incorreta por dois motivos. Em primeiro lugar, não era uma cidade, mas apenas uma aldeia muito grande. (Para os arqueólogos, a diferença é que as cidades não têm apenas tamanho, mas também uma estrutura administrativa discernível.) Ainda mais pertinente, hoje se sabe que outras comunidades — Jericó na Palestina, Mallaha em Israel, Abu Hureyra na Síria — são consideravelmente mais antigas. Nenhuma delas, porém, foi mais estranha do que Catalhöyük.

Vere Gordon Childe, pai da Revolução Neolítica, não viveu o suficiente para saber da existência de Catalhöyük. Pouco antes dessa descoberta, ele voltou ao seu país natal, a Austrália, pela primeira vez em 35 anos. Tinha passado mais da metade da vida longe dali. Enquanto caminhava pelas Montanhas Azuis, caiu de um despenhadeiro, ou talvez tenha saltado. Seja como for, foi encontrado ao pé de uma elevação chamada Salto do Govett. Trezentos metros acima, um caminhante encontrou seu casaco cuidadosamente dobrado, e em cima dele, bem-arrumados, seus óculos, bússola e cachimbo.

Childe decerto ficaria fascinado com Catalhöyük, pois quase nada no local fazia sentido. A cidade foi construída sem ruas nem passagens. As casas se amontoavam, formando uma massa mais ou menos compacta. Só se poderia chegar até os que moravam no meio da aglomeração andando pelos telhados de muitas outras casas, todas de diferentes alturas — um arranjo incrivelmente inconveniente. Não havia praças ou mercados, nem edifícios municipais ou administrativos, nem sinal algum de organização social. Cada um que construiu sua casa levantou quatro paredes novas, mesmo quando já havia paredes ao lado. Era como se ainda não tivessem percebido o jeito de viver coletivamente; e bem pode ser que não. Decerto nos faz lembrar vivamente que a natureza das comunidades, e das edificações que há nelas, não é algo preordenado. Para nós parece natural que as portas fiquem no nível do solo e as casas sejam separadas por ruas e passagens; mas a população de Catalhöyük via as coisas de maneira completamente diferente.

Tampouco há estradas ou trilhas que levam a essa comunidade. Foi construída em terreno pantanoso, em uma planície de inundação. Num raio de vários quilômetros ao redor não há nada além de espaço vazio; e mesmo assim as pessoas se assentaram tão densamente como se houvesse uma maré cheia que os pressionava de todos os lados. Não há nada que indique por que as pessoas se congregaram ali aos milhares, quando podiam se espalhar por toda a área em volta.

A população praticava a agricultura — mas suas plantações ficavam a mais de dez quilômetros de distância. As terras ao redor da aldeia eram pobres para a pastagem, e não ofereciam nem frutas, nozes ou outros alimentos naturais. Tampouco havia madeira combustível. Em suma, não havia nenhum motivo óbvio para que as pessoas ali se fixassem; e no entanto foi o que elas fizeram, em grande número.

Catalhöyük não era um lugar primitivo, de forma alguma. Era surpreendentemente avançado e sofisticado para a sua época — com tecelões, cesteiros, carpinteiros, marceneiros, artesãos que fabricavam colares, arcos, e muitos outros profissionais. Havia formas elevadas de arte, e tecidos com diversas texturas elegantes. Produziam até tecidos listrados, o que não é tão fácil de fazer. Para eles a boa aparência era importante. E é extraordinário notar que as pessoas pensassem em tecidos listrados antes de pensar em portas e janelas.

Tudo isso nos faz lembrar quão pouco sabemos, ou mesmo podemos supor, sobre o estilo de vida e os hábitos dos povos da Antiguidade. E, com esse pensamento em mente, vamos entrar, enfim, na casa e começar a ver quão pouco sabemos sobre ela.

3. O vestíbulo

I

Não há aposento que tenha decaído mais na história do que o vestíbulo. Hoje não passa de um lugar para limpar os pés e pendurar o chapéu, mas outrora já foi o lugar mais importante da casa. De fato, por muito tempo o saguão de entrada *era* a casa. Como isso sucedeu é uma história curiosa que remonta aos primórdios da Inglaterra e a 1600 anos atrás, quando chegaram barcos carregados de gente do continente europeu — pessoas que desembarcaram e começaram, de forma totalmente misteriosa, a dominar as Ilhas Britânicas. Sabemos muito pouco sobre quem eram essas pessoas, e o pouco que sabemos por vezes não faz sentido; mas, para a maioria de nós, é nesse lugar que começa a história da casa moderna.

O relato convencional é simples: em 410 d.C., com seu império se desmoronando, os romanos se retiraram da Grã-Bretanha às pressas e em confusão, e tribos germânicas — os famosos anglos, saxões e jutos que constam de milhares de livros didáticos — entraram em massa e tomaram seu lugar. Parece, porém, que as coisas não foram bem assim.

Primeiro, os invasores não entraram, necessariamente, em massa. Segundo uma estimativa, talvez apenas 10 mil estrangeiros se mudaram para a Grã-

-Bretanha no século transcorrido após a saída dos romanos — uma média de apenas cem pessoas por ano. A maioria dos historiadores julga esse número pequeno demais, mas ninguém ainda definiu outro número com mais certeza. Nem, tampouco, se pode dizer quantos bretões nativos ali estavam para receber ou rechaçar os invasores. A estimativa varia de 1,5 milhão a 5 milhões — o que já mostra como sabemos pouco sobre esse período. Mas é quase certo que os invasores vieram em número muito inferior ao da população conquistada.

Por que os britânicos foram derrotados e não conseguiram encontrar os meios, ou o ânimo, para resistir mais eficazmente é um mistério profundo. Estavam, afinal, entregando muita coisa. Por quase quatro séculos haviam feito parte da mais poderosa civilização da Terra, e desfrutado dos seus benefícios — água corrente, aquecimento central, boas comunicações, governos bem organizados, banhos quentes —, todos desconhecidos para seus brutos invasores. É difícil imaginar o sentimento de indignação que os nativos devem ter sentido ao se verem dominados por pagãos analfabetos e sujos, vindos das florestas às margens da Europa. Sob o novo regime, perderam quase todas as suas vantagens materiais; e só voltariam a recuperar muitas delas dali a mil anos.

Esse foi um período de *Völkerwanderung*, "a errância dos povos", quando grupos de todo o mundo antigo — hunos, vândalos, godos, visigodos, ostrogodos, magiares, francos, anglos, saxões, dinamarqueses, alamanos e outros mais — foram tomados por uma estranha inquietação, incluindo os invasores da Grã-Bretanha. O único relato escrito que temos a respeito é o deixado por um monge conhecido como Venerável Bede, três séculos após os acontecimentos. É Bede quem nos diz que os invasores eram anglos, saxões e jutos; mas desconhecemos quem eram eles exatamente, e qual a relação de uns com os outros.

Os jutos são totalmente misteriosos. Em geral se presume que vieram da Dinamarca, porque há nesse país uma província chamada Jutlândia. Mas um problema apontado pelo historiador F. M. Stenton é que a Jutlândia recebeu esse nome muito depois que os jutos partiram dali, e nomear um território segundo um povo que ali já não reside seria algo muito incomum. De toda forma, *Jótar*, a palavra escandinava da qual deriva Jutlândia, não tem nada a ver, necessariamente, com qualquer grupo ou raça. A referência de Bede é a única menção aos jutos que conhecemos; e ele nunca os citou novamente. Alguns estudiosos acreditam que essa referência foi acrescentada na entrelinha do texto por alguém em época posterior, e não tem nada a ver com Bede.

Os anglos são só um pouco menos obscuros. São mencionados uma vez ou outra em textos europeus, e assim podemos, pelo menos, ter certeza de que eles realmente existiram; mas nada a respeito deles sugere que tivessem alguma importância. Se foram temidos ou admirados, isso ocorreu dentro de círculos muito pequenos. Assim, é irônico que foi justamente o seu nome que passou a ser ligado, de modo meio fortuito, a um país que eles ajudaram a formar talvez apenas em pequena medida.

Restam apenas os saxões, que eram, sem dúvida, uma presença no continente europeu — a existência, na Alemanha moderna, de vários sobrenomes como Saxony, Saxe-Coburg e similares é prova disso —, mas, ao que parece, não uma presença particularmente forte. O melhor que Stenton pode dizer sobre eles é que eram "os menos obscuros" dos três povos. Comparados com os godos que saquearam Roma ou os vândalos que invadiram a Espanha, eram bem marginais. A Grã-Bretanha, ao que parece, foi conquistada por agricultores, não por guerreiros.

Eles não trouxeram quase nada de novo — apenas seu idioma e seu DNA. Nenhum aspecto da sua tecnologia ou modo de vida oferecia uma melhora, nem sequer moderada, em relação ao que já existia antes. Eles não devem ter sido nada queridos, nem muito impressionantes. Mas, de alguma forma, exerceram um impacto tão profundo que a sua cultura permanece conosco, mais de um milênio e meio depois, de maneiras extraordinárias e fundamentais. Embora não saibamos nada sobre suas crenças, a língua inglesa continua prestando homenagem a três dos seus deuses — Tiw, Woden e Thor — no nome de três dos nossos dias da semana, *Tuesday*, *Wednesday* e *Thursday* [terça-feira, quarta-feira e quinta-feira]; e eternamente se comemora Frig, a esposa de Woden, a cada *Friday* [sexta-feira]. É uma forte ligação.

Eles simplesmente obliteraram a cultura já existente. Os romanos permaneceram na Inglaterra durante 367 anos e os celtas durante pelo menos mil; mas foi como se eles nunca tivessem existido. Nada assim aconteceu em outros lugares. Quando os romanos deixaram a Gália e a Espanha, a vida continuou mais ou menos como antes. Os habitantes continuaram a falar suas próprias versões do latim, que já estavam evoluindo para o francês e o espanhol modernos. O governo continuou. Os negócios prosperaram. As moedas circulavam.

As estruturas da sociedade foram mantidas. Na Grã-Bretanha, no entanto, os romanos mal deixaram cinco palavras e os celtas não mais de vinte, a maioria termos geográficos que descrevem características específicas da paisagem britânica. *Crag* [penhasco], por exemplo, é uma palavra celta, assim como *torr*, um afloramento rochoso.

Depois que os romanos se retiraram, alguns celtas fugiram para a França e ali fundaram a Bretanha. Outros, sem dúvida, combateram e foram mortos ou escravizados. Mas parece que a maioria simplesmente aceitou a invasão como um fato infeliz e adaptou suas vidas de acordo. "Não houve necessidade de muita matança e derramamento de sangue", disse meu amigo Brian Ayers, ex-arqueólogo do condado de Norfolk, certa vez em que contemplávamos os campos em volta da minha casa. "Provavelmente, certo dia você olharia o seu campo e veria que havia vinte pessoas acampadas ali, e aos poucos você perceberia que eles não estavam prestes a ir embora, que estavam ocupando as suas terras. Sem dúvida houve *alguns* confrontos sangrentos aqui e ali; mas no geral creio que as populações locais simplesmente aprenderam a se adaptar a essa mudança drástica das circunstâncias."

Há vários relatos de batalhas — diz-se que uma delas, em Crecgan Ford (uma localidade incerta), deixou 4 mil britânicos mortos — e as lendas nos legaram, é claro, histórias sobre a valente resistência do rei Artur e seus cavaleiros; mas são apenas lendas. Não há nada nos registros arqueológicos indicando matanças em massa, ou populações em fuga, como se diante de uma tempestade. Os invasores não só não eram bons guerreiros, como nem mesmo bons caçadores, pelo que sabemos. Todas as evidências arqueológicas mostram que desde o momento da chegada passaram a consumir animais domesticados, sem caçar. A agricultura também parece ter continuado sem interrupção. Pelo que mostram os registros, a transição foi tão suave como a mudança de turno em uma fábrica. Isso não pode ter sido assim, decerto; mas o que realmente aconteceu nunca saberemos. Essa época se tornou sem história. A Grã-Bretanha não ficava apenas no fim do mundo conhecido; ficava para além dele.

Mesmo aquilo que podemos saber por meio da arqueologia, muitas vezes é difícil de entender. Por exemplo, os recém-chegados se recusaram a viver em casas romanas, embora estas estivessem lá à disposição, solidamente construídas e superiores a qualquer moradia que eles conhecessem em suas terras natais. Em vez disso, ergueram estruturas muito mais básicas, com frequência bem ao lado de vilas romanas abandonadas. Também não fizeram uso das cidades romanas. Durante trezentos anos, Londres ficou quase vazia.

No continente, os povos germânicos normalmente moravam em choupanas coletivas — a habitação camponesa "clássica", um longo retângulo em que as pessoas vivem em uma extremidade e o gado na outra —, mas os invasores também abandonaram estas nos seiscentos anos seguintes. Ninguém sabe por quê. Em vez disso, erigiram aqui e ali, em toda a região, estranhas estruturas conhecidas como *grubenhäuser* — literalmente "casas-buraco" —, embora possamos duvidar de que fossem realmente casas. A *grubenhaus* consistia simplesmente de um fosso inclinado, de cerca de cinquenta centímetros de profundidade, sobre a qual se erguia uma pequena construção. Durante os dois primeiros séculos de ocupação anglo-saxônica, estas foram as novas estruturas mais numerosas e importantes no país. Muitos arqueólogos creem que se colocava um piso em cima do fosso, transformando-o em um porão de pouca altura, embora não se saiba para que seria usado. Uma teoria diz que o fosso servia para armazenamento, pois se pensava que o ar mais frio do subterrâneo preservaria melhor os perecíveis; outra afirma que se destinavam a melhorar a circulação do ar e impedir que o piso apodrecesse. Mas o esforço de abrir essas fossas — algumas escavadas diretamente na rocha — é desproporcional aos eventuais benefícios da circulação de ar, a qual, de qualquer forma, dificilmente traria esses resultados.

A primeira *grubenhaus* só foi encontrada em 1921 — o que é notável, considerando que essas estruturas eram muito numerosas, como sabemos hoje — durante uma escavação em Sutton Courtenay (agora em Oxfordshire, na época em Berkshire). O descobridor foi Edward Thurlow Leeds do Ashmolean Museum, em Oxford, e, francamente, ele não gostou nada do que viu. As pessoas que nela moravam "levavam uma vida semitroglodita", tão miserável "que inspira descrença na mente moderna", opinou com veemência o professor Leeds, em uma monografia de 1936. Os ocupantes, continuou ele, viviam "em meio ao lixo, em uma imundície de ossos quebrados, alimentos e cacos de cerâmica [...] quase na condição mais primitiva que se possa imaginar. Não tinham o menor apreço pela limpeza, e se contentavam em jogar os restos de uma refeição no canto mais afastado da choupana e ali deixá-los". Leeds parece ver nas *grubenhäuser* quase uma traição à civilização.

Por quase trinta anos essa visão predominou; mas aos poucos os especialistas começaram a questionar se as pessoas realmente moravam nessas casinhas estranhas. Por um lado, eram muito pequenas — normalmente apenas 2,10 metros por três —, aconchegantes até demais, em especial com uma fogueira ardendo. Uma delas tinha 2,8 metros de largura, dos quais 2,2 metros eram ocupados por uma lareira, não deixando espaço algum para as pessoas. Portanto, talvez não fossem moradias, mas oficinas ou galpões de armazenamento; mas por que exigiam um subterrâneo é um mistério que talvez continue insolúvel.

Felizmente, os recém-chegados — os ingleses, como podemos chamá-los a partir de agora — trouxeram outro tipo de construção, com exemplares muito menos numerosos, mas que se revelou muito mais importante. Eram muito maiores do que as *grubenhäuser*, é só o que podemos dizer sobre elas. Eram apenas grandes espaços semelhantes a celeiros, com uma lareira no meio. O nome desse tipo de estrutura já era velho em 410 d.C., e se tornou uma das primeiras palavras da língua inglesa: era o hall.

Quase toda a vida das pessoas, estivessem dormindo ou acordadas, se passava nesse grande aposento, quase vazio e sempre enfumaçado. A família e os criados comiam, se vestiam e dormiam juntos — "um costume que não levava nem ao conforto nem ao respeito da decência", como observou em 1909 J. Alfred Gotch, com visível incômodo, em seu clássico *The growth of the English house* [O crescimento da casa inglesa]. Durante todo o período medieval, até bem entrado o século XV, o saguão *era* efetivamente a casa, tanto assim que se convencionou chamar de hall a residência toda, como em Hardwick Hall ou Toad Hall.

Cada morador da casa, incluindo criados, agregados, viúvas de alta condição e qualquer outra pessoa com vínculo permanente, era considerado pertencente à família — e, de fato, em inglês os agregados se chamam "*familiars*". Na posição mais alta da casa (e menos sujeita às correntes de vento) havia um tablado elevado chamado *dais*, onde o proprietário e sua família comiam — prática lembrada até hoje pelas mesas elevadas que ainda se encontram em faculdades e colégios internos que têm uma longa tradição (ou apenas desejam passar essa imagem). O chefe da família era o *husband* — palavra composta (*hus-band*) que significa, literalmente, "dono da casa". Seu papel como administrador e provedor era tão importante que a prática de cultivar a terra e criar animais ficou conhecida como "*husbandry*". Só muito mais tarde *husband* veio a significar *marido*.

Até as casas mais grandiosas tinham apenas três ou quatro cômodos — o hall, a cozinha e talvez uma saleta lateral, conhecida como *bower* [saleta particular], *parlour* [parlatório] ou *chamber* [câmara], onde o chefe da casa podia tratar de seus assuntos pessoais. Por volta dos séculos ix e x com frequência havia também uma capela, mas era utilizada tanto para negócios como para o culto religioso. Às vezes essas salas privadas tinham dois andares, sendo o superior chamado, em inglês, de *solar*, aonde se chegava por degraus rudimentares ou por uma escada de mão. A palavra "*solar*" lembra sol e luz, mas na verdade era apenas uma adaptação de *solive*, palavra francesa para viga ou suporte do piso. O *solar* era simplesmente um aposento construído sobre vigas, e por longo tempo foi o único andar superior que havia nas casas. Podia ser pouco mais que um depósito. As pessoas davam tão pouca importância aos quartos, que, no sentido moderno, a palavra "*room*", significando recinto fechado ou aposento separado, só foi registrada em inglês na época dos Tudor, no século xvi.

A sociedade consistia de homens livres, servos e escravos. Quando morria um servo, o amo tinha o direito de tomar algum de seus objetos pessoais, como um item do vestuário, como uma espécie de tributo pela morte. Era comum que os camponeses só possuíssem uma única peça de roupa, uma espécie de camisolão solto conhecido como *cotta* (que depois gerou a palavra *coat*, casaco). O fato de que isso era o melhor que um camponês tinha para oferecer, e que o dono da casa podia tomá-lo, nos diz muito sobre a vida medieval, em muitos níveis. A servidão era uma forma de escravidão permanente a determinado senhor, e muitas vezes lhe era oferecida como uma declaração religiosa — ato com profundo impacto nos filhos e nos netos, pois a servidão, uma vez declarada, se estendia perpetuamente para todos os descendentes do servo. O principal efeito da servidão era tirar a liberdade do servo de mudar para outro lugar ou casar fora da propriedade do senhor. Mas os servos podiam prosperar. No período medieval, um em cada vinte servos possuía vinte hectares de terra ou mais — na época, uma propriedade substancial. Em contraste, os homens livres, conhecidos como *ceorls*, tinham liberdade, em princípio, mas por vezes eram pobres demais para exercê-la.

Os escravos, com frequência rivais capturados em guerras, foram muito numerosos do século ix ao xi — uma propriedade que consta do Domesday

Book* tinha mais de setenta deles, mas não era bem o tipo de escravidão desumana que nos ocorre quando pensamos na época moderna, por exemplo no sul dos Estados Unidos. Embora os escravos fossem propriedade de seus amos, podendo ser vendidos — e por uma boa quantia: um homem saudável valia oito bois —, eles tinham o direito de possuir bens, casar e circular livremente dentro da comunidade. A palavra antiga em inglês para escravo era *thrall*; por isso, quando nos sentimos "subjugados" por uma emoção, estamos "*enthralled*".

Havia propriedades medievais muito fragmentadas. Um cavaleiro do século XI chamado Wulfric tinha 72 propriedades espalhadas por toda a Inglaterra; e mesmo as menores costumavam se dispersar. Por esse motivo as famílias medievais estavam sempre se mudando. Também eram muito numerosas. As famílias reais chegavam, facilmente, a quinhentos criados e agregados; a dos aristocratas e prelados importantes, a uma centena. Com tanta gente, era tão prático levar a família para o alimento quanto o alimento para a família; e assim as mudanças eram constantes, e tudo era projetado para ser móvel (de onde vêm, não por acaso, as palavras "móvel" e "mobília", em português e italiano, assim como *meuble* em francês). E a mobília tinha que ser, portanto, mínima — objetos portáteis e apenas utilitários, "tratados mais como equipamentos do que como posses pessoais valorizadas", citando Witold Rybczynski.

A portabilidade também explica por que muitos baús e arcas antigas tinham a tampa convexa — para escorrer a água da chuva durante as viagens. O grande inconveniente dos baús, é claro, é que precisamos retirar tudo de dentro para alcançar o que está embaixo. Demorou um tempo notavelmente longo — até o século XVII — para que alguém tivesse a ideia de colocar em gavetas, e assim transformar os baús em cômodas.

Mesmo nas melhores casas, o piso em geral era de terra batida, coberto de juncos, retendo "cuspe e vômito, urina de cães e de homens, cerveja jogada fora, restos de peixe e outras imundícies que não podemos mencionar", como resumiu o teólogo e viajante holandês Erasmo de Rotterdam, em 1524. Novas camadas de junco eram colocadas no chão duas vezes por ano, mas em geral não se retiravam as camadas velhas, de modo que, como acrescentou Erasmo com tristeza, "o substrato pode ficar intacto por vinte anos". O chão era, na

---

* Registro de censo feito por ordem de Guilherme, o Conquistador, em 1085-6. (N. T.)

verdade, um grande ninho, muito apreciado pelos insetos e roedores furtivos, e uma incubadora perfeita para a peste. Contudo, uma espessa camada de palha no chão era sinal de prestígio. Entre os franceses, uma expressão comum para qualificar um homem rico era dizer que tinha "palha até a barriga".

O chão de terra continuou sendo norma na maior parte da Grã-Bretanha e da Irlanda rural até o século xx. O "piso térreo", chamado "*ground floor*" em inglês, tem o nome justo, já que "*ground*" significa terra, como notou o historiador James Ayres. Mesmo depois que os pisos de madeira ou lajota começaram a se generalizar nas casas mais ricas, mais ou menos na época de William Shakespeare, os tapetes eram preciosos demais para ser colocados no chão. Ficavam pendurados nas paredes, ou eram postos sobre as mesas. Muitas vezes eram guardados em arcas e dali só saíam para impressionar algum visitante especial.

A mesa de comer era uma simples tábua sobre cavaletes, e os armários não passavam de "*cupboards*" — como o nome diz, "tábuas para xícaras" e outros utensílios. Mas estes eram poucos. Os copos de vidro eram raros, e esperava-se que cada comensal compartilhasse o seu com um vizinho. Por fim, essas tábuas foram incorporadas a outro armário mais ornamentado, chamado *dresser* — que nada tem a ver com *dress*, vestir roupas, mas sim com preparar (também *dress*) os alimentos.

Em habitações mais humildes, as coisas eram extremamente simples. A mesa de jantar era uma tábua [*board*], chamada simplesmente de *board*. Ficava pendurada na parede quando não estava em uso, e era apoiada nos joelhos dos comensais na hora de comer. Com o tempo, "*board*" passou a significar não só a superfície onde a comida era servida como também a própria refeição; e é por isso que se diz "*bed and board*" para "casa e comida". Isso também explica por que inquilinos são chamados de "*boarders*" e por que uma pessoa honesta, que mantém as mãos sempre visíveis em todos os momentos, é chamada "*above board*" [sobre a mesa].

As pessoas sentavam em bancos simples — em francês, *bancs*, de onde vem "banquete". Até os anos 1600 as cadeiras eram raras — a própria palavra *chair* data de cerca de 1300 — e não eram projetadas para serem confortáveis, mas sim para impor uma imagem de autoridade. Até hoje quem preside uma reunião é o *chair*, e o chefe de uma empresa, ou presidente do conselho, é o *chairman of the board* — termo que faz lembrar o mobiliário dos camponeses medievais.

Os banquetes medievais mostram as pessoas comendo todo tipo de alimentos exóticos que hoje não são mais consumidos. As aves tinham especial destaque. Águias, garças, pavões, pardais, cotovias, tentilhões, cisnes e praticamente qualquer outra coisa que voasse eram amplamente consumidos. E não tanto porque o cisne e outras aves exóticas fossem deliciosos — não eram, e é por isso que hoje não figuram mais na nossa mesa —, mas sim porque não era possível obter outras carnes melhores. A vaca, o carneiro e o cordeiro quase não foram consumidos durante mil anos, porque esses animais eram necessários pela sua lã, estrume ou força muscular; eram valiosos demais para matar. Durante grande parte do período medieval, a principal fonte de proteína animal para a maioria das pessoas foi o arenque defumado.

Mesmo que a carne estivesse disponível, era proibida a maior parte do tempo. Os comensais medievos tinham que se resignar a três dias de peixe por semana, mais quarenta dias na Quaresma e em muitas outras datas religiosas, quando a carne de animais terrestres era proibida. O número total de dias de restrição alimentar variou ao longo do tempo, mas no seu auge quase metade dos dias do ano eram dias "magros", como eram chamados. Não havia praticamente nenhum peixe ou fruto do mar que não fosse consumido. As contas da cozinha do bispo de Hereford mostram que na sua casa se comia arenque, bacalhau, hadoque, salmão, lúcio, pargo, cavala, *barr*, barboto, badejo, rutilo, enguia, lampreia, tenca, truta, carpa, gubião, cabrinha e outros — mais de duas dúzias de peixes no total. Também eram amplamente consumidos barbo, bordalo e até mesmo boto. Até o tempo de Henrique VIII, desrespeitar os dias de peixe era crime punível com a morte, pelo menos em teoria. Os dias de peixe foram abandonados após a ruptura com Roma, mas foram restaurados por Elizabeth I a fim de apoiar a frota pesqueira britânica. A Igreja também se interessava em manter os dias de peixes, não tanto devido a convicções religiosas, mas porque tinha criado um lucrativo negócio com a venda de dispensas.

Para dormir, os arranjos eram informais. Hoje nós "fazemos a cama" porque na Idade Média era realmente isso que acontecia — você desenrolava um monte de panos, ou ajuntava um monte de palha, encontrava um casaco ou cobertor e ajeitava a coisa toda da maneira mais confortável que conseguisse. Ao que parece, as acomodações para dormir continuaram assim relaxadas por longo tempo. O enredo de um dos *Contos de Canterbury* gira em torno da esposa de um moleiro deitando na cama errada em sua própria casa — algo que

Um banquete medieval.

ela não poderia fazer se dormisse no mesmo lugar todas as noites. Até bem entrado o século XVII, "*bed*" [cama] significava apenas o colchão e seu enchimento, e não o estrado. Para este havia outra palavra, "*bedstead*".

Os inventários de família no período elisabetano mostram que as pessoas tinham grande apego às camas e às roupas de cama, com os utensílios de cozinha vindo em segundo lugar. Só depois entrava no rol o restante do mobiliário doméstico, e em geral em termos vagos como "algumas mesas e bancos". Ao que parece, as pessoas não eram apegadas à sua mobília, assim como não nos sentimos ligados emocionalmente aos nossos aparelhos domésticos. Não gostaríamos de ficar sem eles, claro, mas não são relíquias preciosas. Por outro lado, algo que as pessoas registravam com cuidado era a vidraça das janelas. Exceto nas igrejas e em algumas casas ricas, as janelas de vidro eram uma raridade ainda na metade do século XVII. Godfrey nota que em 1590 um cidadão conceituado de Doncaster deixou a casa para a esposa, mas as janelas para o filho. Os donos do castelo de Alnwick, do mesmo período, sempre mandavam retirar e guardar suas janelas quando estavam longe de casa, para minimizar o risco de quebra.

Mesmo nas casas maiores em geral só as janelas dos aposentos mais importantes tinham vidraças. Todas as outras eram cobertas com venezianas de madeira. Mais abaixo na escala econômica, as janelas continuaram sendo uma raridade por muito tempo. Até os vidraceiros raramente tinham vidraças em sua própria casa na época do nascimento de Shakespeare, em 1564. Quando da sua morte, meio século depois, isso havia mudado um pouco, mas não muito: a maioria das casas de classe média já tinha vidro mais ou menos na metade dos aposentos.

O certo é que não havia muito conforto, nem mesmo nas melhores casas. É extraordinário o tempo que levou para que as pessoas atingissem um nível elementar de conforto. E havia uma boa razão para isso: a vida era difícil. Durante toda a Idade Média, grande parte da vida era dedicada à simples sobrevivência. As grandes fomes eram comuns. O mundo medieval não tinha reservas para abastecimento, e quando as colheitas eram más, como acontecia a cada quatro anos, em média, a fome era imediata. Quando as safras quebravam por completo, inevitavelmente seguia-se a fome. A Inglaterra sofreu com muitas colheitas catastróficas, em especial em 1272, 1277, 1283, 1292 e 1311, e depois durante um período assassino de quatro anos sem trégua, de 1315 a 1319.

E isso acontecia, é claro, ao mesmo tempo que a peste e outras doenças aniquilavam milhões. As pessoas condenadas a uma vida breve e às dificuldades crônicas talvez não possam se preocupar muito com a decoração da casa. Mas, mesmo levando isso em conta, houve uma enorme, estranha lentidão na busca de conforto, mesmo em um nível bem modesto. Os buracos no telhado, por exemplo, deixavam escapar a fumaça, mas também deixavam entrar a chuva e as correntes de ar; até que alguém, por fim, tardiamente, inventou uma estrutura com ripas paralelas sobrepostas, que permitia que a fumaça escapasse mas impedia a entrada da chuva, do vento e dos pássaros. Foi uma invenção maravilhosa; mas quando foi concebida, no século xiv, as chaminés já estavam chegando e esse tipo de abertura não era mais necessário.

Com exceção desses fatos, não sabemos praticamente nada sobre os interiores domésticos antes de meados da Idade Média. De fato, segundo o historiador da mobília Edward Lucie-Smith, sabemos mais sobre como os antigos gregos e romanos se sentavam ou se reclinavam do que sabemos sobre os ingleses de oitocentos anos atrás. Quase nenhum espécime de mobília de antes de 1300 sobreviveu, e as ilustrações nos manuscritos e pinturas são escassas e contraditórias. Os historiadores que se dedicam ao mobiliário são tão carentes de fatos que precisam pescá-los até nas rimas infantis. Já se escreveu muitas vezes que uma espécie de banquinho medieval se chamava *tuffet* — suposição inteiramente baseada no antigo versinho "Little Miss Muffet sat on a tuffet" [A pequena miss Muffet sentou-se num *tuffet*]. Na verdade, o único lugar em que essa palavra aparece no inglês histórico é justamente nesse versinho infantil. Se os *tuffets* realmente existiram, não deixaram registro algum.

Tudo isso se aplica às casas dos relativamente ricos, mas temos que manter em mente duas coisas: as casas superiores nem sempre eram tão superiores assim, e nem as inferiores eram tão ruins. As casas mais ricas não tinham uma estrutura mais complexa, mas apenas um saguão maior.

Sobre as casas em si sabemos menos ainda, pois quase nada sobrevive acima do solo dos períodos anteriores de colonização. Os anglo-saxões eram muito ligados à madeira como material de construção, tanto que *timbran* [derivado de *timber*, madeira] era seu termo genérico para qualquer construção; mas infelizmente a madeira apodrece e quase nada dessas construções permaneceu. Em toda a Grã-Bretanha, que se saiba, sobrevive apenas uma porta do período anglo-saxão — uma porta de carvalho bastante danificada, em um vestíbulo externo na abadia de Westminster, que escapou à atenção até 2005, quando se percebeu que tinha 950 anos — sendo, assim, a porta mais antiga conhecida no país.

Uma pergunta que vale a pena considerar é como se pode saber a idade de uma porta. A resposta está na dendocronologia — o método científico de contar os anéis dos troncos das árvores. Os anéis nos dão parâmetros muito precisos, pois cada um marca um ano; assim, o conjunto forma uma espécie de impressão digital da madeira. E, se você já tem um pedaço de madeira com idade comprovada, pode usar o desenho dos seus anéis para fazer a correspondência e datar outras madeiras da mesma época. Para voltar atrás nos séculos, basta encontrar anéis sobrepostos. Se tivermos, por exemplo, uma árvore que viveu de 1850 a 1910 e outra que viveu de 1890 a 1970, elas devem apresentar o mesmo desenho de 1890 a 1910, período em que ambas estavam vivas. Montando uma biblioteca de sequências de anéis, pode-se voltar muito atrás no tempo.

Por sorte, na Grã-Bretanha muita coisa foi construída de carvalho, pois é a única árvore britânica que fornece provas claras e utilizáveis. Mas mesmo as melhores madeiras apresentam problemas. Não há duas árvores com o desenho exatamente igual. Uma pode ter anéis mais estreitos que a outra porque cresceu na sombra, ou teve mais concorrência no nível do solo, ou recebeu menos água. Na prática é necessária uma quantidade enorme de sequências de anéis para formar uma base de dados confiável; e são necessários muitos ajustes estatísticos engenhosos para obter uma leitura precisa — e para isso precisamos do teorema mágico do reverendo Thomas Bayes, mencionado no capítulo 1.

Retirando uma amostra de madeira da espessura de um lápis e aplicando esses testes, os cientistas concluíram que a porta na abadia de Westminster foi feita com a madeira de uma árvore derrubada entre 1032 e 1064, pouco antes da conquista normanda, ou seja, bem no final do período anglo-saxão. E essa porta solitária é quase tudo o que resta.*

---

* As portas baixas de tantas casas europeias antigas, onde os distraídos tendem a bater a cabeça, não são pequenas porque as pessoas eram mais baixas antigamente, como se costuma supor. No passado distante, as pessoas não eram tão menores assim. As portas eram pequenas pela mesma razão que as janelas eram pequenas: por serem muito caras.

Com tão pouco material de estudo, há muito espaço para discussões. Jane Grenville em seu trabalho acadêmico definitivo, *Medieval housing* [A habitação medieval], oferece duas figuras fascinantes, mostrando como duas equipes arqueológicas, usando as mesmas informações, imaginaram a aparência de uma choupana em Wharram Percy, uma aldeia medieval perdida em Yorkshire. Uma das ilustrações mostra uma habitação bem básica, com paredes feitas de barro e *clunch* (composto de barro e esterco) e telhado de capim ou relva. A outra mostra uma construção muito mais robusta e sofisticada, com estacas em arco formando a estrutura, e pesadas vigas montadas com habilidade e cuidado. O fato é que as evidências arqueológicas mostram de que forma a construção se apoiava no solo, mas não sua aparência.

Por muito tempo se acreditou que as casas dos camponeses medievais eram pouco mais que cabanas primitivas — uma estrutura frágil, feita de varetas, do tipo que é derrubado pelo lobo mau com um sopro nos contos de fadas. Pensava-se que eles não deviam durar mais que uma geração. Grenville cita um estudioso que afirmou, com confiança, que as casas das pessoas comuns eram "de qualidade uniformemente pobre em toda a Inglaterra" até a época dos Tudor — uma generalização abrangente, e equivocada, ao que parece. Hoje as evidências indicam que as pessoas comuns na Idade Média e, provavelmente, muito antes, poderiam ter boas casas, se quisessem. Um indício é o aumento das profissões especializadas, como *thatching* [colocar telhados de palha], carpintaria, reboco e similares, no fim da Idade Média. Cada vez mais, as portas tinham trancas — uma indicação clara de que se valorizavam as construções e tudo que nelas havia. E, sobretudo, as choupanas foram evoluindo para diversos tipos — "Wealden completa", "meia Wealden", "pilha dupla", "fechamento por trás", "em forma de H", "hall aberto", "passagem cruzada com estábulo", "passagem cruzada sem estábulo", e assim por diante. As distinções não são importantes, mas para os moradores eram elas que davam às casas seu caráter e distinção. É quase certo que o orgulho pela propriedade das casas, mesmo as bem simples, surgiu muito cedo.

Uma coisa que chamava a atenção na época medieval era que quase todo o espaço acima da altura da cabeça era inutilizável, por estar geralmente cheio de fumaça. A lareira aberta tinha certas vantagens claras — irradiava calor em todas as direções e permitia que as pessoas se sentassem ao redor dela dos quatro lados; mas era como ter uma fogueira sempre acesa no meio da sala de visitas. A fumaça e as faíscas eram levadas pelas rajadas de vento — e, com muita gente indo e vindo e todas as janelas sem vidraças, toda rajada soprava fumaça na cara de alguém — ou então a fumaça subia para o teto e ali ficava pairando, espessa, até escapar por algum buraco no telhado.

Era necessário algo que pode parecer muito simples, sem complicação alguma: uma chaminé prática. No entanto, isso levou muito tempo para se realizar — não por falta de vontade, mas por problemas técnicos. Um fogo forte crepitando em uma lareira grande gera muito calor e precisa de um bom conduto para a fumaça e as fagulhas e de um anteparo na parte traseira, e ninguém sabia como fabricá-los até mais ou menos 1330 (data do primeiro registro da palavra *chimney* em inglês). As lareiras já existiam — tinham sido trazidas para a Inglaterra pelos normandos —, mas não eram nada de muito grandioso. Eram feitas simplesmente escavando as grossas paredes dos castelos normandos e abrindo um buraco na parede externa para deixar a fumaça escapar. Como tinham má circulação do ar, não produziam muito fogo nem calor; por isso, não eram muito comuns, exceto nos castelos. Não poderiam ser utilizadas com segurança nas casas, que em geral eram de madeira.

O que fez a diferença, por fim, foi o desenvolvimento de bons tijolos, que, a longo prazo, são mais adequados para o calor do que qualquer pedra. As chaminés também permitiram mudar o combustível, passando da lenha para o carvão mineral — algo muito oportuno, pois o suprimento de madeira na Grã-Bretanha vinha diminuindo rapidamente. Como a fumaça de carvão era acre e venenosa, tinha que ser contida dentro de uma lareira — uma *fireplace* ou *chimneypiece* [lareira de chaminé], como ficou conhecida (para distingui-la da lareira aberta, chamada "*hearth*" ou "*fireplace*"). Numa lareira bem delimitada, a fumaça e as emanações podiam ser direcionadas para a chaminé. Com isso as casas ficaram mais limpas, mas o mundo exterior ficou mais sujo; e isso, como veremos, teve consequências muito importantes na aparência e na arquitetura das casas.

Entretanto, nem todos ficaram satisfeitos com a perda das lareiras abertas. Muitos sentiam falta da fumaça que pairava na casa, convictos de que eram mais saudáveis na época em que se mantinham "bem defumados na fumaça de madeira", como disse um observador. Ainda em 1577 um certo William Harrison continuava insistindo que no tempo das lareiras abertas "nossa cabeça nunca doía". A fumaça no teto impedia as aves de ali fazerem ninhos, e acreditava-se que reforçava as madeiras. Acima de tudo, as pessoas se queixavam que as novas lareiras não eram tão quentes como as antigas, o que era verdade. Por serem tão ineficientes, as lareiras eram constantemente ampliadas. Algumas ficaram tão enormes que foram construídos bancos no seu interior, para que as pessoas se sentassem dentro da lareira, o único lugar na casa onde realmente podiam se aquecer.

Mas, apesar da perda de calor e de conforto, o aumento de espaço disponível foi irresistível. Assim, o desenvolvimento da lareira foi um dos momentos de grande avanço na história doméstica. De repente se tornou possível colocar tábuas sobre as vigas do teto e criar um mundo totalmente novo no segundo andar.

II

A expansão vertical das casas mudou tudo. Os quartos começaram a proliferar, quando os chefes de família abastados descobriram a satisfação de ter um espaço só para si. Em geral o primeiro passo era construir uma grande sala no andar de cima, chamada "grande câmara", onde o senhor e sua família faziam tudo que antes faziam no saguão — comer, dormir, descansar e se divertir —, mas sem tanta gente em volta, descendo para o grande salão no andar térreo apenas para banquetes e outras ocasiões especiais. Os criados pararam de fazer parte da família e se tornaram... criados.

A ideia de ter um espaço pessoal, hoje tão natural para nós, foi uma revelação. As pessoas queriam mais e mais privacidade. Logo, não bastava viver separadamente dos inferiores; também era preciso ter condições de viver separado dos seus iguais.

À medida que as casas criavam novas alas, espalhando-se mais e mais, e os arranjos domésticos ficavam mais complexos, novas palavras foram criadas ou adaptadas para descrever todos os novos tipos de aposentos: estúdio, dormitório, câmara privada, *closet*, oratório (lugar para orações), sala de visitas (*parlour*, ou lugar para conversar), câmara privada, biblioteca (no sentido doméstico, não institucional) — todas essas palavras, em inglês, datam do século XIV ou pouco antes. Outras se seguiram em breve: galeria, galeria longa, sala de recepções ou de audiências, quarto de vestir, salão (*salon* ou *saloon*), apartamento, acomodações, suíte. "Que diferença entre tudo isso e o antigo costume, em que a família toda vivia junta, dia e noite, no grande salão!", escreve Gotch, em um raro momento de exuberância. Um novo tipo de aposento não mencionado por Gotch era o *boudoir*, que em francês significa, literalmente, "sala para ficar de mau humor", e desde os primórdios foi associado às intrigas sexuais.

Mesmo com o aumento de uma relativa privacidade, a vida continuava muito mais coletiva e publicamente exposta do que hoje. Os sanitários muitas vezes tinham vários assentos, para facilitar a conversação, e muitas pinturas mostram casais na cama ou no banho em uma atitude de brincadeira despreocupada, enquanto seus atendentes os servem e os amigos se sentam perto, jogando cartas ou conversando agradavelmente, mas podendo ser vistos e ouvidos.

A segregação entre todos esses novos aposentos não foi, por muito tempo, tão rigorosa como agora. Todos eles eram, em algum sentido, "salas de estar". As plantas arquitetônicas italianas do Renascimento, e mesmo depois, não denominavam os aposentos conforme o tipo, porque estes não tinham propósitos fixos. As pessoas circulavam pela casa à procura de sombra ou de luz solar, e muitas vezes levavam os móveis consigo; assim os aposentos, quando recebiam algum nome, geralmente eram marcados como "*mattina*" (para usar de manhã) ou "*sera*" (para a tarde). Essa informalidade também vigorava na Inglaterra. O quarto de dormir era usado não só para dormir, mas também para fazer refeições privadas e entreter os visitantes mais considerados. O quarto de dormir acabou se tornando um lugar para onde todos se retiravam, de modo que foi necessário criar outros espaços mais privados. (A palavra *bedroom* foi usada pela primeira vez por Shakespeare em *Sonho de uma noite de verão*, por volta de 1590, apesar de se referir apenas ao "espaço que havia na cama". Para designar o quarto de dormir, *bedroom* só se generalizou no século seguinte.)

Os pequenos aposentos que se projetavam do quarto de dormir eram usados para todo tipo de fins particulares, desde a defecação até os encontros secretos entre amantes; assim, as palavras para esses quartos chegaram até nós de forma curiosamente fraturada. Closet, segundo Mark Girouard, teve "uma longa e honrosa história antes de descambar para a ignomínia, designando um grande armário de louças ou um lugar para a pia e os esfregões da empregada". Originalmente, era mais um estúdio do que uma despensa. *Cabinet* [gabinete], de início um diminutivo de *cabin* (cabana), em meados do século XVI passou a significar uma caixa para guardar objetos de valor. Pouco depois — em apenas uma década ou algo assim — passou a significar a própria sala. Os franceses, como tantas vezes faziam, refinaram o conceito original em uma variedade de tipos de aposentos, de modo que no século XVIII um grande castelo francês podia ter, além do simples *cabinet*, um *cabinet de compagnie*, um *cabinet d'assemblée*, um *cabinet de propriété* e um *cabinet de toilette*.

Em inglês, o gabinete se tornou o aposento mais exclusivo e privado de todos — o santuário mais íntimo, onde podiam ter lugar os encontros mais particulares. Depois disso deu um salto bizarro, do tipo que as palavras às vezes fazem, e passou a descrever (por volta de 1605) não apenas o lugar onde o rei se reunia com seus ministros, mas o termo coletivo para os próprios ministros. Isso explica por que essa palavra agora descreve tanto o grupo mais íntimo e sublime de assessores no governo como o recesso com prateleiras no banheiro onde guardamos laxantes e coisas assim.

Muitas vezes saía desse aposento privado uma pequena célula ou alcova, geralmente conhecida como *privy* [particular], mas também chamada de *jakes*, latrina, *draughts*, lugar para aliviar-se, *necessarium*, *garderobe*, casa dos negócios ou *gong*, entre outras palavras, contendo um banco com uma abertura, estrategicamente posicionado sobre um profundo buraco que ia dar em um fosso. Costuma-se dizer, e até escrever, que, tal como *cabinet*, a palavra *privy* gerou o nome para vários acessórios do governo na Inglaterra, como o Selo Privado (*Privy Seal*) ou o Conselho Privado (*Privy Council*). Na verdade, essas instituições vieram para a Inglaterra com os normandos, quase dois séculos antes de *privy* assumir o sentido de privada. É fato, porém, que o encarregado da privada real era chamado de "*groom of the stool*" [encarregado do banquinho, ou das fezes]; e com o tempo progrediu, partindo de limpador de banheiros para chegar a conselheiro de confiança do monarca.

O mesmo processo ocorreu com muitas outras palavras. *Wardrobe* [guarda-roupa] originalmente significava um aposento para guardar as roupas. Passou depois a designar um quarto de vestir, um quarto de dormir, uma privada e, finalmente, um móvel. Nesse trajeto, também incorporou o significado de conjunto de roupas.

* * *

Para acomodar todos esses novos tipos de aposentos, as casas cresceram não só para cima, como também para os lados. Um tipo inteiramente novo, conhecido como "casa prodígio", começou a brotar e proliferar por todo o interior. Eram casas de três andares ou mesmo quatro, por vezes incrivelmente imensas. A mais enorme era Knole, em Kent, que cresceu muito até cobrir 16 mil metros quadrados, incorporando sete pátios (um para cada dia da semana), 52 escadas (uma para cada semana do ano) e 365 aposentos (um para cada dia do ano) — ou pelo menos é o que sempre se diz, há muito tempo.

Analisando hoje essas casas, às vezes percebemos, com surpresa e até susto, que os construtores estavam aprendendo enquanto construíam. Um exemplo flagrante é Hardwick Hall, em Derbyshire, construída em 1591 pela condessa de Shrewsbury — ou Bess of Hardwick, como é sempre chamada. Hardwick Hall foi a maravilha da época e logo ganhou fama por suas numerosas fileiras de janelas, criando assim o epigrama muito citado: "Hardwick Hall, more glass than wall" [Hardwick Hall, mais vidros do que paredes]. Aos olhos modernos, as janelas são de tamanho e distribuição próximos ao normal; mas em 1591 foi uma novidade tão deslumbrante que o arquiteto (supõe-se que foi Robert Smythson) realmente não sabia como colocá-las na casa. Algumas janelas são falsas, servindo para esconder chaminés. Outras estão em aposentos que ficam em diferentes andares. Algumas salas grandes não têm janelas suficientes, e alguns quartos minúsculos praticamente têm só janelas. Poucas destas correspondem adequadamente aos espaços que devem iluminar.

Bess abarrotou a casa com uma profusão das mais finas e suntuosas pratarias, tapeçarias, pinturas e coisas do gênero encontradas em qualquer casa particular na Inglaterra; porém o mais marcante aos olhos modernos é como o efeito geral é despojado e modesto. O piso era coberto de simples esteiras de palha. A Grande Galeria tinha cinquenta metros de comprimento, mas continha apenas três mesas, algumas cadeiras e bancos de espaldar reto e dois espelhos (que na Inglaterra elisabetana eram tesouros extremamente valiosos, mais preciosos do que qualquer pintura).

Foram construídas casas enormes, e em grande número. Outro fato notável a respeito de Hardwick Hall é que já havia uma ótima residência existente, depois conhecida como Velha Hardwick Hall, logo do outro lado do terreno. Hoje está em ruínas, mas era utilizada nos dias de Bess e por mais 150 anos.

Tradicionalmente, os que construíam (e acumulavam) essas enormes residências eram os monarcas. Quando morreu, Henrique VIII tinha nada menos que 42 palácios. Mas sua astuciosa filha Elizabeth I percebeu que sairia muito mais barato visitar os outros e deixá-los arcar com o custo das suas viagens; assim, ela ressuscitou em grande estilo a venerável prática da viagem anual da realeza. A rainha não era uma grande viajante — nunca deixou a Inglaterra, nem se aventurava muito longe no país —, mas era uma visitante fantástica. Sua viagem anual durava de oito a doze semanas, e abrangia duas dezenas de residências.

As viagens da realeza eram recebidas com um misto de excitação e terror pelos que iam receber o monarca. Por um lado, proporcionavam oportunidades sem paralelo para a obtenção de cargos e títulos e o avanço social; por outro, eram absurdamente caras. A casa real chegava a 1500 pessoas, e um bom número delas — umas 150, no caso de Elizabeth I — viajava com a rainha em suas peregrinações anuais. Os anfitriões tinham não só as altíssimas despesas com alimentação, moradia e divertimentos para um exército de gente mimada e privilegiada, como também podiam esperar muitos furtos e danos à propriedade, além de outras surpresas menos higiênicas. Depois que a corte de Carlos II partiu de Oxford, por volta de 1660, um dos que ficaram para trás comentou, em tom chocado, que os reais visitantes tinham deixado "seus excrementos em cada canto: nas chaminés, nos estúdios, nos depósitos de carvão, nas adegas".

Como uma visita real bem-sucedida poderia render grandes dividendos, os anfitriões buscavam as maneiras mais criativas e laboriosas de agradar o visitante. Aprenderam a apresentar, no mínimo, elaborados desfiles e máscaras, mas muitos construíam lagos para passeios de barco, acrescentavam alas inteiras, reconstruíam a área toda, na esperança de despertar uma pequena exclamação de prazer dos lábios reais. Distribuíam-se presentes liberalmente. Um infeliz cortesão chamado sir John Puckering deu a Elizabeth um leque de seda enfeitado com diamantes, diversas joias, um vestido de raro esplendor e um par de virginais, instrumentos musicais excepcionalmente refinados; e em seguida, no primeiro jantar, viu que Sua Majestade admirava os talheres de prata e um saleiro e, sem dizer palavra, os colocou em sua bolsa real.

Até seus ministros mais antigos aprenderam a ser hipersensíveis quanto aos prazeres da rainha. Quando Elizabeth se queixou da distância até a casa de campo de lorde Burghley, em Lincolnshire, ele comprou e ampliou outra em Waltham Cross, nos arredores de Londres, para ficar mais perto. Christopher Hatton, alto funcionário do reino que chegou a lorde Chancellor de Elizabeth, construiu uma poderosa estrutura chamada Holdenby House especialmente para receber a rainha. Só que ela nunca foi até lá, e ele morreu devendo 18 mil libras — uma dívida colossal, equivalente a cerca de 9 milhões de libras em moeda atual.

Muitas vezes quem construía essas casas não tinha muita escolha. O rei James I ordenou a sir Francis Fane, um súdito fiel, mas sem importância, que reconstruísse Apethorpe Hall, em Northamptonshire, numa escala colossal, para que ele e o duque de Buckingham, seu amante, pudessem atravessar aposentos grandiosos a caminho da alcova.

O pior de tudo era a imposição de assumir obrigações caríssimas e de longa duração para com a Coroa. Tal foi o destino do marido de Bess de Hardwick, o sexto lorde Shrewsbury. Por dezesseis anos ele foi obrigado a ser carcereiro de Mary, rainha da Escócia, o que significava, na realidade, manter na sua própria casa toda uma pequena corte de pessoas totalmente desleais. Podemos imaginar como apertou seu coração ao ver uma fila de oitenta carruagens puxadas por cavalos — uma procissão de quinhentos metros — chegando à sua porta, trazendo a rainha da Escócia, cinquenta criados e secretários, e todas as posses da comitiva. Além de alojar e alimentar todo esse batalhão de gente, Shrewsbury tinha que manter um exército privado para lhes garantir a segurança. Devido aos custos e à tensão emocional, seu casamento com Bess nunca foi feliz — embora houvesse outros motivos também. Bess era uma devoradora de homens; Shrewsbury foi seu quarto marido, e o casamento com ele foi uma fusão comercial, mais do que uma união de corações. Por fim, ela o acusou de ter um caso com a rainha da Escócia — acusação perigosa, fosse verdadeira ou não —, e o casal se separou. Foi então que Bess começou a construir uma das grandiosas mansões da época.

À medida que a vida diária se retirava cada vez mais para o interior de casas cada vez maiores, o salão principal perdeu sua finalidade original e se reduziu a um saguão de entrada com uma escada — um local para se chegar e atravessar. Tal foi o caso em Hardwick Hall, apesar de a casa ter "Hall" no próprio nome. Ali todos os aposentos importantes ficavam nos andares superiores. Nunca mais o saguão voltou a ser um lugar importante. Já em 1663 a palavra "hall" começou a descrever qualquer espaço modesto, em especial uma entrada ou passagem que dali saía. Devido a uma perversidade do idioma, ao mesmo tempo o sentido original de hall como salão foi conservado e até ampliado, para descrever salões grandes e importantes, especialmente os públicos, como Carnegie Hall, Royal Albert Hall, *town hall* [câmara municipal], *study hall* [salão de estudos], *hall of fame* [salão da fama], entre muitos outros.

Do ponto de vista doméstico, porém, tornou-se e continua a ser o aposento mais semanticamente rebaixado de uma casa. Na nossa antiga casa paroquial, como na maioria das casas hoje em dia, é um pequeno vestíbulo, um quadradinho utilitário com armários e ganchos, onde tiramos as botas e penduramos os casacos — apenas um preliminar para a casa propriamente dita. Nós reconhecemos esse fato, inconscientemente, ao convidar duas vezes os hóspedes que chegam à nossa casa: uma vez à porta, quando chegam de fora, e, outra vez, depois de deixarem seus casacos e chapéus no hall, na casa propriamente dita, recebendo-os com uma calorosa exclamação dupla, mais enfática: "Entre! Entre!".

E, com esse convite, podemos deixar aqui nossos casacos e por fim entrar no cômodo onde realmente começa a casa.

4. A cozinha

I

No verão de 1662, Samuel Pepys, na época um jovem em ascensão na Marinha britânica, convidou seu chefe, o comissário naval Peter Pett, para jantar em sua casa em Seething Lane, perto da Torre de Londres. Pepys tinha 29 anos e decerto esperava impressionar bem o seu superior. Em vez disso, para seu horror e consternação, descobriu que, quando o prato do esturjão foi colocado na sua frente, havia nele "muitos vermezinhos rastejando".

Encontrar seu jantar em estado avançado de animação não era um acontecimento comum, mesmo nos dias de Pepys, que ficou realmente mortificado; mas a insegurança quanto ao frescor e à integridade dos alimentos era uma situação comum. Se não estivessem em rápida decomposição devido à preservação inadequada, provavelmente teriam recebido substâncias perigosas e pouco atraentes para mudar a cor ou aumentar o volume.

Quase nada, ao que parece, escapava à astúcia dos que adulteravam alimentos. O açúcar e outros ingredientes caros muitas vezes eram aumentados com gesso, areia, poeira e outras formas de "*daft*" [tolo], como se chamavam coletivamente esses aditivos. A manteiga tinha o volume aumentado com sebo e banha. Quem tomasse chá, segundo várias autoridades da época, poderia ingerir, sem querer, uma série de coisas, desde serragem até esterco de carneiro pulverizado. Um carregamento inspecionado, relata Judith Flanders, demonstrou conter apenas a metade de chá; o resto era composto de areia e sujeira. Acrescentava-se ácido sulfúrico ao vinagre para dar mais acidez; giz ao leite; terebintina ao gim. O arsenito de cobre era usado para tornar os vegetais mais verdes, ou para fazer a geleia brilhar. O cromato de chumbo dava um brilho dourado aos pães e também à mostarda. O acetato de chumbo era adicionado às bebidas como adoçante, e o chumbo avermelhado deixava o queijo Gloucester, se não mais seguro para comer, mais belo para olhar.

Não havia praticamente nenhum gênero alimentício que não pudesse ser melhorado ou tornado mais econômico para o varejista por meio de um pouquinho de manipulação e engodo. Até as cerejas, como relata Tobias Smollett, ganhavam novo brilho depois de roladas, delicadamente, na boca do vendedor antes de serem colocadas em exposição. Quantas damas inocentes, perguntava ele, tinham saboreado um prato de deliciosas cerejas que haviam sido "roladas e umedecidas entre os maxilares imundos e, talvez, ulcerados de um mascate de Saint Giles"?

O pão era particularmente atingido. Em seu romance popular de 1771, *The expedition of Humphry Clinker* [A expedição de Humphry Clinker], Smollett definiu o pão de Londres como um composto tóxico de "giz, alume e cinzas de ossos, insípido ao paladar e destrutivo para a constituição"; mas acusações assim já eram comuns na época, e desde muito antes, como se vê na frase dita pelo gigante na história de *João e o pé de feijão*: "Vou esmagar seus ossos para fazer o meu pão". A primeira acusação formal já encontrada sobre a adulteração generalizada do pão está em um livro chamado *Poison detected: or frightful truths* [Veneno detectado: ou verdades assustadoras], escrito anonimamente em 1757 por "Meu amigo, um médico", que revelou segundo "uma autoridade altamente confiável" que "sacos de ossos velhos são usados por alguns padeiros, não infrequentemente", e que "os ossuários dos mortos são revolvidos para adicionar imundícies ao alimento dos vivos". Na mesma época saiu outro livro muito semelhante: *The nature of bread, honestly and dishonestly made* [A natureza do pão, feito com honestidade e com desonestidade], pelo médico Joseph Manning, relatando que era comum que os padeiros acrescentassem farinha de feijão, giz, chumbo branco, cal hidratada e cinzas de ossos a cada filão de pão que faziam.

Até hoje essas afirmações são repetidas como fatos verídicos, apesar de já ter sido demonstrado conclusivamente, há mais de setenta anos, por Frederick A. Filby em seu clássico trabalho *Food adulteration* [A adulteração dos alimentos] que essas alegações não poderiam ser verdadeiras. Filby teve uma iniciativa interessante e óbvia: assar filões de pão utilizando os adulterantes citados, na forma e nas proporções descritas. Em todos os casos, com uma única exceção, o pão ficou duro como cimento, ou não assou por dentro; e quase todos os filões tinham gosto ou cheiro repugnante. Vários precisaram de mais tempo para assar do que um pão normal e, portanto, acabavam sendo mais caros para produzir. Nem um só dos pães adulterados ficou comestível.

O fato é que o pão é um alimento sensível, e se você adicionar a ele outros produtos, em qualquer quantidade, isso vai ficar evidente, com certeza. Mas se pode dizer o mesmo sobre a maioria dos alimentos. É difícil acreditar que alguém pudesse tomar uma xícara de chá e não perceber que contém 50% de limalha de ferro. Um pouco de adulteração acontecia, sem dúvida, sobretudo quando melhorava a cor ou dava uma aparência de frescor; mas os casos alegados provavelmente são excepcionais ou falsos, e é o que acontece com tudo que se alegava ser adicionado ao pão (com a única exceção notável de alume, de que falaremos logo mais).

É difícil imaginar a importância do pão na alimentação inglesa ao longo de todo o século XIX. Para muita gente, o pão não era apenas um acompanhamento importante de uma refeição; ele era, sozinho, a própria refeição. Até 80% de todas as despesas de uma família, segundo Christian Petersen, historiador do pão, eram gastas com a alimentação; e 80% desta iam para o pão. Mesmo as pessoas de classe média gastavam até dois terços da sua renda com alimentação (em comparação com cerca de um quarto hoje), dos quais uma parcela bem elevada ia para o pão. Para uma família pobre, segundo nos contam quase todas as histórias, a alimentação diária consistia de um punhado de chá e açúcar, alguns legumes, uma ou duas fatias de queijo e, ocasionalmente, um pouquinho de carne. Todo o resto era pão.

E, devido à importância do pão, as leis que regiam a sua pureza eram rígidas, e as punições, severas. Um padeiro que enganasse os fregueses podia ser multado em dez libras por pão vendido, ou ser mandado para a prisão para um mês de trabalhos forçados. Por algum tempo se pensou seriamente em mandar para a Austrália os padeiros infratores. Essa era uma séria preocupação para os padeiros, pois o pão perde peso ao assar devido à evaporação; logo é fácil cometer um erro involuntário. Por isso os padeiros às vezes davam um pequeno extra — a famosa "dúzia do padeiro", com treze pães.

O alume, porém, era outra questão. O alume é um composto químico — em termos técnicos, um sulfato duplo — usado como fixador (ou "mordente") para tinturas. Também era usado como clareador em todo tipo de processos industriais, e para curtir o couro. Branqueia muito bem a farinha, o que não é necessariamente algo negativo. Para começar, uma pequena quantidade de alume rende muito. Apenas três ou quatro colheradas podem clarear um saco de 150 quilos de farinha, e essa quantidade assim diluída não prejudicaria ninguém. Na verdade, ainda hoje se adiciona alume a alimentos e medicamentos. É um componente constante do fermento em pó e das vacinas, e às vezes é adicionado à água potável por ser um agente clareador. Ele permitia que a farinha de trigo de tipo inferior — perfeitamente boa como nutrição, mas não muito atraente à vista — se tornasse aceitável para a população, e, portanto, permitia aos padeiros utilizar seu trigo com mais eficiência. Também era adicionado à farinha por razões legítimas, como agente de secagem.

Nem sempre as substâncias estranhas eram acrescentadas para aumentar o volume dos alimentos; às vezes elas simplesmente caíam lá dentro. Em 1862 uma investigação parlamentar das padarias encontrou muitas delas cheias de "teias de aranha espessas, pesadas com o pó de farinha que tinha se acumulado sobre elas e penduradas em tiras", prontas para cair em qualquer vasilha ou bandeja que por ali passasse. Insetos e vermes corriam pelas paredes e bancadas. Em uma amostra de sorvete vendido em Londres, em 1881, segundo Adam Hart-Davis, foi detectada a presença de cabelo humano, pelos de gato, insetos, fibras de algodão e vários outros componentes insalubres; mas isso provavelmente reflete a falta de higiene do vendedor, e não acréscimo fraudulento de substâncias para aumentar o volume. No mesmo período, um confeiteiro de Londres foi multado "por colorir seus doces de amarelo, com a tinta que sobrou da pintura da sua carroça". Mas o próprio fato de que essas coisas atraíam o interesse dos jornais indica que eram excepcionais e não rotineiras.

Humphry Clinker, um extenso romance escrito na forma de uma série de cartas, pinta um retrato tão vívido da vida na Inglaterra do século XVIII que até hoje é muito citado; assim, é responsável por muita coisa. Em uma de suas passagens mais pitorescas, Smollett descreve como o leite era levado pelas ruas de

Londres em baldes abertos, dentro dos quais caía "cuspe, ranho e tabaco mascado por passageiros que viajavam em pé, mais o que espirrava dos carrinhos de mão levando terra, os salpicos das rodas das carroças, sujeira e lixo ali enfiados de propósito por meninos travessos, vômito de bebês... e, finalmente, os vermes que caem dos trapos do tipo desagradável que vende essa mistura...". Mas o que se costuma esquecer é que o livro foi concebido como sátira, não como documentário. Smollett nem sequer vivia na Inglaterra quando escreveu isso; ele esperava a morte na Itália. (Morreu três meses após a publicação.)

Mas tudo isso não quer dizer que não houvesse comida ruim à venda. Com certeza havia. A carne infectada e podre era um problema especial. Era célebre a imundície de Smithfield, o principal mercado de carne de Londres. Uma testemunha de um inquérito parlamentar de 1828 disse ter visto "uma carcaça de vaca tão rançosa que a gordura escorria como uma gosma amarela". Os animais, trazidos a pé de lugares longínquos, muitas vezes chegavam exaustos e doentes, e não melhoravam nada ao chegar. Diz-se que as ovelhas eram esfoladas vivas. Muitos animais estavam cobertos de feridas. Em Smithfield se vendia tanta carne estragada que ela tinha um nome especial, "*cag-mag*", abreviatura de duas palavras de gíria significando "porcaria barata".

Até quando as intenções do produtor eram puras, o mesmo não se podia dizer da comida. Levar os alimentos até mercados distantes em condições de ser consumidos era um desafio constante. As pessoas sonhavam em poder comer alimentos vindos de longe, ou que estavam fora de estação. Em janeiro de 1859, boa parte da América acompanhou ansiosamente um navio veleiro carregado com 300 mil laranjas suculentas que seguiu a toda velocidade de Porto Rico à Nova Inglaterra, para mostrar que isso poderia ser feito. Quando chegou, porém, mais de dois terços da carga haviam apodrecido e se transformado numa papa de odor pungente. E os produtores de terras mais distantes não podiam esperar nem isso sequer. Os argentinos criavam imensos rebanhos de gado em seus pampas intermináveis e hospitaleiros, mas não tinham como despachar a carne; assim a maioria das cabeças de gado era fervida para se aproveitar os ossos e o sebo, e a carne era simplesmente desperdiçada. Para tentar ajudá-los, o químico alemão Justus Liebig desenvolveu uma fórmula para um extrato de carne conhecido como Oxo, mas o produto só poderia fazer uma diferença muito pequena.

O que se necessitava desesperadamente era de uma maneira de manter os alimentos seguros e frescos por mais tempo do que a natureza permitia. No fim do século XVIII um francês chamado François Appert (ou talvez Nicolas Appert — as fontes variam) lançou um livro chamado *The art of preserving all kinds of animal and vegetable substances for several years* [A arte de preservar todos os tipos de substâncias animais e vegetais por vários anos], que representou um grande avanço. O sistema de Appert consistia em colocar os alimentos em recipientes de vidro bem vedados e então aquecê-los lentamente. O método em geral funcionava muito bem, mas a vedação não era infalível; por vezes deixava entrar o ar e substâncias contaminantes, para grande infelicidade gastrointestinal dos consumidores. Como não era possível ter total confiança nos frascos de Appert, eles eram pouco utilizados.

Em suma, muita coisa errada podia acontecer com os alimentos no seu trajeto até a mesa. Assim, no início da década de 1840, o surgimento de um produto milagroso, que prometia transformar as coisas, suscitou grande entusiasmo. Surpreendentemente, era um produto bem conhecido: o gelo.

II

No verão de 1844, a Wenham Lake Ice Company — fábrica de gelo cujo nome vinha de um lago em Massachusetts — se estabeleceu na Strand, famosa rua comercial de Londres, e todos os dias colocava um novo bloco de gelo na vitrine. Na Inglaterra ninguém jamais vira um bloco de gelo tão grande — muito menos no verão, no meio de Londres — nem tão maravilhosamente transparente. Era possível ler um jornal através do bloco, e sempre havia um jornal colocado atrás dele, para que os passantes constatassem esse fato espantoso. A vitrine virou uma sensação, sempre rodeada de curiosos.

Thackeray mencionou o gelo de Wenham em um romance. A rainha Vitória e o príncipe Albert insistiram que ele fosse utilizado no Palácio de Buckingham e concederam uma licença real à companhia. Muita gente supunha que Wenham fosse alguma imensa lagoa, na escala dos Grandes Lagos. Charles Lyell, famoso geólogo inglês, ficou tão intrigado que fez uma viagem especial de Boston até o lago — algo nada fácil de fazer —, durante uma turnê de palestras. Ficou fascinado pela lentidão com que o gelo de Wenham derretia, e assumiu que isso tinha a ver com a sua célebre pureza. Na verdade, o gelo de Wenham derretia na mesma velocidade que qualquer outro gelo. Exceto pelo fato de vir de longe, não tinha nada de especial.

O gelo vindo do lago era um produto maravilhoso. Criava-se a si mesmo sem nenhum custo para o produtor; era limpo, renovável, e sua oferta era infinita. Os únicos inconvenientes: não havia nenhuma infraestrutura para produzi-lo e armazená-lo, nem mercado para vendê-lo. Para que a indústria do gelo pudesse existir, era preciso inventar maneiras de cortar e içar o gelo em grande escala, construir armazéns, garantir direitos de negociação, envolver uma cadeia confiável de transportadores e intermediários. E, sobretudo, criar a demanda pelo gelo em locais onde a população nunca, ou raramente, vira gelo, e não estava disposta, de modo algum, a pagar pelo produto. O homem que conseguiu fazer tudo isso foi um nativo de Boston, bem-nascido e disposto a enfrentar desafios, chamado Fredric Tudor. Transformar gelo em um empreendimento comercial se tornou sua obsessão.

A ideia de transportar gelo da Nova Inglaterra para portos distantes foi considerada completamente louca — "devaneios de um cérebro doentio", nas palavras de um contemporâneo. O primeiro carregamento de gelo enviado dos Estados Unidos para a Grã-Bretanha deixou os funcionários da alfândega tão intrigados, que eles não sabiam como classificá-lo, e a carga toda, de trezentas toneladas, se derreteu enquanto esperava no cais. Os donos de embarcações relutavam para aceitar essa carga. Não queriam saber da humilhação de chegar a um porto com o porão cheio de água inútil; e também temiam o perigo, bem real, de que as toneladas de blocos de gelo se movendo e derretendo tornassem seus navios instáveis. Afinal, os instintos náuticos desses homens se baseavam inteiramente na ideia de manter a água *fora* do navio, e eles não queriam assumir um risco tão excêntrico quando não havia nem sequer um mercado garantido no final de tudo isso.

Tudor era um homem estranho e difícil — "autoritário, vaidoso, desdenhoso com concorrentes e implacável com os inimigos", na opinião de Daniel J. Boorstin. Ele afastou todos os seus amigos mais íntimos e traiu a confiança dos colegas, parecendo até que essa era a ambição da sua vida. Quase todas as inovações tecnológicas que possibilitaram o comércio do gelo foram, na verdade, obra do seu sócio tolerante e sofredor, Nathaniel Wyeth. Custou-lhe anos de esforços frustrados, e toda a sua fortuna, herdada da família, fundar o negócio e colocá-lo em funcionamento; mas aos poucos a coisa pegou e acabou por deixá-lo rico, assim como a muitos outros. Durante várias décadas o gelo foi, com relação ao peso, o segundo maior produto dos Estados Unidos. Quando bem isolado, o gelo podia durar um tempo surpreendentemente longo. Podia até mesmo sobreviver à viagem de 25 mil quilômetros, de 130 dias, de Boston a Bombaim — ou pelo menos cerca de dois terços da carga chegavam intactos o suficiente para tornar lucrativa a longa viagem. O gelo chegava aos confins da América do Sul, e ia da Nova Inglaterra à Califórnia pelo cabo Horn, dando a volta no continente. A serragem, produto antes sem valor algum, demonstrou ser um excelente isolante, trazendo uma renda extra para as serrarias do Maine.

O lago Wenham foi, na verdade, totalmente secundário para a indústria do gelo nos Estados Unidos. Ele nunca produziu mais de 10 mil toneladas de gelo em um ano, comparado com quase 1 milhão de toneladas retiradas anualmente apenas do rio Kennebec, no Maine. Na Inglaterra, o gelo de Wenham era mais falado do que utilizado. Algumas empresas recebiam encomendas regulares, mas quase nenhuma família o fazia (com exceção da casa real). Na década de 1850 a maior parte do gelo vendido na Grã-Bretanha não vinha de Wenham, nem de nenhuma parte dos Estados Unidos. Os noruegueses — que não são um povo normalmente associado a práticas comerciais espertas — mudaram o nome do lago Oppegaard, perto de Oslo, para lago Wenham, a fim de explorar esse lucrativo mercado. Na década de 1850 a maior parte do gelo vendido na Grã-Bretanha provinha, na verdade, da Noruega; mas é preciso dizer que o gelo nunca se tornou popular entre os britânicos. Ainda hoje por vezes é vendido no país como se fosse sob receita médica. Ficou claro que o verdadeiro mercado eram os Estados Unidos.

Como Gavin Weightman nota em sua história dessa indústria, *The frozen water trade* [O comércio da água congelada], os americanos apreciaram o gelo como ninguém antes. Passaram a usá-lo para gelar a cerveja e o vinho, para fazer deliciosos coquetéis, para aliviar a febre e para criar uma vasta gama de delícias geladas. Os sorvetes se tornaram populares, e de uma criatividade surpreendente. No Delmonico's, célebre restaurante nova-iorquino, os clientes podiam pedir sorvete de aspargo ou de pão de centeio, entre muitos outros sabores inesperados. Só a cidade de Nova York consumia quase 1 milhão de toneladas de gelo por ano. Brooklyn sugava 334 mil toneladas, Boston 380 mil, a Filadélfia 377 mil. Os americanos criaram um imenso orgulho das conveniências civilizadoras do gelo. "Sempre que você ouvir a América sendo criticada", disse um norte-americano a Sarah Maury, uma visitante britânica, "lembre-se do gelo."

Mas o comércio do gelo atingiu a maturidade na refrigeração dos vagões ferroviários, que permitiu transportar carne e outros produtos perecíveis de costa a costa do país. Chicago se tornou o epicentro da indústria ferroviária, em parte porque conseguia produzir e conservar enormes quantidades de gelo. Havia firmas em Chicago capazes de armazenar até 250 mil toneladas de gelo. Nos climas quentes, antes da popularização do gelo, o leite (que sai morno da vaca, é claro) só podia ser conservado por uma ou duas horas antes de começar a estragar. As galinhas tinham que ser consumidas no dia do abate. A carne fresca raramente era segura para o consumo por mais de um dia. Agora, porém, os alimentos podiam ser conservados por mais tempo no local, e também vendidos em mercados distantes. Chicago recebeu sua primeira lagosta em 1842, trazida da costa leste em um vagão refrigerado. Os habitantes da cidade vinham vê-la como se tivesse chegado de outro planeta. Pela primeira vez na história, os alimentos não precisavam ser consumidos perto de onde eram produzidos. Os agricultores nas planícies intermináveis do meio-oeste americano agora podiam não só produzir alimentos de forma mais barata e abundante do que em qualquer outro lugar, mas também vendê-los para quase qualquer lugar.

Enquanto isso, outros avanços aumentaram enormemente as possibilidades de armazenar alimentos. Em 1859 um americano chamado John Landis Mason resolveu o desafio que o francês François (ou Nicolas) Appert não havia vencido no fim do século anterior. Mason patenteou um frasco de vidro com tampa de rosca. Proporcionava uma vedação perfeita, e permitia preservar todo tipo de alimentos que antes se estragariam. Os frascos de Mason se tornaram um enorme sucesso por toda parte, apesar de o próprio Mason quase não ter se beneficiado. Vendeu os direitos por uma quantia modesta, e voltou sua atenção para outras invenções — um bote salva-vidas dobrável, uma caixa para conservar charutos, uma saboneteira com autodrenagem. Acreditava que isso faria dele um homem rico; mas suas outras invenções não só não foram bem-sucedidas, como não eram muito boas. Com o fracasso de uma após a outra, Mason ficou pobre e meio insano. Em 1902 morreu sozinho e esquecido, em um pardieiro de Nova York.

Um método alternativo, e ainda mais bem-sucedido, de preservar os alimentos foi o enlatamento, aperfeiçoado na Inglaterra por Bryan Donkin entre 1810 e 1820. A invenção de Donkin conservava muito bem os alimentos, embora as latas antigas, feitas de ferro batido, fossem pesadas e praticamente impossíveis de abrir. Uma marca dava instruções para abri-las usando martelo e formão. Os soldados as atacavam com baionetas, ou atiravam nelas com balas. O verdadeiro avanço teve que esperar o desenvolvimento de materiais mais leves, que permitiram a produção em massa. No início dos anos 1800, um operário, trabalhando duro, poderia fazer cerca de sessenta latas por dia. Em 1880 as máquinas já conseguiam produzir 1500 latas por dia. É surpreendente, mas abri-las continuou a ser um sério obstáculo durante muito mais tempo. Vários aparelhos cortantes foram patenteados, mas todos eram difíceis de usar ou quase mortais, se escorregassem da mão. O moderno abridor de lata manual — um dispositivo de segurança com duas rodinhas e uma chave de torção — só foi inventado em 1925.

Os avanços na conservação de alimentos foram parte de uma revolução muito mais ampla na produção de gêneros alimentícios, que mudou a dinâmica da agricultura por toda parte. A colheitadeira McCormick permitiu a produção em massa de grãos, possibilitando criar animais de corte em escala industrial. Isso, por sua vez, levou à fundação de grandes frigoríficos e o desenvolvimento de melhores métodos de refrigeração — e o gelo continuou no cerne desse processo até quase metade da era moderna. Em 1930 os Estados Unidos tinham 181 mil vagões de transporte de carne, todos refrigerados a gelo.

A repentina possibilidade de transportar alimentos a grandes distâncias e mantê-los frescos até atingir mercados distantes transformou a agricultura em muitas terras longínquas. O trigo do Kansas, a carne bovina da Argentina, os ovinos da Nova Zelândia e outros alimentos de todo o mundo começaram a aparecer nas mesas de jantar a milhares de quilômetros de distância. A repercussão nas zonas tradicionais de cultivo foi enorme. Não é preciso se aventurar muito em qualquer floresta da Nova Inglaterra para encontrar os alicerces de casas e antigas muretas nos campos que denotam uma fazenda abandonada do século XIX. Agricultores de toda a região deixaram suas fazendas em massa, seja para trabalhar em fábricas ou para tentar a sorte na agricultura em terras melhores, mais a oeste. Em apenas uma geração, o estado de Vermont perdeu quase a metade da sua população. E a Europa sofreu igualmente. "A agricultura britânica praticamente entrou em colapso na última geração do século xix", diz Felipe Fernández-Armesto, e com ela se foi tudo o que ela antes sustentava — os trabalhadores agrícolas, as aldeias, as igrejas e casas paroquiais do interior, toda uma aristocracia rural. O resultado final foi colocar o nosso presbitério, assim como milhares de outros semelhantes, em mãos de particulares.

No outono de 2007, em uma visita à Nova Inglaterra, dirigi de Boston a Wenham para ver o lago que, por um breve período, foi o mais famoso do mundo. Hoje Wenham fica em uma estrada tranquila, em uma bonita área cerca de 25 quilômetros ao norte de Boston, e oferece uma paisagem pitoresca para quem faz o trajeto entre as cidades de Wenham e Ipswich. O lago Wenham hoje serve de reservatório de água para Boston, e por isso é rodeado por uma alta cerca de arame e fechado ao público. Um marco histórico ao lado da estrada celebra o tricentenário da cidade de Wenham, em 1935, mas não menciona o comércio de gelo que outrora lhe deu a fama.

III

Se entrássemos na cozinha da nossa casa paroquial em 1851, várias diferenças nos saltariam aos olhos. Para começar, não veríamos nenhuma pia. As cozinhas em meados do século xix serviam apenas para cozinhar (pelo menos nas casas de classe média); lavavam-se os pratos e as panelas na *scullery*, uma área de serviço especial — local que visitaremos no próximo capítulo. Ou seja, cada prato e cada panela tinham que ser levados para uma pequena área do outro lado do corredor para ser esfregados, secos e guardados, e depois levados de volta para a cozinha quando fossem mais uma vez requisitados. Isso poderia acarretar muitas viagens, pois na era vitoriana se cozinhava muito, e se usava uma incrível variedade de pratos. Um livro muito popular de 1851, escrito por uma certa lady Maria Clutterbuck (que na verdade era a sra. Charles Dickens), dá uma boa noção do que era cozinhar naqueles dias. Eis uma de suas sugestões de menus para um jantar para seis pessoas: "sopa de cenoura, peixe com molho de camarão, bolinhos de lagosta, guisado de rins, lombo de cordeiro assado, peru cozido, pé de porco, purê de batatas e batatas assadas, cebolas refogadas, pudim, manjar branco com creme e macarrão". Uma refeição assim, como já foi calculado, podia gerar 450 peças de louça e panelas para lavar. A porta vaivém que separava a cozinha da área de serviço devia fazer muito vaivém.

A era de ouro da comilança.

Se você chegasse em um momento em que a governanta do nosso presbitério, miss Worm, e sua assistente, uma jovem de dezenove anos da aldeia chamada Martha Seely, estavam cozinhando, poderia encontrá-las fazendo algo que antes não se fazia de modo algum — medindo os ingredientes meticulosamente. Até quase meados do século XIX, as instruções nos livros de culinária eram sempre maravilhosamente imprecisas, pedindo apenas "um pouco de farinha" ou "leite suficiente". O que mudou tudo isso foi um livro revolucionário escrito por uma poetisa de Kent, tímida e de temperamento doce, chamada Eliza Acton. Como seus poemas não vendiam, a editora sugeriu gentilmente que ela tentasse algo mais comercial; assim, em 1845 miss Acton lançou a *Modern cookery for private families* [Culinária moderna para famílias particulares]. Foi o primeiro livro a especificar cuidadosamente as medidas e os minutos de cozimento, e tornou-se o modelo em que se basearam depois, até inconscientemente, todos os livros de cozinha.

O livro teve sucesso considerável, mas depois foi abruptamente superado por uma obra mais ousada — o *Book of household management* [Livro de administração doméstica], de Isabella Beeton, que teve uma influência vasta, duradoura, poderosa e até misteriosa. Nunca houve outro livro assim, tanto pela influência como pelo conteúdo. Teve sucesso instantâneo, e assim continuou já bem entrado o século seguinte.

A sra. Beeton deixava claro, desde a primeira linha, que administrar uma casa é uma atividade muito séria e sem alegria alguma. "Assim como age o comandante de um exército, ou o líder de uma empresa, assim faz a dona de casa", declara ela. Um momento antes saudava seu próprio heroísmo desinteressado: "Devo admitir francamente que, se soubesse de antemão todo o trabalho que este livro me custaria, eu não teria a coragem de iniciá-lo", afirma ela, deixando o leitor com uma leve sensação de tristeza, gratidão e culpa.

Apesar do título, o *Book of household management* liquida esse assunto em apenas 23 páginas, e depois se dedica à cozinha, quase exclusivamente, pelas novecentas seguintes. Embora optasse pelo tema, a sra. Beeton na verdade não gostava de cozinhar e fazia o possível para nem chegar perto da sua cozinha. Não é preciso se aprofundar muito nas receitas para começar a desconfiar disso — quando ela sugere, por exemplo, ferver o macarrão por uma hora e três quartos antes de servir. Como muita gente do seu país e da sua geração, ela tinha uma desconfiança inata de qualquer coisa que fosse exótica. As mangas, diz ela, só eram apreciadas "por quem não tem preconceito contra a terebentina". As lagostas eram "bastante indigestas" e "não tão nutritivas como se supõe". O alho era "ofensivo". As batatas eram "suspeitas; muitas são narcóticas, e outras deletérias". O queijo, pensava ela, só servia para pessoas sedentárias — ela não explica por quê — e "apenas em quantidades muito pequenas". Devia-se evitar em especial os queijos com veias, pois estas eram colônias de fungos. "De modo geral", acrescenta, com um toque de ambiguidade, "os corpos em decomposição não são um alimento saudável, e deve-se traçar o limite em algum lugar." O pior de tudo era o tomate: "A planta inteira tem um cheiro desagradável, e seu suco, submetido à ação do fogo, emite um vapor tão poderoso que causa vertigem e vômito".

Ao que parece, a sra. Beeton desconhecia o gelo como conservante; mas podemos assumir que ela não o teria aprovado, já que não gostava de coisas refrigeradas em geral. "Os idosos, as pessoas delicadas e as crianças devem abster-se de gelados ou bebidas frias", escreve ela. "Também é necessário abster-se delas quando as pessoas estão muito aquecidas, ou logo após fazer exercícios violentos, pois em alguns casos já produziram doenças com consequências fatais." Grande número de alimentos e de atividades tinham consequências fatais no livro da sra. Beeton.

Apesar do seu jeito de matrona, a sra. Beeton tinha apenas 23 anos quando começou o livro. Escreveu-o para a editora do marido, onde foi publicado em 33 fascículos mensais, a partir de 1859 (ano da publicação de *A origem das espécies*, de Charles Darwin), e depois lançado como volume único em 1861. Samuel Beeton já tinha ganhado muito dinheiro com a publicação de *A cabana do pai Tomás*, que causou a mesma sensação na Grã-Bretanha e na América. Também fundou algumas revistas populares, como a *Englishwoman's Domestic Magazine* (1852), com muitas inovações — uma página de problemas, uma coluna médica, moldes de vestidos — muito comuns nas revistas femininas até hoje.

Quase tudo no *Book of household management* sugere que foi feito com descuido e às pressas. As receitas em geral eram contribuição das leitoras, e quase todo o resto era plagiado. A sra. Beeton roubava descaradamente das fontes mais óbvias e reconhecíveis. Passagens inteiras foram copiadas textualmente da autobiografia de Florence Nightingale. Outras vieram direto do livro de culinária de Eliza Acton. É notável que a sra. Beeton nem se dava ao trabalho de ajustar o sexo do narrador, de modo que um ou dois capítulos são narrados por uma voz que só pode ser do sexo masculino, deixando o leitor confuso e desconcertado. A organização geral do livro é uma bagunça. Ela dedica mais espaço ao preparo da sopa de tartaruga do que ao desjejum, almoço e jantar juntos, e nem sequer menciona o chá da tarde. As inconsistências são espetaculares. Na mesma página em que explica, longamente, os perigos do tomate ("descobriu-se que contém certo ácido, além de um óleo volátil, uma matéria extrato-resinosa marrom, muito odorífera, uma matéria vegetomineral, mucossacarina, alguns sais e, com toda probabilidade, um alcaloide"), ela dá uma receita de tomates cozidos que chama de "acompanhamento delicioso". E ainda observa: "É uma fruta saudável, que se digere com facilidade. Seu sabor estimula o apetite, e é aprovado quase universalmente".

Apesar de suas múltiplas peculiaridades, o livro da sra. Beeton foi um enorme e duradouro sucesso. Suas duas virtudes incontestáveis eram a suprema autoconfiança e a grande abrangência. A era vitoriana foi uma época de ansiedade, e o guia da sra. Beeton prometia orientar a dona de casa preocupada em não encalhar em cada um dos perigosos baixios da vida. Folheando as páginas, a dona de casa podia aprender a dobrar guardanapos, demitir uma criada, eliminar sardas, elaborar um menu, aplicar sanguessugas, fazer um bolo de Battenberg ou restaurar a vida de alguém atingido por um raio. A autora elucida, em etapas precisas, como fazer torradas quentes com manteiga. Dá a cura para a gagueira e a afta, discute a história dos cordeiros oferecidos em sacrifício, fornece uma lista exaustiva de escovas e vassouras (escova de fogão, de cornija, de migalhas, de corrimão, espanador, vassouras de tapete — cerca de quarenta no total) que eram necessárias em qualquer casa que aspirasse à respeitabilidade e à higiene. Ainda discute os perigos de fazer amizades às pressas, e oferece uma lista de precauções a tomar antes de entrar no quarto de um doente. Esse manual de instruções podia ser seguido religiosamente, e era exatamente isso que as pessoas queriam. A sra. Beeton era decisiva em todos os tipos de assuntos — o equivalente doméstico de um sargento instrutor.

Tinha apenas 28 anos quando morreu, de febre puerperal, oito dias após dar à luz o quarto filho; mas seu livro sobreviveu muito tempo. Vendeu mais de 2 milhões de exemplares apenas em sua primeira década, e continuou a vender continuamente já bem entrado o século xx.

* * *

Em retrospecto, é quase impossível compreender os vitorianos e sua alimentação. Para começar, a gama de alimentos era estonteante. Ao que parece, as pessoas comiam qualquer coisa que se mexesse no mato ou que pudesse ser tirada da água. Aves e peixes como ptármiga, esturjão, cotovia, lebre, galinhola, ruivo, barbo, eperlano, tarambola, narceja, gobião, bordal, enguia, tenca, espadilha, filhote de peru e muitas outras iguarias já bastante esquecidas figuram nas numerosas receitas da sra. Beeton. As frutas e os legumes parecem quase infinitos. Só de maçãs havia, inacreditavelmente, mais de 2 mil variedades para escolher — Worcester Pearmain, Beleza de Bath, *pippin* de Cox e assim por diante, em uma lista extensa e poética. Em Monticello no início do século xix, Thomas Jefferson cultivou 23 diferentes tipos de ervilhas e mais de 250 tipos de frutas e legumes. (Jefferson era praticamente vegetariano, uma raridade na época, e comia apenas pequenas porções de carne como uma espécie de "condimento".) Além de groselha, morango, ameixa, figo e outras frutas que hoje conhecemos bem, Jefferson e seus contemporâneos também gostavam de gaultéria, tanásia, beldroega, baga de vinho japonês, ameixa, nêspera, couve-marinha, pinha, cardo, ervilha *rounceval*, *skirrets* (uma espécie de raiz doce), nabo *scorzenera*, ligústica, repolho-nabo e mais dezenas de vegetais que hoje não são encontrados, ou só raramente. Jefferson, aliás, também era um grande aventureiro em matéria de alimentos. Entre suas muitas realizações, foi a primeira pessoa nos Estados Unidos a cortar batatas em tiras e fritá-las. Assim, além de ser o autor da Declaração da Independência, também foi o pai da batata frita.

Um dos motivos pelos quais se comia tão bem é que muitos alimentos que hoje consideramos iguarias raras eram abundantes na época. As lagostas se multiplicavam de tal maneira no litoral da Grã-Bretanha que eram dadas como alimento a prisioneiros e órfãos, ou moídas para virar adubo; os criados pediam uma declaração escrita dos empregadores para não ter de comer lagosta mais de duas vezes por semana. Os americanos desfrutavam de uma abundância ainda maior. O porto de Nova York, sozinho, continha metade das ostras do mundo e dava tanto esturjão que o caviar era servido como aperitivo nos bares. (A ideia era que os alimentos salgados fariam as pessoas beberem mais cerveja.) O tamanho dos pratos e a variedade de condimentos disponíveis eram de tirar o fôlego. Em 1867 um hotel em Nova York tinha 145 pratos no cardápio. Um popular livro de receitas americano em 1853, *Home cookery* [Cozinha doméstica], aconselha, com toda a naturalidade, acrescentar uma centena de ostras a uma panela de sopa de quiabo para "melhorá-la". A sra. Beeton oferece nada menos que 135 receitas só de molhos.

No entanto, o apetite na era vitoriana era relativamente contido. A Idade de Ouro da gula foi, na verdade, o século XVIII. Essa foi a época de "John Bull", o símbolo do homem inglês — o ícone mais rubicundo, obeso e pronto para ter um infarte já criado por qualquer nação na esperança de impressionar as demais. Talvez não seja coincidência que dois dos monarcas mais gordos da história britânica viveram no século XVIII. A primeira foi a rainha Anne. Embora os retratos sempre a fizessem parecer, com muito tato, apenas um pouquinho gorducha, assim como uma das belezas carnudas de Rubens, ela era, na verdade, gigantesca — "extremamente corpulenta e repulsiva", nas palavras sinceras da sua ex-melhor amiga, a duquesa de Marlborough. Anne acabou engordando tanto que não conseguia mais subir e descer escadas. Foi preciso abrir um alçapão no chão do seu quarto no castelo de Windsor, pelo qual ela era baixada aos solavancos, de maneira nada elegante, por meio de um guindaste e polias, para o salão no andar de baixo. Devia ser uma cena notável de ver. Quando morreu, foi enterrada em um caixão "quase quadrado". Ainda mais enorme foi o príncipe regente, o futuro George IV; dizia-se que sua barriga, quando escapava do espartilho, caía até os joelhos. Aos quarenta anos de idade sua cintura tinha mais de 1,20 metro.

Até as pessoas mais magras costumavam sentar à mesa para comer quantidades de alimentos que pareciam incrivelmente generosas, e até nocivas. Um desjejum registrado pelo duque de Wellington consistiu de "dois pombos e três bifes de carne bovina, três partes de uma garrafa de Moselle, uma taça de champanhe, dois copos de vinho do Porto e um copo de conhaque" — e isso quando ele estava um tanto indisposto. O reverendo Sydney Smith, embora fosse homem da igreja, captou o espírito da época ao recusar dar graças às refeições. "Quando se é tomado pelo orgasmo da voracidade, parece inconveniente interpor um sentimento religioso", explicou ele. "É uma confusão de propósitos murmurar orações com a boca salivando."

Em meados do século XIX, as porções gigantescas se tornaram institucionalizadas e rotineiras. A sra. Beeton sugere o seguinte cardápio para um jantar com alguns convidados: sopa de tartaruga, filés de rodovalho com creme, linguado frito com molho de anchovas, coelhos, alcatra, vitela, guisado de lombo bovino, aves assadas, presunto cozido, um prato de pombos ou cotovias assadas e, para finalizar, tortinhas de ruibarbo, merengues, geleia, creme, pudim gelado e suflê. Esse era, no livro da sra. Beeton, um jantar para seis pessoas.

Por ironia, quanto mais atenção os vitorianos davam à comida, menos pareciam estar à vontade com ela. A sra. Beeton parecia realmente não gostar de comida, de modo algum; lidava com ela, como fazia com a maioria das coisas, como uma espécie de necessidade dura e desagradável que tinha de ser tratada com rapidez e determinação. Tinha especial desconfiança de qualquer coisa que acrescentasse um sabor mais acentuado aos alimentos. O alho, ela abominava. A pimenta vermelha mal merecia menção. Até a pimenta-do-reino era somente para os temerários. "Nunca se deve esquecer", alertava ela a seus leitores, "que, mesmo em pequenas quantidades, a pimenta produz efeitos deletérios nas constituições inflamatórias." Essas advertências alarmadas foram repetidas ad infinitum em livros e periódicos ao longo de toda a época vitoriana.

Por fim, muitas casas vitorianas desistiram por completo do sabor e se limitaram a tentar colocar a comida ainda quente na mesa. Nas casas maiores isso já era um objetivo ambicioso, pois a cozinha podia ficar espantosamente distante da sala de jantar. A mansão Audley End, em Essex, bate o recorde nesse quesito, com a cozinha a mais de duzentos metros da sala de jantar. Em Tatton Park, em Cheshire, para tentar acelerar as coisas foi instalado um trilho interno para despachar carrinhos a toda velocidade da cozinha para um distante aparador, de onde às pressas a comida era levada em frente. Sir Arthur Middleton de Belsay Hall, perto de Newcastle, era tão obcecado pela temperatura da comida que lhe serviam que mergulhava um termômetro em cada prato que chegava à mesa, e o mandava de volta para ser aquecido, várias vezes até, se não alcançasse a temperatura esperada, de modo que com frequência sir Arthur acabava jantando tarde da noite, com os pratos mais ou menos carbonizados. Auguste Escoffier, o grande chef francês do hotel Savoy de Londres, ganhou a estima dos comensais britânicos não só por fazer pratos deliciosos, mas também por empregar um sistema inédito de brigadas na cozinha, com cozinheiros dedicados a diferentes alimentos — um para as carnes, um para as verduras, e assim por diante —, de modo que tudo podia ser posto no prato de uma só vez e levado à mesa fumegando gloriosamente.

Tudo isso, é claro, está em flagrante contradição com o que foi dito antes sobre a pobreza da alimentação das pessoas comuns no século XIX. O fato é que há tal confusão nos registros da época que é impossível saber se as pessoas comiam bem ou não.

Julgando pelo consumo *médio*, comiam-se muitos alimentos saudáveis: quatro quilos de peras por pessoa em 1851, comparado com apenas 1,5 quilo hoje; quatro quilos de uvas e outras frutas macias, mais ou menos o dobro do que se consome hoje; e cerca de nove quilos de frutas secas, contra dois quilos hoje. Quanto aos legumes, os números são ainda mais notáveis. Em 1851 o londrino médio consumia anualmente dezesseis quilos de cebolas, contra seis quilos hoje; cerca de vinte quilos de nabos comuns e nabos suecos, comparado com 1,5 quilo hoje; e 35 quilos de repolho por ano, contra dez quilos hoje. Já o consumo de açúcar era de cerca de quinze quilos por cabeça — menos de um terço da quantidade consumida hoje. Assim, no total parece que as pessoas tinham uma alimentação bastante saudável.

No entanto, a maioria dos relatos escritos na época e depois indicam o exato oposto. Henry Mayhew, em sua obra clássica *London labour and the London poor*, publicado no mesmo ano em que a nossa casa paroquial foi construída, dizia que um pedaço de pão e uma cebola constituíam o jantar típico de um trabalhador. Já uma história muito mais recente (e merecidamente elogiada), *Consuming passions* [Paixões consumidoras], de Judith Flanders, afirma que "a dieta básica das classes trabalhadoras e de grande parte da classe média baixa em meados do século XIX consistia de pão ou batata, um pouquinho de manteiga, queijo ou bacon e chá com açúcar".

O que decerto é verdade é que quem não podia controlar sua alimentação comia realmente muito mal. O relatório de um magistrado sobre as condições em uma fábrica no norte da Inglaterra em 1810 revela que os aprendizes ficavam em suas máquinas desde as cinco e cinquenta da manhã até as nove e dez ou nove e quinze da noite, com um único e breve intervalo para o almoço. "Eles tomam Mingau com Água no Desjejum e na Ceia" — comendo em seu posto, junto às máquinas — "e para o Almoço geralmente Bolo de Aveia e Melado, ou Bolo de Aveia e um Caldo ralo", escreveu ele. Essa era a alimentação típica de quem estivesse preso em uma fábrica, prisão, orfanato ou outra situação na qual não tivesse poder algum.

Também é verdade que, para muitos pobres, a alimentação não tinha nenhuma variedade. Na Escócia, os trabalhadores rurais no início do século XIX recebiam uma ração média de nove quilos de farinha de aveia por semana, mais um pouco de leite e quase nada mais; e em geral se consideravam felizes, porque pelo menos não tinham que comer batatas. Estas foram desprezadas durante os primeiros 150 anos após a sua introdução na Europa. Muita gente considerava a batata insalubre porque suas partes comestíveis crescem embaixo da terra, em vez de buscar, nobremente, a luz do sol. Havia clérigos que pregavam contra a batata, com o argumento de que ela não é citada em nenhum lugar na Bíblia.

Apenas os irlandeses não podiam ser tão exigentes. Para eles a batata foi uma dádiva de Deus, devido ao alto rendimento das plantações. Um só acre (pouco mais de meio hectare) de solo pedregoso bastava para sustentar uma família de seis pessoas, desde que aceitassem comer muita batata; e os irlandeses, por necessidade, estavam dispostos a isso. Em 1780, 90% da população irlandesa dependia apenas da batata para sobreviver. Infelizmente, a batata também é um dos vegetais mais vulneráveis, sujeito a mais de 260 tipos de pragas ou infestações. Desde que foi introduzida na Europa, as safras quebravam regularmente. Nos 120 anos que antecederam a Grande Fome da Irlanda, as safras de batata falharam nada menos que 24 vezes. Em 1739, 300 mil pessoas morreram em uma única dessas quebras. Mas essa quantidade estarrecedora parece insignificante perto da escala de mortes e sofrimento em 1845-6.

Tudo aconteceu com muita rapidez. Até agosto, as plantações pareciam estar bem; de repente, caíram e murcharam. Os tubérculos, ao serem desenterrados, estavam esponjosos e já em putrefação. Nesse ano metade da produção se perdeu. No ano seguinte, praticamente tudo foi arrasado. O culpado era um fungo denominado *Phytophthora infestans*, mas as pessoas não sabiam disso e punham a culpa em tudo que podiam imaginar — o vapor dos trens, a eletricidade dos sinais de telégrafo, os novos fertilizantes de guano que começavam a se popularizar. Não foi só na Irlanda que as safras de batata quebraram, mas em toda a Europa; só que os irlandeses eram especialmente dependentes dela.

O socorro chegou com notável lentidão. Meses depois que a grande fome tinha começado, sir Robert Peel, o primeiro-ministro britânico, ainda pedia cautela. "Existe tamanha tendência ao exagero e à imprecisão nos relatórios vindos da Irlanda que sempre é desejável atrasar as ações a respeito", escreveu ele. No pior ano da fome da batata, foram vendidos em Billingsgate, o mercado de peixe de Londres, 500 milhões de ostras, 1 bilhão de arenques frescos, quase 100 milhões de linguados, 498 milhões de camarões, 304 milhões de moluscos, 33 milhões de solhas, 23 milhões de cavalas e mais quantidades enormes de outros peixes; e nem um naco disso tudo foi enviado à Irlanda para aliviar a fome da população.

O pior da tragédia é que havia alimentos em abundância na própria Irlanda. O país produzia grandes quantidades de ovos, cereais e carnes de todo tipo, e tirava do mar grande quantidade de alimentos; mas quase tudo era para exportação. E foi assim que 1,5 milhão de pessoas morreram de fome desnecessariamente. Foi a maior perda de vidas na Europa desde a peste negra.

5. A área de serviço e a despensa

Um dos muitos pequenos enigmas da nossa velha casa paroquial, tal como ela devia ser originalmente, é que não havia nenhum lugar para os empregados ficarem quando não estavam trabalhando. Na cozinha mal cabia uma mesa e duas cadeiras, e a área de serviço e a despensa anexas, onde agora convido o leitor a entrar, eram menores ainda.*

Assim como acontece com a cozinha, eram dependências onde o sr. Marsham devia entrar com hesitação, se é que ali punha os pés, pois ali reinavam os empregados — embora não fosse lá um grande reino. Pelos padrões da época, a área dos empregados era curiosamente pequena para uma casa paroquial. Na casa paroquial de Barham, em Kent, construída por volta da mesma época, o arquiteto deu aos empregados não só uma cozinha, uma despensa e uma área de serviço, mas também uma copa, uma despensa para guardar

---

* *Scullery* [área de serviço] vem de *escullier*, antiga palavra francesa para "pratos"; era o local onde os pratos eram lavados e empilhados, e ali se encontrava uma pia grande e funda. *Larder* [despensa] não vem diretamente de *lard* [banha de porco], como se poderia pensar, mas sim do francês *lardon*, ou bacon, local onde se conservava a carne. São esses os termos utilizados na planta original da casa, mas os empregados bem podiam chamar a despensa de *pantry* [copa] — palavra vinda do latim *panna*, "sala do pão", que em meados do século XIX passou a significar um local para armazenar alimentos em geral.

alimentos, um depósito de carvão, diversos armários e — o ponto crucial — um quarto para a governanta da casa, sem dúvida destinado a sua privacidade e seu descanso.

O que torna tudo isso um pouco difícil de compreender é que a casa, tal como foi construída, nem sempre combina com o projeto de Edward Tull. É evidente que o sr. Marsham deve ter sugerido (talvez até com insistência) algumas revisões substanciais; o que não é de surpreender, pois o projeto de Tull continha várias peculiaridades notáveis. Tull colocou a entrada principal da casa em uma parede lateral, sem nenhuma razão lógica ou dedutível. Colocou uma latrina no patamar da escada principal — um local estranho e inusitado —, deixando as escadas sem janelas, de modo que deviam ser escuras como uma adega, mesmo de dia. Projetou um quarto de vestir para o quarto principal, mas não incluiu uma porta de ligação entre os dois. Construiu um sótão sem uma escada de acesso, mas com uma excelente porta que se abre para o nada.

A maioria dessas ideias caprichosas foi eliminada em algum momento antes ou durante a construção. Por fim a entrada principal foi colocada, segundo as convenções, na frente da casa, e não na lateral. O banheiro no patamar da escada nunca foi construído. A escadaria ganhou uma grande janela que continua até hoje banhando agradavelmente os degraus com luz solar, quando há luz solar, e proporciona uma linda vista para a igreja ao longe. Foram acrescentados dois aposentos — um estúdio no térreo e um quarto ou berçário em cima. Em conjunto, a casa, assim como foi construída, é bem diferente do projeto de Tull.

Entre todas as mudanças, uma é particularmente intrigante. Na planta original de Tull, a área agora ocupada pela sala de jantar era muito menor e incluía espaço para uma "copa do lacaio" — sem dúvida um espaço para os criados comerem e descansarem. Essa copa nunca foi construída; em vez disso, a sala de jantar praticamente dobrou de tamanho, preenchendo todo o espaço. Por que aquele reitor solteiro decidiu privar seus empregados de um lugar para sentar e, em vez disso, deu a si mesmo uma sala de jantar realmente espaçosa é, naturalmente, impossível de saber a uma tal distância no tempo. Mas o resultado é que os criados não tinham nenhum lugar confortável para se sentar quando não estavam trabalhando. Aliás, pode ser que eles mal e mal se sentassem, como era comum na época.

O sr. Marsham tinha três criados: a governanta, miss Worm; sua ajudante, Martha Seely, uma moça da aldeia; e um criado e jardineiro chamado James Baker. Como o amo, todos eram solteiros. Três criados para cuidar de um clérigo celibatário pode parecer excessivo para nós, mas não para alguém na época de Marsham. A maioria dos párocos tinha pelo menos quatro empregados, e alguns tinham dez ou mais. Era uma época de criados. As casas tinham criados do mesmo modo que hoje as pessoas possuem aparelhos domésticos. Até trabalhadores comuns tinham criados; e mesmo certos criados tinham criados.

Os criados faziam mais do que prestar serviços práticos; eram um indicador essencial de status. Os convivas em um jantar podiam supor que tinham recebido seus respectivos lugares segundo o número de criados que mantinham. As pessoas se aferravam à necessidade de ter criados, quase tanto como à própria vida. Até mesmo vivendo na fronteira americana, e depois de ter perdido quase tudo em um negócio malfadado, Frances Trollope, mãe do escritor Anthony Trollope, conservava um lacaio de libré. Karl Marx, vivendo no Soho, em Londres, cronicamente endividado e muitas vezes mal conseguindo pôr comida na mesa, empregava uma governanta *e* um secretário pessoal. A casa era tão superlotada que o secretário — um homem chamado Pieper — tinha que dormir com Marx na mesma cama. (Mesmo assim, de algum jeito, Marx conseguiu arranjar momentos de privacidade para seduzir e engravidar a governanta, que lhe deu um filho no ano da Grande Exposição.)

Assim, a criadagem era uma parte importante da vida de muitíssimas pessoas. Em 1851, uma em cada três moças de Londres, jovens entre quinze e 25 anos, era empregada doméstica. Outra terça parte se compunha de prostitutas. Para muitas, essas eram as únicas opções. O número total de criados em Londres, homens e mulheres, era maior que o da população total de todas as cidades inglesas, exceto as seis maiores. Era um mundo sobretudo feminino. Em 1851 as mulheres empregadas no serviço doméstico superavam os homens em dez para um. Para elas, porém, raramente era um trabalho para a vida toda. A maioria deixava a profissão até os 35 anos, em geral para casar, e muito poucas permaneciam no mesmo emprego por mais de um ano. E isso não é de admirar, pois, como veremos, ser empregada doméstica era um trabalho duro e ingrato.

A quantidade de criados variava muito, é claro, mas no extremo superior da escala social costumava ser substancial. Uma grande casa de campo normalmente tinha quarenta criados apenas para o interior da casa. O conde de Lonsdale, solteiro, morava sozinho, mas tinha 49 pessoas para cuidar dele. Lorde Derby tinha duas dúzias só para lhe servir o jantar. O primeiro duque de Chandos mantinha uma orquestra particular para suas refeições, embora extraísse trabalho extra de alguns de seus músicos exigindo que também fizessem serviços domésticos; um dos violinistas, por exemplo, era obrigado a barbear o filho do duque diariamente.

O pessoal para cuidar da área externa engrossava ainda mais as fileiras, em especial se os proprietários costumassem cavalgar ou caçar. Em Elveden, propriedade da família Guinness em Suffolk, a casa empregava dezesseis guarda-caças, nove auxiliares de guarda-caças, 28 *warreners* (para abater coelhos) e duas dúzias de criados diversos — 77 pessoas ao todo, só para ter certeza de que os anfitriões e seus convidados sempre tivessem uma abundância de aves assustadas para explodir em mil pedaços. Os visitantes em Elveden conseguiam abater mais de 100 mil aves a cada ano. O sexto barão de Walsingham certa vez abateu, sozinho, 1070 galos silvestres em um só dia — recorde que ainda não foi superado e, provavelmente, nunca será. (Walsingham devia ter uma equipe de homens que lhe passavam um suprimento constante de armas carregadas, de modo que conseguir dar todos esses tiros era fácil. A dificuldade era manter um fluxo constante de alvos. Os galos deviam ser, quase com certeza, soltos de gaiolas, poucos de cada vez. Considerando o fato pelo aspecto esportivo, daria no mesmo se Walsingham atirasse direto nas gaiolas, ganhando assim um tempo extra para o chá.)

Os hóspedes também traziam seus próprios criados, de modo que nos fins de semana não era incomum que o número de pessoas em uma casa de campo chegasse a 150. Em meio a tanta gente, a confusão era inevitável. Em uma ocasião, na década de 1890, lorde Charles Beresford, conhecido malandro, entrou à noite em um quarto que acreditava ser de sua amante, e com um vigoroso grito de "Cocoricó!" pulou na cama, logo descobrindo que estava ocupada pelo bispo de Chester e sua esposa. Para evitar tais confusões, os hóspedes em Wentworth Woodhouse, suntuosa mansão de Yorkshire, recebiam caixinhas de prata contendo confetes personalizados, que podiam salpicar pelos corredores para indicar o caminho de volta ou entre dois quartos.

Tudo era feito em grande escala. A cozinha de Saltram, uma mansão em Devon, tinha seiscentos potes e panelas de cobre, o que era bastante comum.

Uma casa de campo média podia ter até seiscentas toalhas e quantidades semelhantes de roupas de cama e mesa. Manter tudo isso marcado com monogramas, registrado e guardado corretamente já era uma tarefa monumental. Mas mesmo em um nível mais modesto — de uma casa paroquial, por exemplo — um jantar para dez pessoas poderia exigir, facilmente, a utilização e lavagem de mais de quatrocentos pratos, copos, talheres etc.

Os criados em todos os níveis trabalhavam longas horas, arduamente. Escrevendo em 1925, um criado aposentado recordava que, no início da carreira, tinha que acender o fogo, engraxar vinte pares de botas, limpar e aparar 35 lampiões, tudo isso antes que o resto da família começasse a se mexer pela casa. Como o romancista George Moore escreveu por experiência, em sua autobiografia *Confessions of a young man* [Confissões de um jovem], o destino do criado era passar dezessete horas por dia "trabalhando duro, dentro e fora da cozinha, subindo as escadas correndo, carregando carvões em brasa, o desjejum ou latas de água quente, ou ajoelhado diante da grelha da lareira... Os patrões por vezes lhe atiravam uma palavra amável, mas nunca o reconhecendo como alguém da mesma espécie; era apenas a piedade que se pode demonstrar a um cão".

Antes do advento do encanamento interno, era preciso levar água para cada quarto e retirá-la depois de utilizada. Como regra geral, era preciso visitar cada quarto ocupado e ali trocar a água cinco vezes entre o desjejum e a hora de deitar. E cada visita dessas necessitava de um complicado conjunto de recipientes e panos — por exemplo, a água limpa jamais era carregada para cima no mesmo recipiente em que a água servida era trazida para baixo. A empregada tinha de levar três panos diferentes — um para limpar os copos, outro para a *commode* (cadeira com urinol) e um para as bacias e lavatórios — e lembrar-se de usar cada um no lugar certo (ou estar em ótimas relações com a patroa). E isso, claro, era apenas para a higiene geral leve. Se um convidado ou pessoa da família desejasse tomar banho, a carga de trabalho aumentava drasticamente. Um galão de água pesa 3,5 quilos e um banho exigia 45 galões, que tinham que ser aquecidos na cozinha e carregados para cima em latões especiais — e podia haver duas dúzias de banheiras ou mais para encher em uma noite. Cozinhar também exigia enorme energia e força física. Uma chaleira de cozinha cheia de água podia pesar mais de 25 quilos.

Os móveis, as grades da lareira, os cortinados, os espelhos, as janelas, os mármores e bronzes, os vidros, a prataria — tudo isso tinha que ser limpo e polido regularmente, em geral com um tipo próprio de pasta feita em casa. Para manter as facas e os garfos brilhando, não era suficiente lavar e polir; era preciso esfregá-los vigorosamente em uma tira de couro onde se passava uma pasta de pó de esmeril, giz, pó de tijolo, óxido metálico ou amoníaco, misturada com muita banha de porco. Antes de serem guardadas, as facas eram lambuzadas com gordura de carneiro (para evitar a ferrugem) e embrulhadas em papel pardo; portanto, antes de serem usadas tinham que ser desembrulhadas, lavadas e secas. Limpar as facas era um trabalho tão pesado e laborioso que uma máquina de limpar facas — basicamente uma caixa com uma manivela que fazia girar uma escova dura — se tornou um dos primeiros aparelhos para poupar o trabalho manual. Uma delas foi comercializada como a "Amiga do criado". E era mesmo, sem dúvida.

E tampouco bastava fazer o trabalho; muitas vezes era preciso fazê-lo segundo critérios de extrema exigência, que só ocorrem aos que não precisam realizar esse tipo de trabalho. Em Manderston, mansão senhorial em Northumberland, uma equipe de trabalhadores tinha que dedicar três dias completos, duas vezes por ano, para desmontar e polir uma grande escadaria e depois montá-la novamente. Certas tarefas extras eram tão humilhantes como inúteis. A historiadora Elisabeth Garrett registra uma casa onde o mordomo e sua equipe eram obrigados a colocar um tapete extra ao redor da mesa de jantar antes de pôr a mesa, para não pisar no tapete de melhor qualidade. Uma criada de Londres queixou-se de que seus patrões a faziam trocar de roupa, tirando a vestimenta de trabalho e colocando algo mais apresentável, antes de ir à rua chamar um táxi para eles.

Abastecer a casa de provisões era uma enorme preocupação. Muitas vezes os mantimentos eram comprados apenas duas ou três vezes por ano, e armazenados a granel. O chá era comprado em caixotes, a farinha em barricas. O açúcar vinha em grandes cones chamados "pães" [*loaves*]. Os criados eram peritos em preservar e guardar alimentos por longos períodos. A autossuficiência era tanto um desejo como uma necessidade. E não se tratava apenas de realizar as tarefas, mas de fabricar os materiais para poder trabalhar. Se você precisasse engomar um colarinho ou engraxar sapatos, tinha que fabricar seus próprios ingredientes. A graxa para sapatos só começou a ser comercializada em 1890. Antes disso era preciso fabricá-la em casa, fervendo uma mistura de diversos ingredientes, processo que não só manchava as botas, como também panelas, colheres, mãos e qualquer outra coisa que encostasse na mistura. O amido para engomar tinha que ser laboriosamente feito a partir de arroz ou batatas. Mesmo as roupas não vinham terminadas. Comprava-se uma peça de tecido e daí se faziam toalhas de banho e de mesa, lençóis, camisas, e assim por diante.

A maioria das famílias tinha ainda uma destilaria para fabricar bebidas alcoólicas, onde era produzido um repertório exaustivo de itens — tintas, herbicidas, sabonete, creme dental, velas, ceras, vinagres, conservas, cosméticos e cremes de beleza, veneno para ratos, pó antipulgas, xampus, medicamentos, solventes para tirar manchas do mármore, produtos para tirar o brilho das calças, para enrijecer os colarinhos e até mesmo para eliminar sardas. (Para isso o truque, segundo consta, era uma combinação de bórax, suco de limão e açúcar.) Essas misturas preciosas podiam envolver numerosos ingredientes — cera de abelha, fel de boi, alume, vinagre, terebintina e outros ainda mais surpreendentes. O autor de um manual de meados do século XIX recomendava limpar os quadros anualmente com uma mistura de "sal e urina velha" — mas ficava a cargo do leitor definir de quem seria a urina e que idade ela teria.

Muitas mansões tinham tantas copas, despensas e outras áreas de serviço que a maior parte da casa realmente pertencia aos criados. Em *The gentleman's house* [A casa do cavalheiro], de 1864, Robert Kerr afirmava que a casa senhorial típica tinha duzentos aposentos (contando todos os espaços de armazenamento), dos quais quase a metade era para uso doméstico, ou seja, locais dedicados aos criados e suas funções, ou a seus quartos de dormir. Quando se acrescentam as cavalariças e outras dependências externas, vemos que a maior parte da propriedade ficava sob o controle dos empregados.

A divisão do trabalho nos bastidores podia ser extremamente complicada. Kerr dividia as dependências domésticas em nove categorias: cozinha, padaria e cervejaria, sala dos criados inferiores, sala dos criados superiores, adegas e toaletes externas, lavanderia, salas privadas, salas "complementares" e vias de comunicação. Outras casas usavam diferentes critérios de contagem. A mansão Florence Court, na Irlanda, tinha mais de sessenta departamentos, enquanto Eaton Hall, a sede do duque de Westminster em Cheshire, possuía apenas dezesseis — um número bem modesto, considerando que ele tinha mais de trezentos criados. Tudo dependia da predisposição para a organização do dono e da dona da casa, do mordomo e da governanta.

Uma casa de campo grande podia ter, ainda, sala de armas, sala das lâmpadas, destilaria, pastelaria, copa do mordomo, peixaria, sala de assar, depósito de carvão, despensa para carnes de caça, cervejaria, sala das facas, sala das escovas, sala dos calçados e pelo menos uma dúzia mais. A Lanhydrock House, na Cornualha, tinha um aposento exclusivo para tratar dos urinóis. Outra, no País de Gales, segundo Juliet Gardiner, tinha uma sala só para passar os jornais a ferro. As casas mais antigas ou mais grandiosas também podiam ter aposentos especiais para os molhos, os condimentos, as aves, a manteiga, e outros ainda mais exóticos, como a *ewery* (sala para guardar jarras de água; a palavra deriva do latim *aquária*), a *chandry* para as velas, a *avenery* para os animais caçados, a *napery* para a roupa de cama, e muitos outros mais.

Alguns nomes desses locais não têm uma etimologia tão simples como parece. A *buttery*, onde se guardavam as garrafas de bebida, não tem nada a ver com *butter* [manteiga]; vem de "*butt*", barril, como em "*butts of ale*" [barris de cerveja]. (É uma corruptela do francês *boutelllerie*, de onde deriva tanto *bottle*, garrafa, como *butler*, mordomo; cuidar das garrafas de vinho era a tarefa original dos mordomos.) É curioso notar que o único aposento cujo nome não deriva dos produtos ali contidos é a *dairy* [leiteria]. O nome deriva do antigo termo francês *dey*, que significa *donzela*. Ou seja, ali era o local onde se encontravam as jovens leiteiras, e daí podemos deduzir, razoavelmente, que os antigos franceses estavam mais interessados em encontrar a donzela do que o leite.

Em todos os lares, exceto nos mais modestos, os proprietários raramente punham o pé na cozinha ou nas áreas de serviço e, como diz Juliet Gardiner, "só sabiam das condições em que viviam seus criados por meio de relatos". Não era incomum que o chefe da família não soubesse acerca dos seus criados nada além dos nomes. A maioria mal conseguiria encontrar o caminho nos recessos mais recônditos das áreas de serviço.

Cada aspecto da vida era rigorosamente estratificado, e essas distinções, repletas de ansiedade, existiam para os convidados e para a família tanto quanto para os criados. Um protocolo estrito ditava em que parte da casa uma pessoa poderia se aventurar — quais corredores e escadas poderia usar, quais portas abrir — conforme sua situação: convidado ou parente próximo, governanta ou tutor, criança ou adulto, aristocrata ou plebeu, homem ou mulher, empregado doméstico superior ou inferior. A rigidez era tanta, observa Mark Girourard, que o chá da tarde em certa casa senhorial era servido em onze locais diferentes, para onze diferentes castas de pessoas. Em sua história dos criados das casas de campo, Pamela Sambrook observa que duas irmãs trabalhavam na mesma casa, uma como criada doméstica e outra como babá, mas não tinham permissão de conversar ou mostrar familiaridade quando se encontravam, pois habitavam esferas sociais diferentes.

Os criados tinham pouco tempo para seus cuidados pessoais, mas eram constantemente acusados de serem sujos — algo decididamente injusto, já que de costume seu dia de trabalho ia das seis e meia da manhã às dez da noite — ou mais, se houvesse algum evento social à noite. A autora de um manual de administração doméstica observa, com melancolia, que gostaria tanto de oferecer a seus criados quartos agradáveis, mas infelizmente eles sempre acabavam ficando em desordem. "Portanto, quanto mais simples o mobiliário de um quarto de criado, tanto melhor", decidiu ela. Por volta do período eduardiano os criados tinham meio dia de folga por semana e um dia inteiro por mês — nada generoso, quando se considera que era todo o tempo de que dispunham para comprar objetos de uso pessoal, cortar o cabelo, visitar a família, namorar, relaxar ou desfrutar de algumas horas de preciosa liberdade.

Talvez a parte mais dura do trabalho fosse, simplesmente, viver como anexo e dependente de pessoas que não tinham a menor consideração pelos criados. Os diários de Virginia Woolf são quase obsessivamente preocupados com seus criados e o desafio constante de ter paciência com eles. Escreve ela sobre uma criada: "Ela vive em um estado de natureza virgem: não treinada, inculta... de modo que ali se vê uma mente humana se contorcendo, despida". Como classe, diz ela, eram tão irritantes como "moscas de cozinha". A escritora Edna St. Vincent Millay, sua contemporânea, foi mais contundente: "As únicas pessoas que eu realmente odeio são os criados", escreveu ela. "Eles não são, na verdade, seres humanos, de maneira nenhuma."

Era, sem dúvida, um mundo estranho. Os criados constituíam uma classe de seres humanos cuja existência era dedicada, fundamentalmente, a garantir que outra classe de seres humanos encontrasse tudo o que desejava ao alcance da mão, no mesmo instante em que lhes ocorresse desejar algo. Os que recebiam todas essas atenções ficavam mimados a um ponto quase inconcebível. Visitando sua filha em 1920, numa casa pequena demais para alojar seus criados com ele, o décimo duque de Marlborough saiu do banheiro perplexo, sem ação, porque sua escova de dentes não estava espumando corretamente.

Descobriu-se que seu criado pessoal sempre havia colocado a pasta na escova para ele, e o duque não sabia que as escovas de dentes não se recarregam automaticamente.

O pagamento que os criados recebiam por tudo isso por vezes se fazia de maneira assombrosa. Era comum que a dona da casa testasse a honestidade dos criados deixando alguma tentação onde eles forçosamente iriam encontrá-la — uma moeda no chão, por exemplo; se eles a embolsassem, seriam castigados. O efeito era incutir nos criados uma sensação um tanto paranoica de que estavam em presença de seres superiores e oniscientes. Os criados também eram suspeitos de cumplicidade com assaltantes, fornecendo-lhes informações sobre a casa e deixando as portas destrancadas. Era uma receita perfeita para a infelicidade de ambos os lados. Os criados, especialmente em famílias menores, consideravam seus amos exigentes e não razoáveis; os patrões julgavam os criados preguiçosos e desonestos.

A humilhação ocasional era uma característica normal da vida dos serviçais. Por vezes se exigia dos criados, por exemplo, que adotassem um novo nome, de modo que o segundo lacaio em uma casa era sempre chamado de "Johnson", por exemplo, poupando à família o tédio de ter de aprender um novo nome a cada vez que um lacaio se aposentava ou era atropelado pelas rodas de uma carruagem. O problema dos mordomos era especialmente delicado. Esperava-se que tivessem o porte e o comportamento de um cavalheiro, e se vestissem de acordo, mas muitas vezes o mordomo era obrigado a cometer alguma gafe intencional no vestuário — por exemplo, usar uma calça que não combinava com o casaco — para garantir que sua inferioridade fosse imediatamente manifesta.*

Um manual chegava a dar instruções — na verdade, um roteiro — sobre como humilhar uma criada na frente de uma criança, para o bem da criança e da criada. Nesse roteiro modelar, o menino é chamado para o estúdio, onde encontra a mãe em pé junto à criada envergonhada, que chora baixinho.

---

* A propósito, nossa imagem padronizada de criadas de uniforme preto, com toucas de babados, avental engomado e coisas do gênero reflete, na verdade, uma realidade bastante breve. Os uniformes para criados só se tornaram comuns quando começaram a aumentar as importações de algodão, na década de 1850. Antes disso, a qualidade das roupas usadas pela classe alta era tão superior, instantânea e visivelmente, à das roupas dos trabalhadores que não era necessário distinguir os criados por meio de uniformes.

"A babá Maria", começa a mãe, "vai dizer a você que não existe nenhum homem negro que entra às escondidas no quarto das crianças à noite para levá-las embora quando se comportam mal. Quero que você ouça, enquanto a babá Maria lhe diz isso, pois hoje ela vai embora daqui e você provavelmente nunca mais vai vê-la."

A babá é então confrontada com cada uma de suas histórias tolas, e obrigada a desmenti-las uma a uma.

O menino ouve atentamente e estende a mão para a criada que está de partida. "Obrigado, babá", diz ele secamente. "Eu não deveria ter ficado com medo, mas acreditei em você, sabe." Vira-se então para a mãe: "Não vou mais ter medo, mãe", ele a tranquiliza de forma adequadamente viril, e todos voltam à sua vida normal — exceto, claro, a babá, que provavelmente nunca mais na vida vai encontrar um emprego respeitável.

A demissão, especialmente para as mulheres, era a calamidade mais temida, pois significava perda do emprego, perda de moradia, perda de perspectivas, perda de tudo. A sra. Beeton teve especial cuidado em alertar seus leitores para não permitirem que o sentimentalismo, a caridade cristã ou qualquer outra consideração ou compaixão os levasse a escrever uma recomendação falsa ou enganosa sobre um criado despedido. "Ao descrever um caráter, nem é necessário dizer que a dona da casa deve ser guiada por um senso de rigorosa justiça. Não é justo que uma dama recomende para outra dama um criado que ela própria não desejaria manter", escreve a sra. Beeton — e nisso se resumia toda a reflexão que era necessário dedicar ao assunto.

Com o decurso da era vitoriana um criado era obrigado, cada vez mais, a ser não apenas honesto, limpo, trabalhador, sóbrio, discreto e cumpridor dos deveres, mas também, o máximo possível, invisível. Jenny Uglow, em sua história da jardinagem, menciona uma propriedade onde, quando a família estava na residência, os jardineiros eram obrigados a se desviar 1,5 quilômetro para esvaziar seus carrinhos de mão, para não se tornarem uma presença irritante no campo visual do proprietário. Já em uma mansão em Suffolk os criados eram obrigados a colar o rosto na parede quando passava alguém da família.

Cada vez mais, as casas passaram a ser projetadas para manter os criados longe da vista dos amos e separados da casa, exceto em casos de absoluta necessidade. O refinamento arquitetônico que mais acentuou a segregação foi a escada traseira de serviço. "Os nobres que subiam a escada não precisariam mais dar de cara com suas fezes da véspera descendo por ela" — nas palavras precisas de Mark Girouard. "De ambos os lados essa privacidade é muito valorizada", escreveu Robert Kerr em *The gentleman's house*, de 1864, embora seja bem provável que Kerr conhecesse melhor os sentimentos dos que enchiam os urinóis do que os dos criados que os esvaziavam.

No nível mais alto da nobreza, exigia-se não só dos criados mas também dos convidados e dos membros permanentes da casa que fossem minimamente visíveis. Quando a rainha Vitória saía para seu passeio vespertino nos jardins da Osborne House, na Ilha de Wight, ninguém, absolutamente ninguém, de qualquer nível da sociedade, tinha permissão de encontrá-la. Dizia-se que era possível saber onde ela se encontrava, exatamente, em qualquer lugar na propriedade ao ver as pessoas fugindo em pânico da frente dela. Em certa ocasião o chanceler do Tesouro, sir William Harcourt, foi pego em terreno aberto, sem nada onde pudesse esconder-se exceto um arbusto anão. Como Harcourt tinha 1,90 metro de altura e era muito corpulento, esconder-se seria apenas um gesto simbólico. Sua majestade fingiu não vê-lo; mas ela era perita em não ver as coisas. Dentro da casa, onde os encontros nos corredores eram inevitáveis, era seu costume olhar fixamente para a frente e, com um brilho imperioso nos olhos, desmaterializar qualquer um que encontrasse no caminho. Os criados, exceto os de extrema confiança, não tinham licença de olhar diretamente para ela.

"A divisão de classes é a coisa mais perigosa, repreensível e jamais pretendida pela lei da natureza, algo que a rainha está sempre trabalhando para alterar", escreveu ela certa vez, ignorando, convenientemente, que o único lugar onde esse nobre princípio não se aplicava era na sua própria presença real.

O criado mais graduado da casa era o mordomo. Sua contraparte feminina era a governanta. Abaixo deles vinha o cozinheiro e supervisor da cozinha e depois toda uma série de empregadas, criadas para a sala de visitas, criados pessoais do dono da casa, lacaios e garotos de serviço. Os lacaios [*footmen*] eram, originalmente, apenas homens que iam a pé, trotando ao lado da carruagem ou liteira onde ia seu amo ou ama, a fim de dar uma impressão gloriosa e fazer qualquer tarefa necessária durante a viagem. Por volta do século XVII eles eram apreciados como cavalos de corrida, e por vezes seus amos os faziam competir uns contra os outros, apostando neles grandes somas. Os lacaios realizavam a maioria das tarefas públicas da casa — atender a porta, servir a mesa, entregar mensagens — e por isso com frequência eram escolhidos pela sua altura, porte e aparência geral atraente, para grande desgosto da sra. Beeton. "Quando uma dama elegante escolhe seu lacaio sem nenhuma outra consideração além da sua altura, aspecto e formato da panturrilha, não surpreende que acabe encontrando um serviçal sem apego à família", escreve ela com desprezo.

As ligações entre os lacaios e suas senhoras eram vistas popularmente como características em algumas mansões mais descontraídas do país. Em um caso conhecido, o visconde de Ligonier Clonmell descobriu que sua esposa andava se encontrando com um nobre italiano, o conde Vittorio Amadeo Alfieri. Ligonier o desafiou, como exigia a honra, e os dois travaram uma espécie de duelo no Green Park, usando espadas emprestadas de uma loja próxima. Os homens trançaram armas por alguns minutos, mas seus corações não pareciam estar de fato empenhados na disputa — possivelmente porque ambos sabiam que a caprichosa lady Ligonier não valia que se derramasse seu sangue —, suspeita que ela confirmou, quase de imediato, fugindo com seu lacaio. Isso provocou em todo o país muitos comentários grosseiros de escárnio e versinhos alegres, dos quais posso oferecer este dístico:

Mas veja a Ligonier, sensual, cheia de viço
Em vez do visconde, preferiu o cavalariço!

A vida dos criados não era inteiramente ruim, de modo algum. Em geral as grandes casas de campo só eram habitadas durante dois ou três meses por ano; assim, a vida de alguns criados se compunha de longos períodos relativamente tranquilos, interrompidos por temporadas de muitas horas diárias de trabalho árduo. Para os criados da cidade, sucedia em geral o oposto.

Os serviçais tinham boa alimentação, aquecimento, roupas decentes e um lugar para dormir todas as noites, em uma época em que isso significava muito. Já se calculou que, incluindo todos os confortos, um criado graduado ganhava um salário anual equivalente a 50 mil libras esterlinas em dinheiro de hoje. Outras vantagens em geral também estavam à disposição dos que eram engenhosos ou ousados o suficiente para aproveitá-las. Em Chatsworth, por exemplo, a cerveja vinha da cervejaria para a mansão por uma tubulação que atravessava a grande estufa de plantas de Joseph Paxton. Certa feita, durante uma manutenção de rotina, descobriu-se que um criado empreendedor há muito vinha subtraindo a cerveja que passava pelo tubo.

Os criados também ganhavam um bom dinheiro das gorjetas. Era costume, ao sair de um jantar, ter que passar por uma fileira de cinco ou seis lacaios, cada um esperando seu xelim, o que tornava jantar fora uma atividade muito cara para todos, menos para os criados. Esperava-se dos convidados de fim de semana que fossem pródigos nas gorjetas. Os criados também podiam ganhar algum dinheiro mostrando o local aos visitantes. No século XVIII surgiu o costume de oferecer passeios para os visitantes que estivessem respeitavelmente vestidos, e tornou-se comum para as pessoas da classe média visitar as mansões, tal como fazem hoje. Em 1776, uma dama que visitou Wilton House notou que era a visitante número 3025 naquele ano, e ainda estavam apenas em agosto. Algumas propriedades recebiam tantos turistas que era necessário tomar medidas formais para manter as coisas sob controle. Chatsworth ficava aberta à visitação só dois dias por semana, e Woburn, Blenheim, Castle Howard, Hardwick Hall e Hampton Court também introduziram horários de visitas para limitar as multidões. Horace Walpole vivia tão atormentado pelos visitantes em sua casa, Strawberry Hill, em Twickenham, que mandou imprimir ingressos e uma longa lista, bastante mal-humorada, de regras sobre o que era permitido ou não. Se, por exemplo, um candidato solicitava quatro ingressos, mas apareciam cinco pessoas, nenhuma era admitida. Outras casas eram mais acolhedoras. Rokeby Hall, em Yorkshire, abriu um salão de chá.

Muitas vezes o trabalho era mais difícil nas casas menores, onde se podia exigir de um criado que fizesse o trabalho que dois ou três realizavam nas grandes mansões. A sra. Beeton, como se pode imaginar, tinha muito a dizer sobre quantos criados se deveria ter, em função da situação financeira e da origem familiar de cada um. Uma pessoa de berço nobre, decretou ela, exigiria pelo menos 25 criados. Quem ganhasse mil libras por ano necessitava de cinco — uma cozinheira, duas criadas domésticas, uma babá e um lacaio. O mínimo para uma casa de classe média, onde o proprietário era um profissional, eram três: criada de salão, criada de casa e cozinheira. Mesmo quem ganhava apenas 150 libras por ano era considerado rico o suficiente para contratar uma "criada para todo o serviço" (o nome do cargo já diz tudo). A sra. Beeton tinha quatro criados. Na prática, porém, parece que a maioria das pessoas não empregava tantas pessoas como a sra. Beeton julgava necessário.

Uma família muito mais típica era a do historiador Thomas Carlyle e sua esposa Jane, que empregavam uma única criada em sua casa, no número cinco da Great Cheyne Row, em Chelsea. Essa alma muito pouco apreciada precisava não só cozinhar, limpar, lavar pratos, cuidar do fogo na lareira e retirar as cinzas, atender a porta, administrar as provisões e tudo o mais, como a cada vez que os Carlyle queriam tomar banho — o que era muito frequente — tinha que tirar água do poço, aquecê-la e subir três lances de escada carregando latões com 25 a quarenta litros de água quente, e depois repetir o processo no sentido inverso.

Na casa dos Carlyle a empregada não tinha quarto próprio; morava e dormia na cozinha — um arranjo surpreendentemente comum nas casas menores, mesmo as refinadas como a de Carlyle. Ali a cozinha ficava no porão, e era quente e confortável, embora um tanto escura; mas nem mesmo esse espaço básico ficava sob o controle dela. Thomas Carlyle também gostava de aconchego, e costumava ficar lendo ali à noite, mandando a empregada para a "cozinha de trás", que não parece algo tão terrível, mas na verdade era apenas um depósito sem aquecimento. Ali a empregada se empoleirava entre sacos de batatas e outras provisões, até ouvir a cadeira de Carlyle raspando no chão, seu cachimbo batendo na grelha da lareira e outros ruídos que fazia ao retirar-se — o que muitas vezes ocorria muito tarde da noite — e poder, enfim, deitar na sua cama espartana.

Nos 32 anos que residiram em Great Cheyne Row, os Carlyle tiveram 34 empregadas domésticas — e eram pessoas relativamente fáceis de servir, já que não tinham filhos e eram razoavelmente pacientes e compassivos por natureza. Mas era quase impossível encontrar criados que atendessem às suas exigências. Às vezes os criados fracassavam de forma espetacular, como ocorreu quando a sra. Carlyle chegou em casa numa tarde em 1843 e encontrou sua governanta completamente bêbada no chão da cozinha, "com uma cadeira virada ao lado, no meio de um caos de pratos sujos e cacos de louça quebrada". Em outra ocasião, a sra. Carlyle ficou sabendo, para seu horror, que uma empregada tinha dado à luz um filho ilegítimo na sala de estar do andar térreo enquanto a patroa estava fora. Ficou particularmente aflita porque a mulher tinha usado "todos os meus guardanapos mais finos". A maioria das empregadas, porém, saía ou era despedida porque se recusava a trabalhar tão duro como os Carlyle esperavam.

O fato inevitável é que os criados eram apenas humanos, e só raramente possuíam a acuidade, a habilidade, a tolerância e a paciência necessárias para satisfazer os incessantes caprichos dos patrões. Quem tivesse todos os talentos necessários para ser um excelente criado provavelmente não desejaria esse emprego.

A pior vulnerabilidade dos criados era a sua impotência. Eles podiam ser acusados de quase tudo. Nunca houve um bode expiatório tão conveniente, como o casal Carlyle descobriu em um famoso incidente, na noite de 6 de março de 1835. Na época eles tinham acabado de mudar para Londres, vindos da sua Escócia natal, na esperança de que Thomas ali fizesse carreira como escritor. Com 38 anos, já era dono de certa reputação — muito pequena, aliás — devido a um livro de densa filosofia pessoal chamada *O alfaiate retalhado*; mas ainda não havia escrito sua grande obra. Pretendia corrigir essa deficiência com uma história da Revolução Francesa em vários volumes. No inverno de 1835, após exaustivo trabalho, havia terminado o primeiro volume e entregue o manuscrito a seu amigo e mentor John Stuart Mill, para obter sua valiosa opinião.

Era esse o pano de fundo quando Mill apareceu na porta de Carlyle, naquela noite gélida no início de março, com o rosto positivamente cinzento. Atrás dele, esperando na carruagem, estava Harriet Taylor, sua amante. Era a esposa de um comerciante de espírito tão pacífico que basicamente a compartilhava com Mill, e até mesmo lhes proporcionava um chalé a oeste de Londres, em Walton-on-Thames, onde os dois podiam ter seus encontros amorosos. Vou deixar que Carlyle conte a história a partir daqui:

> Ouvimos as batidas de Mill à porta: ele entrou, muito pálido, incapaz de falar; disse baixinho à minha esposa que fosse lá fora conversar com a sra. Taylor, e entrou em casa (trazido pela minha mão e meu olhar espantado), parecendo a própria imagem do desespero. Depois de algumas expressões inarticuladas ou mal articuladas, ele me informa que meu Primeiro Volume (deixado em algum lugar por ele, de maneira muito descuidada, depois ou durante a leitura) estava, com exceção de quatro ou cinco pedaços de folhas, irremediavelmente ANIQUILADO! Eu me lembrava, e ainda me lembro, menos do seu conteúdo do que qualquer outra coisa que já escrevi tão laboriosamente; o manuscrito se foi, e nem eu nem o mundo inteiro poderia trazê-lo de volta: não, também o velho espírito fugiu... Ele se foi, para nunca mais voltar.

Uma criada, explicou Mill, tinha visto o manuscrito próximo à grelha da lareira e o tinha usado para acender o fogo. Bem, se analisarmos a questão com algum cuidado, perceberemos que essa explicação tem alguns problemas. Primeiro, um maço de folhas escritas à mão, mesmo que deixado em algum lugar, não parece algo sem importância; qualquer criada que trabalhasse na casa de Mill estaria acostumada a ver manuscritos, e decerto já saberia da importância e do valor destes. E de qualquer maneira não é preciso usar um manuscrito inteiro para acender o fogo. Queimá-lo todo exigiria alimentá-lo com as folhas, pacientemente, um pouco de cada vez — algo que alguém faria se quisesse se livrar do manuscrito, mas não se desejasse apenas acender o fogo. Em suma, é impossível conceber uma circunstância em que uma criada, ainda que obtusa e deficiente, pudesse, por um acidente plausível, destruir tal obra por completo.

Uma possibilidade é que o próprio Mill tenha queimado o manuscrito, em um ataque de ciúme ou raiva. Mill era uma autoridade em Revolução Francesa e havia dito a Carlyle que ele próprio tinha em mente escrever um livro sobre o assunto algum dia; assim, o ciúme decerto é um motivo possível. Outro fator: naquele momento Mill passava por uma crise pessoal. A sra. Taylor acabava de lhe dizer que não deixaria o marido, insistindo em manter aquela peculiar relação tripartite. Logo, podemos assumir que o equilíbrio mental de Mill estava perturbado. Mesmo assim, um ato arbitrário e destrutivo como esse não combina com o caráter que Mill demonstrara antes, nem com o horror e a dor que demonstrou pela perda, aparentemente genuínos. A única possibilidade que restava então era que a sra. Taylor, de quem o sério e respeitável casal Carlyle não gostava muito, fosse responsável, de alguma forma. Mill já havia dito que lera alto para ela grandes partes da obra; assim, surgiu a suspeita de que ela estivesse com a guarda do manuscrito no momento do desastre e, de alguma forma, estivesse na raiz desse malfadado acontecimento.

A única coisa que os Carlyle não podiam fazer era questionar nada disso, nem sequer de uma maneira desesperada e retórica. As regras do decoro decretavam que Carlyle precisava aceitar os fatos assim como Mill os relatou, e não tinha licença de fazer mais nenhuma pergunta sobre como havia sucedido essa terrível, espantosa, inexplicável catástrofe. Uma criada não especificada destruíra, descuidadamente, o manuscrito de Carlyle em sua totalidade, e esse era o fim da história.

Carlyle não teve outra opção senão sentar e tratar de recompor o livro da melhor maneira — tarefa ainda mais difícil pelo fato de que ele já não tinha suas anotações, devido ao seu costume bizarro, e sem dúvida equivocado, de queimar suas notas ao terminar cada capítulo, como uma espécie de comemoração de uma etapa vencida. Mill insistiu em dar a Carlyle uma indenização de cem libras, o suficiente para viver durante um ano enquanto reescrevia o livro; mas a amizade entre os dois, naturalmente, nunca se recuperou. Três semanas depois, em uma carta ao irmão, Carlyle reclamou que Mill não teve nem sequer a cortesia de deixar o casal lamentar o ocorrido em particular, mas "permaneceu, indiscretamente, até quase meia-noite, e minha pobre dama e eu tivemos que ficar sentados conversando com ele sobre assuntos sem importância; e só depois pudemos expressar livremente nossa lamentação".

É impossível saber de que modo a versão reescrita da obra difere da original. O que se pode dizer é que o volume que temos agora é um dos livros mais ilegíveis que jamais atraíram a estima de sua época. É inteiramente escrito no tempo presente, em uma linguagem estranha, empolada, que parece estar sempre à beira da incoerência. Eis Carlyle falando sobre o homem responsável pela guilhotina:

> E o digno *dr. Guillotin*, a quem esperávamos contemplar uma vez mais? Se não está aqui, o doutor deveria estar, e podemos vê-lo com os olhos da profecia: pois de fato os deputados parisienses estão um pouco atrasados. Singular Guillotin, respeitável médico; condenado por um destino satírico à mais estranha glória imortal que jamais afastou um obscuro mortal do seu lugar de repouso, do seio do esquecimento! [...] Infeliz médico! Durante 22 anos, não guilhotinado, nada mais ouviu além da guilhotina; e depois de morrer haverá de vagar por longos séculos, como um fantasma desconsolado, na margem errada do Styx e do Lete, e seu nome provavelmente sobreviverá ao de César.

Os leitores nunca tinham deparado com tal viva intimidade em um livro, e a julgaram emocionante. Dickens afirmou ter lido a obra quinhentas vezes, e a ele atribuía a inspiração para *Um conto de duas cidades*. Oscar Wilde venerava Carlyle. "Ele transformou a história em música, pela primeira vez na nossa língua", escreveu. "Ele foi o Tácito inglês." Durante meio século, Carlyle foi, para os literatos, um verdadeiro deus.

Morreu em 1881. Suas obras históricas mal sobreviveram a ele; mas sua história pessoal continua viva, graças, em grande parte, à volumosa correspondência deixada por ele e sua mulher — suficiente para encher trinta volumes em letra miúda. Hoje Thomas Carlyle ficaria, sem dúvida, espantado e consternado ao saber que seus livros de história quase não são lidos, mas que ele continua conhecido pelas minúcias da sua vida diária — incluindo décadas de mesquinhas lamentações sobre os criados. A ironia, claro, é que foi justamente aquela sucessão de criados, cujo labor nunca foi reconhecido, que permitiu que ele e sua esposa tivessem tempo livre para escrever tantas cartas.

De modo geral as coisas sempre foram assim. Assim como os Carlyle, mas quase dois séculos antes, o almirante Samuel Pepys e sua esposa, Elizabeth, tiveram uma sequência interminável de criados durante os oito anos e meio em que ele escreveu seu diário. O que não admira, pois Samuel passava boa parte do tempo agarrando as criadas e batendo nos criados — apesar de que também dava muita pancada nas moças. Certa vez levou uma vassoura até uma criada chamada Jane e, segundo ele narra, "bati nela até que ela chorou extremamente". O crime da moça foi estar desarrumada. Pepys mantinha um garoto cuja função principal, ao que parece, era dar-lhe algo conveniente para surrar — "como uma bengala, ou um galho de bétula, ou um chicote, ou uma corda, ou mesmo uma enguia salgada", como escreve Liza Piccard.

Pepys também era perito em demitir criados. Um foi despedido por proferir "algumas palavras indecentes", outra por ser fofoqueira. Uma ganhou roupas novas ao chegar, mas fugiu na mesma noite; quando capturada, Pepys recuperou as roupas e insistiu para que ela fosse severamente açoitada. Outros foram demitidos por beber ou furtar alimentos. Algumas com certeza foram mandadas embora por recusarem seus avanços amorosos. Um número espantoso, porém, se submetia. Durante os oito anos e meio de seu diário, Pepys teve relações sexuais com pelo menos dez mulheres além da esposa e encontros sexuais com outras quarenta. Muitas eram criadas. Sobre uma serviçal, Mary Mercer, o *Dictionary of national biography* observa calmamente: "Samuel parece ter formado o hábito de acariciar os seios da Mercer enquanto ela o vestia pela manhã". (É interessante que nosso herói libertino é chamado de "Samuel", e a serva de "Mercer".) Quando as criadas não o estavam vestindo, aguentando suas pancadas, ou fornecendo ninhos para suas mãos irrequietas, Pepys esperava que elas o penteassem e lavassem suas orelhas. Isso tudo além do dia normal de trabalho, que incluía cozinhar, limpar, buscar e levar água, e tudo o mais. Não surpreende que o casal Pepys tivesse grande dificuldade para encontrar e conservar criados.

A experiência de Pepys também demonstra que os criados eram capazes de trair. Em 1679, Pepys despediu seu mordomo por dormir com a governanta (que, curiosamente, continuou no emprego). O mordomo buscou vingança, afirmando para os inimigos políticos de Pepys que este era papista. Isso ocorreu durante um período de histeria religiosa, e Pepys foi preso na Torre de Londres. No fim o mordomo teve dores de consciência e reconheceu que tinha inventado aquilo tudo; e só por isso Pepys foi libertado. Mas foi um lembrete doloroso de que o patrão podia ficar à mercê do criado, tanto como o criado do patrão.

Quanto à vida dos próprios criados, não sabemos muito porque sua existência passava quase sem registros. Uma exceção interessante foi Hannah Cullwick, que manteve um diário excepcionalmente completo por quase quarenta anos. Cullwick nasceu em 1833 em Shropshire e começou a trabalhar em tempo integral numa cozinha como "*pot girl*", lavando panelas, com a idade de oito anos. No decurso de sua longa carreira, foi auxiliar de doméstica, ajudante de cozinha, cozinheira, lavadora de pratos e governanta para todo o serviço. Em todas essas funções o trabalho era árduo e as horas, longas. Ela iniciou seu diário em 1859, com 25 anos, e continuou escrevendo até pouco antes dos 65. Pela sua extensão, o diário constitui o mais completo registro da vida cotidiana de um serviçal durante a grande era da servidão doméstica. Como a maioria dos empregados domésticos, ela trabalhava desde antes das sete da manhã até as nove ou dez da noite, por vezes até mais tarde. Os diários são um catálogo interminável, normalmente sem expressar emoção alguma, das tarefas executadas. Eis um registro típico, de 14 de julho de 1860:

> Abri as venezianas e acendi o fogo na cozinha. Joguei fora a fuligem. Varri e espanei os quartos e o corredor. Arrumei a lareira e fiz o desjejum. Limpei dois pares de botas. Fiz as camas e esvaziei os penicos. Limpei e lavei a louça do desjejum. Limpei os pratos; limpei as facas e fiz o almoço. Lavei a louça e limpei tudo. Limpei a cozinha; desempacotei um cesto. Levei duas galinhas para a sra. Brewer e trouxe uma mensagem de volta. Fiz uma torta. Depenei, limpei e assei dois

Hannah Culwick fotografada pelo marido como criada doméstica em várias tarefas, e vestida de limpador de chaminés (embaixo, à direita). Note a corrente com cadeado no pescoço.

patos. Limpei as escadas e as soleiras, de joelhos. Limpei o raspador na frente da casa; limpei também as soleiras da entrada, de joelhos. Lavei a louça na área. Limpei a despensa, de joelhos, e esfreguei as mesas. Esfreguei as lajotas ao redor da casa e limpei os parapeitos das janelas. Fiz chá para o patrão e a sra. Warwick. [...] Limpei a privada, a passagem e o chão da área de serviço, de joelhos. Lavei o cachorro e as pias. Fiz o jantar e deixei para Ann levá-lo lá para cima, pois eu estava suja e cansada demais para subir. Lavei-me na banheira e fui para a cama.

Esse é um dia típico de deixar qualquer um sem palavras. E a única coisa fora do comum é que ela conseguiu tomar banho. Na maioria dos dias, ela conclui o registro com estas palavras cansadas, fatalistas: "Dormi em cima da minha sujeira".

Além do lacônico relato dos seus deveres, havia algo ainda mais extraordinário na vida de Hannah Cullwick: ela passou 36 anos, de 1873 até a morte, em 1909, casada secretamente com um funcionário público e poeta menor chamado Arthur Munby, que nunca revelou a relação para a família e os amigos. Quando estavam a sós viviam como marido e mulher, mas, quando chegava uma visita, Cullwick voltava ao papel de empregada doméstica. Se vinham hóspedes pernoitar, Cullwick se retirava do leito conjugal e dormia na cozinha. Munby era um homem de certa posição. Era amigo de Ruskin, Rossetti e Browning, que o visitavam com frequência, mas nenhum deles fazia ideia de que a mulher que chamava Munby de "senhor" era, na verdade, sua esposa. Mesmo em particular, o relacionamento do casal era um tanto heterodoxo, para dizer o mínimo. Ao seu comando, ela o chamava de "Massa"* e enegrecia a pele para parecer uma escrava. Parece que a finalidade principal do diário era que ele pudesse ler sobre o quanto a mulher vivia suja.

Foi somente em 1910, depois que ele morreu e sua vontade foi divulgada, que a notícia correu, causando uma pequena sensação. E foi aquele casamento estranho, e não seu doloroso diário, que fez a fama de Hannah Cullwick.

Entre os serviçais, no nível mais baixo ficavam as lavadeiras, em uma posição tão humilde que com frequência eram mantidas quase totalmente fora

---

* Corruptela de "Master", como os escravos chamavam seus amos. (N. T.)

das vistas. Elas não vinham recolher a roupa para lavar; esta era levada até elas. Era uma função tão desprezada que, nas casas maiores, por vezes se mandava uma criada para a lavanderia como castigo. Era um trabalho exaustivo. Em uma casa de campo de bom tamanho a criadagem da lavanderia podia ter que lidar, facilmente, com seiscentas ou setecentas peças de roupas, toalhas e roupa de cama a cada semana. Como não havia detergentes antes da década de 1850, a roupa tinha que ficar de molho em água com sabão ou lixívia durante horas; depois era batida e esfregada com vigor, fervida por uma hora ou mais, enxaguada várias vezes, torcida à mão ou (depois de 1850) passada por um rolo, e levada para fora para ser estendida sobre os arbustos ou no gramado para secar. (Um dos crimes mais comuns no campo era o roubo de roupas postas para secar; assim, era comum que alguém tivesse que ficar de guarda junto às roupas até que secassem.) No total, segundo Judith Flanders em *The victorian house* [A casa vitoriana], um fardo simples de roupa para lavar — digamos, com lençóis e outras roupas de cama — envolvia pelo menos oito processos separados. Mas muitos fardos não eram nada simples. Tecidos mais difíceis ou delicados tinham que ser tratados com o maior cuidado, e se uma roupa era feita de tecidos diferentes — veludo e renda, por exemplo — era preciso descosturar as partes cuidadosamente, lavá-las em separado e depois costurá-las outra vez.

Como os corantes não se fixavam definitivamente e eram muito sensíveis, devia-se acrescentar doses precisas de compostos químicos à água de todas as lavagens, fosse para preservar a cor ou para restaurá-la: alume e vinagre para os verdes, bicarbonato para o roxo, óleo de vitríolo para o vermelho. Cada boa lavadeira tinha seu catálogo de receitas para remover diferentes tipos de manchas. Costumava-se mergulhar o linho em urina, ou em uma solução diluída de esterco de galinha, que são clareadores; mas como cheiravam mal (naturalmente), exigiam mais uma lavagem vigorosa com algum extrato vegetal, para amenizar o cheiro.

Engomar era um trabalho tão imenso que costumava ser feito em um dia separado. Passar a roupa era outra tarefa gigantesca e assustadora. Como o ferro de passar esfriava depressa, tinha que ser usado em alta velocidade e logo trocado por outro recém-aquecido. Em geral havia um sendo utilizado e dois sendo aquecidos. Os ferros eram pesados e era preciso pressioná-los com muita força para obter o resultado desejado; mas também exigiam delicadeza e cuidado, pois não havia controles e era fácil queimar os tecidos. Aquecê-los ao fogo os deixava cobertos de fuligem; era preciso limpá-los constantemente. O amido de engomar grudava na base do ferro, que então tinha de ser esfregado com lixa ou em uma placa de esmeril.

No dia de lavar roupas era comum que alguém tivesse que se levantar às três da madrugada para começar a esquentar água. As casas em que havia uma só criada por vezes contratavam uma lavadeira de fora para ajudar nesse dia. Algumas casas mandavam a roupa para lavar fora, mas até a invenção do ácido carbólico e outros desinfetantes poderosos, isso sempre se fazia com o receio de que a roupa voltasse infectada com alguma doença temida, como a escarlatina. Havia também a incerteza desagradável de não saber que outras roupas seriam lavadas ao mesmo tempo. Whiteley, uma grande loja de departamentos de Londres, ofereceu um serviço de lavanderia em 1892, mas não fez sucesso até que um gerente teve a ideia de afixar um grande cartaz avisando que a roupa dos clientes e a dos criados eram sempre lavadas em separado. Até quase metade do século XX, muitos londrinos ricos preferiam enviar sua roupa de trem, semanalmente, para suas propriedades no campo, para serem lavadas por pessoas em quem achavam que podiam confiar.

Na América a situação dos criados era muito diferente, em quase todos os sentidos. Já se escreveu muitas vezes que os americanos tinham menos criados do que os europeus, mas isso só é verdade até certo ponto. Em particular, alguns americanos tinham uma grande quantidade de criados: falo, naturalmente, da escravidão. Thomas Jefferson tinha mais de duzentos escravos, incluindo 25 apenas para a sua casa. Como notou um de seus biógrafos, "quando Jefferson escrevia que plantava oliveiras e romãs, devemos lembrar que ele não segurava uma pá nas mãos, mas simplesmente orientava seus escravos".

No início, escravidão e raça não eram sinônimos automaticamente. Alguns negros eram tratados como criados contratados, e libertados como qualquer outra pessoa quando o prazo terminava. No século XVII um negro de Virgínia chamado Anthony Johnson adquiriu uma plantação de tabaco de 250 acres e prosperou tanto que acabou sendo, ele próprio, proprietário de escravos. Também não foi, de início, uma instituição sulista. A escravidão era legal em Nova York até 1827. Na Pensilvânia, William Penn tinha escravos. Quando

Benjamin Franklin mudou para Londres, em 1757, levou consigo dois escravos, chamados King e Peter.

O que a América não tinha em quantidade era criados livres. Mesmo no auge, menos da metade dos lares americanos empregavam um criado, e muitos criados não se consideravam criados, em absoluto. Recusavam-se a usar libré e esperavam sentar-se à mesa com a família — em suma, a serem tratados de igual para igual, ou algo bem próximo disso.

Como disse um historiador, em vez de tentar reformar os criados, era mais fácil reformar a casa; assim, desde cedo a América ficou obcecada pela praticidade e pelos aparelhos que economizam trabalho — apesar de que os aparelhos do século XIX podiam aumentar o trabalho, quase tanto como economizá-lo. Em 1899 a Escola de Economia Doméstica de Boston calculou que um fogão a carvão exigia 54 minutos diários de manutenção pesada — retirar as cinzas, reabastecer o carvão, limpar, polir, e assim por diante — antes que a assoberbada dona da casa conseguisse simplesmente esquentar uma panela de água. A ascensão do gás acabou até piorando as coisas. Um livro chamado *The cost of cleanness* [O custo da limpeza] calculou que uma casa típica de oito aposentos, com bicos de gás para a iluminação, exigia 1400 horas por ano de limpeza pesada, incluindo dez horas por mês para lavar janelas.

De qualquer forma, a maioria dos novos aparelhos práticos eliminava o trabalho antes feito pelos homens — rachar lenha, por exemplo — e não beneficiava as mulheres. Na verdade, as mudanças de estilo de vida e as melhorias tecnológicas de modo geral só trouxeram mais trabalho para as mulheres, devido às casas mais amplas, refeições mais complicadas, à necessidade de lavar mais roupas e com maior frequência, e às expectativas de limpeza cada vez maiores.

No entanto, uma presença poderosa e invisível estava prestes a mudar tudo isso, para todos. E para relatar a sua história precisamos seguir não para outro aposento, mas sim para uma caixinha pendurada na parede.

Lendo e costurando à luz de uma vela.

6. A caixa de fusíveis

No outono de 1939, durante a confusão um tanto histérica que ocorre na eclosão de uma guerra, a Grã-Bretanha impôs um rigoroso blecaute, para impedir qualquer ambição assassina por parte da força aérea alemã. Durante três meses, era basicamente ilegal mostrar qualquer luz à noite, ainda que fraca. Os infratores podiam ser presos por acender um cigarro na porta de casa, ou segurar um fósforo para ler uma placa de rua. Um homem foi multado por não cobrir a claridade do aquecedor do seu aquário de peixes. Hotéis e escritórios passavam horas, todos os dias, colocando e tirando cortinas especiais para o blecaute. Os motoristas tinham que dirigir numa invisibilidade quase total — nem sequer as luzes do painel eram permitidas — e precisavam adivinhar não só onde ficava a rua, mas também a velocidade do veículo.

Nunca, desde a Idade Média, a Grã-Bretanha fora tão escura, e as consequências foram profundas, e ruidosas. Para evitar bater no meio-fio, ou em algum veículo estacionado, os motoristas passaram a acompanhar a faixa branca no meio da rua — o que funcionava bem, até que encontrassem outro veículo fazendo o mesmo, vindo no sentido oposto. Os pedestres corriam perigo constante, pois cada calçada se tornou um percurso de obstáculos invisíveis — postes de luz, árvores, mobiliário urbano. Os bondes, chamados com respeito de "perigo silencioso", eram especialmente enervantes. "Durante os primeiros quatro meses da guerra", diz Juliet Gardner em *Wartime* [Tempo de guerra], "um total de 4133 pessoas morreram em ruas e estradas da Grã-Bretanha" — um aumento de 100% em relação ao ano anterior. Quase três quartos das vítimas eram pedestres. Sem soltar uma única bomba, a Luftwaffe já estava matando seiscentas pessoas por mês, como observou secamente o *British Medical Journal*.

Felizmente, as coisas logo se acalmaram e foi permitido um pouquinho de iluminação — só o suficiente para deter a carnificina da Luftwaffe —, mas foi algo até salutar, lembrando às pessoas até que ponto o mundo havia se acostumado a viver com uma iluminação abundante.

Nós já nos esquecemos de como o mundo era dolorosamente escuro antes da eletricidade. Uma vela — uma boa vela — fornece apenas um centésimo da iluminação de uma única lâmpada de cem watts. Abra a porta da geladeira e você verá uma luz mais forte do que o total que havia na maioria dos lares no século XVIII. O mundo à noite, durante grande parte da história, era realmente tenebroso.

Ocasionalmente, podemos enxergar essa escuridão, por assim dizer, ao ler descrições do que era considerada uma iluminação suntuosa — por exemplo, quando um convidado em uma plantação da Virgínia chamada Nomini Hall maravilhou-se em seu diário ao ver como era "luminosa e esplêndida" a sala de jantar durante um banquete, com nada menos do que sete velas acesas, quatro na mesa e três no resto da sala. Para ele, era uma explosão de luz. Na mesma época, do outro lado do oceano, na Inglaterra, um talentoso artista amador chamado John Harden deixou um encantador conjunto de desenhos mostrando a vida familiar em sua casa, Brathay Hall, em Westmorland. O que impressiona é a pouca iluminação que a família esperava, ou exigia. Um desenho típico mostra quatro pessoas sentadas amigavelmente a uma mesa, costurando, lendo e conversando, à luz de uma única vela — e não há nenhuma sensação de sofrimento ou privação, nem sinal algum de posturas corporais de pessoas desesperadas tentando fazer um pouquinho de luz cair de forma mais produtiva sobre uma página ou um bordado. Um desenho de Rembrandt, "Estudante à mesa à luz de velas", é muito mais próximo da realidade. Mostra um jovem sentado a uma mesa, meio perdido nas profundezas da sombra e da obscuridade onde uma única vela, na parede ao seu lado, não consegue penetrar. Mesmo assim, ele tem um jornal nas mãos. O fato é que as pessoas suportavam as noites escuras porque não conheciam outra coisa.*

A crença generalizada de que as pessoas no mundo pré-elétrico iam para a cama ao anoitecer deve basear-se na suposição de que qualquer pessoa privada de uma forte iluminação ficaria tão frustrada que se recolheria para dormir. Na verdade, parece que as pessoas não se recolhiam muito cedo — às nove ou dez horas parece a norma para a maioria das pessoas antes da eletricidade, e para alguns, sobretudo nas cidades, ainda mais tarde. Para os que podiam controlar suas horas de trabalho, a hora de deitar e de levantar era tão variável na época como é agora, e parece que tinha pouco a ver com a luz disponível. Samuel Pepys, em seu diário, registra que se levantou às quatro da manhã em certo dia, mas foi dormir às quatro da manhã em outro dia. Samuel Johnson era famoso por ficar na cama até o meio-dia, se pudesse, e geralmente podia. O escritor Joseph Addison costumava levantar às três horas da manhã no verão (e às vezes até mais cedo), mas no inverno só depois das onze. Decerto não havia pressa de terminar o dia. Muitos visitantes de Londres no século XVIII notavam que as lojas ficavam abertas até as dez da noite, e com certeza não haveria lojas abertas se não houvesse clientes. Quando vinham convidados em casa era costume servir o jantar as dez, e as visitas ficavam até por volta da meia-noite. Incluindo a conversa antes e a música depois, um jantar podia durar sete horas ou mais. Os bailes com frequência iam até as duas ou três da manhã, quando então era servida uma ceia. As pessoas gostavam tanto de sair e ficar acordadas até tarde que não deixavam que nada as impedisse. Em 1785, uma certa Louisa Stewart escreveu para a irmã que o embaixador francês sofreu "um golpe de paralisia ontem", mas mesmo assim apareceram convidados na sua casa aquela noite, "e jogaram faro etc., como se ele não estivesse morrendo no quarto ao lado. Somos um povo curioso".

Locomover-se era muito mais difícil devido à escuridão nas ruas. Nas noites mais escuras não era raro que um pedestre "batesse a cabeça contra um poste" ou sofresse alguma outra surpresa dolorosa. As pessoas tinham de tatear às cegas na escuridão para encontrar o caminho. Em 1763 a iluminação em Londres ainda era tão fraca que James Boswell conseguiu ter relações sexuais

---

* Os franceses, segundo Roger Ekirch, tinham uma expressão curiosa, que passo adiante sem comentar: "À luz de velas uma cabra parece uma dama".

com uma prostituta na ponte de Westminster, local sem nenhuma privacidade para encontros amorosos. A escuridão também significava perigo. Os ladrões andavam à solta por todo lugar, e, como notou uma autoridade londrina em 1718, as pessoas relutavam em sair à noite por medo de que alguém pudesse "cegá-las, derrubá-las, cortá-las ou esfaqueá-las". Para evitar colidir com obstáculos ou ser assaltadas por bandidos, as pessoas contratavam os serviços dos *linkboys* — assim chamados porque carregavam tochas chamadas "*links*", feitas com pedaços de corda grossa embebida em resina ou outro material combustível — para acompanhá-las até em casa. Infelizmente, os *linkboys* nem sempre eram confiáveis e, por vezes, levavam os clientes a becos escuros onde eles mesmos ou seus cúmplices aliviavam o infeliz cliente de seu dinheiro e suas peças de seda.

Mesmo depois que a iluminação pública a gás se generalizou, em meados do século xix, pelos padrões modernos o mundo ainda era muito escuro após o anoitecer. Os lampiões a gás mais brilhantes nas ruas davam menos luz que uma lâmpada moderna de 25 watts. Além disso, ficavam muito espaçados. Em geral, havia pelo menos trinta metros de escuridão entre um e outro, mas em algumas ruas — a King's Road que atravessa Chelsea, em Londres, por exemplo — a distância era de setenta metros, de modo que os postes não iluminavam o caminho, mas apenas forneciam pontos distantes de luz como objetivos a atingir. No entanto, em alguns lugares os lampiões de gás perduraram por um tempo surpreendentemente longo. Até o final da década de 1930, quase a metade das ruas de Londres ainda era iluminada a gás.

Se algo levava as pessoas a dormir cedo no mundo pré-eletrificado não era tédio, mas sim a exaustão. Muita gente trabalhava por períodos imensamente longos. O Estatuto dos Artífices de 1563, na era elisabetana, decretou que todos os artífices e trabalhadores "devem estar e continuar em seu trabalho, às cinco horas da manhã, ou antes, e continuar no trabalho, e não se ausentar, até entre sete e oito horas da noite" — o que dá uma semana de 84 horas de trabalho. Ao mesmo tempo, é importante ter em mente que um teatro londrino típico como o Globe de Shakespeare podia ter lugar para 2 mil pessoas — cerca de 1% da população da cidade — das quais grande parte eram trabalhadores; além disso, sempre havia vários teatros em funcionamento, bem como outros divertimentos como brigas de galo e *bearbaiting* [instigar cães contra um urso acorrentado]. Portanto, seja o que for que os estatutos decretassem, é evidente que, a qualquer dia, vários milhares de trabalhadores londrinos não estavam em suas bancadas, mas sim se divertindo.

O que sem dúvida consolidou as longas horas de trabalho foi a Revolução Industrial e o surgimento do sistema fabril. Nas fábricas, os trabalhadores tinham que estar a postos das sete da manhã às sete da noite durante a semana, e das sete às duas no sábado, mas nos períodos mais movimentados do ano podiam ser obrigados a ficar em suas máquinas das três da manhã às dez da noite — ou seja, um dia de trabalho de dezenove horas. Até a introdução da Lei das Fábricas, de 1833, também as crianças, inclusive as de sete anos, eram obrigadas a trabalhar nesses horários. Nessas circunstâncias, não surpreende que as pessoas comessem e dormissem quando podiam.

Os ricos tinham horários mais agradáveis. Escrevendo sobre a vida no campo em 1768, Fanny Burney observou: "Nós tomamos o desjejum sempre às dez, e levantamos quando nos agrada; almoçamos exatamente às duas horas, tomamos chá por volta das seis e jantamos exatamente às nove". Essa rotina se repetia em inúmeros diários e cartas de outros de sua classe social. "Vou lhe dar um relato de um dia, e o senhor verá então como são todos os dias", escreveu uma jovem correspondente a Edward Gibbon em 1780. Seu dia, escreve ela, começava às nove horas; o desjejum era às dez. "E então por volta das onze toco cravo ou desenho, à uma hora traduzo, às duas saio para caminhar, às três em geral leio, às quatro jantamos, depois do jantar jogamos gamão. Tomamos chá às sete, e trabalho ou toco piano até as dez, quando ceamos um pouquinho, e às onze vamos deitar."

As luminárias eram de muitos tipos, todos muito insatisfatórios pelos critérios modernos. As mais básicas eram as velas de junco [*rushlights*], feitas de tiras de juncos de uns quarenta centímetros de comprimento revestidas de gordura animal, em geral de carneiro. Eram colocadas em suportes de metal e queimadas, como se fossem grandes círios. Sua luz durava apenas de quinze a vinte minutos, de modo que era necessário um bom suprimento de juncos e muita paciência para atravessar uma longa noite. Os juncos eram colhidos uma vez por ano, na primavera, e era preciso calcular com cuidado quantos seriam necessários para iluminar os doze meses seguintes.

Para os mais ricos, a luminária mais comum eram as velas, que podiam ser de dois tipos — de sebo ou de cera. As de sebo, feitas de gordura animal derretida, tinham a grande vantagem de ser feitas em casa, com a gordura de qualquer animal abatido, e por isso eram baratas — ou, pelo menos, até 1709, quando o Parlamento, sob a pressão das guildas dos fabricantes de velas, decretou uma lei tornando ilegal fabricar velas em casa. Isso provocou grande ressentimento no campo, e essa lei provavelmente era muito ignorada, mas com algum risco. As pessoas ainda tinham permissão de fabricar as velas de junco, embora essa liberdade fosse, por vezes, imaginária. O junco tinha que ser lambuzado com gordura animal, e em fases difíceis os camponeses não tinham animais para abater; assim, tinham que passar as noites não só com fome, como também no escuro.

O sebo era um material irritante. Como derretia muito depressa, a vela gotejava constantemente e precisava ser aparada até quarenta vezes por hora. O sebo queimava com luz inconstante, e cheirava mal. E como a vela de sebo não passava de uma tira de matéria orgânica em decomposição, quanto mais velha ficava, mais malcheirosa. Muito superiores eram as velas de cera de abelha. Davam uma luz mais firme e precisavam ser aparadas com menos frequência, mas custavam quatro vezes mais, e só eram utilizadas pelos ricos. A quantidade de iluminação de que cada pessoa desfrutava era um bom indicador da sua situação social. Em um romance de Elizabeth Gaskell há uma personagem, Miss Jenkyns, que costumava utilizar duas velas, mas apenas uma de cada vez, e vivia sempre preocupada, alternando entre as duas para mantê-las em comprimentos exatamente iguais. Assim, se aparecesse alguma visita, não encontraria velas de tamanhos desiguais, deduzindo daí sua embaraçosa situação de frugalidade.

Sempre que havia escassez de combustíveis convencionais, as pessoas usavam o que podiam — plantas como tojo ou samambaia, algas, esterco seco, enfim, qualquer coisa que pudesse arder. Nas ilhas Shetland, segundo James Boswell, havia abundância de aves chamadas procelárias, que eram tão oleosas naturalmente que as pessoas às vezes apenas enfiavam um pavio na garganta do pássaro e o acendiam; mas desconfio que Boswell mostra certa ingenuidade ao acreditar nisso. Em outras partes da Escócia, o esterco era recolhido e seco e servia como combustível e para a iluminação. A perda de todo esse esterco fertilizante nos campos deixou muitas terras empobrecidas, e diz-se que acelerou o declínio da agricultura na região. Alguns tinham mais sorte: em Dorset, na região da baía de Kimmeridge, o xisto saturado de petróleo encontrado na praia queimava como carvão. As placas de xisto podiam ser recolhidas de graça e davam uma luz melhor. Para quem podia pagar, os lampiões de azeite eram a opção mais eficiente, mas o azeite era caro, o lampião sujava muito e requeria limpeza diária. No decurso de uma única noite, um lampião podia perder 40% da luminosidade, à medida que acumulava fuligem. Se não fosse bem cuidado, podia ficar terrivelmente imundo. Elisabeth Garrett registra o que uma jovem que fora a uma festa na Nova Inglaterra, onde as lamparinas fumegavam, relatou depois: "Todos nós ficamos com o nariz negro, e nossas roupas totalmente cinzentas [...] e completamente estragadas". Por essa razão, muitas pessoas continuavam usando velas, mesmo depois que outras opções ficaram disponíveis. Catherine Beecher e sua irmã, Harriet Beecher Stowe, em *The american woman's home* [O lar da mulher americana], uma espécie de resposta americana ao *Book of household management* da sra. Beeton, continuou dando instruções para fabricar velas em casa até 1869.

Até o final do século XVIII a qualidade da iluminação permanecera inalterada por cerca de 3 mil anos. Mas em 1783 um físico suíço chamado Ami Argand inventou uma lâmpada que aumentava enormemente a luminosidade pelo simples expediente de levar mais oxigênio para a chama. As lâmpadas de Argand também vinham com um regulador que permitia girar e ajustar o brilho da chama — uma novidade que deixou muitos usuários quase sem palavras de tanta gratidão. Thomas Jefferson foi um dos primeiros entusiastas, e observou, com franca admiração, que uma só lâmpada de Argand dava uma luz igual a meia dúzia de velas. Ficou tão impressionado que trouxe várias dessas lâmpadas quando visitou Paris, em 1790.

Argand nunca conseguiu a riqueza que merecia. Como suas patentes não eram respeitadas na França, mudou-se para a Inglaterra; mas tampouco eram respeitadas ali, ou em qualquer outro lugar, e Argand mal ganhou algum dinheiro com todo o seu engenho e dedicação.

A melhor iluminação vinha do óleo de baleia, e o melhor tipo de óleo era o espermacete, encontrado na cabeça do cachalote, um tipo de baleia. O cachalote é um animal misterioso e esquivo, até agora pouco compreendido. Ele produz e armazena grandes reservas de espermacete — até três toneladas — em uma câmara cavernosa no crânio. Apesar do nome, o espermacete não é esperma, nem tem função reprodutiva; mas quando exposto ao ar se transforma, passando de um líquido translúcido e aquoso a um creme branco leitoso, e fica óbvio de imediato por que os marinheiros lhe deram esse nome. Até hoje ninguém descobriu para que serve o espermacete. Talvez ajude a flutuação, de alguma forma incompreendida; ou talvez ajude a processar o nitrogênio no sangue da baleia. Os cachalotes mergulham a alta velocidade a profundidades enormes — até 1500 metros — sem demonstrar efeitos nocivos, e por isso se pensa que o espermacete pode explicar, de algum modo insondável, por que não sofrem do mal que acomete os mergulhadores, a embolia por descompressão súbita. Outra teoria é que o espermacete absorve os choques quando os machos lutam pelo direito de acasalamento. Isso explicaria o conhecido costume do cachalote, quando irritado, de bater com a cabeça nos barcos baleeiros, muitas vezes com resultados mortais. Mas não se sabe, realmente, se os cachalotes dão cabeçadas uns nos outros. Não menos misteriosa é outra valiosa substância que produzem, conhecida como âmbar-gris (vem do francês "âmbar cinzento", embora, na verdade, seja cinza ou negro). É formado no sistema digestivo dos cachalotes, e só recentemente se descobriu que é composto dos bicos das lulas, a parte que o cachalote não consegue digerir — e excretado a intervalos irregulares. Durante séculos o âmbar-gris era encontrado flutuando no mar ou jogado nas praias, e por isso ninguém sabia de onde provinha. Serve como fixador inigualável para perfumes, o que lhe deu grande valor; mas aqueles que podiam pagar também o comiam. O rei Carlos II da Inglaterra julgava que o âmbar-gris e os ovos eram os alimentos mais refinados que existiam. (Dizem que o sabor do âmbar-gris lembra a baunilha.) De toda forma, a presença do âmbar-gris, além daquela enorme quantidade de precioso espermacete, tornava o cachalote uma presa extremamente atraente.

Assim como outros produtos derivados da baleia, o óleo de cachalote era procurado pelas indústrias como emoliente para a fabricação de sabões e tintas, e como lubrificante de máquinas. A baleia também produz grande quantidade de barbatanas, material semelhante ao osso retirado da mandíbula superior; é um material resistente, mas flexível, para espartilhos, chicotes e outros objetos que necessitavam de alguma elasticidade natural.

O óleo de baleia era uma especialidade americana, tanto do lado da produção como do consumo. Foi a caça à baleia que trouxe tanta riqueza, logo de início, para portos da Nova Inglaterra como Nantucket e Salem. Em 1846 os Estados Unidos tinham mais de 650 navios baleeiros, cerca de três vezes mais do que todo o resto do mundo. Como o óleo de baleia era sujeito a altos impostos em toda a Europa, ali a tendência era usar o óleo de colza, feito das sementes dessa planta, ou o canfeno, derivado da terebintina que produz uma luz excelente, porém muito instável e com a enervante tendência a explodir.

Ninguém sabe quantas baleias foram mortas durante a grande época da caça à baleia, mas segundo uma estimativa cerca de 300 mil foram abatidas nas quatro décadas até 1870. Pode não parecer tanto assim, mas o número de baleias existentes já de início não era tão grande. Seja como for, a caça levou muitas espécies à beira da extinção. Como o número de baleias diminuiu, as viagens de caça se tornaram cada vez mais longas — até mesmo com quatro ou cinco anos de duração —, levando os baleeiros a procurar a caça nos cantos mais solitários dos mares mais distantes do planeta. Tudo isso resultou em custos muito maiores. Na década de 1850 um galão de óleo de baleia custava 2,50 dólares — a metade do salário semanal médio de um trabalhador — e mesmo assim a impiedosa caça continuava. Muitas espécies de baleias — possivelmente todas — teriam desaparecido para sempre, se não fosse uma sequência de eventos inusitados que começou na província canadense de Nova Escócia, em 1846, quando um homem chamado Abraham Gesner inventou algo que por algum tempo seria o produto mais valioso do planeta.

Gesner era médico por profissão, mas tinha uma estranha paixão pela geologia do carvão, e ao fazer experiências com alcatrão de hulha — um resíduo pegajoso e inútil que sobrava da transformação de carvão em gás — inventou uma maneira de destilá-lo e transformá-lo em um combustível líquido, ao qual deu o nome (por motivos incertos) de querosene. O querosene queimava muito bem e dava uma luz tão forte e constante como o óleo de baleia, mas tinha o potencial de ser produzido a custo muito mais baixo. O problema é que a produção em alto volume parecia impossível. Gesner conseguiu produzir o suficiente para iluminar as ruas de Halifax e, por fim, fundou uma fábrica em Nova York que lhe deu prosperidade e segurança; mas o querosene feito a partir do carvão nunca haveria de ser mais que um produto marginal. Até o final da década de 1850, a produção americana total era de apenas seiscentos barris por dia. (O alcatrão de hulha, por outro lado, logo encontrou aplicações em uma vasta gama de produtos — como insumo para tintas, corantes, pesticidas, remédios e outros. O alcatrão de hulha se tornou a base da indústria química moderna.)

Foi então que entrou no dilema outro herói inesperado — um jovem brilhante chamado George Bissell, que acabava de demitir-se como superintendente escolar de Nova Orleans, depois de uma carreira breve mas notável no ensino público. Em 1853, em uma visita à sua cidade natal, Hanover, em New Hampshire, Bissell foi visitar um professor na universidade onde se formou, Dartmouth College. Ali notou uma garrafa de óleo mineral na prateleira do professor. Este lhe explicou que o "óleo de pedra" [*rock oil*] — o que hoje chamamos de "petróleo" — subia até a superfície e surgia no chão na zona oeste da Pensilvânia. Molhando um trapo nesse óleo, o trapo queimaria; mas ninguém ainda havia encontrado nenhuma utilidade para esse óleo mineral além de ser um componente para medicamentos. Bissell fez algumas experiências com o "óleo de pedra" e viu que poderia ser uma excelente fonte de iluminação, se fosse possível extraí-lo em escala industrial.

Fundou então uma empresa chamada Pennsylvania Rock Oil Company e comprou concessões para extração mineral ao longo de uma via navegável lenta chamada Oil Creek, perto de Titusville, no oeste da Pensilvânia. A nova ideia de Bissell era perfurar poços para encontrar petróleo, como se faz com a água. Antes disso, todos que procuravam petróleo sempre haviam tentado escavar. Para adiantar as coisas, Bissell enviou um homem chamado Edwin Drake — sempre mencionado nos livros de história como "coronel" Edwin Drake — para Titusville, com instruções para começar a perfurar. Drake não tinha experiência em perfuração, nem era coronel; era condutor ferroviário, forçado a se aposentar por problemas de saúde. Sua única vantagem para o empreendimento era que ainda possuía um passe livre de trem e podia viajar à Pensilvânia gratuitamente. Para aumentar sua importância, Bissell e seus sócios sempre lhe enviavam cartas endereçadas ao "coronel E. L. Drake".

Com um maço de dinheiro emprestado, Drake contratou uma equipe de perfuradores para começar a prospecção de petróleo. Embora os perfuradores julgassem que Drake era um tolo, apesar de amável, aceitaram de bom grado o trabalho e começaram a perfurar, segundo suas instruções. O projeto logo esbarrou em dificuldades técnicas. Para espanto geral, Drake mostrou um talento inesperado para resolver problemas mecânicos e conseguiu manter o trabalho em andamento. Por mais de um ano e meio a equipe perfurou, sem encontrar petróleo. No verão de 1859, Bissell e seus associados ficaram sem fundos. Com relutância, enviaram uma carta a Drake com instruções para interromper as operações. Mas antes de a carta chegar, em 27 de agosto de 1859, ao atingir vinte metros de profundidade, Drake e seus homens encontraram petróleo. Não foi aquele forte jato que tradicionalmente associamos às descobertas de petróleo; este tinha que ser laboriosamente bombeado para a superfície, mas produzia um volume constante de um líquido verde-azulado, espesso e viscoso.

Embora ninguém compreendesse esse fato na época, nem remotamente, eles acabavam de mudar o mundo — completamente e para sempre.

O primeiro problema para a empresa foi onde armazenar todo aquele petróleo que começaram a produzir. Como não havia barris suficientes no local, nas primeiras semanas o guardaram em banheiras, pias, baldes e tudo o mais que conseguissem encontrar. Por fim começaram a fabricar barris especiais com a capacidade de 42 galões, que continuam sendo, até hoje, a medida padrão para o petróleo. Surgiu então a questão ainda mais premente de explorá-lo comercialmente. Em seu estado natural, o petróleo era apenas uma gosma horrível. Bissell se pôs a trabalhar para destilar o líquido e transformá-lo em algo mais puro. Ao fazê-lo, descobriu que, uma vez purificado, o petróleo era não só um excelente lubrificante, mas dava como subproduto quantidades consideráveis de gasolina e querosene.* Como a gasolina não tinha nenhuma utilidade, por ser demasiado volátil, era jogada fora; mas o querosene dava uma luz brilhante, como Bissell esperava, com custo muito inferior ao produto derivado de carvão produzido por Gesner. Finalmente o mundo tinha uma substância barata para a iluminação, capaz de rivalizar com o óleo de baleia.

Quando outras pessoas viram como era fácil extrair petróleo e transformá-lo em querosene, começou uma corrida pelas terras produtivas. Logo havia centenas de torres de perfuração na área de Oil Creek. "Em três meses", observa John McPhee em seu livro *In suspect terrain* [Em terreno suspeito], "Pithole City, com esse nome carinhoso ['Cidade do Buraco'], passou de uma população de zero para 15 mil, e outras cidades surgiram na região — Oil City,

---

* De início, tanto a gasolina como o querosene foram grafados de maneiras variadas. Gesner chamou o produto de "Kerocene" em seu pedido de patente de 1854. Os cientistas odeiam a inconsistência, e os geólogos do petróleo já tentaram algumas vezes igualar as sílabas finais das duas palavras inglesas, *kerosene* e *gasoline*, mas sem sucesso. Também não tiveram sucesso com a pronúncia das sílabas finais dos hidrocarbonetos, como se vê pela "terebintina". A solução dos britânicos foi chamar o querosene de parafina.

Petroleum Center, Red Hot. John Wilkes Booth também veio; perdeu suas economias e dali partiu para matar o presidente."

No ano da descoberta de Drake, os Estados Unidos produziram 2 mil barris de petróleo; dez anos depois foram mais de 4 milhões de barris, e em quarenta anos chegaram a 60 milhões. Infelizmente, Bissell, Drake e os outros investidores na sua empresa (agora rebatizada de Seneca Oil Company) não prosperaram tanto como esperavam. Outros poços produziam volumes muito maiores — um deles, chamado Pool Well, bombeava 3 mil barris por dia — e o grande número de poços produtores oferecia tal excesso para o mercado que o preço do petróleo caiu catastroficamente, de dez dólares o barril em janeiro de 1861 para apenas dez centavos de dólar o barril no final do ano. Era uma boa notícia para os consumidores e para as baleias, mas não tão boa para os homens do petróleo. E com esse estouro da bolha, os preços da terra entraram em queda livre. Em 1878, um lote de terra em Pithole City foi vendido por 4,37 dólares. Treze anos antes, havia custado 2 milhões de dólares.

Enquanto os outros fracassavam e tentavam desesperadamente sair do setor petrolífero, uma pequena firma de Cleveland chamada Clark e Rockefeller, que normalmente negociava com carne de porco e outros produtos agrícolas, decidiu entrar na área. Começou comprando concessões fracassadas. Em 1877, menos de vinte anos após a descoberta de petróleo na Pensilvânia, Clark tinha desaparecido de cena, e John D. Rockefeller controlava cerca de 90% do setor de petróleo do país. O petróleo não só fornecia a matéria-prima para uma forma extremamente lucrativa de iluminação, como também atendia a uma necessidade desesperada de lubrificantes para todas as máquinas e motores da nova era industrial. Rockefeller conservou, para todos os efeitos, um monopólio que lhe permitia manter os preços estáveis e enriquecer de uma maneira fantástica no processo. Nos últimos anos do século XIX sua fortuna pessoal aumentava em cerca de 1 bilhão de dólares por ano, calculada em dinheiro de hoje — e isso numa época sem imposto de renda. Nenhum ser humano na era moderna foi mais rico.

Bissell e seus sócios não tiveram tanta sorte, e seus resultados foram bem mais modestos. A Seneca Oil Company ganhou dinheiro durante algum tempo, mas em 1864, apenas cinco anos depois da descoberta de petróleo por Drake, a firma não conseguiu mais competir e acabou fechando. Drake desperdiçou todo o dinheiro que ganhou e morreu logo depois, sem tostão e aleijado pela neuralgia. Bissell se deu bem melhor. Investiu seus ganhos em negócios bancários e outros, e acumulou uma pequena fortuna — o suficiente para construir um belo ginásio em Dartmouth, que continua em pé.

Enquanto o querosene ia se firmando como o melhor combustível para iluminação em milhões de casas, sobretudo nas cidades pequenas e nas áreas rurais, surgiu, em muitas comunidades maiores, outra maravilha da época: o gás. Para os mais abastados em muitas cidades grandes, o gás se tornou uma opção desde os anos 1820. Mas era utilizado sobretudo em fábricas e lojas e na iluminação de rua, e só se generalizou nos lares mais para meados do século.

O gás tinha muitos inconvenientes. As pessoas que trabalhavam em escritórios iluminados a gás, ou iam a teatros iluminados a gás, se queixavam de dor de cabeça e náuseas. Para minimizar o problema, por vezes se fixava o lampião de gás do lado de fora das janelas das fábricas. No interior, o gás enegrecia o teto, descolorava os tecidos, corroía o metal e deixava uma camada de fuligem gordurosa em qualquer superfície horizontal. As flores murchavam rapidamente na sua presença e a maioria das plantas amarelava, a menos que estivessem isoladas em um terrário. Apenas a aspidistra parecia imune a seus efeitos nocivos, o que explica a sua presença em tantas fotos de salas de estar da era vitoriana. O gás também necessita cuidados no uso. As companhias de gás reduziam o fluxo em seus condutos durante o dia, quando a demanda era baixa. Portanto, quem acendesse um bico de gás durante o dia tinha que girar o botão ao máximo para conseguir uma luz decente. No fim do dia, porém, quando a demanda aumentava, a luz podia arder perigosamente, chamuscando o teto ou mesmo causando incêndios, se a pessoa se esquecia de reduzir a chama. Assim, além de sujo, o gás era perigoso.

No entanto, o gás tinha uma vantagem irresistível: dava uma luz forte — pelo menos em comparação com qualquer outra coisa conhecida no mundo pré-elétrico. Em média, um aposento iluminado a gás tinha vinte vezes mais luz do que antes. Não era uma luz íntima — não se podia trazer o bico de gás para mais perto do livro ou da costura, como se fazia com um candeeiro de mesa —, mas dava uma iluminação geral maravilhosa. Tornava a leitura, os jogos de cartas e até a conversa mais agradáveis. Os convivas à mesa podiam verificar as condições de seus alimentos; podiam evitar as pequenas espinhas de peixes e ver quanto sal saía do saleiro. Podia-se deixar cair uma agulha no chão e encontrá-la antes do amanhecer. Os títulos do livro ficavam visíveis nas prateleiras. As pessoas passaram a ler mais e ficar acordadas até mais tarde. Não é por coincidência que em meados do século xix houve uma explosão repentina e duradoura em jornais, revistas, livros e partituras musicais. O número de jornais e revistas publicados na Grã-Bretanha saltou de menos de 150 no início do século para quase 5 mil no final.

O gás se generalizou em especial na América e na Grã-Bretanha. Em 1850 estava disponível na maioria das cidades grandes nos dois países. No entanto, continuava sendo um luxo da classe média. Os pobres não podiam pagar, e os ricos costumavam desprezá-lo, em parte devido ao custo e ao transtorno da instalação, em parte devido aos danos que causava às pinturas e aos tecidos finos, e em parte porque, quando se tem criados para fazer tudo, não há tanta urgência em investir em novas comodidades. Por ironia, o resultado, como notou Mark Girouard, é que não só as casas de classe média mas também instituições como manicômios e prisões ficaram mais bem iluminadas — e mais bem aquecidas — muito antes das mansões majestosas da Inglaterra.

A calefação continuou sendo um problema para a maioria das pessoas durante todo o século xix. Aqui na nossa casa paroquial, o sr. Marsham mandou fazer lareiras em praticamente todos os cômodos, até no quarto de vestir, além de um robusto fogão de cozinha. Limpar, abastecer e acender tantas lareiras deve ter dado uma trabalheira enorme; mesmo assim, durante vários meses do ano a casa devia ser desconfortavelmente fria. (Como continua sendo.) A lareira não é eficiente; basta apenas para aquecer um espaço muito pequeno. Esse fato poderia ser ignorado em um país de clima temperado como a Inglaterra, mas nos invernos gelados de grande parte da América do Norte ficou óbvia a insuficiência da lareira para irradiar o calor. Thomas Jefferson reclamou que teve que parar de escrever certa noite porque a tinta tinha congelado no tinteiro. O diário de um certo George Templeton Strong registra, no inverno de 1866, que, mesmo com dois fornos e todas as chaminés acesas, ele não conseguia elevar a temperatura da sua casa em Boston acima de 3ºC.

Foi Benjamin Franklin, como se poderia esperar, que voltou a atenção para o assunto e inventou o que ficou conhecido como estufa de Franklin (ou estufa Pensilvânia). Foi um avanço inquestionável, embora mais no papel do que na prática. Essencialmente era um fogão de metal inserido em uma lareira, mas com mais condutos e aberturas, que engenhosamente redirecionavam o fluxo de ar e irradiavam mais calor para o aposento. Mas também era complexo e caro, e causava grandes transtornos, por vezes insuportáveis, ao cômodo onde era instalado. A base do sistema era uma chaminé secundária na parte traseira, que se revelou impossível de limpar sem desmontar por completo. A estufa também exigia uma ventilação subterrânea de ar fresco, o que na prática significava que não podia ser instalada no segundo andar, nem se houvesse um porão embaixo; assim, era inviável em muitas casas. O projeto de Franklin foi aperfeiçoado nos Estados Unidos por David Rittenhouse e na Europa por Benjamin Thompson, conde de Rumford; mas o verdadeiro conforto só veio quando as pessoas começaram a inutilizar a lareira e trazer uma estufa móvel para dentro do aposento. Esse tipo de estufa, conhecido como fogão holandês, tinha cheiro de ferro quente e secava a atmosfera, mas pelo menos aquecia os moradores. O maior inconveniente do fogo em lugar fechado, motivo de queixa para muitos, era privar o aposento de uma importante fonte de luz.

Quando os americanos passaram a mudar para as pradarias do oeste e mais além, a falta de madeira combustível era um problema. O sabugo de milho foi muito utilizado como combustível, assim como o excremento seco das vacas — chamado pelo encantador eufemismo de "carvão de superfície". Nas regiões mais inóspitas os americanos também queimavam todo tipo de gordura — de porco, veado, urso e até dos pombos migratórios — e também óleo de peixe, apesar de que todos esses tipos soltavam muita fumaça e cheiravam mal.

A estufa se tornou uma obsessão nos Estados Unidos. No início do século XX, mais de 7 mil tipos tinham sido registrados no Departamento de Patentes do país. A única característica que todas as estufas tinham em comum era que davam muito trabalho para funcionar. Segundo um estudo realizado em Boston em 1899, uma estufa típica queimava semanalmente cerca de 120 quilos de carvão, produzia 110 quilos de cinzas e exigia três horas e onze minutos de cuidados. Se alguém tivesse dois desses fogões, na cozinha e na sala, e ainda, talvez, uma lareira aberta em outro lugar, teria muito trabalho extra para conservá-los acesos. Outro grande inconveniente é que as estufas fechadas roubavam muita luz do aposento.

A combinação de labaredas desprotegidas com matérias combustíveis trazia uma dose de alarme e emoção a todos os aspectos da vida cotidiana no mundo pré-elétrico. Samuel Pepys conta em seu diário que se inclinou sobre uma vela, ao escrever em sua mesa, e logo sentiu um cheiro horrível, pungente, como de lã queimada; só então percebeu que sua peruca nova, caríssima, estava ardendo em chamas. Esses pequenos incêndios eram uma ocorrência comum. Quase todos os aposentos de cada casa tinham um fogo ardendo, pelo menos em algum momento do dia, e as casas eram combustíveis ao extremo, já que quase tudo dentro dela ou sobre ela, desde os colchões até os telhados de palha, eram combustíveis à espera de uma fagulha. Para reduzir o perigo à noite, cobria-se o fogo com uma espécie de cúpula chamada *couvre-feu* (em francês "cobre fogo", de onde vem a palavra inglesa "*curfew*", toque de recolher); mas o perigo nunca podia ser totalmente evitado.

Os avanços tecnológicos por vezes melhoravam a qualidade da iluminação, mas também aumentavam o risco de incêndio. As lâmpadas de Argand eram pesadas e tombavam facilmente, pois o reservatório de combustível tinha de ficar mais elevado para fazê-lo fluir para o pavio. O querosene, quando derramava e pegava fogo, era quase impossível de apagar. Na década de 1870 até 6 mil pessoas morriam por ano em incêndios causados pelo querosene, só nos Estados Unidos.

Os incêndios em locais públicos também se tornaram uma grande preocupação, em especial após o desenvolvimento de uma luminária hoje esquecida: a lâmpada de Drummond, assim chamada em homenagem a Thomas Drummond, do Corpo Real de Engenheiros da Grã-Bretanha, creditado erroneamente como seu inventor no início da década de 1820. Na verdade, a lâmpada foi inventada por sir Goldsworthy Gurney, outro engenheiro e talentoso inventor. Drummond apenas popularizou essa luminária, e nunca afirmou tê-la inventado; mas por algum motivo o invento lhe foi atribuído e assim continuou até hoje. A luminária de Drummond, ou lâmpada de cálcio, como também era chamada, baseava-se em um fenômeno já bem conhecido: tomando-se um pouco de cal viva (óxido de cálcio) ou de magnésio e queimando-se em uma chama muito quente, ela brilha com uma luz branca intensa. Usando uma chama composta de uma mistura rica em oxigênio e álcool, Gurney conseguiu esquentar uma bolinha de cal não maior que uma bola de gude de forma tão eficiente que a luz podia ser vista a noventa quilômetros de distância. O invento foi utilizado em faróis marítimos, e também aproveitado nos teatros. Sua luz não só era perfeita e firme, como podia ser concentrada em um feixe luminoso dirigido para destacar determinado ator como os modernos holofotes; assim, a partir do nome dessa luminária, "*limelight*", a expressão "*to be in the limelight*" passou a significar "estar na ribalta" ou "no centro das atenções". A desvantagem é que o calor intenso dessa lâmpada causava muitos incêndios. Nos Estados Unidos, em uma só década mais de quatrocentos teatros se incendiaram. Ao longo do século XIX quase 10 mil pessoas morreram em incêndios de teatros na Grã-Bretanha, segundo um relatório publicado em 1899 por William Paul Gerhard, a principal autoridade da época em incêndios.

O fogo também era perigoso quando em movimento — até mais ainda, já que nessas circunstâncias era difícil ou impossível escapar. Em 1858 o navio de imigrantes *Áustria* pegou fogo no mar, em rota para os Estados Unidos; cerca de quinhentas pessoas tiveram uma morte horrível quando o navio foi consumido pelas chamas. Os trens também eram perigosos. A partir de 1840, os vagões de passageiros tinham estufas que queimavam madeira ou carvão no inverno, além de lâmpadas de óleo para leitura; assim, é fácil imaginar as possibilidades de catástrofes em um trem em movimento, sacudindo. Já corria o ano de 1921 quando 27 pessoas pereceram em um incêndio causado pela estufa em um trem perto da Filadélfia.

Em terra firme, o maior medo era que os incêndios saíssem de controle e pudessem se alastrar, destruindo bairros ou mesmo distritos inteiros. O mais famoso incêndio na história urbana é, quase com certeza, o Grande Incêndio de Londres de 1666, que começou pequeno em uma padaria perto da ponte de Londres, mas se alastrou depressa até chegar a quase um quilômetro de diâmetro. Até de Oxford se enxergava a fumaça e se ouvia o incêndio como um sussurro sinistro. Ao todo, foram destruídas 13 200 casas e 140 igrejas. Mas o incêndio de 1666 foi, na verdade, o *segundo* grande incêndio de Londres. Em 1212 houve um incêndio muito mais devastador. Embora de menor extensão que o de 1666, foi mais rápido e frenético, saltando de rua em rua com uma rapidez tão terrível que muitos que tentavam fugir eram alcançados pelas chamas, sem ter como escapar. No total, o incêndio tirou 12 mil vidas. Já o de 1666 matou apenas cinco pessoas, segundo consta. Durante 454 anos o incêndio de 1212 foi conhecido como o Grande Incêndio de Londres, e na verdade assim deveria continuar.

A maioria das cidades sofria incêndios devastadores de tempos em tempos, algumas repetidas vezes. Boston sofreu incêndios em 1653, 1676, 1679, 1711 e 1761. Houve então uma trégua até o inverno de 1834, quando um incêndio à noite destruiu setecentos prédios — a maioria no centro da cidade — e se intensificou tão ferozmente que alcançou até os navios no porto. Mas todos os incêndios urbanos não se comparam com o que varreu Chicago em uma noite de muito vento, em outubro de 1871, quando, segundo se conta, uma vaca que pertencia à sra. Patrick O'Leary deu um coice em um candeeiro a querosene em um estábulo na rua DeKoven, e um terrível caos se seguiu. O incêndio destruiu 18 mil edifícios e deixou 150 mil desabrigados. Os danos chegaram a 200 milhões de dólares e levaram à falência 51 companhias de seguros. No ano seguinte Boston teve outro grande incêndio, que destruiu cerca de oitocentos edifícios e deixou 24 hectares reduzidos a um entulho fumegante.

Onde as casas ficavam muito juntas, como nas cidades europeias, não se podia fazer muita coisa, mas os construtores inventaram um paliativo útil. Originalmente, as vigas nas casas geminadas inglesas corriam de lado a lado e se apoiavam nas paredes divisórias entre as casas. Isso criava uma linha contínua de vigas ao longo de um quarteirão, aumentando o risco de propagação de incêndios de casa em casa. Assim, a partir da era georgiana (1720-1820) as vigas passaram a ser dispostas da frente para a parte de trás das casas, fazendo com que as paredes divisórias servissem de corta-fogo. No entanto, para colocar as vigas da frente para a parte de trás da casa era preciso que tivessem paredes de apoio; isso determinava as dimensões dos aposentos, o que por sua vez definia de que forma eram usados pelos moradores.

Um fenômeno natural continha em si a promessa de eliminar todos esses perigos e deficiências: a eletricidade. Era algo empolgante, mas foi difícil conceber aplicações práticas para ela. Usando eletricidade produzida por pilhas simples, aplicada a pernas de rãs, Luigi Galvani mostrou que a eletricidade podia fazer os músculos se contraírem. Seu sobrinho, Giovanni Aldini, percebendo que era possível ganhar dinheiro com isso, criou um espetáculo em que aplicava eletricidade para animar o corpo de assassinos recém-executados e a cabeça de vítimas da guilhotina, fazendo com que seus olhos se abrissem e a boca se mexesse em formas silenciosas. O pressuposto lógico era que, se a eletricidade podia mexer os mortos, imagine-se como poderia ajudar os vivos. Em pequenas doses (esperamos, pelo menos, que fossem pequenas), era utilizada para todos os tipos de doenças, desde tratamento para a constipação até impedir os jovens de terem ereções ilícitas (ou de desfrutar delas). Charles

Darwin, desesperado com uma misteriosa doença que provocava letargia crônica, costumava cobrir-se com correntes de zinco eletrificadas, encharcar o corpo com vinagre e passar horas tristemente deitado, sentindo um formigamento inútil, na vã esperança de sentir alguma melhora — o que nunca aconteceu. O presidente americano James Garfield, morrendo lentamente com a bala de um assassino, expressou um susto débil, porém palpável, quando Alexander Graham Bell começou a cobri-lo com fios eletrificados, na tentativa de localizar a bala.

Havia uma verdadeira necessidade de uma luz elétrica prática. Em 1846 houve um acontecimento bastante surpreendente e repentino: um homem chamado Frederick Hale Holmes patenteou uma lâmpada de arco elétrico (ou arco voltaico). A lâmpada de Holmes funcionava quando se gerava uma forte corrente elétrica; fazendo-a passar entre dois bastões de carbono, ela formava um arco luminoso — um truque que Humphry Davy já havia demonstrado, mas sem aproveitar, mais de quarenta anos antes. Nas mãos de Holmes o resultado foi uma luz fortíssima. Não se sabe quase nada sobre Holmes — de onde vinha, qual a sua formação educacional, como aprendeu a dominar a eletricidade. Sabe-se apenas que trabalhou na Escola Militar de Bruxelas, onde desenvolveu o conceito com um professor, Floris Nollet; depois voltou à Inglaterra e mostrou sua invenção ao grande Michael Faraday, que viu de imediato seu potencial para fornecer uma luz perfeita para os faróis marítimos.

A primeira foi instalada no farol de South Foreland, próximo a Dover, e acesa em 8 de dezembro de 1858.* Funcionou por treze anos, e também em outros lugares foram instalados faróis elétricos; mas a iluminação por arco voltaico nunca foi grande sucesso, pois era complicada e cara. Exigia um motor eletromagnético e um motor a vapor, que, em conjunto, pesavam duas toneladas e precisavam de atenção constante para funcionar com regularidade.

A única vantagem das lâmpadas de arco voltaico era produzirem uma luz incrivelmente brilhante. A estação ferroviária St. Enoch, em Glasgow, na Escócia, foi iluminada com seis lâmpadas Crompton — nome que vem do fabricante, R. E. Crompton — cada uma equivalente a 6 mil velas. Em Paris, um

---

* O farol de South Foreland, agora nas mãos do National Trust, bem vale uma visita; voltou a ficar famoso em 1899, quando Guglielmo Marconi transmitiu o primeiro sinal de rádio internacional dali para Wimereux, na França.

inventor russo de nascimento chamado Paul Jablochkoff desenvolveu uma lâmpada de arco que ficou conhecida como "vela de Jablochkoff". Na década de 1870 essas velas foram utilizadas para iluminar várias ruas e monumentos de Paris, e se tornaram uma sensação. Infelizmente o sistema era caro e não funcionava muito bem. As luzes operavam em sequência, e se uma falhava, como ocorria com frequência, todas falhavam, como as luzinhas de uma árvore de Natal. Depois de apenas cinco anos, a empresa Jablochkoff abriu falência.

As lâmpadas de arco eram brilhantes demais para uso doméstico. Para isso era necessário haver um filamento prático que queimasse com luz constante, por longos períodos. O surpreendente é que o princípio da iluminação incandescente já tinha sido compreendido, e conquistado, havia muito tempo. Já em 1840, sete anos antes do nascimento de Thomas Edison, sir William Grove, advogado e juiz que também foi um brilhante cientista amador, com especial interesse em eletricidade, demonstrou uma lâmpada incandescente que funcionou durante várias horas; mas, como ninguém queria um lâmpada que custava caro para fabricar e só funcionava por algumas horas, Grove não levou avante seu invento. Em Newcastle, um jovem farmacêutico e inventor talentoso chamado Joseph Swan assistiu a uma demonstração da lâmpada de Grove e fez algumas experiências próprias bem-sucedidas, mas faltava a tecnologia para obter o vácuo completo dentro da lâmpada. Sem esse vácuo, qualquer filamento queimava e se consumia rapidamente, tornando a lâmpada um artigo de luxo, muito caro e de curta duração. Além disso, Swan estava interessado em outros assuntos, como a fotografia, campo onde deu muitas contribuições importantes. Ele inventou o papel fotográfico de brometo de prata, que permitiu as primeiras impressões fotográficas de alta qualidade; aperfeiçoou o processo do colódio e também fez vários refinamentos nos produtos químicos para fotografia. Enquanto isso, sua firma de produtos farmacêuticos, que abrangia a fabricação e as vendas, crescia rápido. Em 1867 seu sócio e cunhado John Mawson morreu em um acidente insólito, enquanto descartava nitroglicerina em um pântano nos arredores da cidade. Em suma, foi uma época complicada para Swan, com outros fortes interesses, e ele se afastou do problema da iluminação por trinta anos.

Foi então que, no início dos anos 1870, Hermann Sprengel, um químico alemão que trabalhava em Londres, inventou um aparelho que foi chamado de bomba de mercúrio de Sprengel. Essa invenção crucial realmente possibilitou a iluminação doméstica. Infelizmente, apenas uma pessoa na história acreditava que Hermann Sprengel merecia ser mais conhecido: ele mesmo, Hermann Sprengel. A bomba de Sprengel era capaz de reduzir a quantidade de ar em uma câmara de vidro a um milionésimo do volume normal, o que permitiria a um filamento brilhar por centenas de horas. Tudo o que faltava então era encontrar um material adequado para esse filamento.

Nessa busca, a tentativa mais decidida e bem promovida foi realizada por Thomas Edison, o grande inventor americano. Em 1877, quando começou sua cruzada para fabricar uma lâmpada de sucesso comercial, Edison já estava a caminho de ser conhecido como o "mago de Menlo Park". Edison não era um ser humano 100% atraente. Não tinha escrúpulos para enganar ou mentir, e estava disposto a roubar patentes e subornar jornalistas para conseguir matérias favoráveis. Como disse um contemporâneo, ele tinha "um vácuo onde deveria estar a sua consciência". Mas tinha espírito empreendedor, trabalhava intensamente e era um organizador incomparável.

Edison enviou homens até os confins do mundo à procura de possíveis filamentos, e tinha equipes de auxiliares trabalhando em até 250 materiais ao mesmo tempo, na esperança de encontrar um que tivesse as características necessárias de durabilidade e resistência. Tentou de tudo, incluindo até um fio da exuberante barba ruiva de um amigo da família. Pouco antes do Dia de Ação de Graças de 1879, os funcionários de Edison usaram um pedaço de papelão carbonizado, torcido num fio fino e cuidadosamente dobrado, que chegou a arder por treze horas — mas ainda longe de ser uma opção prática. No último dia de 1879, Edison convidou um seleto público para assistir a uma demonstração das suas novas luzes incandescentes. Quando chegaram à sua propriedade em Menlo Park, estado de Nova Jersey, os convidados ficaram fascinados ao ver dois edifícios brilhando com calorosa iluminação. O que eles não perceberam é que a maioria das lâmpadas não era elétrica. Os sopradores de vidro de Edison, sobrecarregados de trabalho, só tinham conseguido preparar 34 lâmpadas, de modo que a maior parte da iluminação vinha, na verdade, de lamparinas a óleo cuidadosamente posicionadas.

Swan só voltou a dar atenção à iluminação elétrica em 1877; trabalhando sozinho, conseguiu um sistema de iluminação mais ou menos idêntico ao de Edison. Em janeiro ou fevereiro de 1879, Swan fez uma demonstração pública da sua nova lâmpada elétrica incandescente em Newcastle. A data é imprecisa porque não se sabe ao certo se em janeiro ele demonstrou a lâmpada em uma palestra pública, ou apenas falou sobre ela; mas no mês seguinte ele com certeza a acendeu, para os aplausos do público. Seja como for, sua demonstração foi feita pelo menos oito meses antes de Edison. Naquele mesmo ano Swan instalou luzes em sua própria casa e, em 1881, na casa do grande cientista lorde Kelvin, em Glasgow — de novo, bem à frente de Edison.

No entanto, quando a primeira instalação prática de Edison foi enfim concretizada, foi muito mais proeminente e, portanto, teve importância mais duradoura. Edison instalou luzes em todo um distrito de Lower Manhattan, em Nova York, em volta de Wall Street; a energia viria de uma central elétrica instalada em dois prédios semiabandonados na Pearl Street. Durante todo o inverno, a primavera e o verão de 1881-2, Edison instalou 25 quilômetros de cabos, fazendo repetidos testes no seu sistema, trabalhando fanaticamente. Nem tudo transcorreu sem problemas. Os cavalos ficavam indóceis nos arredores; por fim se percebeu que eles sentiam a eletricidade que escapava pelo chão e fazia formigar suas ferraduras. Em seu laboratório de experiências, vários de seus funcionários perderam os dentes devido ao envenenamento por mercúrio, por excesso de exposição à bomba de mercúrio de Sprengel. Mas por fim todos os problemas foram resolvidos, e na tarde de 4 de setembro de 1882 Edison, a postos no escritório do financista J. P. Morgan, ligou um interruptor que iluminou oitocentas lâmpadas elétricas em 85 empresas que haviam se registrado no seu plano.

Na verdade, Edison realmente se sobressaiu como organizador de sistemas. A invenção da lâmpada foi uma coisa maravilhosa, mas não teria uso prático se ninguém tivesse uma tomada onde ligá-la. Edison e seus incansáveis auxiliares tiveram de projetar e construir todo o sistema a partir do zero, desde as centrais de energia e uma fiação barata e confiável até os postes de luz e os interruptores. Em alguns meses Edison havia instalado nada menos que 334 pequenas centrais elétricas em todo o mundo; mais ou menos um ano depois, suas centrais alimentavam 13 mil lâmpadas. Astutamente, ele as colocava em lugares onde pudessem exercer o máximo impacto: na Bolsa de Valores de Nova York, no hotel Palmer House em Chicago, na ópera La Scala de Milão, na sala de jantar da Câmara dos Comuns do Parlamento, em Londres. Enquanto isso, Swan continuava fabricando boa parte do equipamento em sua própria casa; em suma, não teve muita visão. Na verdade, ele nem sequer solicitou patente. Edison, por sua vez, conseguiu patentes em todos os lugares, inclusive na Grã-Bretanha em novembro de 1879, e assim garantiu sua proeminência.

Pelos critérios modernos as primeiras luzes eram muito fracas, mas para as pessoas da época uma lâmpada elétrica era um milagre resplandecente — "um pequeno globo de luz do sol, uma verdadeira lâmpada de Aladim", como escreveu, entusiasmado, um repórter do *New York Herald*. Hoje em dia é difícil imaginar como esse novo fenômeno devia parecer fulgurante e limpo, ardendo com uma luminosidade estranhamente firme. Quando as luzes da Fulton Street foram ligadas, em setembro de 1882, o repórter do *Herald*, assombrado, descreveu a cena para os leitores: a costumeira "luz do gás, fraca e bruxuleante" de repente deu lugar a "um intenso brilho... constante, fixo e firme". Era empolgante, mas também exigia que as pessoas se habituassem.

E, naturalmente, a eletricidade tinha muitas aplicações além de fornecer iluminação. Já em 1893 a Exposição Colombiana de Chicago apresentou um "fogão elétrico modelo". Também era empolgante, embora ainda não muito prático. Para começar, já que o fornecimento de energia elétrica ainda não estava generalizado, era necessário que o comprador construísse sua própria "central elétrica" em sua propriedade, para fornecer energia. E, mesmo que tivesse a sorte de estar conectado à rede no mundo exterior, os serviços ainda não forneciam energia suficiente para que os aparelhos funcionassem bem. Levava uma hora só para preaquecer o forno; e mesmo então ele só podia produzir modestos seiscentos watts de calor. Além disso não se podia usar ao mesmo tempo o forno e os bicos do fogão. Havia também deficiências de design. Os botões para regular o calor ficavam pouco acima do nível do chão. Aos olhos modernos, esses novos fogões elétricos pareciam estranhos, pois eram feitos de madeira, em geral carvalho, revestida de zinco ou outro material de proteção. Os modelos de porcelana branca só surgiram em 1920, e foram considerados muito estranhos. Muita gente achava que, pela aparência, deveriam estar em um hospital ou uma fábrica, e não em uma casa particular.

À medida que a eletricidade se tornava mais acessível, muitas pessoas achavam enervante depender daquela força invisível, capaz de matar rapidamente e em silêncio. Os eletricistas foram treinados às pressas e, evidentemente, eram inexperientes; assim, essa logo se tornou uma profissão para homens arrojados. Os jornais davam relatos completos e vívidos sempre que alguém morria eletrocutado, como acontecia rotineiramente. Na Inglaterra, Hillaire Belloc compôs estes versinhos que captam bem a opinião do público:

Um toque ao acaso — a mão desliza, imprudente
Os Terminais se acendem — "Zip!" — um ruído diferente
Um cheiro de queimado no ar —
E o eletricista? Não está mais lá!

Em 1896, Franklin Pope, o ex-sócio de Edison, foi eletrocutado ao trabalhar na instalação elétrica em sua própria casa, provando assim, para a satisfação de muita gente, que a eletricidade era muito perigosa, mesmo para especialistas. Os incêndios causados por falhas elétricas não eram incomuns. As lâmpadas por vezes explodiam, sempre causando sustos, e, às vezes, desastres. O novo parque Dreamland, em Coney Island, sofreu um incêndio em 1911 devido a uma lâmpada que estourou. Faíscas que saíam de conexões defeituosas fizeram explodir mais de uma tubulação de gás; assim, nem era preciso alguém estar conectado à fonte de energia para correr sério perigo.

Esses sentimentos ambivalentes foram demonstrados pela sra. Cornelius Vanderbilt, que foi a um baile à fantasia vestida de lâmpada elétrica, para comemorar a instalação da energia elétrica em sua casa na Quinta Avenida, em Nova York, mas depois mandou retirar todo o sistema, ao suspeitar que este foi a origem de um pequeno incêndio. Outros detectavam ameaças mais insidiosas. Uma autoridade, um certo S. F. Murphy, identificou toda uma série de males provocados pela eletricidade: fadiga ocular, dores de cabeça, falta de saúde geral e, possivelmente, até mesmo "o esgotamento prematuro da vida". Certo arquiteto tinha certeza de que a luz elétrica causava sardas.

Durante os primeiros anos, ninguém teve a ideia de instalar tomadas e soquetes, de forma que qualquer eletrodoméstico tinha que ser conectado diretamente à rede. Quando as tomadas enfim surgiram, por volta da virada do século, só faziam parte das luminárias instaladas no teto; assim, era preciso subir em uma cadeira ou escada para ligar qualquer um dos primeiros aparelhos. As tomadas de parede surgiram logo em seguida, mas nem sempre eram muito confiáveis. Pelos relatos, no início elas por vezes crepitavam, fumegavam ou soltavam faíscas. Segundo relata Juliet Gardiner, em Manderston, uma casa senhorial na Escócia, até por volta de 1910 se costumava jogar almofadas em uma tomada de parede especialmente ativa.

O consumo da eletricidade também foi retardado pela depressão econômica da década de 1890. Mas por fim a iluminação elétrica demonstrou ser irresistível. Era limpa, estável, de fácil manutenção e disponível instantaneamente, em quantidades infinitas, ao simples toque de um interruptor. A iluminação a gás havia levado meio século para se estabelecer, mas a elétrica se generalizou muito mais depressa. Ao chegar o ano de 1900, pelo menos nas cidades, a iluminação elétrica cada vez mais era a norma — e, inevitavelmente, surgiram os eletrodomésticos: o ventilador elétrico em 1891, o aspirador de pó em 1901, a máquina de lavar e o ferro elétrico em 1909, a torradeira em 1910, a geladeira e a máquina de lavar louça em 1918. Nessa época já havia cerca de cinquenta eletrodomésticos razoavelmente comuns. Os aparelhos elétricos entraram na moda de tal maneira que os fabricantes passaram a produzir todos os tipos possíveis e imagináveis, desde ferros para enrolar o cabelo até um descascador de batatas. O uso da eletricidade nos Estados Unidos passou de 79 quilowatts-hora per capita em 1902 para 960 em 1929, e bem mais de 13 mil nos nossos dias.

É justo dar a Thomas Edison o crédito por grande parte disso tudo, mas devemos lembrar que seu gênio não consistiu em criar a luz elétrica, mas sim em criar os métodos de produzi-la e fornecê-la em grande escala comercial. Na verdade, essa foi uma ambição muito maior e muito mais difícil — e também muito mais lucrativa. Graças a Thomas Edison a iluminação elétrica se tornou a maravilha da época. Curiosamente, como veremos mais adiante, a luz elétrica acabou sendo uma das poucas invenções de Edison que realmente fazia o que ele esperava que fizesse.

Joseph Swan foi eclipsado tão completamente que poucos ouviram falar dele fora da Inglaterra, e nem ali ele é muito comemorado. O *Dictionary of national biography* lhe dá modestas três páginas — menos que para a cortesã Kitty Fisher ou muitos aristocratas sem talento algum. No entanto, é muito mais do que coube a Frederick Hale Holmes, que não ganhou nenhuma menção. É o que acontece muitas vezes na história.

7. A sala de estar

I

Se tivéssemos que resumir tudo em uma só frase, poderíamos dizer que a história da vida privada é um relato do prolongado esforço de se sentir confortável. Até o século XVIII a ideia de ter conforto em casa era tão estranha que nem sequer havia uma palavra para esse conceito. "Confortável" significava simplesmente "capaz de ser confortado, consolado". O "conforto" era algo que se dava aos feridos ou angustiados. A primeira pessoa a usar a palavra no sentido moderno foi o escritor Horace Walpole, em 1770, observando em uma carta a um amigo que uma certa sra. White estava cuidando bem dele e tratando de deixá-lo "o mais confortável possível". No início do século XIX, todos falavam em ter uma casa confortável, ou desfrutar de uma vida confortável, mas antes da época de Walpole ninguém dizia isso.

Nenhum lugar da casa capta tão bem o espírito (ainda que nem sempre a realidade) do "conforto" quanto esse aposento, que em inglês tem o curioso nome de "*drawing room*", onde nos encontramos agora. O termo é a abreviação de uma palavra muito mais antiga, o "*withdrawing room*", ou seja, um espaço onde a família podia "retirar-se" para obter mais privacidade, longe do resto da casa. O termo nunca se generalizou muito bem em inglês. Por algum tempo, nos séculos XVII e XVIII, "*drawing room*" rivalizava, nos círculos mais refinados, com o *salon* francês, às vezes anglicizado como *saloon*, mas ambas as palavras gradualmente se associaram a locais fora de casa. *Saloon* começou a denominar uma sala de convívio em um hotel ou em um navio; depois um lugar dedicado a bebidas, e por fim, um tanto inesperadamente, com um tipo de automóvel, que os americanos chamam de *sedan*, ou carro de passeio. Já *salon* era usado para lugares associados a atividades artísticas, até ser apropriado (a partir de cerca de 1910) por cabeleireiros e salões de beleza. *Parlour*, a palavra há muito preferida pelos americanos para a sala principal da casa, lembra o faroeste do século XIX, mas na verdade é a mais antiga de todas. Foi registrada pela primeira vez em 1225 como uma sala onde os monges podiam conversar (vem do francês *parler*, "falar"). No final do século seguinte foi ampliada para contextos seculares. Na planta baixa da nossa casa paroquial, o termo usado pelo arquiteto Edward Tull foi *parlor*, decerto usado também pelo bem-nascido sr. Marsham, mas não de uso geral. Em meados do século XIX *parlor* foi suplantada em quase todos os círculos, exceto os mais aristocráticos, por "*sitting room*" [sala de sentar-se], termo registrado em inglês a partir de 1806. Mais tarde também surgiu *lounge*, que originalmente significava um tipo de poltrona ou sofá; depois um casaco masculino confortável e, por fim, a partir de 1881, um aposento.

Assumindo que fosse um sujeito convencional, o sr. Marsham deve ter se esforçado para tornar esse espaço o mais confortável da casa, com os móveis mais macios e mais refinados. Na prática, porém, não devia ser nada confortável na maior parte do ano, já que só tem uma lareira capaz de aquecer apenas uma pequena parte central da sala. Mesmo com um belo fogo aceso, posso atestar que, nas profundezas do inverno, posso ficar do outro lado da sala e ver minha respiração se condensar.

Embora a sala de estar [*drawing room*] tenha se tornado o foco de conforto no lar, a história não começa realmente aí; aliás, não começa dentro da casa. Começa ao ar livre, mais ou menos um século antes do nascimento do sr. Marsham, com uma simples descoberta que traria grande riqueza a famílias rurais como a sua, e lhe permitiria construir sua bela casa paroquial. A descoberta era simplesmente a seguinte: não era preciso deixar a terra descansar regularmente para manter sua fertilidade. Não parece uma descoberta tão brilhante assim, mas o fato é que ela mudou o mundo.

Tradicionalmente, a maioria das terras agrícolas inglesas era dividida em longas faixas chamadas *"furlongs"*, e cada *furlong* era deixado em repouso por uma estação a cada três — às vezes uma a cada duas — para recuperar a capacidade de produzir colheitas saudáveis.* Isso significa que pelo menos um terço das terras agrícolas estava sempre ocioso. Em consequência, não havia alimento suficiente para sustentar um grande número de animais durante o inverno, e os proprietários não tinham escolha senão abater a maior parte dos seus rebanhos a cada outono, e enfrentar um longo período de escassez até a primavera.

Mas os agricultores ingleses acabaram descobrindo algo que os holandeses já sabiam havia muito tempo: se plantassem nabos, trevo ou outras culturas apropriadas nas áreas ociosas, elas milagrosamente enriqueciam o solo e ainda produziam forragem em abundância para os animais no inverno. É o resultado de uma infusão de nitrogênio na terra; mas quase duzentos anos se passaram até que isso fosse compreendido. No entanto, os agricultores compreenderam e apreciaram o fato de que a novidade vinha transformar drasticamente sua sorte na agricultura. Além disso, como mais animais conseguiam atravessar o inverno, produziam muito mais esterco bovino — um glorioso fertilizante gratuito que enriquecia ainda mais o solo.

Para a população, tudo isso parecia um verdadeiro milagre. Até o século XVIII, a agricultura na Grã-Bretanha se arrastava de crise em crise. Um acadêmico chamado W. G. Hoskins calculou (em 1964) que, entre 1480 e 1700, uma colheita em cada quatro era ruim, e quase uma em cada cinco era catastrófica. Agora, graças ao simples expediente da rotação de culturas, a agricultura entrou em uma fase de prosperidade contínua, mais ou menos estável. Foi essa longa idade de ouro que deu à zona rural aquele ar de tranquila beleza e prosperidade que se vê até hoje, e permitiu que pessoas como o sr. Marsham pudessem adotar aquela gratificante novidade: o conforto.

Os agricultores também se beneficiaram de uma nova máquina com rodas, inventada em 1700 por Jethro Tull, agricultor e pensador agrícola de Berkshire. Chamada "semeadora de perfuração", permitia plantar as sementes

---

* Nas corridas de cavalos um *furlong* tem duzentos metros, ou um oitavo de milha; mas na agricultura os *furlongs* originalmente não tinham tamanho fixo. A palavra significa simplesmente "sulco longo".

diretamente no solo, em vez de espalhá-las à mão. As sementes eram caras, e a nova perfuradora de Tull reduziu a quantidade necessária para semear de três ou quatro *bushels** por acre para apenas um *bushel*. Além disso, plantando-se em profundidade igual, em fileiras regulares, mais sementes brotavam com sucesso, fazendo as safras aumentarem enormemente — de vinte a quarenta *bushels* por acre para até oitenta *bushels*.

A nova vitalidade também se refletiu em programas de criação de animais. Quase todas as grandes raças bovinas — Jersey, Guernsey, Hereford, Aberdeen Angus, Ayrshire** — foram criações do século XVIII. Os carneiros também foram manipulados até ficarem com a lã extremamente abundante, não natural, que vemos hoje. Um carneiro medieval dava cerca de 750 gramas de lã; no século XVIII, graças à reengenharia genética, passaram a dar mais de quatro quilos. E, debaixo de toda essa linda e abundante lã, os animais também ficaram bem mais gordinhos. Entre 1700 e 1800 o peso médio dos ovinos vendidos no Smithfield Market, em Londres, mais do que duplicou, passando de dezessete quilos para 36. Também o gado de corte aumentou de peso, assim como a produção de leite.

Tudo isso, porém, tinha seu custo. Para fazer com que os novos sistemas de produção funcionassem, era necessário consolidar as pequenas plantações, formando campos maiores, e tirar os camponeses da terra. Esse movimento, em que pequenas plantações que antes sustentavam muita gente foram convertidas em grandes campos cercados, enriquecendo alguns poucos, tornou a agricultura imensamente lucrativa para os donos de grandes propriedades — e não demorou para que em muitas regiões esse tipo de propriedade fosse praticamente o único existente. O cercamento dos campos abertos já vinha acontecendo lentamente, há séculos, mas se acelerou entre 1750 e 1830, quando cerca de 6 milhões de acres de terras britânicas foram cercados. O cercamento foi cruel para com os camponeses deslocados, mas fez com que eles e seus descen-

---

* 1 *bushel* = 36 litros. (N. T.)
** A raça Ayrshire foi uma criação de Bruce Campbell, um inventivo primo em segundo grau de James Boswell. Campbell ficou encarregado da fazenda da família, na Escócia, depois que Boswell recusou essa responsabilidade, preferindo levar uma vida de conversação e refinada libertinagem em Londres a criar gado leiteiro nas planícies da Escócia. Se Boswell fosse mais submisso à família, teríamos perdido não só sua grandiosa biografia de Samuel Johnson, mas também uma das melhores raças de gado leiteiro.

dentes ficassem disponíveis, convenientemente, para se deslocar para as cidades e se tornar as massas trabalhadoras da nova Revolução Industrial — que então apenas começava, financiada, em grande parte, pela riqueza excedente dos proprietários rurais, cada vez mais abastados.

Muitos desses proprietários também descobriram que estavam assentados sobre grandes veios de carvão, bem no momento em que o carvão de repente se tornou necessário para a indústria. Isso nem sempre representava um grande avanço para a beleza da paisagem — diz-se que em dado momento do século XVIII era possível ver, a partir de Chatsworth House, 85 minas de carvão a céu aberto — mas se traduzia em imensos lucros. Outros proprietários ganhavam dinheiro arrendando suas terras para a construção de vias férreas, ou construindo canais fluviais e controlando os direitos de passagem. O duque de Bridgewater ganhava rendimentos de 40% ao ano — e realmente um retorno não pode ser muito melhor que isso — com seu monopólio sobre os canais no oeste do país. Tudo isso ocorria numa época em que não havia imposto de renda, nem imposto sobre os ganhos de capital, nem imposto sobre os dividendos ou juros — quase nada que perturbasse o fluxo constante de dinheiro a ser depositado no banco. Muita gente nasceu em um mundo em que não tinha que fazer praticamente nada com sua riqueza além de acumulá-la. O terceiro conde de Burlington, para dar um exemplo entre muitos, possuía vastas propriedades na Irlanda — cerca de 42 mil hectares no total — e nunca foi até lá. Por fim foi nomeado lorde tesoureiro da Irlanda, mas mesmo assim nunca pôs os pés no país.

Essa rica elite e seus descendentes cobriram a paisagem britânica com sólidas e extensas expressões dessa nova *joie de richesse*. Segundo uma contagem, pelo menos 840 grandes mansões foram construídas no interior da Inglaterra entre 1710 e o final do século — "dispersas como grandes e raras ameixas em um vasto pudim rural", na prosa exuberante de Horace Walpole.

Casas extraordinárias precisam de pessoas extraordinárias para projetá-las e construí-las, e talvez ninguém tenha sido mais extraordinário — ou pelo menos mais inesperado — do que sir John Vanbrugh (1664-1726). Vinha de uma família numerosa — seus pais tinham dezenove filhos — de boa situação e ascendência holandesa, embora já fixada na Inglaterra havia quase meio século quando Vanbrugh nasceu.* "Um cavalheiro de natureza doce e agradável",

---

* Hoje a pronúncia é "Van-bra", mas parece que na sua época era pronunciado "Vanbrook", e com frequência assim era escrito.

nas palavras do poeta Nicholas Rowe, parece que Vanbrugh era querido por todos que o conheceram (com a notável exceção da duquesa de Marlborough, como veremos adiante). Um retrato dele por sir Godfrey Kneller, na National Portrait Gallery, em Londres, feito quando ele estava pelos quarenta anos, mostra um homem agradável, bem alimentado, com um rosto rosado bastante comum, emoldurado — aliás, quase sufocado — por uma peruca de magnificência barroca, segundo a moda da época.

Em suas três primeiras décadas de vida, não demonstrou nenhum direcionamento firme. Trabalhou em uma empresa vinícola, foi para a Índia como agente da East India Company — na época ainda uma empresa relativamente nova e modesta — e por fim entrou na vida militar, também sem muita distinção. Enviado à França, foi preso como espião logo que pisou em terra, e passou quase cinco anos na prisão, embora desfrutando de confortos razoáveis para um cavalheiro.

Parece que a prisão exerceu um efeito galvanizador sobre ele, pois ao voltar à Inglaterra tornou-se, com uma rapidez notável, um famoso dramaturgo, produzindo, em rápida sucessão, duas comédias das mais populares da época, *The relapse* [A recaída] e *The provok'd wife* [A esposa provocada]. Apresentando personagens com nomes como Fondlewife, lorde Foppington, sir Turnbelly Clumsey e sir John Brute, elas podem parecer um tanto pesadas para nós, mas eram o auge da comicidade naquela época de exagero e artificialismo. Eram peças bastante maliciosas. Um escandalizado membro da Sociedade para a Reforma dos Costumes disse que Vanbrugh "tinha depravado o palco para além de toda a indecência das épocas mais antigas". Outros gostavam de suas peças justamente por esse motivo. O poeta Samuel Rogers julgou que ele era "quase o maior gênio que já existiu".

Ao todo, Vanbrugh iria escrever ou adaptar dez obras para o palco; mas ao mesmo tempo, e de modo igualmente súbito, também voltou seus talentos para a arquitetura. De onde veio *esse* impulso era um mistério para os seus contemporâneos, como continua sendo para nós. Sabe-se apenas que em 1701, aos 35 anos, começou a trabalhar em uma das mansões mais grandiosas já construídas na Inglaterra, o castelo Howard, em Yorkshire. Também não se sabe como ele conseguiu convencer seu amigo Charles Howard, terceiro conde de Carlisle — descrito por um historiador da arquitetura como "uma pessoa sem características especiais, mas incontrolavelmente rico" —, a financiar essa ambição aparentemente insana. Não era apenas uma imensa casa, era um lugar positiva e decididamente palaciano, construído "em uma escala antes exclusiva da realeza", segundo Kerry Downes, biógrafo de Vanbrugh. Sem dúvida Carlisle viu alguma coisa nos esboços de Vanbrugh; e este também contou com o respaldo de um verdadeiro arquiteto de talento inquestionável, Nicholas Hawksmoor, que tinha vinte anos de experiência mas se contentou, estranhamente, em trabalhar como assistente de Vanbrugh. Parece também que Vanbrugh trabalhou de graça. (Nunca foi encontrada nenhuma indicação de pagamento — e de ambos os lados eram homens que registravam essas coisas.) Seja como for, Carlisle despediu o renomado arquiteto que planejava contratar, William Talman, e deu rédea solta ao novato Vanbrugh.

Vanbrugh e Carlisle eram membros de uma sociedade secreta conhecida como Kit-Cat Club, organização de tendência *whig** fundada quase exclusivamente para assegurar a sucessão dos Hanover — a mudança dinástica que garantiu que todos os monarcas ingleses deveriam ser protestantes, mesmo que os primeiros não fossem britânicos. O fato de que os Kit-Cats alcançaram esse objetivo não é nada desprezível, pois seu candidato ao trono, George I, não falava inglês, não tinha grandes qualidades, e era o 58º na linha sucessória ao trono. Com exceção dessa manobra política, o clube funcionava com tal discrição que quase nada se sabe sobre ele. Um dos seus fundadores era um pasteleiro chamado Christopher Cat, apelidado de Kit-Cat. Também suas famosas tortas de carneiro se chamavam *kit-cats*, por isso não é certo se o clube foi assim chamado em homenagem a ele ou às suas tortas — motivo de debate, há trezentos anos, em certos círculos muito reduzidos. O clube durou apenas de 1696 a 1720 — desconhecem-se os detalhes específicos — e tinha só uns cinquenta membros, dos quais dois terços eram pares do reino. Cinco membros — os lordes Carlisle, Halifax e Scarborough e os duques de Manchester e de Marlborough — encomendaram trabalhos a Vanbrugh. A associação também contava com o primeiro-ministro Robert Walpole (pai de Horace Walpole), os jornalistas Joseph Addison e Richard Steele e o dramaturgo William Congreve.

---

* *Whig* é uma abreviatura de *Whiggamore*, nome de um grupo de rebeldes escoceses do século XVII. Não se sabe ao certo de onde veio *Whiggamore*, nem como essa palavra foi considerada um nome adequado para um grupo de poderosos aristocratas ingleses. Foi usada pela primeira vez, com escárnio, pelos tories, e então adotada com orgulho pelo grupo-alvo. Exatamente a mesma coisa aconteceu com o termo "*tory*" [conservador].

No castelo Howard, Vanbrugh não ignorou as convenções clássicas, mas tratou de enterrá-las debaixo de uma profusão de ornamentação barroca. Uma estrutura de Vanbrugh nunca é igual a nenhuma outra; mas o castelo Howard é excepcionalmente fora do comum. Tinha um grande número de aposentos formais — treze em um andar —, mas poucos quartos de dormir, bem menos do que normalmente se esperaria. Muitos aposentos tinham formato estranho, ou eram mal iluminados. Numerosos detalhes externos eram inusitados, ou mesmo incoerentes. As colunas de um lado da casa são dóricas simples, mas do outro lado são coríntias, mais ornamentadas. (Vanbrugh argumentava, com alguma lógica, que ninguém podia ver os dois lados ao mesmo tempo.) A característica mais marcante de todas, pelo menos nos primeiros 25 anos, é que a casa foi construída sem a ala oeste — embora não por culpa de Vanbrugh. Carlisle se distraiu e esqueceu de mandar construir a ala oeste, deixando a casa visivelmente inacabada. Quando a ala finalmente foi construída, 25 anos mais tarde, por outra pessoa, era de um estilo totalmente diferente, de modo que hoje o visitante encontra uma ala leste barroca, como Vanbrugh tencionava, e uma ala oeste contrastante, em estilo paladiano, que agradou seu proprietário posterior, e a quase ninguém mais.

A característica mais famosa do castelo Howard — sua coroa em cúpula (formalmente chamada "lanterna", de uma palavra grega que significa "receber luz") sobre o hall de entrada — foi acrescentada mais tarde, e é extremamente fora de escala em relação ao edifício. É demasiado alta e estreita, como se fosse projetada para alguma outra estrutura. Como um crítico de arquitetura observou, diplomaticamente, "vista de perto ela não se encaixa de forma muito lógica com o edifício que fica embaixo". Mas foi, pelo menos, uma novidade. Na época, a única outra estrutura na Inglaterra que tinha uma abóboda era a nova catedral de Saint Paul, de Christopher Wren. Nenhuma casa, em parte alguma, já tivera uma cúpula assim.

Enfim, o castelo Howard é uma bela residência, mas de uma beleza inteiramente *sui generis*. A cúpula é um pouco estranha, mas o castelo Howard não seria nada sem ela. Podemos dizer isso com confiança, pois durante vinte anos o castelo Howard realmente ficou sem ela. Tarde da noite de 9 de novembro de 1940, um incêndio foi descoberto na ala leste. Naqueles dias, a casa tinha apenas um telefone e este derreteu como chocolate antes que alguém pudesse alcançá-lo. Alguém então precisou correr até o portão do castelo, a mais de um quilômetro de distância, e ligar de lá para os bombeiros. Quando os bombeiros chegaram de Malton, a nove quilômetros de distância, duas horas já tinham passado e grande parte da casa fora perdida; a cúpula amassou com o calor, cedeu e caiu dentro da casa. Assim o castelo Howard ficou sem cúpula pelos vinte anos seguintes, e parecia que estava tudo bem — continuava sendo majestoso, imponente, grandioso —, mas perdera sua característica mais especial. Quando a cúpula foi finalmente restaurada, na década de 1960, de imediato voltou a ser uma estrutura cativante.

Apesar de sua limitada experiência, Vanbrugh conseguiu então a encomenda de projetar uma das mansões mais importantes já construídas na Grã-Bretanha, o palácio de Blenheim, uma colossal explosão de esplendor em Woodstock, Oxfordshire. O palácio foi concebido para ser um presente da nação para o duque de Marlborough, pela sua vitória sobre os franceses na Batalha de Blindheim (que os ingleses conseguiram anglicizar para Blenheim), na Baviera, em 1704. O imóvel compreendia 9 mil hectares de terras de primeira qualidade, que traziam uma receita de 6 mil libras por ano, uma boa soma para a época, mas insuficiente, de longe, para pagar uma construção na escala de Blenheim — e Blenheim era tão grande que ficava fora de qualquer escala.

Continha três centenas de aposentos,* que se esparramavam por quase três hectares. Uma fachada de 75 metros para uma mansão senhorial já era enorme; em Blenheim ela teria 260 metros. Foi o maior monumento à vaidade que a Grã-Bretanha já vira. Cada centímetro foi recoberto de suntuosa ornamentação. Era mais grandioso que qualquer palácio real, e, naturalmente, caríssimo. Parece que o duque, um colega do Kit-Cat Club, se dava bastante bem com Vanbrugh; mas, depois de concordar com os princípios gerais da coisa, partiu para lutar em outras guerras, deixando os arranjos domésticos nas mãos da esposa, Sarah, duquesa de Marlborough. Dessa forma, foi ela que supervisionou a maior parte do trabalho, e desde o início ela e Vanbrugh não se deram bem. Nada bem mesmo.

---

* Em uma casa grande, o número de aposentos em geral é algo fantasioso e discutível. Depende de como se contabilizam depósitos, armários e similares como aposentos separados (e também, sem dúvida, da exatidão na contagem). Os números já publicados para o total de aposentos de Blenheim vão de 187 a 320 — uma grande disparidade.

O trabalho começou no verão de 1705 e foi problemático desde o início. Muitos ajustes caros tiveram que ser feitos durante o processo. A entrada principal teve que ser alterada quando o dono de um chalé próximo se recusou a mudar, de modo que o portão principal teve que ser colocado em um lugar estranho, na parte de trás da cidade, exigindo que o visitante passasse pela rua principal, virasse uma esquina e entrasse em uma área que ainda hoje dá a sensação estranha de ser a entrada de serviço (embora bastante grandiosa).

O orçamento inicial para Blenheim era de 40 mil libras; acabou custando 300 mil. Foi lamentável, pois os Marlborough eram notoriamente parcimoniosos. O duque era tão mesquinho que se recusava a botar o pingo no i quando escrevia, para economizar tinta. Nunca ficou claro quem deveria pagar pela obra — a rainha Anne, o Tesouro ou os próprios duques de Marlborough. A duquesa e a rainha Anne tinham uma relação próxima, um tanto estranha e, talvez, íntima. Quando estavam a sós, chamavam uma à outra por estranhos apelidos carinhosos — "sra. Morley" e "sra. Freeman" — para evitar qualquer constrangimento decorrente do fato de que uma delas era rainha e a outra não. Infelizmente, a construção de Blenheim coincidiu com um esfriamento de suas afeições, o que aumentou a incerteza da responsabilidade financeira. As coisas se complicaram ainda mais depois que a rainha Anne morreu, em 1714, e foi substituída por um rei que não sentia nenhuma afeição especial pelos Marlborough, e nenhuma dívida para com eles. Muitos que trabalharam na construção deixaram de ser pagos durante anos, com as disputas se arrastando; a maioria acabou recebendo apenas uma fração do que lhe era devido. As obras cessaram por completo durante quatro anos, de 1712 a 1716, e muitos desses trabalhadores não pagos relutaram, compreensivelmente, em voltar quando a construção foi reiniciada. O próprio Vanbrugh só foi pago em 1725 — quase vinte anos após o início do trabalho.

Mesmo quando a construção avançava, Vanbrugh e a duquesa discutiam sem cessar. Ela julgava o palácio "demasiado grande, escuro e militar". Acusou Vanbrugh de extravagância e insubordinação, e ficou implacavelmente convicta de que o arquiteto era uma má pessoa. Em 1716 ela o demitiu de vez — mas, ao mesmo tempo, instruiu os trabalhadores a continuarem fiéis aos planos dele. Em 1725, quando Vanbrugh veio com a esposa para ver o edifício terminado — uma obra em que ele empenhara dois terços da sua carreira de arquitetura e um terço da sua vida —, foi informado, no portão, que a duquesa dera instruções para que ele não fosse admitido na propriedade. Assim, ele jamais viu sua obra terminada, exceto como uma estrutura brilhando à distância. Oito meses depois, Vanbrugh morreu.

Tal como o castelo Howard, Blenheim tem estilo barroco, porém mais exagerado ainda. Seu teto é uma erupção festiva de esferas, urnas e outros ornamentos que se projetam na vertical. Muita gente odiou a escala monumental e a ostentação do edifício. O conde de Ailesbury a definiu, com desdém, como "uma grande massa de pedras, sem nenhum bom gosto e nenhum prazer". Alexander Pope, depois de enumerar exaustivamente suas falhas, concluiu: "Em suma, é um absurdo caríssimo". O duque de Shrewsbury também a desdenhou, como "uma grande pedreira situada acima do solo". Um gaiato chamado Abel Evans escreveu um epitáfio para zombar de Vanbrugh:

Oh, Terra, põe teu peso sobre ele,
Pois ele colocou muito peso sobre ti!

Blenheim é uma obra gloriosamente exagerada, sem dúvida, mas fascinante mesmo assim, e a escala é tão fora do comum que não pode deixar de impressionar o visitante que ali vai pela primeira vez. É difícil acreditar que alguém desejasse morar nessa imensidão opressora; e, de fato, o casal Marlborough ali viveu pouco tempo. Só se mudaram para lá em 1719, e o duque morreu apenas dois anos depois.´

Seja lá qual for a opinião que se tenha sobre Vanbrugh e suas criações, o fato é que tinha começado a era do arquiteto-celebridade.*

---

* Foi também a época do artesão-celebridade. Um desses foi o grande entalhador Grinling Gibbons, que viveu de 1648 a 1723. Seu interessante nome de batismo era o nome de solteira de sua mãe. Foi criado na Holanda, de pais ingleses, e chegou à Inglaterra por volta de 1667, após a restauração de Carlos II como rei. Instalou-se em Deptford, no sudeste de Londres, onde ganhava a vida muito modestamente entalhando carrancas para navios; mas um dia, em 1671, John Evelyn, conhecido diarista, por acaso passou diante da sua oficina e de imediato se encantou com a habilidade de Gibbons, sua personalidade simpática e, possivelmente, sua beleza. (Gibbons era, segundo todos os relatos, incrivelmente belo.) Ele incentivou o jovem a assumir encomendas mais difíceis e o apresentou a pessoas influentes, como Christopher Wren.

Graças ao apoio de John Evelyn, Gibbons fez muito sucesso; mas o dinheiro vinha, sobretudo, da sua oficina, que produzia estátuas e outros trabalhos em pedra. Parece que foi Gibbons que teve a ideia de retratar os heróis britânicos como estadistas romanos, de toga e sandálias, o

* * *

Antes da época de Vanbrugh os arquitetos não eram muito reconhecidos. Em geral a fama ia para quem pagava pela construção, não para quem a projetava. Hardwick Hall, que já encontramos no capítulo sobre o saguão, foi um dos grandes edifícios da sua época, mas apenas se supõe que Robert Smythson foi o arquiteto. É uma boa suposição, por várias razões, mas não há nenhuma prova real. Na verdade, Smythson foi o primeiro homem a ser chamado de arquiteto — ou quase ser chamado de arquiteto — em um monumento que data de cerca de 1588, em que ele é definido como "*architector and survayor*" [arquiteto e agrimensor]. Mas, como ocorre com tantos da sua época, muito pouco se sabe sobre seus primeiros anos de vida, como seu local e data de nascimento. Fez sua primeira aparição nos registros na Longleat House, em Wiltshire, em 1568, quando já estava na casa dos trinta e era mestre pedreiro. Por onde andou antes disso é uma incógnita.

Mesmo depois que a arquitetura se tornou uma profissão reconhecida, a maioria dos praticantes vinha de outras formações. Inigo Jones era cenógrafo e designer de produções teatrais, Christopher Wren era astrônomo, Robert Hooke era cientista, Vanbrugh soldado e dramaturgo, William Kent pintor e designer de interiores. Como profissão formal, a arquitetura tardou muito em se desenvolver. Na Grã-Bretanha os exames obrigatórios para a arquitetura só foram introduzidos em 1882, e em parte alguma a arquitetura foi oferecida como disciplina acadêmica de tempo integral antes de 1895.

Em meados do século XVIII, porém, a arquitetura doméstica começou a ganhar respeito e atenção, e por algum tempo ninguém foi alvo das duas coisas tanto como Robert Adam. Se Vanbrugh foi o primeiro arquiteto-celebridade, Adam foi o maior. Nascido em 1728 na Escócia, filho de um arquiteto, foi um de quatro irmãos que se tornaram, todos, arquitetos de sucesso, apesar de que Robert era o gênio incontestável da família e o único lembrado pela história. O período de 1755 a 1785 às vezes é chamado de Era de Adam.

---

que tornou seus trabalhos em pedra extremamente elegantes. Embora hoje seja considerado, por consenso, o maior entalhador em madeira dos tempos modernos, isso não lhe deu muita fama em vida. Para o Blenheim Palace, Gibbons produziu obras de pedra decorativas no valor de 4 mil libras, mas apenas 36 libras de obras em madeira. Se seus suntuosos entalhes são tão valorizados hoje em dia, é também porque são poucos.

Uma pintura de Adam na National Portrait Gallery, em Londres, feita por volta de 1770, quando ele estava pelos quarenta anos, mostra um homem de ar bondoso usando uma peruca cinzenta empoada; mas na verdade Adam não era assim tão simpático. Era arrogante, egoísta e tratava mal seus empregados, pagando-lhes pouco e os mantendo em uma espécie de servidão perpétua. Ele os multava severamente se fossem apanhados fazendo qualquer trabalho que não fosse para ele, nem mesmo um esboço como divertimento. Os clientes de Adam, porém, veneravam suas habilidades e durante trinta anos não pararam de lhe dar trabalho. Os irmãos Adam se tornaram uma espécie de indústria da arquitetura. Possuíam pedreiras, uma madeireira, fábricas de tijolos, de estuque e muito mais. Em certo momento suas firmas empregavam 2 mil pessoas. E projetavam não só as casas, mas cada objeto dentro delas — móveis, lareiras, tapetes, camas, lâmpadas e tudo o mais, até maçanetas, tinteiros e puxadores de sinetas.

Os projetos de Adam eram muito intensos — por vezes até esmagadores — e, gradualmente, ele caiu em desgraça. Tinha uma fraqueza inescapável pelo excesso de decoração. Entrar em uma sala de Adam é um pouco como caminhar em um grande bolo com excesso de cobertura. E de fato um de seus críticos contemporâneos o chamou de "pasteleiro". Ao final dos anos 1780, Adam era denunciado como "açucarado e efeminado", e estava tão fora de moda que se retirou para sua Escócia natal, onde morreu em 1792. Em 1831 já estava tão completamente esquecido que o influente *Lives of the most eminent British architects* [Vida dos mais eminentes arquitetos britânicos] não o menciona em absoluto. Mas esse ostracismo não durou muito; nos anos 1860 sua reputação passou por um renascimento que ainda continua, embora hoje seja mais lembrado por seus ricos interiores do que por sua arquitetura.

A única coisa que todos os edifícios tinham em comum na época de Adam era uma rigorosa devoção à simetria. Vanbrugh não conseguiu a total simetria no castelo Howard, sem dúvida, mas isso foi acidental. Nos outros casos, porém, a simetria era respeitada como uma lei imutável do design. Cada ala tinha que ter outra ala correspondente, fosse ou não necessária; cada janela e frontão de um lado da entrada principal tinha que ser exatamente espelhado pelas janelas e frontões do outro lado, não importa o que houvesse por trás deles. O resultado, muitas vezes, era a construção de alas que ninguém realmente desejava. Foi só no século XIX que esse absurdo realmente acabou, e foi uma notável residência em Wiltshire — uma das mais extraordinárias jamais construídas — que começou a quebrar esse molde.

Chamava-se abadia de Fonthill, e foi uma criação de dois homens estranhos e fascinantes: William Beckford e o arquiteto James Wyatt. Beckford era fabulosamente rico. Sua família tinha plantações na Jamaica e já dominava o comércio açucareiro das Índias Ocidentais havia cem anos. A devotada mãe de Beckford garantiu que o filho gozasse de todas as vantagens na sua educação. Wolfgang Mozart, na época com oito anos, foi trazido para lhe dar lições de piano. Sir William Chambers, o arquiteto do rei, ensinou-o a desenhar. A riqueza de Beckford era tão inesgotável que quando recebeu sua herança, em seu 21º aniversário, gastou 40 mil libras — uma quantia colossal, obscena — dando uma festa. Byron, em um poema, o chamou de "o filho mais rico da Inglaterra", provavelmente com razão.

Em 1784 Beckford se tornou o pivô do escândalo mais espetacular e suculento da época, quando se descobriu que estava envolvido em dois namoros tempestuosos, descontroladamente perigosos. Um deles era com Louisa Beckford, esposa de seu primo em primeiro grau. Ao mesmo tempo, ele se apaixonou por um rapaz esbelto e delicado chamado William Courtenay, o futuro nono conde de Devon, que, segundo o consenso geral, era o jovem mais bonito da Inglaterra. Por alguns anos tórridos e, presumivelmente, exaustivos, Beckford manteve os dois relacionamentos, muitas vezes sob o mesmo teto. Mas no outono de 1784 houve uma ruptura brusca. Beckford recebeu ou encontrou um bilhete com a letra de Courtenay que o atirou em um acesso de ciúmes. Não há registro do que o bilhete dizia, mas fez Beckford tomar uma atitude destemperada. Foi ao quarto de Courtenay e, nas palavras um pouco confusas de outro hóspede da casa, "começou a chicoteá-lo, o que criou um barulho, e, como a porta estava aberta, Courtenay foi descoberto só de camisa, e Beckford em uma determinada postura. — Uma história estranha".

Realmente.

A desgraça especial no caso é que Courtenay era o mais querido da família — o único menino entre catorze irmãos — e chocantemente jovem. Tinha dezesseis anos na época do incidente, mas talvez tivesse dez anos quando caiu sob a influência nociva de Beckford. Esse não era um assunto que a família Courtenay deixaria morrer, e podemos dizer que o primo traído de Beckford também não ficou nada eufórico. Caído em desgraça e sem esperança de redenção, Beckford fugiu para o continente. Ali viajou muito e escreveu, em francês, uma novela gótica chamada *Vathek: um conto árabe*, hoje praticamente ilegível, mas muito admirada na época.

Foi então que, em 1796, ainda em desgraça, Beckford fez algo totalmente inesperado. Voltou à Inglaterra e anunciou um plano para derrubar Fonthill Splendens, a mansão da família em Wiltshire, que tinha cerca de quarenta anos apenas, e construir uma nova residência em seu lugar — e não apenas uma casa qualquer, mas a maior mansão da Inglaterra desde Blenheim. Era uma ideia estranha, pois ele não tinha a menor perspectiva de ter companhia nessa casa. O arquiteto que escolheu para esse exercício ligeiramente demente foi James Wyatt.

Wyatt é uma figura curiosamente negligenciada. Sua única biografia substancial, por Antony Dale, foi publicada há mais de meio século. Talvez fosse mais famoso se muitos de seus edifícios ainda existissem. Hoje ele é mais lembrado pelo que destruiu do que pelo que construiu.

Nascido em Staffordshire, filho de um fazendeiro, Wyatt foi atraído para a arquitetura ainda jovem e passou seis anos na Itália estudando desenho arquitetônico. Em 1770, com apenas 24 anos, projetou o Pantheon, um salão de exposições e sala de reunião, vagamente inspirado no antigo edifício do mesmo nome em Roma, que ocupou uma localização privilegiada na Oxford Street, em Londres, durante 160 anos. Horace Walpole o julgava "o edifício mais bonito da Inglaterra". Infelizmente, a Marks and Spencer não pensava assim, e em 1931 o derrubou para construir uma nova loja.

Wyatt foi um arquiteto de talento e distinção — no reino de George III foi nomeado inspetor do Serviço de Obras, ou seja, o arquiteto oficial da nação —, mas como ser humano vivia em perene confusão. Era desorganizado, esquecido e dissoluto. Muito dado à bebida, por vezes tomava bebedeiras tremendas. Em certo ano, deixou de comparecer a cinquenta reuniões semanais seguidas no Instituto de Obras. Sua supervisão desse departamento era tão deficiente que se descobriu que um funcionário estava de férias havia três anos. Quando sóbrio, porém, era muito querido e elogiado pelo seu charme, personalidade agradável e visão arquitetônica. Um busto dele na National Portrait Gallery, em Londres, o mostra barbeado (e limpo, algo bastante raro), com uma cabeleira cheia e um rosto que parece curiosamente triste, ou talvez apenas mostrando um pouco de ressaca.

Apesar de suas deficiências, Wyatt tornou-se o mais procurado arquiteto da época, mas aceitava mais encomendas do que podia dar conta e raramente dava atenção suficiente a qualquer uma delas, para desespero dos clientes. "Se ele pode sentar diante de uma grande lareira, com uma garrafa ao lado, ele não se interessa por mais nada", escreveu um de seus muitos clientes frustrados.

"Há um forte consenso de opiniões", escreveu o seu biógrafo Dale, "que Wyatt tinha três defeitos fundamentais: total falta de capacidade para negócios, total incapacidade de dedicar-se de maneira constante ou intensa... e absoluta imprevidência." Note-se que essas foram as palavras de um observador simpático. Wyatt era, em suma, irresponsável e insuportável. Um cliente chamado William Windham aguentou por onze anos um trabalho que deveria ter tomado uma fração desse tempo. "Uma pessoa tem algum direito de se sentir impaciente", escreveu em certo momento o cansado Windham ao seu arquiteto ausente, "ao encontrar os aposentos principais de sua casa quase inabitáveis, porque não foi capaz de conseguir do senhor um par de horas de trabalho." Era preciso ser muito paciente e resignado para ser cliente de Wyatt.

Com tudo isso, sua carreira foi bem-sucedida e notavelmente produtiva. Ao longo de quarenta anos ele construiu ou remodelou uma centena de casas de campo, reformou de forma extravagante cinco catedrais e fez muito para mudar o aspecto da arquitetura britânica — nem sempre, é bom que se diga, para melhor. Seu tratamento das catedrais era particularmente impetuoso e radical. Um crítico chamado John Carter ficou tão aborrecido com a predileção de Wyatt para arrancar elementos antigos da decoração interior que o apelidou de "o Destruidor", e dedicou 212 ensaios na revista *Gentleman's Magazine* — essencialmente toda a sua carreira — a atacar o estilo e o caráter de Wyatt.

Na catedral de Durham, Wyatt tinha planos de coroar o edifício com uma poderosa torre ou campanário. Isso nunca aconteceu, o que talvez não seja tão mau, pois logo demonstrou em Fonthill que era perigosíssimo postar-se sob uma torre planejada por Wyatt. Ele também pretendia derrubar a antiga capela da Galileia, onde jazia o Venerável Bede, uma das grandes realizações da arquitetura normanda inglesa. Felizmente esse plano também foi rejeitado.

Beckford era fascinado pelo gênio arrojado de Wyatt, mas foi quase levado à loucura pelos seus hábitos dissolutos e sua total falta de confiabilidade. Mesmo assim, de alguma forma ele conseguiu mantê-lo focado o suficiente para desenhar um projeto, e o trabalho começou pouco antes da virada do século.

O Grande Corredor Oeste, que leva ao Grande Salão, ou Octógono, na abadia de Fonthill.

Tudo em Fonthill foi projetado em uma escala fantástica. As janelas tinham quinze metros de altura. As escadas tinham a largura igual à altura. A porta da frente chegava a dez metros, e parecia ainda mais alta pelo costume de Beckford de contratar anões como porteiros. Cortinas de 24 metros pendiam dos quatro arcos do Octógono, uma câmara central de onde se irradiavam quatro longos braços. A vista do corredor central se estendia por mais de cem metros. A mesa da sala de jantar — sendo Beckford o único comensal, noite após noite — tinha quinze metros de comprimento. Todos os tetos se perdiam à distância entre as vigas escuras. Fonthill foi, muito possivelmente, a residência mais exaustiva jamais construída — e tudo isso para um homem que vivia sozinho e era conhecido em toda parte como "o homem que nenhum vizinho iria visitar". Para preservar sua privacidade, Beckford construiu em torno da propriedade uma formidável muralha, conhecida como "a Barreira". Tinha quatro metros de altura, dezenove quilômetros de comprimento e era encimada por espigões de ferro.

Entre as outras estruturas adicionais planejadas havia uma poderosa tumba, com 38 metros pés de comprimento, em que seu caixão seria colocado sobre um estrado oito metros acima do solo — de modo que, acreditava ele, os vermes nunca poderiam alcançá-lo.

Fonthill era deliberada e desenfreadamente assimétrica — "uma anarquia arquitetônica", nas palavras do historiador Simon Thurley — e realizada num estilo gótico ornamentado que a fazia parecer um cruzamento entre uma catedral medieval e o castelo do Drácula. Mas Wyatt não inventou o neogoticismo. Essa distinção vai para Horace Walpole, pela sua mansão em Strawberry Hill, nos arredores de Londres. O estilo "Gothick", como era por vezes grafado, para distingui-lo do genuíno estilo gótico medieval, originalmente não denominava um estilo arquitetônico mas sim um tipo de romance, sombrio e exagerado, que também foi inventado por Walpole com O castelo de Otranto, em 1764. Strawberry Hill, porém, era algo bastante conservador e pitoresco — uma residência mais ou menos convencional, anexando alguns rendilhados góticos e outros enfeites. As criações góticas de Wyatt eram muito mais escuras e pesadas. Tinham torres ameaçadoras, pináculos românticos e telhados confusos, cuidadosamente assimétricos, de modo que parecia que toda a estrutura tinha crescido organicamente ao longo dos séculos. Era uma espécie de imaginação hollywoodiana do passado, muito antes de existir Hollywood. Walpole inventou o termo "*gloomth*" para transmitir o ambiente Gothick; e as casas de Wyatt são a essência do *gloomth*.* O *gloomth* praticamente escorria de suas paredes.

Na sua obsessão de terminar o projeto, Beckford chegava a ter quinhentos homens trabalhando 24 horas por dia; mas as coisas sempre davam errado. A torre de Fonthill, com 85 metros, foi a mais alta jamais colocada em uma casa particular — e foi um pesadelo. Precipitadamente, Wyatt usou um novo tipo de estuque chamado cimento romano de Parker, inventado por um certo reverendo James Parker, de Gravesend — mais um exemplo de clérigos plenos de curiosidade científica que encontramos no início deste livro. Não se sabe qual foi o impulso que levou o reverendo Parker ao mundo dos materiais de construção, mas sua ideia era produzir um cimento de secagem rápida, do tipo usado pelos antigos romanos, a partir de uma fórmula já perdida. Infelizmente, seu cimento tinha pouca força e, se não fosse misturado nas proporções exatas, se desmanchava em pedaços — como aconteceu em Fonthill. Consternado, Beckford via sua imponente abadia se esfarelar, ao mesmo tempo que se erguia. Duas vezes ela desabou durante a construção; e, mesmo quando totalmente ereta, emitia rangidos e gemidos sinistros.

Para infinito desespero de Beckford, Wyatt com frequência estava ausente, ou bêbado ou trabalhando em outros projetos. E bem quando as coisas estavam, literalmente, caindo aos pedaços em Fonthill e quinhentos trabalhadores corriam para salvar a vida, ou ficavam ociosos aguardando instruções, Wyatt se envolveu em um enorme projeto que acabou cancelado: construir para o rei George III um novo palácio em Kew. Por que George III desejava um novo palácio em Kew é uma pergunta razoável, pois ele já tinha um ótimo palácio ali mesmo; mas Wyatt foi em frente e projetou um edifício enorme (apelidado de "Bastilha" devido à sua aparência amedrontadora), um dos pri-

---

* Embora hoje Walpole quase não seja lido, na sua época gozou de imensa popularidade como historiador e romancista. Tinha especial talento para cunhar novas palavras. O *Oxford English Dictionary* lhe dá crédito por nada menos de 233 palavras novas. Muitas, como *gloomth, greenth, fluctuable* ou *betweenity* não "pegaram"; mas muitas outras sim. Entre os termos que ele inventou ou trouxe para o inglês se incluem: *airsickness* [enjoo], *anteroom* [antecâmara], *bask* [aquecer-se ao sol], *boulevard, beefy* [musculoso, robusto], *café* [o local], *cause célèbre, caricature* [caricatura], *fairy tale* [conto de fadas], *falsetto* [falsete], *frisson, impresario* [empresário artístico], *malaria, mudbath* [banho de lama], *nuance, serendipity* [descoberta feliz acidental], *sombre* [sombrio], *souvenir* e, como já mencionamos, *comfortable* [confortável], no sentido moderno.

meiros edifícios do mundo a usar o ferro fundido como material estrutural. Não sabemos como era o novo palácio, pois não há nenhuma reprodução; mas deve ter sido algo impressionante, pois era feito inteiramente de ferro fundido, com exceção das portas e dos assoalhos. Supomos que morar lá seria como viver dentro de um caldeirão. Infelizmente, enquanto a construção ia se erguendo à margem do Tâmisa, o rei começou a perder a visão, assim como seu interesse pelas coisas que não conseguia ver; e, de qualquer forma, ele nunca simpatizou muito com Wyatt. Assim, com a estrutura meio construída e mais de 100 mil libras já gastas, a obra parou abruptamente. A construção permaneceu como uma concha inacabada por cerca de vinte anos, até que um novo rei, George IV, finalmente a pôs abaixo.

Beckford bombardeava Wyatt com cartas indignadas. "Qual estalagem pútrida, qual taberna fedorenta ou bordel bexiguento esconde seu corpo peludo e glutinoso?", indagava uma pergunta típica. Seu apelido para Wyatt era "Bagasse", isto é, cafetão. Cada carta era uma arenga transbordando de raiva e de insultos criativos. E Wyatt era de enlouquecer, sem dúvida. Certa vez saiu de Fonthill para ir a Londres, alegando negócios urgentes, mas viajou apenas cinco quilômetros, até outra propriedade de Beckford, onde conheceu outro hóspede também chegado à bebida. Ali Beckford os descobriu juntos, cercados por garrafas vazias e totalmente fora do ar, uma semana depois.

O custo final da Fonthill é desconhecido, mas em 1801 um observador informado sugeriu que Beckford já havia gasto 242 mil libras no edifício — o suficiente para construir dois Palácios de Cristal — e a obra ainda não estava nem na metade. No verão de 1807 Beckford mudou para a abadia, mesmo inacabada. Ali não havia o menor conforto. "Era preciso acender sessenta lareiras, com fogo ardendo continuamente, inverno e verão, para manter a casa apenas seca, sem nem falar em calor", registra Simon Thurley. A maioria dos quartos era despojada como celas monásticas; treze deles não tinham janelas. O quarto de dormir do próprio Beckford era extremamente austero, e continha uma única cama estreita.

Wyatt continuou a aparecer no local vez por outra e levar Beckford à fúria com suas ausências. No início de setembro de 1813, logo após completar 67 anos, Wyatt voltava de Gloucestershire para Londres com um cliente quando sua carruagem capotou e ele foi atirado contra um muro, batendo a cabeça em um golpe fatal. Morreu no ato, deixando sua viúva sem tostão.

Nessa mesma época, os preços do açúcar caíram e Beckford acabou exposto, desagradavelmente, ao lado negativo do capitalismo. Em 1823 já estava tão carente de fundos que foi forçado a vender Fonthill. A propriedade foi comprada por 300 mil libras por um sujeito excêntrico, John Farquhar. Nascido na Escócia rural, esteve na Índia quando jovem e fez fortuna fabricando pólvora. Ao voltar à Inglaterra, em 1814, estabeleceu-se em Londres, em uma bela casa em Portman Square, que negligenciava visivelmente. E negligenciava a si próprio também — a tal ponto que, em seus passeios pelo bairro, às vezes era parado e interrogado, como se fosse um andarilho suspeito. Depois de comprar Fonthill, quase nunca a visitou. Estava lá, no entanto, no dia mais espetacular da breve existência de Fonthill, logo antes do Natal de 1825, quando a torre lançou um longo gemido e em seguida desabou, pela terceira e última vez. Um criado foi atirado dez metros por um corredor pela corrente de ar, mas, milagrosamente, nem ele nem ninguém se feriram. Cerca de um terço da casa jazia agora sob os destroços da torre, e nunca mais seria habitável. Farquhar foi notavelmente filosófico em relação à sua desgraça, comentando apenas que o sucedido simplificava muito o trabalho de cuidar do local. Morreu no ano seguinte, imensamente rico, mas sem deixar testamento, e nenhum de seus parentes, em litígio, aceitou tomar conta da casa. O que restou dela foi demolido e eliminado não muito tempo depois.

Enquanto isso, Beckford pegou suas 300 mil libras e retirou-se para Bath, onde construiu uma torre de 47 metros, em um sóbrio estilo clássico. Chamada torre Lansdown, foi erguida com bons materiais e cuidados prudentes, e está em pé até hoje.

II

Fonthill marcou o auge não só da ambição e da loucura no âmbito doméstico, mas também do desconforto. Parece que surgiu uma curiosa relação inversa entre a quantidade de esforço e dinheiro investidos em uma casa e até que ponto ela seria realmente habitável. A grande época da construção civil elevou a novos níveis de elegância e grandeza a vida privada na Grã-Bretanha, mas quase nada em relação ao calor, à maciez e à comodidade.

Esses atributos caseiros haveriam de criar um novo tipo de pessoa que praticamente não existia uma geração antes: o profissional de classe média. Sempre houve pessoas de posição mediana, é claro, mas como entidade distinta, e força participante na sociedade, foi um fenômeno que surgiu no século XVIII. O termo "classe média" só foi inventado em 1745 (em um livro sobre o comércio da lã na Irlanda), mas, desse momento em diante, as ruas e os cafés da Grã-Bretanha viram uma abundância de pessoas autoconfiantes, loquazes, bem de vida, que correspondiam a essa descrição: banqueiros, advogados, artistas, editores, designers, comerciantes, incorporadores imobiliários e outros dotados de ambição e espírito criativo. Essa nova e crescente classe média servia não só aos muito ricos, mas também, de forma ainda mais lucrativa, uns aos outros. Foi essa a mudança que fez o mundo moderno.

A invenção da classe média injetou novos níveis de demanda na sociedade. De repente surgiu um enxame de pessoas com residências esplêndidas, todas necessitando de decoração; e também de repente o mundo estava cheio de objetos desejáveis para preenchê-las. Tapetes, espelhos, cortinas, móveis estofados e bordados, e mais uma centena de coisas que raramente se encontravam nas moradias antes de 1750 então se tornavam comuns.

O crescimento do Império britânico e de seus interesses comerciais no exterior também exerceu um efeito decisivo, muitas vezes de formas inesperadas. Veja-se, por exemplo, o caso da madeira. Quando a Grã-Bretanha era uma ilha isolada, tinha basicamente só um tipo de madeira para fazer móveis: o carvalho. É um material nobre, sólido, duradouro, literalmente duro como ferro, mas só é adequado para móveis densos e pesados — baús, camas, mesas grandes e coisas assim. Mas o desenvolvimento da Marinha britânica e a difusão dos interesses comerciais da Grã-Bretanha fizeram com que madeiras de vários tipos se tornassem disponíveis, como a nogueira da Virgínia, o tulipeiro das Carolinas, a teca da Ásia; e isso mudou tudo dentro das casas, incluindo a forma como as pessoas se sentavam, conversavam e recebiam visitas.

A madeira mais valiosa de todas era o mogno do Caribe. Era uma madeira brilhante, difícil de empenar e extremamente adaptável. Podia ser esculpida e lixada para criar formas delicadas, perfeitamente adequadas à exuberância do rococó, mas era forte o bastante para fazer móveis. Nenhuma outra madeira tinha essas características: de repente, o mobiliário podia ter uma qualidade escultórica. O encosto das cadeiras podia ser trabalhado de uma forma que deixava maravilhado um povo que nunca tinha visto nada menos desajeitado que uma cadeira Windsor. As pernas tinham curvas fluidas e pés exuberantes; os braços terminavam em volutas que davam prazer à vista e ao toque. Cada cadeira — na verdade, cada objeto fabricado que havia na casa — de repente parecia ter elegância, estilo e fluidez.

O mogno não seria tão apreciado se não fosse por outro novo material mágico, vindo do outro lado do globo, que lhe dava o mais esplêndido acabamento: o verniz, ou laca, uma secreção dura e resinosa produzida por um tipo de besouro chamado inseto-da-laca. Esse inseto voa em grandes enxames em partes da Índia em certas épocas do ano, e sua secreção produz um verniz inodoro, não tóxico, dotado de um belo brilho e alta resistência a arranhões e desbotamento. Não atrai poeira quando úmido, e seca em poucos minutos. Mesmo hoje, na era da química, a laca tem dezenas de aplicações com as quais os produtos sintéticos não podem competir. Em uma cancha de boliche, por exemplo, é o verniz que dá à pista aquele brilho incomparável.

Novas madeiras e vernizes transformaram o mobiliário, criando muitas novas opções de formas; mas ainda faltava algo — um novo sistema de produção — para fabricar em grandes volumes o mobiliário de alta qualidade necessário para satisfazer a interminável demanda. Se criadores tradicionais como Robert Adam projetavam um novo design para cada encomenda, agora os fabricantes de móveis perceberam que era muito mais lucrativo fabricar uma quantidade de móveis com um único projeto. Começaram a trabalhar em um sistema fabril de grande escala, produzindo peças cortadas a partir de moldes, e depois montadas e acabadas por equipes de especialistas. Nascia assim a era da fabricação em massa.

Há uma certa ironia quando se percebe que as pessoas que mais fizeram para criar as técnicas de produção em massa foram justamente as que hoje mais reverenciamos por sua alta qualidade de artesanato; e isso é especialmente verdade em relação a um pouco conhecido fabricante de móveis do norte da Inglaterra chamado Thomas Chippendale. Sua influência foi enorme. Ele foi o primeiro plebeu a dar seu nome a um estilo de mobiliário; antes os nomes lembravam fielmente as monarquias: estilo Tudor, Elisabetano, Luís XIV, rainha Anne. No entanto, sabemos muito pouco sobre ele; por exemplo, não fazemos ideia da sua aparência. Sabemos apenas que nasceu e cresceu na cidade de Otley, na orla dos vales de Yorkshire; nada mais se sabe sobre o início da sua vida. Sua primeira aparição no registro escrito é de 1748, quando ele chega a Londres, já com trinta anos, e se estabelece como um novo tipo de fabricante e fornecedor de mobiliário doméstico, conhecido como "*upholder*".

Era uma empreitada ambiciosa, pois os negócios de um *upholder* costumavam ser complicados e extensos. Um dos mais bem-sucedidos, George Seddon, empregava quatrocentos operários — marceneiros, entalhadores, douradores, fabricantes de espelhos e bronzes, e assim por diante. Chippendale não trabalhava nessa escala; mas empregava quarenta ou cinquenta homens, e suas oficinas abrangiam duas fachadas, nos números 60-62 em St. Martin's Lane, bem na esquina da moderna Trafalgar Square (apesar de que esta só viria a existir oitenta anos depois). Fornecia um serviço extremamente completo, fabricando e vendendo cadeiras, mesinhas de apoio, penteadeiras, mesas de escrever e de jogar cartas, estantes de livros, birôs, espelhos, caixas para relógios, candelabros, suportes de velas, estantes para música, castiçais, cadeiras higiênicas e um exótico objeto novo que ele batizou de "*sopha*". O sofá era ousado, até estimulante, pois se assemelhava a uma cama, insinuando assim um repouso lascivo. A firma também estocava tapetes e papéis de parede, e fazia consertos, retirada de móveis e até enterros.

Thomas Chippendale sem dúvida fabricava móveis finos, mas o mesmo faziam muitos outros. Só na St. Martin's Lane havia trinta fabricantes de móveis no século XVIII, e centenas de outros espalhados por Londres e por todo o país. A razão pela qual hoje todos nós conhecemos o nome de Chippendale é que em 1754 ele fez algo muito audacioso: publicou um livro de desenhos chamado *The gentleman and cabinet-maker's director* [Guia do cavalheiro e marceneiro], contendo 160 pranchas. Os arquitetos já faziam esse tipo de coisa havia quase duzentos anos, mas ninguém tinha pensado em fazer o mesmo para os móveis. As pranchas se revelaram inesperadamente sedutoras. Em vez de serem diagramas planos, bidimensionais, como era normal, eram desenhos em perspectiva, cheios de sombras e brilhos. O possível comprador podia visualizar de imediato como ficariam esses objetos belos e desejáveis em sua própria casa. Seria enganoso chamar o livro de Chippendale de uma sensação, pois apenas 308 exemplares foram vendidos; mas os compradores incluíam 49 membros da aristocracia, o que conferiu ao livro uma influência desproporcional. Também foi adquirido prontamente por outros fabricantes de móveis e artesãos, levantando outro ponto estranho — que Chippendale estava convidando abertamente seus concorrentes a utilizar os projetos para seus próprios fins comerciais. Isso ajudou a garantir a fama póstera de Chippendale, mas não contribuiu em nada para a sua situação imediata, já que os clientes podiam agora obter móveis Chippendale mais baratos, feitos por qualquer marceneiro razoavelmente qualificado. Também acarretou dois séculos de dificuldades para os historiadores do mobiliário, no esforço de identificar quais peças são verdadeiros Chippendales e quais são cópias feitas a partir do seu livro. E, mesmo que um móvel seja um "verdadeiro" Chippendale, não significa que Thomas Chippendale tenha tocado nele, ou mesmo estivesse ciente da sua existência. Nem sequer significa, necessariamente, que ele o projetou. Ninguém sabe o quanto vai ali do seu talento, nem se as pranchas foram feitas, de fato, pela sua própria mão. Um verdadeiro Chippendale significa, simplesmente, que procede da sua oficina.

Tal é a aura de Chippendale, porém, que nem essa proximidade é necessária. Na América colonial, em Boston, um marceneiro chamado John Welch, guiando-se por um esquema de Chippendale, construiu em 1756 uma escrivaninha de mogno que vendeu a um certo Dublois. A peça permaneceu na família Dublois por 250 anos, e em 2007 foi posta em leilão na Sotheby's de Nova York. Apesar de Thomas Chippendale não ter conexão direta com ela, foi vendida por quase 3,3 milhões de dólares.

Inspirados pelo sucesso de Chippendale, outros fabricantes de móveis na Inglaterra também publicaram livros com diagramas. Em 1788 George Hepplewhite lançou o *Cabinet-maker and upholsterer's guide* [Guia do marceneiro e estofador], seguido por Thomas Sheraton com o *Cabinet-maker and upholsterer's drawing-book* [Livro de desenhos para o marceneiro e o estofador], lançado em fascículos entre 1791 e 1794. Sheraton conseguiu mais do dobro de assinantes de Chippendale para seu livro, que foi traduzido para o alemão — uma distinção não concedida ao volume do próprio Chippendale. Hepplewhite e Sheraton se tornaram especialmente populares nos Estados Unidos.

Embora qualquer móvel diretamente associado a qualquer um dos três hoje valha uma fortuna, em vida eles foram mais admirados do que celebrados, e às vezes nem tão admirados assim. A sorte de Chippendale foi a primeira a mudar. Era um excepcional fabricante de móveis, mas um caso perdido como negociante — lacuna que se tornou evidente após a morte de seu sócio,

James Rannie, em 1766. Rannie era o cérebro da firma; sem ele, Chippendale foi tropeçando de crise em crise pelo resto da vida. Tudo isso tem uma dolorosa ironia, pois, enquanto lutava para pagar seus funcionários e não cair na prisão por dívidas, Chippendale produzia móveis da mais alta qualidade para algumas das famílias mais ricas da Inglaterra, em estreita colaboração com os principais arquitetos e designers — Robert Adam, James Wyatt, sir William Chambers, entre outros. No entanto, sua trajetória pessoal ia descambando implacavelmente.

Não era uma época fácil para fazer negócios. Os clientes costumavam atrasar o pagamento. Chippendale teve que ameaçar o ator e empresário David Garrick com uma ação judicial pelas contas não pagas, e parou de trabalhar em Nostell Priory, uma mansão em Yorkshire, quando a dívida atingiu a enorme soma de 6838 libras. "Não tenho nem um guinéu para pagar meus homens amanhã", escreveu ele em desespero, em certo ponto. É bem claro que Chippendale passou grande parte da vida tomado de ansiedade, sem poder desfrutar nem um momento de segurança. Ao morrer, em 1779, suas posses tinham caído para apenas 28 libras — o que não bastaria nem para comprar uma modesta peça de ouropel da sua própria loja. A firma continuou lutando sob a direção de seu filho, mas por fim foi à falência em 1804.

Quando Chippendale morreu, o mundo mal notou. Nenhum obituário apareceu em qualquer jornal. Catorze anos após sua morte, Sheraton escreveu sobre os projetos Chippendale: "são agora totalmente antiquados e postos de lado". Ao final dos anos 1800 sua reputação havia caído tão baixo que a primeira edição do *Dictionary of national biography* lhe deu apenas um parágrafo — muito menos do que deu a Sheraton ou Hepplewhite —, o qual continha muitas críticas e muitos erros. O autor se importou tão pouco com os fatos da vida de Chippendale que deu como seu lugar de origem Worcestershire, e não Yorkshire.

Sheraton (1751-1806) e Hepplewhite (1727?-86) tampouco poderiam se orgulhar de ter grande sucesso. A oficina de Hepplewhite ficava em um bairro decadente, Cripplegate, e sua identidade era tão obscura que seus contemporâneos se referiam a ele de várias formas, como Kepplewhite ou Hebblethwaite. Quase nada se sabe sobre sua vida pessoal; morreu dois anos antes da publicação de seu livro de diagramas. O destino de Sheraton foi ainda mais curioso. Parece que nunca abriu uma oficina, e jamais foi encontrada nenhuma peça de mobiliário que possa lhe ser atribuída. Talvez nunca tenha fabricado nenhuma, atuando apenas como desenhista e projetista. Embora seu livro vendesse bem, parece que não lhe trouxe riqueza, pois tinha que complementar sua renda ensinando desenho e perspectiva. Em certo momento, desistiu do design de móveis e estudou para ser ministro de uma seita não conformista conhecida como Narrow Baptists. Tornou-se, em essência, um pregador religioso de rua. Em 1806 morreu na miséria total, em Londres, "em meio à sujeira e aos insetos", deixando esposa e dois filhos.

Como fabricantes de móveis, Chippendale e seus contemporâneos eram mestres, sem dúvida; mas se beneficiaram de uma vantagem que nunca poderá se repetir: podiam utilizar uma das madeiras mais refinadas que já existiram, um tipo de mogno chamado *Swietenia mahogani*. Encontrada apenas no Caribe, em partes de Cuba e Hispaniola (ilha hoje compartilhada por Haiti e República Dominicana), a *Swietenia mahogani* não tem igual em elegância, riqueza e utilidade. Tal foi a procura por ela que acabou sendo totalmente utilizada — e irremediavelmente extinta — cinquenta anos depois de sua descoberta. Há no mundo cerca de duzentas outras espécies de mogno, em geral excelentes madeiras; mas não chegam perto da riqueza e da facilidade de trabalhar da suave e extinta *S. mahogani*. O mundo pode, um dia, produzir fabricantes de cadeiras melhores do que Chippendale e seus pares; mas jamais produzirá cadeiras mais refinadas.

Curiosamente, ninguém apreciou tudo isso por um longuíssimo tempo. Na era eduardiana, muitas cadeiras e outras peças de Chippendale, hoje consideradas inestimáveis, passaram um século ou mais jogadas e esquecidas no quarto dos criados, até serem redescobertas e voltarem para a casa principal. Já foram confirmados cerca de seiscentos móveis Chippendale. Outros, passados de mão em mão ou vendidos com as residências onde se encontravam, podem estar ainda hoje abandonados em algum chalé do interior, ou em uma casa geminada de subúrbio — mais valiosos do que as moradias que os abrigam.

III

Se voltássemos no tempo para uma casa nos dias de Chippendale, notaríamos de imediato uma diferença: as cadeiras e outros móveis ficavam, em geral, encostados nas paredes, dando a cada aposento o aspecto de sala de espera. Cadeiras ou mesas no meio da sala pareceriam tão fora de lugar para as pessoas da época georgiana como para nós pode parecer hoje um guarda-roupa no meio da sala. (Uma razão para afastá-las era facilitar às pessoas andar pelas salas no escuro, sem tropeçar nos móveis.) E, como ficavam contra a parede, as costas das primeiras cadeiras e sofás estofados em geral eram deixadas sem acabamento, tal como hoje deixamos nuas as costas das cômodas e armários.

Quando chegavam visitas, o costume era trazer as cadeiras necessárias para o centro e colocá-las em círculo ou semicírculo, mais ou menos como na hora da contação de histórias na escola primária. Isso tinha o efeito inevitável de tornar quase todas as conversas tensas e artificiais. Horace Walpole, depois de ficar sentado por quatro horas e meia em um círculo angustiante de conversas tolas, declarou: "Nós desgastamos até o fim o Vento e o Tempo, a Opera e o Teatro... e todos os temas apropriados para um círculo formal". No entanto, quando alguma anfitriã mais ousada tentava introduzir a espontaneidade, organizando as cadeiras em grupinhos mais íntimos de três e quatro, muitos julgavam que o resultado era um pandemônio, e não conseguiam se acostumar com a ideia de que havia conversas ocorrendo pelas suas costas.

O problema das cadeiras da época era a falta de conforto. A solução óbvia era acolchoar os móveis; mas isso se revelou mais problemático do que se poderia imaginar, pois havia poucos artesãos com todas as habilidades necessárias para fazer uma boa cadeira acolchoada. Os fabricantes se esforçavam para obter arestas retas onde o tecido encontrava a madeira — tubos e cordões foram originalmente introduzidos para disfarçar essas imperfeições — e com frequência não conseguiam produzir um estofamento que conservasse a forma convexa sobre o assento. Apenas os fabricantes de selas conseguiam obter a durabilidade necessária — razão pela qual havia, no início, muitos móveis estofados cobertos de couro. Os estofadores também enfrentavam o problema de que muitos tecidos na era pré-industrial só podiam ser produzidos em uma largura de cerca de cinquenta centímetros, exigindo costuras em lugares estranhos. Somente após a invenção da lançadeira volante por John Kay, em 1733, foi possível produzir tecidos com largura de um metro ou mais.

As melhorias nas tecnologias têxteis e de impressão também transformaram as possibilidades decorativas em outras áreas além do mobiliário. Essa época viu a introdução generalizada de carpetes, papéis de parede e tecidos de cores vivas. Também a tinta de parede se tornou disponível em toda uma gama de cores, pela primeira vez. O resultado é que, no final do século XVIII, as residências estavam repletas de objetos que um século antes seriam luxos extraordinários. Começava a surgir a casa moderna — uma casa como conhecemos hoje. Por fim, cerca de 1 400 anos depois que os romanos se retiraram, levando embora o banho quente, os sofás acolchoados e o aquecimento central, os britânicos começavam a redescobrir a nova situação de desfrutar de uma situação simpática. Ainda não dominavam inteiramente o conforto, mas decerto tinham descoberto um conceito fascinante. A vida e as expectativas que a acompanham nunca mais seriam as mesmas.

Houve, porém, uma consequência importante. O advento do conforto no lar, e em particular a utilização generalizada de móveis macios, tornou o mobiliário muito mais vulnerável às manchas, queimaduras e outros resultados de ações descuidadas. Em um esforço para salvar os móveis mais valiosos desses riscos, um novo tipo de aposento foi criado — e é para lá que vamos agora.

8. A sala de jantar

I

Na época em que o sr. Marsham construiu sua casa, seria impensável para um homem da sua posição não ter uma sala de jantar formal para receber visitas. Mas qual o grau de formalidade, qual o tamanho, e se seria localizada na frente da casa ou atrás são questões que exigiriam alguma reflexão, pois na época a sala de jantar ainda era uma novidade, e suas dimensões e localização não poderiam ser assumidas a priori. No final, como já vimos, o sr. Marsham decidiu eliminar o quarto dos criados que fora proposto e conceder a si mesmo uma sala de jantar de dez metros de comprimento — suficiente para acomodar dezoito ou vinte convidados, um número muito grande para um pároco de aldeia. Mesmo que recebesse visitas com frequência, como parece ser o caso, deve ter sido uma sala muito solitária nas noites em que jantava sozinho. Pelo menos a vista para o pátio da igreja era agradável.

Não sabemos quase nada sobre como o sr. Marsham utilizava essa sala, pois conhecemos muito pouco não só sobre ele, como também sobre certos aspectos das próprias salas de jantar. No meio da mesa provavelmente ficava um objeto caro e elegante chamado "*epergne*" (pronuncia-se "ei-pérn"), composto de pratos unidos por ramos ornamentais; cada prato continha uma seleção de frutas ou nozes. Durante um século nenhuma mesa de uma família distinta ficaria sem a sua *epergne*, mas porque se chamava *epergne* ninguém sabe dizer. A palavra não existe em francês; parece ter surgido a partir do nada.

Em torno da *epergne* na mesa do sr. Marsham devia haver galheteiros — elegantes porta-condimentos, em geral de prata — e estes também têm seu mistério. O galheteiro tradicional vinha com duas garrafinhas de vidro com fechos, para azeite e vinagre, e mais três pequenos recipientes de vidro com a tampa perfurada, para polvilhar condimentos. Dois deles continham sal e pimenta; mas o que havia no terceiro é desconhecido. Em geral se presume que era mostarda seca, mas isso porque ninguém consegue pensar em algo mais provável. "Nenhuma alternativa satisfatória já foi sugerida" — é o que diz o historiador dos alimentos Gerard Brett. Na verdade, nenhuma evidência sugere que se desejava ou utilizava a mostarda dessa forma pelos comensais em qualquer momento da história. Provavelmente por esse motivo, na época do sr. Marsham o terceiro recipiente desapareceu rapidamente das mesas — como, aliás, os próprios galheteiros. Agora os condimentos variavam cada vez mais de refeição para refeição, pois alguns ficaram associados a determinados alimentos — o molho de menta com o cordeiro, a mostarda com o presunto, a raiz-forte com a carne, e assim por diante. Dezenas de outros temperos eram usados na cozinha; mas apenas dois foram considerados tão indispensáveis que nunca saíram da mesa. Refiro-me, é claro, ao sal e à pimenta.

Por que esses dois, entre todas as centenas de temperos e condimentos disponíveis, são tão veneráveis e duradouros? Essa é uma das perguntas com que iniciamos este livro. A resposta é complicada, mas dramática. Posso lhe dizer de imediato que nenhum objeto que você tocar hoje é associado a tanto sofrimento, desgraça e derramamento de sangue quanto esses dois inócuos objetos gêmeos, o saleiro e o pimenteiro.

Comecemos com o sal. É um elemento muito valorizado da nossa alimentação por uma razão fundamental: nós precisamos dele. Sem ele, morreríamos. É uma das cerca de quarenta partículas de matéria incidental — minúsculos elementos químicos — que precisamos ingerir para dar ao nosso corpo o necessário equilíbrio e energia para sustentar a vida diária. Em conjunto, são conhecidos como vitaminas e sais minerais, e há muita coisa — uma quantidade realmente surpreendente de coisas — que não sabemos sobre eles, inclusive quantos precisamos, o que fazem exatamente alguns deles e quais as quantidades ideais para o consumo.

O simples fato de serem necessários foi uma informação que demorou um tempo absurdamente longo para surgir. Até já bem entrado o século XIX, a noção de uma dieta bem equilibrada não tinha ocorrido a ninguém. Acreditava-se que todo o alimento continha uma única substância, vaga mas substancial — "o alimento universal". Um quilo de carne tinha o mesmo valor para o corpo que um quilo de maçãs, ou de beterrabas, ou de qualquer outra coisa; e tudo que um ser humano precisava fazer era garantir a ingestão de uma grande quantidade. A ideia de que dentro de determinados alimentos havia elementos vitais indispensáveis para o nosso bem-estar ainda não fora concebida. E não é de surpreender, pois os sintomas de deficiência alimentar — letargia, dores nas articulações, aumento da suscetibilidade a infecções, visão embaçada — raramente sugerem um desequilíbrio alimentar. Ainda hoje, se o seu cabelo começar a cair ou seus tornozelos incharem de maneira alarmante, você provavelmente não pensará de imediato no que comeu recentemente — e menos ainda no que *não* comeu. E assim era com os perplexos europeus, que por muito tempo morriam em números chocantes, sem saber por quê.

Já se aventou que só o escorbuto matou 2 milhões de marinheiros entre 1500 e 1850. Normalmente, essa doença matava cerca de metade da tripulação em qualquer viagem longa. Vários expedientes desesperados foram tentados. Vasco da Gama, em uma viagem de ida e volta à Índia, incentivava seus homens a enxaguar a boca com urina, o que não tinha nenhum efeito para o escorbuto, nem para elevar seus ânimos. Às vezes a mortalidade era realmente chocante. Em uma viagem de três anos na década de 1740, uma expedição naval britânica sob o comando do comodoro George Anson perdeu 1400 homens dos 2 mil que partiram. Quatro foram mortos por ação inimiga; praticamente todo o resto morreu de escorbuto.

Com o tempo as pessoas começaram a notar que os marinheiros com escorbuto costumavam se recuperar quando chegavam a um porto e comiam alimentos frescos, mas ninguém concordava sobre o que continham aqueles alimentos que os ajudavam. Alguns pensavam que não eram os alimentos, mas apenas a mudança de ares. E de toda forma não era possível manter os alimentos frescos por muito tempo em viagens longas; portanto, identificar os vegetais eficazes e coisas do gênero seria um tanto inútil. Era necessário algum tipo de essência destilada — um antiescorbútico, como o chamavam os médicos — que fosse eficaz contra a doença, mas também portátil. Na década de 1760 um médico escocês chamado William Stark, evidentemente encorajado por Benjamin Franklin, realizou uma série de experimentos temerários e bizarros, em que tentava identificar o agente ativo privando-se dele. Durante semanas, sobreviveu apenas com os alimentos mais básicos — quase só pão e água — para ver o que aconteceria. O que aconteceu foi que em pouco mais de seis meses Stark morreu de escorbuto, sem chegar a qualquer conclusão útil. Mais ou menos na mesma época James Lind, um cirurgião naval, realizou uma experiência com maior rigor científico (e menos risco pessoal): encontrou doze marinheiros que já tinham escorbuto, dividiu-os em pares e deu a cada par uma substância diferente, supostamente curativa — vinagre para um, alho e mostarda para outro, laranjas e limões para um terceiro, e assim por diante. Em cinco pares não houve melhora, mas o que recebeu laranjas e limões teve uma recuperação rápida e total. O assombroso é que Lind decidiu ignorar o significado desses resultados e continuou aferrado à sua convicção pessoal de que o escorbuto era causado pelos alimentos mal digeridos que formavam toxinas no corpo.

Coube ao grande capitão James Cook colocar as coisas nos eixos. Em sua viagem ao redor do globo, em 1768-71, o capitão Cook levou uma série de antiescorbúticos para experimentar, incluindo trinta galões de geleia de cenoura e cinquenta quilos de repolho azedo em conserva para cada tripulante. Nem uma só pessoa morreu de escorbuto em sua viagem — um milagre que fez dele um herói nacional, tanto como a sua descoberta da Austrália ou qualquer outra de suas muitas realizações nesse empreendimento épico. A Royal Society, principal instituição científica britânica, ficou tão impressionada que lhe deu a Medalha Copley, sua mais alta distinção. Infelizmente, a Marinha britânica não foi tão rápida. Mesmo diante de todas as provas, ela nada fez durante mais uma geração, até que, finalmente, passou a oferecer suco de frutas cítricas aos marinheiros como parte da alimentação normal.*

* O Conselho Naval também usava suco de lima (*lime*, em inglês), em vez de suco de limão porque era mais barato, motivo pelo qual os marinheiros britânicos foram apelidados de "limeys". O suco de lima não era tão eficaz como o de limão. Aliás, foram os americanos, e não os australianos, que começaram a aplicar esse termo aos marinheiros britânicos.

A constatação de que a dieta inadequada era a causa não só do escorbuto, mas de uma série de doenças comuns demorou extremamente para surgir. Só em 1897 um médico holandês chamado Christian Eijkman, trabalhando em Java, percebeu que as pessoas que comiam arroz integral não contraíam beribéri, uma doença neurológica debilitante, enquanto os que comiam arroz beneficiado muitas vezes eram atingidos. Evidentemente devia haver alguma coisa ou algumas coisas presentes em certos alimentos e não em outros, que eram fatores determinantes do bem-estar. Foi o início da compreensão da "doença da deficiência", como foi conhecida, e rendeu a Eijkman o Prêmio Nobel de medicina, embora ele não fizesse ideia do que eram esses agentes ativos.

A descoberta veio em 1912, quando Casimir Funk, bioquímico polonês trabalhando no Instituto Lister, em Londres, isolou a tiamina, ou vitamina B1, como é mais conhecida hoje. Percebendo que era parte de uma família de moléculas, combinou os termos *"vital"* e *"amines"* criando a nova palavra *"vitamines"*. Embora Funk estivesse certo quanto à parte vital, descobriu-se que apenas algumas vitaminas eram aminas (isto é, continham nitrogênio), e por isso o nome foi mudado de *"vitamines"* para *"vitamins"* para torná-lo "menos enfaticamente impreciso", como bem disse Anthony Smith.

Funk também afirmou que havia uma correlação direta entre a deficiência de determinadas aminas e o surgimento de certas doenças — em especial escorbuto, pelagra e raquitismo. Foi um insight enorme, com o potencial de salvar milhões de vidas destroçadas; mas, infelizmente, ninguém lhe deu atenção. O principal livro de medicina da época continuava a insistir que o escorbuto era causado pelos mais diversos fatores — "ambiente insalubre, excesso de trabalho, depressão mental, exposição ao frio e à umidade" eram os principais da lista — e apenas marginalmente pelas deficiências alimentares. Pior ainda, em 1917 o principal nutricionista dos Estados Unidos, E. V. McCollum, da Universidade de Wisconsin — o homem que realmente cunhou os termos vitaminas A e B —, declarou que o escorbuto não era, em absoluto, uma doença de deficiência alimentar, mas sim causado pela prisão de ventre.

Finalmente, em 1939, um cirurgião da Escola de Medicina de Harvard chamado John Crandon decidiu resolver o assunto de uma vez por todas usando o velho método de excluir a vitamina C da sua alimentação durante o tempo necessário para ficar realmente doente. Demorou um tempo surpreendentemente longo. Nas primeiras dezoito semanas, seu único sintoma era fadiga extrema. (É notável que durante esse período ele continuou a operar seus pacientes.) Mas na 19ª semana ele sofreu uma piora brusca — e teria morrido, quase com certeza, se não estivesse sob rigorosa supervisão médica. Recebeu então uma injeção de mil miligramas de vitamina C e se recuperou quase de imediato. Curiosamente, nunca desenvolveu os sintomas que todos associam ao escorbuto: queda de dentes e sangramento das gengivas.

Entretanto, descobriu-se que as vitaminas de Funk não eram um grupo coerente, como se pensava de início. A vitamina B demonstrou ser não uma, mas sim várias, e por isso temos a B1, B2, e assim por diante. Para aumentar a confusão, a vitamina K não tem nada a ver com a sequência alfabética. Foi chamada de K porque seu descobridor, o dinamarquês Henrik Dam, a chamou de *Koagulations vitamin*, por seu papel na coagulação do sangue. Mais tarde o ácido fólico foi adicionado ao grupo. Às vezes é chamado de vitamina B9, mas com mais frequência apenas de ácido fólico. Duas outras vitaminas — o ácido pantotênico e a biotina — não têm números, nem tampouco um perfil muito específico, sobretudo porque elas nunca nos causam problemas. Nunca foi encontrado nenhum ser humano com deficiência de uma delas.

Em suma, as vitaminas são um grupo desordenado. É quase impossível defini-las de uma forma capaz de abranger a todas. A definição padrão é "uma molécula orgânica não produzida no organismo humano, necessária em pequenas quantidades para sustentar o metabolismo normal"; mas, na verdade, a vitamina K *é* produzida no corpo, por bactérias no intestino. A vitamina D, uma das substâncias mais importantes de todas, é, de fato, um hormônio, e grande parte dela não nos chega pela alimentação, mas sim pela ação mágica da luz solar na pele.

As vitaminas são coisas curiosas. Para começar, é estranho que nós mesmos não possamos produzi-las, já que somos tão dependentes delas para o nosso bem-estar. Se uma batata pode produzir vitamina C, por que nós não podemos? Em todo o reino animal, apenas os seres humanos e as cobaias não são capazes de sintetizar a vitamina C no próprio corpo. E por que nós e as cobaias? Não adianta perguntar. Ninguém sabe. Outra coisa notável é a desproporção entre a dose e o efeito. Simplificando, temos grande necessidade das vitaminas, mas não em grande quantidade. Noventa gramas de vitamina A administrados regularmente bastam para manter você alegre e feliz durante toda a sua vida. A necessidade da B1 é menor ainda — apenas trinta gramas, espalhados ao longo de setenta ou oitenta anos. Mas experimente passar sem essas lasquinhas energéticas e em breve você começará a desmoronar.

As mesmas considerações se aplicam a outras partículas, colegas das vitaminas, os sais minerais. A diferença fundamental é que as vitaminas provêm do mundo das coisas vivas — de plantas, bactérias, e assim por diante — e os minerais não. No contexto alimentar, "minerais" é simplesmente outro nome para os elementos químicos — cálcio, ferro, iodo, potássio e outros — que nos sustentam. Há 92 elementos que ocorrem naturalmente na Terra, alguns apenas em quantidades mínimas. O frâncio, por exemplo, é tão raro que se acredita que em todo o planeta pode haver apenas vinte átomos de frâncio presentes em determinado momento. Quanto ao restante, a maioria passa pelo nosso corpo em algum momento, às vezes com bastante regularidade, mas se são importantes ou não é algo ainda pouco conhecido. Temos muito bromo distribuído pelos nossos tecidos. Ele se comporta como se estivesse lá para algum fim, mas ninguém ainda descobriu qual seria esse propósito. Retire o zinco da sua dieta e você contrairá hipogeusia, doença que faz suas papilas gustativas pararem de funcionar, tornando a comida insossa ou até mesmo repulsiva; mas até 1977 pensava-se que o zinco não tinha papel algum na alimentação.

Diversos elementos, como tálio, mercúrio e chumbo, parecem não fazer nada de bom para nós e são prejudiciais se consumidos em excesso.* Outros também são desnecessários, porém mais benignos, dos quais o mais notável é o ouro. É por isso que se usa ouro para obturar dentes: não faz nenhum mal. Do restante, sabe-se ou acredita-se que cerca de 22 elementos têm importância fundamental para a vida, segundo o *Essentials of medical geology* [Fundamentos de geologia médica]. Temos certeza sobre dezesseis deles; quanto aos outros seis, apenas pensamos que sejam vitais. A nutrição é uma ciência notavelmente inexata. Considere o magnésio, necessário para o bom funcionamento das proteínas dentro das células. O magnésio é abundante em grãos, cereais e verduras com folhas, mas o processamento alimentar moderno reduz o teor de magnésio em até 90% — na verdade, o aniquila. Assim, a maioria de nós con-

---

* O mercúrio é especialmente nocivo. Já se avaliou que apenas 1/25 avos de uma colher de chá de mercúrio pode envenenar um lago de 24 hectares. É surpreendente que não haja envenenamentos com mais frequência. Segundo um cálculo, nada menos de 20 mil produtos químicos de uso comum também são venenosos para os seres humanos se "tocados, ingeridos ou inalados". A maioria são criações do século xx.

some muito menos que a dose diária recomendada — embora ninguém realmente saiba qual é essa dose. Ninguém tampouco pode especificar as consequências da deficiência de magnésio. Talvez estejamos eliminando anos da nossa vida, ou pontos do nosso Q.I., ou a acuidade da nossa memória, ou qualquer outra coisa negativa que se queira sugerir. Simplesmente não sabemos. O arsênico também é incerto. É óbvio que, se você ingerir muito, vai se arrepender depressa. Mas todos nós ingerimos *um pouquinho* de arsênico na nossa alimentação, e algumas autoridades têm certeza absoluta de que ele é vital para o nosso bem-estar nessas quantidades ínfimas. Outras já não têm tanta certeza.

E isso nos traz de volta, de forma muito indireta, ao sal. De todos os minerais o mais importante na alimentação é o sódio, que consumimos sobretudo na forma de cloreto de sódio — o sal de cozinha.* Aqui o problema não é que ingerimos pouco, mas sim em excesso. Não precisamos de tanto assim — bastariam duzentos miligramas por dia, o que obteríamos sacudindo um saleiro vigorosamente umas seis ou oito vezes; no entanto, ingerimos cerca de sessenta vezes essa quantidade, em média. Em uma alimentação normal é quase impossível escapar disso, pois há muito sal nos alimentos processados que comemos com tanta devoção e voracidade. Muitas vezes há alta quantidade de sal em alimentos que não parecem nada salgados — cereais matinais, sopa em pó e sorvete, por exemplo. Quem diria que trinta gramas de flocos de milho contêm mais sal do que trinta gramas de amendoins salgados? Ou que o conteúdo de uma lata de sopa — aliás, de quase toda lata — ultrapassa em muito a dose diária total recomendada para um adulto?

As evidências arqueológicas mostram que, quando as populações se estabeleceram em comunidades agrícolas, começaram a sofrer de deficiência de sal — algo que não ocorria antes — e por isso tiveram de fazer um esforço especial para encontrar sal e incluí-lo na alimentação. Um dos mistérios da história é como eles sabiam que precisavam fazer isso, pois a falta de sal na comida não

---

* O cloreto de sódio é um elemento estranho, pois é composto de dois elementos extremamente agressivos: o sódio e o cloro. O sódio e o cloro são os Hell's Angels do reino mineral. Se você jogar um pedaço de sódio puro em um balde de água, ele explode com força suficiente para matar. O cloro é ainda mais mortal. Era o ingrediente ativo nos gases venenosos da Primeira Guerra Mundial e, como sabem os nadadores, mesmo muito diluído faz os olhos arderem. No entanto, juntando esses dois elementos agressivos, o que se obtém é o inócuo cloreto de sódio — o sal de cozinha comum.

desperta esse desejo. Faz a pessoa se sentir mal e acaba matando — sem o cloreto que há no sal, as células simplesmente param de funcionar, assim como um motor sem combustível; mas em nenhum momento um ser humano pensaria: "Puxa, que falta está me fazendo um pouco de sal". Assim, como eles sabiam que deviam procurá-lo? É uma pergunta interessante, em especial porque em alguns lugares é preciso bastante engenho para consegui-lo. Os antigos britânicos, por exemplo, aqueciam pedaços de madeira na praia, depois os mergulhavam no mar e então raspavam o sal. Os astecas, por sua vez, obtinham sal evaporando a própria urina. Não são atos intuitivos, para dizer o mínimo. No entanto, ingerir sal é um dos impulsos mais profundos da natureza, e é universal. Toda sociedade no mundo em que o sal está disponível consome, em média, quarenta vezes mais que o necessário para sustentar a vida. Parece que o nosso desejo de sal não tem fim.

Hoje o sal é tão onipresente e tão barato que nós nos esquecemos de como era desejável no passado; mas o fato é que em grande parte da história ele impeliu os homens até os confins do mundo. O sal era essencial para preservar a carne e outros alimentos, e por isso muitas vezes era necessário em grandes quantidades: em 1513, Henrique VIII mandou abater 25 mil bois e salgá-los para uma campanha militar. Assim, o sal era um recurso estratégico importantíssimo. Na Idade Média caravanas de até 40 mil camelos — com até 110 quilômetros de comprimento — transportavam sal através do Saara, desde Timbuktu, na África Ocidental, até os animados mercados do Mediterrâneo.

Por causa do sal já foram travadas muitas guerras e milhares de pessoas foram vendidas como escravas. O sal tem causado muito sofrimento; mas não é nada se comparado com o sofrimento, o derramamento de sangue e a avareza assassina associados com certos complementos minúsculos, dos quais não precisamos em absoluto e poderíamos muito bem dispensar. Refiro-me às especiarias.* Ninguém morreria sem elas; mas muitos já morreram por elas.

Grande parte da história do mundo moderno é a história das especiarias, e essa história começa com uma trepadeira desinteressante, que antes crescia apenas na costa do Malabar, no oeste da Índia, chamada *Piper nigrum*. Se você a visse em seu estado natural, não compreenderia sua importância; mas ela é

---

* A diferença entre ervas aromáticas e especiarias é que as ervas vêm das folhas, e as especiarias vêm da madeira, sementes, frutos ou outras partes das plantas, menos das folhas.

a origem das três pimentas "verdadeiras" — a preta, a branca e a verde. As bolotinhas duras e negras de pimenta-do-reino que consumimos depois de moer no pimenteiro doméstico são, na verdade, as pequeninas frutas dessa trepadeira que depois de secas têm forte sabor pungente. A diferença entre as variedades se deve apenas à época da colheita e à maneira de processar.

A pimenta é apreciada desde tempos imemoriais na sua terra natal, a Índia, mas foram os romanos que fizeram dela uma mercadoria internacional. Os romanos adoravam pimenta; salpicavam pimenta até na sobremesa. Seu apego a esse condimento manteve o preço alto e lhe deu um valor duradouro. Os comerciantes de especiarias do longínquo Oriente mal acreditavam na sua sorte. "Eles chegam trazendo ouro e vão embora levando pimenta", observou com admiração um comerciante tamil. Quando os godos ameaçaram saquear Roma em 408, os romanos compraram a paz pagando-lhes um tributo que incluía 1500 quilos de pimenta. Para seu banquete de casamento em 1468, o duque Karl da Borgonha encomendou 180 quilos de pimenta-preta — muito mais do que seria possível consumir na maior das festas — e a exibiu com destaque, para que todos vissem como ele era fabulosamente rico.

Aliás a velha ideia de que as especiarias eram usadas para disfarçar o sabor dos alimentos podres não resiste a um escrutínio. As únicas pessoas que podiam pagar pelas especiarias eram as mesmas que tinham acesso à carne de boa qualidade; e de qualquer modo as especiarias eram muito valiosas para serem usadas como disfarce. Quando as pessoas tinham acesso a elas, utilizavam-nas com cuidado e moderação, e não como máscara aromática.

A pimenta representava cerca de 70% do comércio das especiarias, quanto ao volume; mas outras mercadorias vindas de mais longe — noz-moscada e macis, cravo, canela, gengibre e açafrão, bem como espécies exóticas já quase esquecidas como cálamo, assafétida, Ajowan, galanga e zedoária — começaram a encontrar o caminho para a Europa, e se tornaram ainda mais valiosas. Durante séculos as especiarias foram não só os alimentos mais valorizados do mundo, como os bens mais preciosos do mundo, de modo geral. As Ilhas das Especiarias, escondidas no Extremo Oriente, eram tão desejáveis, prestigiadas e exóticas que, quando James I ganhou posse de duas pequenas ilhotas, foi uma cartada tão grande que por algum tempo ele se deleitou chamando a si mesmo de "Rei da Inglaterra, Escócia, Irlanda, França, Puloway e Puloroon".

A noz-moscada e o macis eram os mais valiosos, devido à sua extrema raridade.* Ambos vinham de uma árvore, a *Myristica fragrans*, encontrada apenas nas encostas inferiores de nove pequenas ilhas vulcânicas que se erguem no mar de Banda, em meio a uma multidão de outras ilhas — nenhuma com o solo e o microclima apropriados para a árvore de noz-moscada —, localizadas entre Bornéu e Nova Guiné, na atual Indonésia. O cravo, o botão seco da flor do craveiro, um tipo de murta, crescia em seis ilhas igualmente exclusivas, a cerca de trezentos quilômetros mais ao norte na mesma cadeia de ilhas, conhecida como Molucas na geografia, mas na história como Ilhas das Especiarias. Só para colocar em perspectiva, o arquipélago da Indonésia consiste de 16 mil ilhas espalhadas por quase 2 milhões de quilômetros quadrados de mar; assim, não admira que a localização de quinze delas permanecesse um mistério para os europeus por tanto tempo.

Todas essas especiarias alcançavam a Europa através de uma complicada rede de comerciantes, cada um dos quais, naturalmente, ficava com parte do lucro. Ao alcançarem os mercados europeus, a noz-moscada e o macis chegavam a valer 60 mil vezes o que custavam no Extremo Oriente. Inevitavelmente, não demorou para que os consumidores finais concluíssem que seria muito mais lucrativo eliminar as etapas intermediárias e ficar com todo o lucro comprando da fonte.

E assim começou a grande era das explorações. Cristóvão Colombo é o mais lembrado dos primeiros exploradores, mas não foi o primeiro. Em 1487, cinco anos antes dele, Fernão Dulmo e João Estreito partiram de Portugal para o desconhecido Atlântico, prometendo voltar depois de quarenta dias se não encontrassem nada. Foi a última vez que se soube deles. Ficou claro que encontrar os ventos favoráveis para voltar à Europa não era nada fácil. A verdadeira proeza de Colombo foi conseguir atravessar o Atlântico em ambas as direções. Embora fosse bom marinheiro, não era muito perito em outras coisas, especialmente geografia — algo vital para um explorador. É difícil lembrar alguma figura histórica que tivesse alcançado tanta fama com tão pouca competência. Sua inépcia chega a dar pena. Passou boa parte de oito anos navegando daqui

---

* A noz-moscada é a semente da árvore; o macis é uma parte da polpa que envolve a semente. O macis era o mais raro dos dois. Cerca de mil toneladas de noz-moscada eram colhidas anualmente, mas apenas cerca de cem toneladas de macis.

para lá entre as ilhas do Caribe e o litoral da América do Sul, convencido de que estava no coração do Oriente e que o Japão e a China se encontravam logo além do pôr do sol. Ele nunca concluiu que Cuba é uma ilha, e nunca pôs os pés ou mesmo desconfiou da existência da massa de terra ao norte que todos pensam que descobriu: os Estados Unidos. Ele encheu seus porões de pirita de ferro, um mineral sem valor, pensando que era ouro, e também de vegetais que acreditava firmemente serem canela e pimenta. A primeira era, na verdade, uma árvore de casca inútil, e a segunda não era pimenta verdadeira mas sim a malagueta vermelha — excelente quando já se conhece um pouco a coisa, mas insuportável para um novato que dê uma mordida firme.

Todos, menos Colombo, entenderam que essa não era a solução para o problema das especiarias, e em 1497 Vasco da Gama, navegando sob ordens de Portugal, decidiu ir para o Oriente por outro caminho, dando a volta no sul da África. Era um objetivo muito mais complicado do que parece. As correntes e os ventos contrários não permitiam que um navio à vela rumando para o sul apenas acompanhasse o litoral africano, como parece lógico. Em vez disso, Vasco da Gama teve que adentrar bem para oeste no oceano Atlântico — quase chegando ao Brasil, de fato, embora não soubesse disso — para pegar os ventos que iriam impelir sua frota até rodear o sul da África. Foi isso que tornou essa viagem épica. Os europeus nunca antes tinham navegado tão longe; os navios de Vasco da Gama ficaram sem ver terra por até três meses seguidos. Foi essa a viagem que realmente descobriu o escorbuto. Nenhuma viagem marítima anterior tinha sido tão longa a ponto de fazer surgir os sintomas da doença.

Essa viagem também trouxe duas outras infelizes tradições para o mundo marítimo. Uma delas foi a introdução da sífilis na Ásia — apenas cinco anos depois que os homens de Colombo a levaram das Américas para a Europa —, ajudando a torná-la uma doença internacional. A outra foi o hábito de infligir extrema violência contra pessoas inocentes. Vasco da Gama era um homem incrivelmente cruel. Em certa ocasião ele capturou um navio muçulmano que levava centenas de homens, mulheres e crianças; trancou os passageiros e a tripulação no porão, levou embora tudo que tinha valor e, em seguida — num ato gratuito e horripilante —, incendiou o navio. Em quase todo lugar onde foi, Gama maltratava ou assassinava os que encontrava; e assim impôs o tom de desconfiança e violência brutal que iria caracterizar, e aviltar, a era das descobertas.

Vasco da Gama nunca chegou às Ilhas das Especiarias. Como tantos outros, ele acreditava que as Índias Orientais se localizavam logo a leste da Índia — daí o nome, é claro —, mas ficou evidente que se localizavam *muito* além da Índia, tão longe que os europeus que lá chegaram começaram a desconfiar que já tinham quase dado a volta ao mundo e estavam prestes a voltar às Américas. Se assim fosse, então seria mais simples ir à Índia em busca de especiarias velejando para o Ocidente e passando pelas novas terras recentemente descobertas por Colombo, em vez de dar toda a volta à África e atravessar o oceano Índico.

Em 1519, Fernão de Magalhães partiu em cinco navios precários, em uma expedição corajosa mas com séria falta de verbas, para encontrar uma rota pelo Ocidente. O que ele descobriu foi que entre as Américas e a Ásia havia um vazio tão grande que ninguém imaginava que um mar assim coubesse na Terra: o oceano Pacífico. Ninguém sofreu tanto com o esforço para enriquecer do que Fernão de Magalhães e sua tripulação em 1521, ao atravessar o interminável Pacífico. Depois de exaurir todas as provisões, criaram o prato menos apetitoso que jamais existiu: fezes de rato misturadas com aparas de madeira. "Comíamos biscoitos que já não eram biscoito, mas apenas um pó cheio de vermes", narrou um tripulante. "Tinha forte cheiro de urina de ratos. Bebíamos uma água amarela que já estava podre havia muitos dias. Também comemos uns couros de boi que cobriam os mastros... e muitas vezes comíamos serragem das tábuas." Passaram três meses e vinte dias sem comida fresca ou água fresca, até encontrar alívio no litoral da ilha de Guam — e tudo isso para encher os porões dos navios com botões de flores secas, pedaços de casca de árvore e outros vegetais aromáticos destinados a serem colocados em pequenos recipientes para salpicar nos alimentos.

No final, apenas dezoito dos 260 homens sobreviveram à viagem. Magalhães foi morto em uma batalha contra os nativos nas Filipinas. No entanto, os dezoito sobreviventes se deram muito bem com a viagem. Nas Ilhas das Especiarias, carregaram 24 mil quilos de cravo, que venderam na Europa com um lucro de 2500%. Assim, quase sem querer, se tornaram os primeiros seres humanos a dar a volta ao mundo. O verdadeiro significado da viagem de Fernão de Magalhães não é ter sido a primeira a circunavegar o planeta, mas sim a primeira a perceber como é grande esse planeta.

* * *

    Embora Colombo não tivesse muita ideia do que estava fazendo, suas viagens acabaram se revelando as mais importantes, e podemos datar com precisão o momento em que isso aconteceu. No dia 5 de novembro de 1492, em Cuba, dois de seus tripulantes voltaram ao navio trazendo algo que ninguém, no seu mundo, jamais vira antes: "um tipo de grão [que os nativos] chamam de *maíz* [milho], que tinha bom sabor, assado, seco e transformado em farinha". Na mesma semana eles viram índios Taino colocar na boca rolinhos de uma planta, acender, aspirar a fumaça para os pulmões e declarar que era uma atividade prazerosa. Colombo também levou de volta para a Europa um pouco desse estranho produto.

    E assim começou o processo conhecido pelos antropólogos como "Troca Colombiana", ou "Grande Troca" — a transferência de alimentos e outros materiais do Novo Mundo para o Velho Mundo, e vice-versa. Quando chegaram os primeiros europeus, os agricultores do Novo Mundo já cultivavam mais de uma centena de plantas comestíveis — batata, tomate, girassol, abóbora, berinjela, abacate, diversos tipos de feijão, abobrinha, batata-doce, amendoim, caju, abacaxi, mamão, goiaba, inhame, mandioca (ou macaxeira), baunilha, quatro tipos de pimenta-malagueta, chocolate — entre muitos mais. Um belo butim.

    Estima-se que 60% de todas as culturas no mundo atual são originárias das Américas. E esses alimentos não foram apenas incorporados às culinárias estrangeiras; eles *se tornaram*, de fato, essas culinárias. Imagine a comida italiana sem tomates; a comida grega sem berinjela; a comida tailandesa e indonésia sem molho de amendoim; o curry sem pimenta; o hambúrguer sem ketchup nem batatas fritas; a comida africana sem mandioca. Praticamente todas as mesas do mundo, em todos os países, seja no Ocidente ou no Oriente, melhoraram radicalmente com os alimentos das Américas.

    Na época, porém, ninguém previu isso. Para os europeus o resultado foi irônico — os alimentos que encontraram em geral não desejavam, enquanto os que desejavam não encontraram. O que procuravam eram os condimentos, e estes se revelaram tristemente escassos no Novo Mundo, com exceção da pimenta vermelha, forte demais para ser apreciada de início. Muitos alimentos promissores do Novo Mundo não atraíram nenhum interesse. Os povos indígenas do Peru tinham 150 variedades de batata, e apreciavam todas elas. Um inca de quinhentos anos atrás seria capaz de identificar batatas da mesma forma que um moderno especialista em vinhos identifica as uvas. A língua quéchua do Peru ainda tem mais de mil palavras para os diferentes tipos ou condições de batatas. *Hantha*, por exemplo, é uma batata que já está ficando velha mas ainda tem polpa comestível. Os conquistadores, porém, só levaram para a Europa algumas variedades, possivelmente pouco saborosas. Mais ao norte, os astecas tinham grande apreço pelo amaranto, cereal que produz um grão nutritivo e saboroso. Era um alimento tão popular no México como o milho; mas os espanhóis ficaram ofendidos pela maneira como era usado pelos astecas, misturado com sangue, em rituais de sacrifício humano, e se recusaram a tocá-lo.

Também se pode dizer que, na troca, as Américas ganharam muito com a Europa. Antes de os europeus invadirem suas vidas, os povos da América Central não tinham nenhum produto lácteo, e apenas cinco animais domesticados — o peru, o pato, o cachorro, a abelha e a cochonilha-do-carmim. Sem a carne nem o queijo de procedência europeia, a comida mexicana, como a conhecemos hoje, não poderia existir. Não seria possível haver trigo no Kansas, café no Brasil, carne bovina na Argentina e muitos outros alimentos.

Em um aspecto menos feliz, a Troca Colombiana também incluiu doenças. Sem imunidade a muitas enfermidades europeias, os nativos adoeciam e "morriam aos montes". Uma epidemia, provavelmente, a hepatite viral, matou cerca de 90% dos indígenas no litoral de Massachusetts. Os Caddo, grupo outrora poderoso na atual região do Texas e do Arkansas, viram sua população cair de estimados 200 mil para apenas 1400 — uma queda de quase 96%. Na Nova York atual um surto equivalente reduziria a população para 56 mil pessoas — "não daria para encher o Yankee Stadium", como disse Charles C. Mann, numa frase de gelar o sangue. No total, a doença e os massacres reduziram a população nativa da América Central em cerca de 90% no primeiro século de contato com os europeus. Em troca, eles deram a sífilis aos marinheiros de Colombo.*

Com o tempo, a Troca Colombiana também envolveu, é claro, grandes movimentações de povos, a criação de colônias, a transferência — às vezes

---

* Os ameríndios também contraíam sífilis, mas sofriam menos com ela, assim como os europeus sofriam menos com o sarampo e a caxumba.

forçada — de línguas, religiões e culturas. Não houve praticamente nenhum outro ato na história que tenha mudado o mundo tão profundamente como a penosa busca de Colombo pelas especiarias orientais.

Há mais uma ironia em tudo isso. Quando a era dos descobrimentos já estava plenamente em curso, o auge das especiarias ia chegando ao fim. Em 1545, apenas vinte anos após a épica viagem de Fernão de Magalhães, um navio de guerra inglês, o *Mary Rose*, afundou em circunstâncias misteriosas ao largo da costa da Inglaterra, perto de Portsmouth. Mais de quatrocentos homens pereceram. Quando o navio foi recuperado, no fim do século xx, os arqueólogos marinhos ficaram surpresos ao descobrir que quase todos os marinheiros tinham um saquinho de pimenta-do-reino atado à cintura; devia ser um de seus bens mais valiosos. O fato de que em 1545 até mesmo um marinheiro comum podia comprar uma porção de pimenta, mesmo modesta, mostrava que chegara ao fim a época em que a pimenta era extremamente rara e desejável. Ela já estava a caminho de tomar seu lugar ao lado do sal como um condimento comum e relativamente humilde.

Durante mais um século as pessoas continuaram a lutar pelos temperos mais exóticos, e por vezes até pelos mais comuns. Em 1599, oitenta comerciantes britânicos, exasperados com o aumento do custo da pimenta, formaram a Companhia Britânica das Índias Orientais, visando obter uma fatia do mercado. Foi essa iniciativa que trouxe ao rei James I as preciosas ilhas de Puloway e Puloroon; mas na verdade os britânicos nunca tiveram muito sucesso nas Índias Orientais e, em 1667, no Tratado de Breda, cederam todos os direitos sobre essa região para os holandeses, recebendo em troca um pequeno pedaço de terra na América do Norte, sem maior importância. Era uma ilha chamada Manhattan.

Nessas alturas, porém, havia novos produtos que as pessoas desejavam ainda mais, e o esforço de buscá-los haveria de mudar o mundo mais ainda, das formas mais inesperadas.

II

Dois anos antes da sua infeliz aventura com "muitos vermes rastejantes", Samuel Pepys registrou em seu diário um marco mais prosaico da sua vida. Em

25 de setembro de 1660, ele experimentou pela primeira vez uma nova bebida quente, registrando em seu diário: "E depois mandei buscar uma xícara de chá (uma bebida da China), que eu nunca tinha bebido antes". Se Pepys gostou ou não, nada disse; o que é uma pena, pois é a primeira referência que temos em inglês a alguém tomando uma xícara de chá.

Um século e meio depois, em 1812, um historiador escocês chamado David Macpherson, em uma obra bastante seca chamada *History of the european commerce with India* [História do comércio europeu com a Índia], citou a passagem do diário de Pepys relativa a tomar chá. Foi surpreendente, pois em 1812 os diários de Pepys ainda eram bastante desconhecidos. Embora residissem na Biblioteca Bodleian, em Oxford, disponíveis ao público, nunca ninguém os tinha examinado — ou assim se pensava — porque foram escritos em um código particular que ainda não fora decifrado. Como Macpherson conseguiu encontrar e traduzir essa passagem, em meio a seis volumes de anotações secretas em densos rabiscos, sem falar no motivo da inspiração inicial de examiná-los, são mistérios que já estão distantes demais para ser esclarecidos.

Por acaso, um acadêmico de Oxford, o reverendo George Neville, diretor do Magdalene College, viu a referência de Macpherson aos diários de Pepys e ficou intrigado para saber o que mais poderia haver neles. Afinal, Pepys viveu em uma época turbulenta — a restauração da monarquia inglesa, a última grande epidemia de peste, o Grande Incêndio de Londres de 1666 —, de modo que seu conteúdo teria, forçosamente, que ser interessante. Ele encomendou a um aluno inteligente, mas pobre, chamado John Smith, a tarefa de decifrar o código e transcrever os diários. O trabalho levou três anos, e o resultado foi o mais célebre diário no idioma inglês. Se Pepys não tivesse tomado aquela xícara de chá, se Macpherson não mencionasse isso em um livro maçante de história, se Neville fosse menos curioso, e o jovem Smith menos inteligente e tenaz, o nome de Samuel Pepys não significaria nada, exceto para os historiadores navais, e uma parte considerável do que sabemos sobre a vida diária na segunda metade do século XVII nos seria desconhecida. Assim, foi muito bom que ele tenha tomado aquela xícara de chá.

Normalmente, como a maioria das outras pessoas da sua classe e da sua época, Pepys bebia café, apesar de que o café também era mais ou menos novidade em 1660. Os britânicos já tinham uma vaga familiaridade com o café havia décadas, mas principalmente como uma bebida escura e estranha encontrada no exterior. Em 1610 um viajante chamado George Sandys deu uma descrição lúgubre do café: "negro como a fuligem, e com um gosto não muito diferente desta". A palavra era grafada de várias formas criativas, como *coava, cahve, cauphe, coffa, café*, entre outras, até finalmente se estabilizar como *coffee*, por volta de 1650.

O crédito para a popularidade do café na Inglaterra pertence a um homem chamado Pasqua Rosee, siciliano de nascimento, de origem grega, que trabalhava como criado na casa de Daniel Edwards, um comerciante britânico em Esmirna, na Turquia. Ao mudar para a Inglaterra com seu amo, Rosee passou a servir café aos hóspedes de Edward. A bebida agradou tanto que em 1652 ele foi incentivado a abrir uma casa para servi-lo, um *café* — o primeiro de Londres, em um galpão no adro da igreja de Saint Michael Cornhill. Rosee promovia o café pelos seus benefícios à saúde, afirmando que ele curava ou prevenia as dores de cabeça, o "defluxo da reuma", gases, gota, escorbuto, aborto espontâneo, dor nos olhos e muitos outros males.

Rosee se deu muito bem em seu negócio, mas seu reinado como mestre supremo do café não durou muito. Por volta de 1656 foi obrigado a deixar o país "por algum delito" que, infelizmente, não ficou registrado. Sabe-se apenas que partiu de repente e dele nunca mais se ouviu falar. Outros logo tomaram o seu lugar. Na época do Grande Incêndio mais de oitenta cafés funcionavam em Londres, e já haviam se tornado uma parte central da vida da cidade.

O café que se servia nesses estabelecimentos nem sempre era saboroso. Devido à maneira como o café era tributado na Grã-Bretanha (por galão), o costume era fazer uma grande quantidade da bebida, armazená-la fria em barris e requentar um pouco de cada vez para servir. Vemos assim que o atrativo do café na Grã-Bretanha não era ser uma bebida de boa qualidade, mas sim um lubrificante social. As pessoas iam aos cafés para encontrar outras com interesses comuns, para bisbilhotar, ler as últimas revistas e jornais — que, aliás, eram um novo conceito na década de 1660 — e trocar informações valiosas para sua vida e seus negócios. Quando as pessoas queriam saber o que estava acontecendo no mundo, iam ao café. Criou-se o hábito de utilizar os cafés como escritório de trabalho — como na famosa Lloyd's Coffee House, na Lombard Street, que aos poucos evoluiu e se tornou a seguradora Lloyd's. O pai de William Hogarth teve a ideia de abrir um café onde se falaria apenas em latim. Foi um fracasso espetacular — *toto bene*, como Hogarth poderia ter dito —, e como infeliz consequência ele passou anos na prisão por dívidas.

Embora a pimenta e as especiarias tenham causado o nascimento da Companhia das Índias Orientais, o destino desta era o chá. Em 1696, William Pitt, o Jovem, cortou drasticamente o imposto sobre o chá, substituindo-o pelo temido imposto sobre as janelas (assumindo, com lógica, que era muito mais difícil esconder janelas do que contrabandear chá). O efeito sobre o consumo foi imediato. Entre 1699 e 1721 as importações de chá aumentaram quase cem vezes, de seis toneladas para 545 toneladas; e depois quadruplicaram novamente em trinta anos, até 1750. O chá era ingerido em grandes goles pelos operários e sorvido delicadamente pelas damas. Tomava-se chá no desjejum, no almoço e no jantar. Foi a primeira bebida na história que não pertencia a nenhuma classe social, e a primeira a ter um horário ritual só para si durante o dia: *teatime*, a hora do chá. Era mais fácil de fazer em casa do que o café, e caía especialmente bem com outro grande deleite para o paladar que de repente se tornou acessível para o assalariado médio: o açúcar. Os britânicos passaram a adorar o chá doce, com leite, como nenhum outro país já havia feito (talvez por falta de possibilidades para tal). Durante mais de um século e meio, o chá estava no coração da Companhia das Índias Orientais, e a Companhia das Índias Orientais estava no coração do Império britânico.

Nem todo mundo pegou de imediato o jeito de tomar chá. O poeta Robert Southey contava a história de uma senhora do interior que ganhou de uma amiga da cidade uma libra de chá, que ainda era novidade. Sem saber muito bem como lidar com aquilo, ela o ferveu em uma panela, espalhou as folhas fervidas em torradinhas com manteiga e sal, e serviu às amigas, que as mordiscaram corajosamente, concluindo que era interessante, mas não bem do seu gosto. Em outras partes, porém, o chá deslanchou com o açúcar.

Os britânicos sempre gostaram de açúcar, tanto que quando tiveram acesso a ele, por volta da época de Henrique VIII, o colocavam em quase tudo — nos ovos, na carne, no vinho. Colocavam quantidades de açúcar sobre as batatas, salpicavam sobre as verduras, comiam puro às colheradas, quando podiam se dar ao luxo. Embora fosse muito caro, as pessoas o consumiam até seus dentes ficarem negros; e, se os dentes não ficavam negros naturalmente, eles os enegreciam artificialmente, para mostrar que viviam no luxo e podiam gozar desse prazer. Mas agora, graças às plantações nas Antilhas, o açúcar ia se tornando cada vez mais acessível, e as pessoas descobriram que ele caía especialmente bem com o chá.

O chá doce tornou-se um prazer nacional. Em 1770 o consumo de açúcar per capita já ia em nove quilos por cabeça; e a maior parte, ao que parece, era colocada no chá. (Parece muito, até que nos damos conta de que hoje os britânicos consomem 36 quilos de açúcar por pessoa anualmente, e os americanos nada menos de 57 quilos per capita.) Tal como aconteceu com o café, pensava-se que o chá conferia benefícios à saúde; entre muitas outras coisas, dizia-se que "acalma as dores dos intestinos". Um médico holandês, Cornelius Bontekoe, recomendava beber cinquenta xícaras de chá por dia — e em casos extremos até duzentas — a fim de manter-se em boa forma.

O açúcar também desempenhou um grande papel em uma empreitada bem menos louvável: o comércio de escravos. Quase todo o açúcar que os britânicos consumiam era cultivado em propriedades das Antilhas, pela mão de escravos. Temos a tendência de associar a escravidão exclusivamente com a economia das plantações do sul dos Estados Unidos; mas na verdade muitas outras pessoas enriqueceram com a escravidão, como os comerciantes que transportaram 3,1 milhões de africanos através do oceano, até a abolição do comércio de seres humanos, em 1807.

O chá era adorado e estimado não só na Grã-Bretanha, como também em seus domínios ultramarinos. Nos Estados Unidos, foi tributado como parte dos odiados Atos de Townshend. Em 1770 esses impostos foram revogados para todas as mercadorias, menos o chá — o que se revelou um equívoco fatal. Os impostos sobre o chá foram mantidos, em parte para lembrar aos colonos americanos sua submissão à Coroa britânica, e em parte para ajudar a Companhia das Índias Orientais a sair de um buraco profundo e repentino. A empresa se tornara irremediavelmente sobrecarregada. Havia acumulado 7,7 milhões de toneladas de chá — uma quantidade enorme de um produto perecível — e, perversamente, tentava dar uma impressão de riqueza, pagando mais em dividendos do que realmente poderia pagar. A falência estava à porta, a menos que a Companhia das Índias Orientais conseguisse reduzir seus estoques de chá. Esperando ajudá-la a atravessar a crise, o governo britânico deu à empresa um monopólio de fato sobre a venda do chá nos Estados Unidos. Todo americano sabe o que aconteceu em seguida.

Em 16 de dezembro de 1773, um grupo de uns oitenta colonos americanos, disfarçados de índios Mohawk, subiram em navios britânicos no porto de Boston, abriram 342 caixas de chá e jogaram o conteúdo no mar. Isso soa como um ato de vandalismo bastante moderado. Na verdade, era o suprimento de um ano de chá para Boston, valendo 18 mil libras esterlinas; portanto, uma ofensa grave e capital, e todos os envolvidos sabiam disso. Aliás, ninguém na época chamou o acontecimento de Festa do Chá de Boston; esse nome só foi usado em 1834. Nem poderia o comportamento da multidão ser definido como de animação e bom humor, como nós, americanos, gostamos de pensar. O clima foi pesadíssimo. Quem teve menos sorte em tudo isso foi um despachante aduaneiro britânico chamado John Malcolm. Pouco antes Malcolm fora agarrado em uma casa em Maine e sofrera o doloroso castigo de ser coberto com alcatrão e penas. Normalmente o alcatrão quente era aplicado na pele nua com escovas duras, que já era um tormento; mas há registro de pelo menos um caso em que a vítima foi simplesmente segura pelos tornozelos e mergulhada de cabeça em um barril de alcatrão. Acrescentavam-se então punhados de penas e fazia-se a vítima desfilar pelas ruas, sendo com frequência espancada ou mesmo enforcada. Assim, não havia nada de alegre e jovial nessa tortura, e só podemos imaginar o horror de Malcolm quando foi arrastado à força de sua casa, pela segunda vez, para receber outra "jaqueta ianque", como era conhecido o suplício. Uma vez seco, levava dias para se esfregar delicadamente e retirar o alcatrão e as penas. Malcolm enviou para a Inglaterra um quadrado da sua pele queimada e enegrecida, com um bilhete implorando para voltar para casa. Seu desejo foi atendido. Enquanto isso, porém, os Estados Unidos e a Grã-Bretanha seguiam, implacavelmente, no caminho para a guerra. Quinze meses depois, os primeiros tiros foram disparados. Como notou um versejador da época:

> *Que eventos trágicos, quantos ais*
> *Se originam de coisas triviais?*
> *Um pouco de chá, jogado ao mar,*
> *Fez milhares de pessoas seu sangue derramar.*

Ao mesmo tempo que a Inglaterra ia perdendo suas colônias americanas, enfrentava sérios problemas relativos ao chá vindos de outra direção. Em 1800 o chá já estava incorporado à psique britânica como uma bebida nacional, e as importações somavam 10 400 toneladas anuais. Praticamente todo o chá vinha da China, causando um desequilíbrio vultoso e crônico na balança comercial. Os britânicos tentaram resolver o problema passando a vender aos chineses o ópio produzido na Índia. O ópio era uma mercadoria de considerável importância no século XIX, e não só na China. As pessoas na Grã-Bretanha e dos Estados Unidos — em especial as mulheres — também consumiam muito ópio, sobretudo na forma de sedativos medicinais como láudano e paregórico. A importação de ópio para os Estados Unidos passou de onze toneladas em 1840 para nada menos de 180 toneladas em 1872, e as mulheres eram as maiores consumidoras, embora também se ministrasse bastante às crianças, como tratamento para crupe. O avô de Franklin Delano Roosevelt, Warren Delano, fez a maior parte de sua fortuna negociando ópio, fato que a família Roosevelt não divulga com grande orgulho.

Para desespero das autoridades chinesas, a Grã-Bretanha tornou-se perita em persuadir os cidadãos chineses a se tornarem viciados em ópio — os cursos universitários sobre a história do marketing deveriam começar com a venda do ópio pelos britânicos. Em 1838 a Grã-Bretanha já vendia 2200 toneladas de ópio para a China todos os anos. Infelizmente, isso ainda não era suficiente para compensar os altos custos de importação de chá da China. Uma solução óbvia era plantar chá em alguma região quente do Império britânico, o qual estava em franca expansão. O problema é que os chineses sempre guardaram segredo sobre o complicado processo de transformar folhas de chá em uma bebida refrescante, e ninguém fora da China sabia como fazer disso uma indústria. Entra então na história um notável escocês chamado Robert Fortune.

Durante três anos, na década de 1840, Fortune viajou por toda a China, disfarçado de nativo, coletando informações sobre o cultivo e o processamento do chá. Foi um trabalho arriscado: se tivesse sido pego, com certeza seria preso e possivelmente executado. Embora Fortune não falasse nenhuma das línguas da China, contornava o problema fingindo vir de uma província distante onde se falava outro dialeto. Em suas viagens, não só aprendeu os segredos da produção de chá, mas também introduziu no Ocidente muitas plantas valiosas, entre elas a palmeira de leque, o *kumquat* [laranjinha kinkan] e vários tipos de azaleias e crisântemos.

Sob sua orientação, o cultivo do chá foi introduzido na Índia naquele mesmo ano curiosamente inevitável — 1851 — com o plantio de 20 mil mudas e enxertos. Em meio século, saindo de zero em 1850, a produção de chá na Índia alcançou 63 mil toneladas por ano.

Quanto à Companhia das Índias Orientais, porém, seu período de glória chegou a uma conclusão abrupta e infeliz. Foi um inesperado evento que precipitou os fatos: a introdução de um novo tipo de rifle, o P53 Enfield, bem na época em que o cultivo do chá estava começando. A espingarda era de um tipo antiquado, que se carregava introduzindo a pólvora no cano. A pólvora vinha em cartuchos de papel revestido de sebo, que era preciso morder para abrir. Espalhou-se um boato entre os cipaios, como eram chamados os soldados indianos, que o sebo vinha de porcos e vacas — despertando profundo horror entre os soldados muçulmanos e hindus, já que ingerir substâncias animais, mesmo involuntariamente, significava estar condenado à danação eterna. Os oficiais da Companhia das Índias Orientais lidaram com a questão com uma insensibilidade impressionante. Submeteram à corte marcial vários soldados indianos que se recusavam a usar os novos cartuchos, e ameaçaram punir os que não entrassem na linha. Muitos cipaios se convenceram de que tudo aquilo fazia parte de um plano para substituir suas religiões tradicionais pelo cristianismo. Por uma coincidência infeliz, os missionários cristãos tinham começado a agir na Índia pouco antes, aumentando as suspeitas. O resultado foi a Rebelião dos Cipaios de 1857, quando os soldados nativos se voltaram contra seus senhores britânicos, que eram muito menos numerosos e foram mortos em grande número. Em Cawnpore, os rebeldes reuniram duzentas mulheres e crianças em um salão, e as cortaram em pedaços. Outras vítimas inocentes, segundo os relatos, foram jogadas em poços e ali se afogaram.

Quando a notícia dessas crueldades chegou aos ouvidos ingleses, o castigo foi rápido e implacável. Os rebeldes indianos foram perseguidos e executados de maneira calculada para infundir terror e arrependimento. Um ou dois foram até mesmo lançados de canhões, segundo relatos. Incontáveis foram mortos à bala ou sumariamente enforcados. O episódio deixou a Grã-Bretanha profundamente abalada. Mais de quinhentos livros sobre a revolta surgiram logo depois. O consenso geral foi que a Índia era um país muito grande e um problema muito grande para deixar nas mãos de uma firma comercial. O controle da Índia passou então para a Coroa britânica, e a Companhia das Índias Orientais foi dissolvida.

III

Todos esses alimentos, todas essas descobertas, todas essas lutas acabaram voltando para a Inglaterra e aterrisando nas mesas de jantar, em um novo tipo de aposento: a sala de jantar. Esta adquiriu seu significado moderno apenas no fim do século xvii, e só mais tarde se generalizou nas residências. Na verdade, só entrou por pouco no dicionário de Samuel Johnson de 1755. Quando Thomas Jefferson colocou uma sala de jantar em sua mansão em Monticello, foi considerado algo muito arrojado. Antes disso as refeições eram servidas em mesinhas, em qualquer aposento conveniente.

O que possibilitou a existência da sala de jantar não foi uma súbita vontade geral de comer em um espaço dedicado exclusivamente a esse fim, mas sim, em grande parte, o simples desejo da dona da casa de salvar seus lindos móveis novos de serem profanados por dedos gordurosos. Os móveis estofados, como vimos há pouco, eram caros, e a última coisa que sua orgulhosa proprietária iria querer é que alguém limpasse as mãos neles.

A chegada da sala de jantar marcou uma mudança não só no local onde a comida era servida, mas também nos horários e na maneira de servi-la. Os garfos, uma novidade, de repente se tornaram comuns. A palavra "*fork*" antes significava apenas o forcado, utensílio agrícola para levantar o feno, e nada mais. Só ganhou a acepção de talher de mesa em meados do século xv; mas aí denominava um utensílio de tamanho grande, usado para segurar uma ave ou pernil a ser fatiado. O responsável pela introdução do garfo na Inglaterra foi Thomas Coryate, escritor e viajante do tempo de Shakespeare, famoso por caminhar grandes distâncias — em uma ocasião foi até a Índia, ida e volta. Em 1611 publicou sua obra magna, chamada *Coryate's crudities* [Coisas cruas de Coryate], na qual elogiava o garfo de jantar, que conheceu na Itália. O mesmo livro também foi notável por apresentar aos leitores ingleses o herói suíço Guilherme Tell e um novo dispositivo chamado guarda-chuva.

Os garfos de mesa eram considerados comicamente delicados e nada viris — além de perigosos. Como tinham apenas dois dentes aguçados, era grande a possibilidade de espetar o lábio ou a língua, especialmente de quem estivesse sob efeito do vinho e da alegria. Os fabricantes experimentaram colocar mais dentes — chegando a seis — até se fixarem, no fim do século xix, em quatro, que parecia o número mais confortável para os comensais. Por que motivo quatro dentes induzem a uma sensação de segurança não é fácil responder; mas parece ser um fato fundamental da psicologia dos talheres.

O século XIX também marcou uma mudança na maneira de servir os alimentos. Antes da década de 1850, quase todos os pratos da refeição eram postos na mesa logo de início; os convidados chegavam e encontravam a comida já à espera. Eles então se serviam de tudo que estivesse à mão e pediam que lhes passassem outros pratos, ou chamavam um criado para trazê-los. Esse estilo era tradicionalmente chamado de *service à la française*; mas surgiu então uma nova prática, o *service à la russe*, em que os pratos eram trazidos à mesa um a um. Muita gente odiou a nova prática, pois significava que todos tinham que comer tudo na mesma ordem e no mesmo ritmo. Se uma pessoa fosse lenta, atrasava o próximo prato para todos; e a comida esfriava. As refeições podiam se arrastar por várias horas, com grave pressão sobre a sobriedade de muitos convivas e a bexiga de quase todos.

O século XIX também se tornou a era do exagero na mesa de jantar. Um comensal em um encontro formal poderia ter diante de si até nove taças de vinho, só para os pratos principais — outros eram trazidos para a sobremesa —, e uma variedade espantosa de talheres para atacar os muitos pratos na sua frente. Os tipos de utensílios especializados para cortar, servir, provar, manipular e retirar as guloseimas da travessa para o prato, e do prato para a boca se tornaram quase inumeráveis. Além de uma farta variedade de facas, garfos e colheres mais ou menos convencionais, o comensal também precisava reconhecer e manusear colheres especiais para queijos, outras para azeitonas, garfos para comer tartaruga, colherinhas para mexer chocolate, facas para gelatina, facas para tomate fatiado, pinças para ostras, outras pinças de todos os tamanhos e diversos graus de elasticidade. Em certo momento, um único fabricante oferecia nada menos de 146 diferentes tipos de talheres. É curioso notar que um dos poucos sobreviventes dessa *overdose* é o mais difícil de compreender: a faca de peixe. Embora continue sendo a faca padrão para lidar com peixes de todos os tipos, ninguém jamais identificou uma única vantagem conferida pela sua estranha forma recortada, ou deduziu qual seria a lógica da coisa toda. Não há nem um único tipo de peixe que essa faca corte melhor, ou tire as espinhas com mais delicadeza, do que uma faca convencional.

O jantar era, como define um livro da época, "a grande provação", com regras "tão numerosas e minuciosas em relação a cada detalhe que requerem

O exagero na mesa de jantar: copos e garrafas para vinho, clarete e água, do Book of household management, *de Isabella Beeton.*

o mais cuidadoso estudo; e o pior é que nenhuma delas pode ser violada sem expor o infrator à detecção instantânea". O protocolo governava cada ação. Se você quisesse tomar um gole de vinho, tinha que encontrar alguém para beber com você. Como explicou um visitante estrangeiro, em uma carta para a família: "Muitas vezes se envia um mensageiro de uma extremidade da mesa para a outra, para anunciar ao sr. B... que o sr. A... gostaria de tomar vinho com ele; cada um então, às vezes com considerável dificuldade, tenta encontrar o olhar do outro. [...] Quando você levanta o copo, olha fixamente para a pessoa com quem está bebendo, inclina a cabeça, e depois bebe, com extrema seriedade".

Algumas pessoas precisavam de ajuda especial para essas regras de boas maneiras à mesa. John Jacob Astor, um dos homens mais ricos da América, mas não, evidentemente, o mais cultivado, surpreendeu seus anfitriões em um jantar festivo ao se inclinar e limpar as mãos no vestido da dama sentada ao seu lado. Um guia americano popular, *The laws of etiquette; or, short rules and reflections for conduct in society* [As leis da etiqueta, ou breves regras e reflexões para a conduta em sociedade], informava os leitores: "Pode-se enxugar os lábios na toalha da mesa, mas não assoar o nariz com ela". Outro explicava aos leitores, solenemente, que não era educado, em círculos refinados, cheirar o pedaço de carne que estava espetado no garfo. E dizia ainda: "O costume comum entre as pessoas bem-educadas é o seguinte: a sopa se toma com colher".

A hora das refeições também mudou várias vezes, até que quase não havia hora do dia que não fosse, para alguém, um momento importante para comer. A hora de jantar também era ditada pelas obrigações penosas, e muitas vezes absurdas, de fazer e retribuir visitas sociais. A convenção mandava fazer visitas entre meio-dia e três da tarde, todos os dias. Se alguém viesse e deixasse um cartão de visitas enquanto você estava fora, a etiqueta mandava que você retribuísse a visita no dia seguinte. Não fazer isso era a mais grave afronta. O resultado, na prática, é que a maioria das pessoas gastava as tardes correndo para lá e para cá tentando ficar em dia com seus compromissos com outras pessoas, as quais também estavam correndo para tentar fazer o mesmo, da forma mais improdutiva.

Em parte por essa razão, a hora do jantar ficou para cada vez mais tarde — começou ao meio-dia, passou para o meio da tarde e depois para o início da noite —, embora as novas convenções não fossem adotadas por todos. Um visitante que foi a Londres em 1773 observou que, em uma única semana, foi convidado para jantares que começaram, sucessivamente, à uma da tarde, às cinco, às três e "às seis e meia, jantar na mesa às sete". Oitenta anos depois, quando John Ruskin informou aos pais que tinha se habituado a jantar às seis da tarde, a notícia foi recebida como se fosse marca da maior insensatez e devassidão. Comer tão tarde, respondeu sua mãe, era muito perigoso para a saúde.

Outro fator que influenciava muito a hora de jantar era o teatro. No tempo de Shakespeare os espetáculos começavam por volta das duas horas, ou seja, não atrapalhavam as refeições; mas isso se devia, sobretudo, à necessidade de luz natural em palcos a céu aberto como o Globe shakespeariano. Quando os espetáculos passaram para salas cobertas, o horário de início foi ficando para cada vez mais tarde e os espectadores tiveram que adaptar sua hora de jantar — mesmo com relutância, e até ressentimento. Por fim, sem conseguir ou sem desejar modificar ainda mais seus hábitos pessoais, o *beau monde* parou de tentar chegar ao teatro no primeiro ato e adotou o costume de enviar um criado para segurar seus lugares até que eles acabassem de jantar. Em geral apareciam — barulhentos, bêbados e sem vontade de se concentrar — para ver os últimos atos. Durante toda uma geração, foi normal que uma companhia teatral apresentasse a primeira metade da peça para um auditório cheio de criados cochilando, que não tinham nenhum apreço por aquilo tudo, e a segunda metade para um público inebriado e mal-educado, que nem fazia ideia do que estava acontecendo no palco.

O jantar finalmente se tornou a refeição noturna, ou ceia, na década de 1850, sob influência da rainha Vitória. E, como a distância entre o desjejum e o jantar aumentou, tornou-se necessário criar uma pequena refeição na metade do dia, para a qual a palavra *luncheon* [almoço] era apropriada. *Luncheon* originalmente significava um pedaço ou porção (como em "um *luncheon* de queijo"). Nesse sentido, foi registrada em inglês em 1580. Em 1755, Samuel Johnson ainda a definia como uma porção de comida — "o alimento que se pode conter em uma mão". Só lentamente, ao longo do século seguinte, é que *luncheon* veio a significar, pelo menos em círculos refinados, a refeição do meio-dia.

Uma das consequências é que antigamente as pessoas ingeriam a maior parte das calorias no desjejum e ao meio-dia, e à noite comiam apenas um pequeno suplemento na hora do jantar. Hoje se dá quase exatamente o inverso. A maioria consome o grosso — uma palavra adequada aqui, infelizmente — das calorias à noite e as leva para a cama, uma prática que não nos faz nada bem. Ruskin e sua mãe tinham razão.

9. O porão

I

Se você sugerisse a alguém em 1783, no final da Guerra da Independência dos Estados Unidos, que algum dia Nova York seria a cidade mais importante do mundo, seria considerado um tolo. Em 1783, as perspectivas de Nova York não eram nada promissoras. A cidade fora mais leal do que qualquer outra à metrópole britânica; assim, a guerra teve um efeito negativo sobre seu status na nova república. Em 1790, sua população era de apenas 10 mil pessoas. Filadélfia, Boston e até Charleston eram portos mais movimentados.

O estado de Nova York tinha apenas uma vantagem importante — uma abertura para o oeste através dos montes Apalaches, cadeia que corre mais ou menos paralela ao oceano Atlântico. É difícil acreditar que aquelas montanhas suaves, algumas, a bem dizer, nada mais que colinas em tamanho grande, fossem uma barreira tão grande; mas, na verdade, elas não ofereciam quase nenhuma passagem utilizável em seus 4 mil quilômetros de extensão. Eram um obstáculo tão grande para o comércio e as comunicações que muita gente achava que os pioneiros vivendo a oeste dos Apalaches acabariam, por necessidade prática, formando uma nação independente. Para os agricultores saía mais barato enviar seus produtos rio abaixo até Nova Orleans, pelos rios Ohio e Mississippi, e depois por mar dando a volta na Flórida e subindo pelo Atlântico até Charleston ou algum outro porto da costa leste — um percurso de 4800 quilômetros ou mais — do que transportá-los por terra 480 quilômetros através das montanhas.

Mas em 1810, De Witt Clinton, então prefeito de Nova York e logo depois governador do estado, teve uma ideia que muitos acharam ser loucura ou delírio. Clinton propôs que se construísse um canal atravessando todo o estado até o lago Erie, ligando Nova York aos Grandes Lagos e às terras férteis mais a oeste. A ideia foi chamada de "Loucura de Clinton", e não é de surpreender. O canal teria de ser escavado com pás e picaretas, até uma largura de doze metros, atravessando 580 quilômetros de terreno inóspito. Seriam necessárias 83 comportas, cada uma com 27 metros de comprimento, para dar conta de todos os desníveis do terreno. Em alguns trechos o aclive teria que ser, em média, não maior que dois centímetros por quilômetro. Jamais se tentara a construção de um canal desse grau de dificuldade — em qualquer lugar do mundo colonizado, muito menos em uma região virgem.

E aqui estava o problema: o país não tinha nem um único engenheiro nato que já tivesse trabalhado em canais. Thomas Jefferson, que normalmente venerava a ambição, julgou a ideia insana. "É um projeto esplêndido, e poderia ser executado daqui a um século", reconheceu ele, depois de examinar os planos; mas logo acrescentou: "É pouco menos que loucura pensar nisso nos dias de hoje". O presidente James Madison se recusou a dar auxílio do governo federal — motivado, pelo menos em parte, pelo desejo de manter o centro de gravidade comercial mais para o sul, longe do velho reduto nova-iorquino de lealdade à Coroa britânica.

Vemos então que o estado de Nova York podia prosseguir sozinho com seu plano, ou então ficar sem o canal. Apesar do custo, dos riscos e da ausência quase total de pessoas com as competências necessárias, o estado decidiu financiar o projeto por si próprio. Quatro homens — Charles Broadhead, James Geddes, Nathan Roberts e Benjamin Wright — foram indicados para realizar o trabalho. Três deles eram juízes e o quarto era professor primário. Nenhum nunca tinha sequer *visto* um canal, muito menos tentado construí-lo. Tudo que tinham em comum era certa experiência de agrimensura. No entanto, de alguma forma, através de leituras, consultas e experimentações inspiradas, conseguiram projetar e supervisionar a maior obra de engenharia já vista no

Novo Mundo. Foram os primeiros na história a aprender a construir um canal puramente na prática, botando mãos à obra.

Logo de início ficou claro que havia um problema ameaçando a viabilidade do empreendimento — a falta de cimento hidráulico. Era necessário usar quase meio milhão de sacas de cimento hidráulico para construir um canal à prova d'água (uma saca de um *bushel* tem cerca de 35 litros, portanto 400 mil *bushels* é muita coisa). Se a água começasse a vazar em qualquer seção, seria um desastre para o canal inteiro; assim, era imperioso resolver o problema. Infelizmente, ninguém sabia como.

Um jovem funcionário do canal chamado Canvass White se ofereceu então para viajar para a Inglaterra, pagando ele próprio as despesas, e ver o que podia aprender. Durante quase um ano White caminhou por toda a Grã-Bretanha — 3300 quilômetros ao todo — estudando os canais e aprendendo tudo que podia sobre sua construção, manutenção e, sobretudo, impermeabilização. Por acaso, descobriu-se que o cimento romano de Parker — que, como vimos, fez desmoronar a abadia de Fonthill, de William Beckford —, embora muito fraco como material de construção, acabou se revelando um bom cimento hidráulico, quando usado apenas como argamassa resistente à água. Seu inventor, o reverendo Parker, de Gravesend, não enriqueceu com isso, infelizmente, pois vendeu sua patente apenas um ano após registrá-la, e logo emigrou para a América, onde morreu pouco depois. Seu cimento, porém, foi muito utilizado até os anos 1820, quando foi substituído por tipos superiores, e deu a Canvass White a esperança de que poderia criar um produto semelhante usando materiais americanos.

Voltando para os Estados Unidos, armado com alguns conhecimentos sobre os princípios científicos da adesão, White experimentou vários ingredientes nativos e logo formulou um composto com melhor desempenho ainda do que o cimento de Parker. Foi um grande momento na história da tecnologia americana — na verdade, pode-se dizer que foi o início da história tecnológica americana. O cimento deveria tornar White rico e célebre, mas nada disso aconteceu. Suas patentes lhe davam direito a royalties de quatro centavos por saca vendida — uma quantia bastante módica —, mas os fabricantes se negaram a lhe dar sua parte dos lucros. Ele tentou reaver seus direitos nos tribunais, mas não conseguiu fazer cumprir nenhuma sentença em seu favor. O resultado foi um longo declínio até a penúria.

Os fabricantes, porém, enriqueceram produzindo o cimento hidráulico, agora o melhor do mundo. Em grande parte graças à invenção de White, o canal não tardou a abrir, em 1825, depois de apenas oito anos de construção. Foi um triunfo desde o início. Tantos navios o utilizavam — 13 mil no primeiro ano — que à noite suas luzes pareciam enxames de vaga-lumes sobre a água, segundo uma encantada testemunha. Pelo canal, o custo de enviar uma tonelada de farinha de Buffalo para a cidade de Nova York caiu de 120 dólares por tonelada para apenas seis dólares por tonelada, e o tempo de transporte baixou de três semanas para apenas uma. O efeito do canal sobre o destino da cidade de Nova York foi de tirar o fôlego. Sua participação nas exportações nacionais saltou de menos de 10% em 1800 para mais de 60% em meados do século. E o mais deslumbrante: no mesmo período sua população passou de 10 mil para mais de meio milhão.

Não há na história, provavelmente, nenhum outro produto manufaturado — decerto nenhum tão obscuro — que tenha contribuído tanto para mudar a sorte de uma cidade como o cimento hidráulico de Canvass White. O canal do Erie não só assegurou a primazia econômica de Nova York nos Estados Unidos, mas, possivelmente, dos Estados Unidos no mundo. Sem o canal do Erie, o Canadá teria o posicionamento ideal para se tornar a grande potência da América do Norte, com sua rota marítima do rio São Lourenço servindo de canal para os Grandes Lagos e as terras férteis mais a oeste.

Assim, o grande e desconhecido Canvass White não só fez de Nova York uma cidade rica, como também, de maneira mais profunda, ajudou a fazer os Estados Unidos. Em 1834, esgotado por suas batalhas legais e sofrendo de uma doença grave — provavelmente tuberculose —, viajou para St. Augustine, Flórida, na esperança de recuperar a saúde, mas morreu logo depois de chegar. Já estava esquecido pela história, e era tão pobre que sua esposa nem podia pagar o enterro. E esta é, provavelmente, a última vez que você vai ouvir o nome de Canvass White.

Menciono tudo isso porque agora descemos ao porão — um espaço inacabado e rudimentar na nossa velha casa paroquial, assim como era na maioria das casas inglesas do período. Originalmente servia como depósito de carvão. Hoje abriga a caldeira, malas ociosas, equipamentos desportivos fora da temporada, e ainda muitas caixas de papelão bem fechadas, que quase nunca são abertas, mas são sempre cuidadosamente transferidas de casa em casa nas mudanças, na crença de que algum dia alguém queira uma roupinha de bebê guardada numa caixa há 25 anos. Não é um espaço muito agradável, mas tem a virtude de nos dar alguma noção da superestrutura da casa — tudo que a segura e a mantém em pé, que é o tema deste capítulo. E o motivo que me fez prefaciar tudo isso com a história do canal do Erie é demonstrar que os materiais de construção são mais importantes, e até mesmo, ouso dizer, mais interessantes do que você imagina. Com certeza eles ajudam a fazer a história, de maneiras pouco mencionadas nos livros de história.

Na verdade, a história da colonização dos Estados Unidos é a história da luta contra a escassez de materiais de construção. Para um país famoso por sua riqueza em recursos naturais, a costa leste se revelou terrivelmente deficiente em muitos produtos básicos indispensáveis para uma civilização independente. Um deles era o calcário e, portanto, a cal, sua derivada, como os primeiros colonizadores descobriram, decepcionados. Na Inglaterra se pode construir uma casa razoavelmente segura com estacas recobertas de barro — basicamente, pau a pique — desde que sejam bem unidas com uma argamassa feita com cal. Mas na América não havia calcário (ou pelo menos não fora encontrado até 1690), obrigando os colonos a usar barro seco, lamentavelmente fraco. Durante o primeiro século da colonização, rara foi a casa que durou mais de dez anos. Esse foi o período da pequena era glacial, quando um século de invernos extremamente frios e tempestades furiosas castigavam as regiões temperadas do mundo. Em 1634 um furacão carregou — literalmente, levantou do solo e levou embora — metade das casas do estado de Massachusetts. Mal a população conseguiu reconstruí-las, quando veio uma segunda tempestade de igual intensidade, "derrubando diversas casas, descobrindo [ou seja, destelhando] diversas outras", segundo o diário de uma testemunha ocular. Em muitas áreas não havia nem mesmo boas pedras para construção. Quando George Washington quis colocar lajes simples no chão em sua *loggia* no monte Vernon, precisou mandar vir da Inglaterra.

A única coisa que a América oferecia em quantidade era a madeira. Quando os europeus chegaram ao Novo Mundo, o continente continha um número estimado de 385 milhões de hectares de floresta — algo que parecia, de fato, infinito. Na verdade, os bosques que saudaram os recém-chegados não eram tão ilimitados como pareciam de início, em especial quando se rumava para o interior. Para além das montanhas da costa leste, grandes florestas já tinham sido derrubadas pelos índios, que também queimaram boa parte da vegetação rasteira para facilitar a caça. Em Ohio, os primeiros colonos ficaram espantados ao descobrir que os bosques se pareciam mais com os parques ingleses do que com florestas, com espaço suficiente para passar com carroças em meio às árvores. Os índios criaram esses parques para os bisontes — animais que os índios, de certa forma, criavam.

Os colonos devoravam quantidades de madeira. Eles a usavam para construir casas, galpões, vagões, barcos, cercas, mobília e todo tipo de utensílios diários, desde baldes até colheres. Também queimavam a madeira em grandes quantidades para aquecer-se e cozinhar. Segundo Carl Bridenbaugh, historiador dos primeiros tempos da América, a casa colonial média exigia de quinze a vinte *cords** de lenha por ano; isso daria uma pilha de madeira de 24 metros de altura por 24 de largura e 48 metros de comprimento, algo que parece implausível. Mas a verdade é que a madeira era consumida com rapidez. Bridenbaugh menciona uma aldeia em Long Island onde cada pedaço de madeira que se enxergava até o horizonte, em todas as direções, se esgotou em apenas catorze anos; e deve ter havido muitas aldeias como essa.

Outras enormes áreas foram derrubadas para plantações e pastagens; também a abertura de estradas resultava em grandes derrubadas. As rodovias na América colonial costumavam ser muito largas — cinquenta metros de largura não era incomum — a fim de dar segurança contra emboscadas, mais espaço para conduzir veículos e ainda pasto para manadas de animais a caminho do mercado. Em 1810 só restava um quarto da floresta original no estado de Connecticut. Mais a oeste, em Michigan, as reservas aparentemente inesgotáveis de pinho branco, suficientes para 170 bilhões de tábuas quando os primeiros colonizadores chegaram, diminuíram 95% em apenas um século. Muita madeira era exportada da América para a Europa, em especial na forma de tábuas, telhas e sarrafos. Como Jane Jacobs observou em *The economy of cities*, o Grande Incêndio de Londres de 1666 foi alimentado por muita madeira americana.

---

* *Cord*: medida específica para lenha, equivalente a 128 pés cúbicos, ou seja, 3,6 metros cúbicos. (N. T.)

Costuma-se pensar que os primeiros colonizadores construíram cabanas de toras de madeira, mas não foi assim. Eles não sabiam como fazer isso. As cabanas de toras foram introduzidas pelos imigrantes escandinavos no fim do século XVIII, e logo se generalizaram. Embora fosse relativamente simples construir uma cabana de toras — esse é o seu atrativo —, elas também tinham certa complexidade. Nas quinas, onde as toras se uniam, pode-se usar vários tipos de chanfro — em V, tipo sela, diamante, quadrado, rabo de andorinha, meio rabo de andorinha, e assim por diante. E esses chanfros, ao que parece, tinham curiosas afinidades geográficas, que ninguém sabe explicar. O chanfro em sela, por exemplo, era o método preferido no sul do país, no centro do estado de Wisconsin e no sul de Michigan; mas quase não se encontrava em outros lugares. Já os moradores do estado de Nova York usavam principalmente o chanfro chamado "falsa quina", mas abandonavam esse estilo quando se mudavam de lá. A história das migrações americanas pode ser traçada — e, na verdade, já foi traçada — pesquisando onde aparecem determinados tipos de chanfros; e carreiras inteiras já foram dedicadas à tentativa de explicar os vários padrões de distribuição.

Quando se considera a rapidez com que os colonos americanos derrubaram as florestas imponentes que os receberam à chegada, não surpreende que a escassez de madeira fosse um problema crônico e preocupante na Inglaterra, com seu território muito mais restrito e densamente povoado. As lendas e contos de fadas nos deixaram uma imagem indelével de que a Inglaterra medieval era uma terra de florestas escuras e lúgubres; mas, na realidade, não havia muitas árvores onde Robin Hood e seus alegres comparsas pudessem se esconder. Já no tempo do *Domesday Book*, em 1086, apenas 15% das áreas no interior da Inglaterra eram arborizadas.

Ao longo da história, os britânicos usaram e precisaram de muita madeira. Uma casa típica do século XV continha a madeira de 330 carvalhos. Os navios usavam ainda mais. A nau capitânia de Nelson, *Victory*, provavelmente consumiu 3 mil carvalhos adultos — o equivalente a um bosque de bom tamanho. O carvalho também era usado em grande quantidade nos processos industriais. A casca de carvalho, misturada com fezes de cães, era usada para curtir couro. Fabricava-se tinta com as galhas do carvalho — uma espécie de ferida das árvores causada por vespas parasitas. Mas a grande consumidora de madeira era a indústria de carvão vegetal. Na época de Henrique VIII, era necessário derrubar anualmente cerca de 520 quilômetros quadrados de floresta para produzir carvão vegetal para a indústria do ferro; no final do século XVIII essa área tinha aumentado para 1400 quilômetros quadrados por ano, ou seja, cerca de um sétimo do total de florestas do país.

Costumava-se controlar as florestas cortando as árvores bem na base e deixando os tocos brotarem novamente; assim, não se derrubava uma área grande a cada ano. De fato, a indústria de carvão, longe de ser culpada, foi responsável por boa parte do manejo florestal — apesar de que as áreas que ela preservava eram, em geral, pequenos bosques sem características especiais, e não poderosas florestas primevas. Mas, mesmo com um manejo cuidadoso, a demanda por madeira aumentava de tal maneira que nos anos 1500 a Grã-Bretanha já a consumia mais rápido do que conseguia repor; e por volta de 1600 havia uma escassez desesperada de madeira para a construção. As casas inglesas em estilo *half-timber* [meia madeira], com estrutura de madeira e os vãos preenchidos com estuque, associadas a esse período, não refletem abundância de madeira, mas sim escassez. Era a maneira de o proprietário mostrar que podia pagar por esse recurso escasso.

Foi só a necessidade que obrigou, por fim, as pessoas a recorrerem à pedra. A Inglaterra tinha a pedra de construção mais maravilhosa do mundo, mas levou uma eternidade para descobrir isso. Durante quase mil anos, desde o colapso do Império Romano até a era de Chaucer (1340-1400), a madeira foi o material de construção quase invariável da Inglaterra. Só os edifícios mais importantes — igrejas, catedrais, palácios, castelos — eram feitos de pedra. Quando os normandos chegaram à Inglaterra, não havia no país uma única casa de pedra. Um fenômeno notável, pois bem embaixo dos pés de quase todo mundo havia sublimes pedras para edificação, graças a um grande cinturão de resistentes calcários oolíticos (isto é, contendo muitos grãos, ou oólitos esféricos), que se estende formando um grande arco por todo o país, desde Dorset, na costa sul, até os montes Cleveland, em Yorkshire, ao norte. Essa área é conhecida como Cinturão do Jurássico, e todas as pedras de edificação mais famosas da Inglaterra, desde o mármore de Purbeck e a pedra branca de Portland até os blocos alveolados de Bath e Cotswolds, ali são encontradas. Essas pedras imensamente antigas, provenientes de mares primitivos, são o que dá à paisagem britânica sua aparência suave e atemporal. Mas na verdade essa sensação de antiguidade nas edificações inglesas é pura ilusão.

A razão pela qual não se utilizava a pedra em maior escala era seu alto preço — era cara para extrair, com todo o trabalho braçal envolvido, e cara para transportar, devido ao seu enorme peso. Transportar uma carreta de pedras por quinze ou vinte quilômetros podia facilmente dobrar o seu custo. Assim, a pedra na Idade Média não viajava para longe; e isso explica por que há diferenças regionais tão atraentes e específicas no uso da pedra e nos estilos arquitetônicos por toda Grã-Bretanha. Um edifício de pedra de bom tamanho — um mosteiro cisterciense, por exemplo — podia exigir 40 mil carretas de pedra para construir. Um edifício de pedra era algo realmente assombroso, não só por ser enorme, mas por ser de pedra maciça. A própria pedra já era uma demonstração de poder, riqueza e esplendor.

Na Grã-Bretanha a pedra foi pouco usada até o século XVIII, mas depois disso se generalizou depressa, mesmo para edificações simples, como chalés do interior. Infelizmente, grandes áreas fora do Cinturão de Calcário não tinham pedra local, e isso incluía o lugar mais importante de todos e o mais faminto por construções: Londres. Mas os arredores de Londres continham grandes reservas de argila rica em ferro; e assim a cidade redescobriu um antigo material de construção: o tijolo. O tijolo tem pelo menos 6 mil anos de idade, mas na Grã-Bretanha provém apenas dos tempos romanos; e os tijolos romanos não eram muito bons. Embora fossem construtores habilidosos, os romanos não sabiam como queimar tijolos grandes de maneira que ficassem cozidos por completo; por isso fabricavam tijolos finos, semelhantes a telhas. Após a partida dos romanos os tijolos caíram em desuso na Inglaterra durante muitos séculos.

Os tijolos recomeçaram a aparecer em alguns edifícios ingleses por volta de 1300, mas nos duzentos anos seguintes eram tão raras as pessoas qualificadas no país que se tornou comum trazer oleiros e pedreiros holandeses para construir uma casa de tijolos. Como material de construção de produção local, o tijolo se firmou na época dos Tudors (1485 a 1603). Muitos edifícios de tijolo grandiosos, como o Hampton Court Palace, datam desse período. O tijolo tem uma grande vantagem: com frequência pode ser fabricado no próprio local. Os fossos e os tanques que associamos às mansões da era Tudor muitas vezes indicam onde a argila foi desenterrada para ser transformada em tijolos.

No entanto, também havia desvantagens. Para criar um tijolo decente o oleiro tinha que realizar com perfeição todas as fases do processo. Primeiro tinha que misturar cuidadosamente dois ou mais tipos de argila para garantir a consistência certa, evitando que o tijolo encolhesse ou empenasse durante a queima. Essa argila preparada era então moldada em formas, que tinham que ser secas ao ar por duas semanas. Por fim, os tijolos eram empilhados e queimados no forno. Se uma dessas etapas desse errado — se o teor de umidade fosse muito alto, ou a temperatura do forno não estivesse bem certa —, o resultado eram tijolos imperfeitos. E os tijolos imperfeitos eram comuns; assim, os tijolos na Inglaterra medieval e renascentista tinham alto prestígio. Eram uma novidade elegante, e em geral só figuravam nas estruturas mais charmosas e importantes.

Talvez a maior demonstração da dificuldade de fazer tijolos — ou talvez apenas a maior demonstração de uma obsessão totalmente fútil — ocorreu na década de 1810, quando o clérigo Sydney Smith, conhecido como inteligente e brincalhão, decidiu fabricar seus próprios tijolos, para a reitoria que estava construindo para si em Foston le Clay, Yorkshire. Dizia-se que ele queimou, sem sucesso, 150 mil tijolos, até reconhecer que provavelmente não pegaria o jeito da coisa.

A idade de ouro do tijolo inglês se deu entre 1660 e 1760. "Em nenhum lugar do mundo há obras de alvenaria mais belas do que nos melhores exemplos ingleses dessa época", escrevem Brunskill e Clifton-Taylor em sua obra definitiva *English brickwork* [A alvenaria inglesa]. A beleza dos tijolos desse período também se deve à sutil falta de uniformidade. Já que era impossível fazê-los realmente uniformes, os tijolos saíam com uma gama encantadora de tonalidades — desde o vermelho rosado até uma profunda cor de ameixa. Os minerais presentes no barro conferem a cor ao tijolo, e a predominância de ferro na maioria dos tipos de solo explica a quantidade desproporcional de vermelho. O clássico tijolo amarelo de Londres deve sua cor à presença da cré, ou giz, no solo.

Os tijolos tinham que ser assentados em um padrão escalonado, de modo que as juntas verticais não formassem linhas retas contínuas (o que enfraqueceria a estrutura); surgiu assim uma variedade de estilos, ditados basicamente pela preocupação com a resistência, mas também pelo agradável impulso de oferecer variedade e beleza. No estilo de assentamento inglês, o chamado "English bond", uma fileira é composta inteiramente de tijolos mostrando a base (o lado maior), e a fileira seguinte apenas das faces dos tijolos (a extremidade menor). No estilo flamengo, as extremidades se alternam com as bases em cada fileira. É um estilo muito mais popular do que o inglês, não porque seja mais forte, mas por ser mais econômico, já que a parede usa mais bases do que faces, exigindo, assim, menos tijolos. Mas havia muitos outros estilos — chinês, Dearne, muro do jardim, cruzado, ratoeira, monge, voador, e assim por diante, cada um com sua própria configuração de planos maiores e faces menores. Podia-se ainda aperfeiçoar esses padrões básicos, fazendo com que alguns tijolos se projetassem ligeiramente para fora, como pequenos degraus, ou ainda inserindo tijolos de diferentes cores, formando um desenho em diamante conhecido como "fralda". (Isso porque as fraldas de bebês eram originalmente de linho, tecido com um desenho em diamante.)

O tijolo continuou sendo um material eminentemente respeitável para as casas mais elegantes até o período da Regência (1811-20); surgiu então, de repente, uma aversão por ele, especialmente pelo tijolo vermelho. "Há algo de ríspido nessa transição", refletiu Isaac Ware na sua influente obra *The complete body of architecture* [Obra arquitetônica completa], de 1756. O tijolo vermelho, continuou ele, "tem uma cor de fogo desagradável aos olhos... e é totalmente impróprio para o interior do país" — o lugar onde era mais utilizado.

De repente a pedra se tornou o único material aceitável para a superfície de um edifício. No período georgiano (1714-1830) a pedra era tão elegante que os proprietários faziam tudo para disfarçar o material da sua casa, caso não fosse de pedra. A Apsley House, no Hyde Park Corner, em Londres, foi construída de tijolos, mas depois recoberta de pedra de Bath quando o tijolo de repente caiu de moda.

Os Estados Unidos tiveram um papel indireto, inesperado, na queda do prestígio do tijolo. Com a perda dos tributos vindos das colônias americanas, após a Guerra da Independência, e ainda com o alto custo de travar essa guerra, o governo britânico tinha necessidade urgente de fundos; assim, em 1784, impôs um pesado imposto sobre o tijolo. Com isso os fabricantes passaram a fazê-los maiores, para reduzir o efeito do imposto; mas eram tijolos tão desajeitados para trabalhar que o efeito foi reduzir ainda mais as vendas. Para combater essa queda na receita, o governo elevou o imposto sobre os tijolos mais duas vezes, em 1794 e 1803. O tijolo entrou, assim, em queda livre. Saiu de moda e, de toda forma, estava fora do alcance das pessoas pelo seu alto custo.

O problema em muitas construções já existentes eram, inevitavelmente, os tijolos. Na Grã-Bretanha, um expediente simples era dar às casas uma espécie de "maquiagem" permanente, aplicando à superfície original de tijolos uma camada de estuque, ou seja, um reboco externo composto de cal, gesso, cimento e água (a palavra vem do alemão antigo *stukki*, ou cobertura). Enquanto o estuque secava, era possível entalhar linhas bem definidas, para simular que a fachada era feita de blocos de pedra. O arquiteto John Nash, do período da Regência, destacou-se na técnica do estuque, como registram estes famosos versinhos:

Que grande mestre é o nosso Nash!
Encontrou só tijolos no começo,
E agora deixa tudo só de gesso!

Nash é mais um personagem desta história que veio do nada; sua escalada até a grandeza não seria nada fácil de prever. Foi criado na pobreza, no sul de Londres, e sua figura não era nada imponente. Tinha "cara de macaco", segundo a descrição cruel de um contemporâneo, e não obteve instrução alguma que pudesse suavizar o caminho para o sucesso. Mesmo assim, de algum jeito conseguiu um estágio muito cobiçado no escritório de sir Robert Taylor, um dos principais arquitetos da época.

Depois desse período de aprendizado embarcou em uma carreira que mostrou mais espírito empreendedor do que triunfos, pelo menos no início. Em 1778, como uma especulação de início de carreira, projetou e construiu dois grupos de casas em Bloomsbury, que foram das primeiras (se não as primeiras) em Londres a serem recobertas de estuque. Infelizmente, o mundo ainda não estava preparado para casas revestidas de estuque e elas não foram vendidas. (Uma delas permaneceu vazia durante doze anos.) Esse revés teria sido difícil em quaisquer circunstâncias; mas o pior é que na mesma época a vida particular de Nash sofreu um baque espetacular. Sua jovem esposa acabou se revelando uma pessoa bem diversa do que ele esperava. Ela fazia dívidas absurdas e impossíveis de pagar em costureiras e chapeleiras por toda a Londres, e duas vezes ele acabou preso por dívidas. Pior ainda: ele descobriu que, enquanto tentava livrar-se desses problemas com a justiça, ela se envolvia em alegres brincadeiras com outros homens, inclusive com um de seus amigos mais antigos, chegando à conclusão de que os dois filhos do seu casamento provavelmente não eram seus, mas sim de outro, ou outros.

Falido e deprimido, Nash se desvencilhou da esposa e dos filhos — não se sabe o que foi feito deles — e mudou-se para o País de Gales, onde começou uma nova carreira, menos ambiciosa. Parecia pronto para viver como um arquiteto de sucesso moderado, planejando prefeituras de província e outros edifícios municipais.

E assim se passou sua vida por alguns anos; mas em 1797, na avançada idade de 46 anos, voltou a Londres, casou-se com uma mulher muito mais jovem, ficou amigo íntimo do príncipe de Gales — o futuro rei George IV — e tornou-se um dos arquitetos mais importantes e influentes que já existiram. O que causou essas mudanças bruscas é um mistério. O boato da época é que sua nova esposa era amante do príncipe regente, e Nash era apenas uma fachada conveniente. É uma suposição razoável, pois ela era uma beldade, e o tempo não tinha tornado Nash nem um pouco mais bonito. Ele era, em suas próprias palavras, "uma figura atarracada, um anão, de cabeça redonda, nariz arrebitado e olhinhos miúdos". Mas como arquiteto era um mágico, e quase de imediato começou a produzir uma sequência de edifícios excepcionais, ousados e transbordando de autoconfiança. Em Brighton ele transformou uma propriedade já existente, de estilo muito conservador, o Pavilhão Marine, em um edifício exuberante, com uma cúpula notável, conhecido como Pavilhão Brighton. Mas as grandes mudanças foram feitas em Londres.

Ninguém, à exceção talvez da força aérea alemã, fez mais para mudar a aparência de Londres do que John Nash nos trinta anos seguintes. Ele criou o Regent's Park e a Regent Street, assim como boa parte das ruas e ao redor, com casas de fachada uniforme, dando a Londres uma aparência bastante grandiosa e imperial que a cidade antes não tinha. Nash construiu Oxford Circus e Piccadilly Circus. Criou o Palácio de Buckingham, ampliando a antiga Buckingham House. Também projetou Trafalgar Square, embora não vivesse o suficiente para construí-la. E quase tudo que construiu cobriu de estuque.

II

O tijolo poderia ser esquecido, permanentemente, como material de construção, se não fosse um fator importante e inesperado: a poluição. Até o início da era vitoriana se queimava carvão na Inglaterra em quantidades prodigiosas. Uma família típica de classe média podia queimar uma tonelada por mês; e no século xix a Grã-Bretanha, de repente, tinha muitas famílias de classe média. Em 1842, a Grã-Bretanha usava dois terços de todo o carvão produzido no mundo ocidental. Em Londres, o resultado era uma escuridão quase impenetrável por boa parte do ano. Em uma das histórias de Sherlock Holmes o detetive tem que acender um fósforo — em pleno dia — para ler algo escrito em um muro londrino. Era tão difícil encontrar o caminho, que as pessoas não raro se chocavam contra uma parede ou caíam em buracos invisíveis. Em um incidente famoso, sete pessoas caíram no Tâmisa, uma após a outra. Em 1854, quando Joseph Paxton sugeriu a construção de um "Grande Cinturão Ferroviário", com dezessete quilômetros de extensão, ligando todas as principais estações de trem londrinas, propôs construí-lo fechado por uma cobertura de vidro, de modo que os passageiros ficassem isolados do ar insalubre de Londres. Evidentemente, era melhor estar lá dentro, respirando a fumaça dos trens, do que fora nas ruas, com a espessa fumaça que vinha de todo o resto.*

O carvão enegrecia e estragava praticamente tudo — roupas, pinturas, plantas, móveis, livros, edifícios, sistemas respiratórios. Durante as semanas de nevoeiro espesso, o número de mortes registradas em Londres podia facilmente aumentar em mais de mil. Até mesmo os bichos de estimação e os animais no mercado de carnes da Smithfield morriam em números desproporcionais.

* Um homem, mais do que qualquer outro, fixou a nossa imagem visual de como era Londres na época vitoriana: o ilustrador francês Gustave Doré (1833-83), de quem vemos uma ilustração das ruelas londrinas, na página 227. A predominância de Doré na área da ilustração foi bastante inesperada, pois ele mal falava uma palavra de inglês e, na verdade, não passou muito tempo na Grã-Bretanha. Sua vida privada foi um tanto bizarra; teve uma série de casos tórridos com atrizes — Sarah Bernhardt foi sua conquista mais célebre —, mas morava com a mãe, e durante toda a vida dormiu num quarto ao lado dela. Doré se considerava um grande artista, opinião que não era partilhada pelo resto do mundo; assim, teve que se contentar em ser um ilustrador de grande sucesso, de livros e revistas. Foi muito popular na Inglaterra — por muitos anos houve uma galeria Doré em Mayfair que expunha exclusivamente as suas obras — e hoje é mais lembrado pelos seus desenhos sombrios da vida londrina, em especial as cenas de extrema miséria em becos e ruelas. É interessante refletir que grande parte da nossa imagem visual da Londres oitocentista, antes da fotografia, se baseia nas obras de um artista que as desenhou em um estúdio em Paris, trabalhando de memória e com muitos erros. Blanchard Jerrold, que escrevia as legendas dos desenhos, se desesperava com suas imprecisões. (Se esse nome Jerrold parece vagamente familiar, ele é filho do jornalista da *Punch* que foi o primeiro a chamar o grande salão de exposições de "Palácio de Cristal".)

A fumaça de carvão era particularmente nociva aos edifícios de pedra. Muitas estruturas que pareciam belas e radiantes quando novas se deterioravam com uma rapidez alarmante. A pedra de Portland ganhava uma estranha aparência malhada — bem branca nos lados expostos ao vento e à chuva, mas negra e imunda debaixo de cada peitoril, lintel e quina coberta. No palácio de Buckingham, Nash empregou pedra de Bath, julgando que resistiria melhor; mas estava enganado. Quase de imediato, começou a desmoronar. Um novo arquiteto, Edward Blore, foi chamado para consertar o prédio. Ele tapou o pátio feito por Nash com uma nova fachada, de pedra de Caen. Esta também começou a desmoronar quase de imediato. O mais alarmante eram as novas Casas do Parlamento, onde a pedra começou a escurecer e criar buracos chocantes, como se tivesse levado tiros, ainda com o edifício em construção. Remédios desesperados foram tentados para impedir a deterioração. Diversas combinações de gomas, resinas, óleo de linhaça e cera de abelha foram aplicadas sobre a superfície, mas de nada adiantavam, ou até causavam manchas novas e ainda mais alarmantes.

Apenas dois materiais pareciam ser impermeáveis ao ataque dos ácidos corrosivos. Um deles era uma notável pedra artificial conhecida como pedra de Coade, nomeada segundo Eleanor Coade, dona da fábrica que a produzia. A pedra de Coade teve imensa popularidade, utilizada por todos os principais arquitetos desde cerca de 1760 até 1830. Era praticamente indestrutível e podia ser moldada, formando qualquer tipo de objeto decorativo — frisos, arabescos, letras maiúsculas, medalhões ou qualquer outro ornamento que normalmente seria esculpido em pedra. O objeto mais conhecido de pedra de Coade é o grande leão na ponte de Westminster, perto das Casas do Parlamento; mas a pedra de Coade pode ser encontrada em todo lugar — no palácio de Buckingham, no castelo de Windsor, na torre de Londres, no túmulo do capitão Bligh, no adro de Lambeth.

A pedra de Coade tem a exata aparência e textura da pedra trabalhada, e suporta o desgaste como a pedra mais dura; mas não é pedra, em absoluto, mas sim um tipo de cerâmica, ou seja, argila cozida. Dependendo do tipo de argila e da temperatura do forno, podem-se produzir três materiais diferentes: louça, faiança ou porcelana. A pedra de Coade é um tipo de faiança, mas é especialmente dura e resistente. Suporta tão bem o desgaste do tempo e da poluição que parece quase nova, mesmo depois de cerca de dois séculos e meio de exposição aos elementos.

Os becos de Londres na era vitoriana, em ilustração de Gustave Doré.

Dada a sua onipresença e suas notáveis características, é surpreendente que se saiba tão pouco sobre a pedra de Coade e a fabricante que lhe deu o nome. Onde e quando foi inventada, de que modo Eleanor Coade se envolveu com ela, por que a firma chegou a um fim súbito no final da década de 1830 — eis questões que não despertaram grande interesse entre os acadêmicos. A sra. Coade mereceu apenas meia dúzia de parágrafos no *Dictionary of national biography*, e o único relato completo sobre ela e sua empresa foi uma obra autopublicada pelo historiador Alison Kelly em 1999.

O que se pode dizer com certeza é que Eleanor Coade era filha de um empresário falido de Exeter, que veio para Londres por volta de 1760 e foi bem-sucedido como negociante, vendendo roupa de cama. No final da década ela conheceu um certo Daniel Pincot, que já estava envolvido na fabricação de pedra artificial. Os dois abriram uma fábrica no lado sul do Tâmisa, onde hoje fica a estação Waterloo, e começaram a produzir um produto incomum, de alta qualidade. Com frequência se atribui a invenção à sra. Coade, mas parece mais provável que Pincot tinha o método e ela o dinheiro. De toda forma, Pincot deixou a empresa depois de apenas dois anos e nada mais se sabe dele. Eleanor Coade administrou o negócio com muito sucesso por 52 anos, até a sua morte, em 1821, aos 88 anos — um feito notável, especialmente para uma mulher do século XVIII. Ela nunca se casou. Se foi uma pessoa doce e querida ou uma megera furiosa, não temos nenhuma ideia. Só se pode dizer que sem ela as vendas caíram e por fim a empresa faliu, mas tão discretamente que ninguém sabe exatamente quando cessou a produção.

Há um mito persistente de que o segredo da pedra de Coade morreu com Eleanor Coade. Na verdade, o processo foi reproduzido experimentalmente em pelo menos duas ocasiões. Hoje não há nada que impeça as pessoas de a produzirem comercialmente; isso só não acontece porque não há interesse.

A pedra de Coade só podia ser usada para fins decorativos; mas felizmente havia um venerável material de construção que também resistia muito bem à poluição: o tijolo. A poluição foi a responsável pelo sucesso do tijolo moderno, embora vários outros fatores oportunos também contribuíssem. O desenvolvimento dos canais tornou econômico transportar tijolos por distâncias consideráveis. Com a invenção do forno de Hoffmann (nome do seu inventor alemão, Friedrich Hoffmann), os tijolos podiam ser produzidos de forma contínua e, portanto, mais barata, em uma espécie de linha de montagem. Em

1850 a eliminação do imposto sobre o tijolo reduziu ainda mais o custo. Mas o maior estímulo foi simplesmente o progresso fenomenal da Grã-Bretanha no século XIX — o crescimento das cidades, da indústria, de gente precisando de moradia. No decorrer da vida da rainha Vitória, a população de Londres aumentou de 1 milhão para quase 7 milhões, e cidades recém-industrializadas como Manchester, Leeds e Bradford tiveram índices de crescimento ainda maiores. Ao todo, o número de casas na Grã-Bretanha quadruplicou nesse século, e as novas residências eram, na esmagadora maioria, feitas de tijolo, assim como a maioria das fábricas, chaminés, estações ferroviárias, redes de esgotos, escolas, igrejas, escritórios e o restante da infraestrutura que surgiu nessa época de atividade frenética. O tijolo, versátil e econômico, tornou-se o material de construção padrão da Revolução Industrial.

Segundo uma estimativa, mais tijolos foram assentados na Grã-Bretanha no período vitoriano do que em toda a história anterior da espécie humana. O crescimento de Londres resultou na expansão dos subúrbios, com casas de tijolos mais ou menos idênticas — quilômetros e quilômetros de "uma triste e repetitiva mediocridade", nas sombrias palavras de Disraeli. O forno de Hoffmann tinha muita responsabilidade por isso, pois introduziu tijolos de absoluta uniformidade de tamanho, cor e aparência. Os edifícios feitos com esse tijolo de novo estilo tinham muito menos sutileza e personalidade do que os de épocas anteriores, mas eram muito mais baratos; e poucas foram as ocasiões, na realização dos afazeres humanos, em que o preço mais baixo não acabou triunfando.

Havia apenas um problema com o tijolo, que ficou cada vez mais evidente quando o século avançou e o espaço para construções se reduziu. Os tijolos são muito pesados, e é impossível construir com eles edifícios muito altos — e não por falta de tentar. O mais alto já construído foi o Monadnock Building, de dezesseis andares, um edifício de escritórios feito em Chicago em 1893, projetado pouco antes de sua morte pelo arquiteto Joh Root, da famosa firma Burnham & Root. O edifício Monadnock continua de pé, e é algo extraordinário de ver. Seu peso é tamanho que as paredes no nível da rua têm 1,80 metro de espessura, transformando o andar térreo — normalmente a parte mais acolhedora de um prédio — em um local escuro e ameaçador.

O edifício Monadnock seria uma estrutura excepcional em qualquer lugar, mas em especial em Chicago, onde o solo é, basicamente, uma grande esponja. Chicago fica sobre uma planície lamacenta, e qualquer coisa pesada ali depositada tende a afundar — nos primeiros tempos, em geral afundava mesmo. Ali os arquitetos costumavam prever que a construção afundaria em cerca de trinta centímetros. Sendo assim as calçadas eram construídas com uma forte inclinação, subindo do meio-fio em direção ao edifício. A esperança era que à medida que o prédio baixava, a calçada desceria junto, até chegar ao nível horizontal perfeito. Na prática, isso raramente acontecia.

Para amenizar o problema do afundamento, os arquitetos oitocentistas desenvolveram uma técnica de construção de uma espécie de "jangada" onde o prédio se apoiava, como um surfista sobre a prancha. A jangada sob o edifício Monadnock se estende por 3,30 metros para além da construção, em todas as direções; mas mesmo assim o edifício afundou quase sessenta centímetros após a construção — algo que realmente não se deseja que aconteça com um edifício de dezesseis andares. É um testemunho do talento de John Root o fato de que o prédio ainda esteja de pé. Muitos outros não tiveram tanta sorte. Um edifício de escritórios do governo chamado Federal Building, construído ao custo elevadíssimo de 5 milhões de dólares em 1880, se inclinou de maneira tão rápida e perigosa que não durou duas décadas. Muitos outros edifícios menores também tiveram vida breve.

O que os arquitetos precisavam era de algum material de construção mais leve e flexível, e por longo tempo parecia que o escolhido seria o preferido de Joseph Paxton, o primeiro a lhe dar fama em grande escala com seu Palácio de Cristal: o ferro.

Como material de construção, há dois tipos: ferro fundido e ferro forjado. O ferro fundido (derretido e vazado em moldes) tem ótima resistência à compressão — isto é, sustenta bem seu próprio peso —, mas não é tão bom sob tensão, e pode rachar como um lápis ao sofrer pressão lateral. Portanto, é excelente para pilares, mas não para vigas horizontais. Em contraste, o ferro forjado, ou batido, tem força para suportar a pressão horizontal, mas é mais caro, por ser mais complicado e demorado para fabricar, pois tem que ser manipulado e mexido repetidas vezes quando está derretido. Além de torná-lo relativamente forte, esse processo torna o ferro dúctil — isto é, capaz de ser esticado, como uma espécie de puxa-puxa, e trabalhado com o martelo, que lhe dá diferentes formas, razão pela qual os objetos decorativos, como portões e gradis, são de ferro batido. Os dois tipos de ferro foram utilizados em grande escala na construção civil e em projetos de engenharia no mundo todo.

Curiosamente, o único lugar onde o ferro não "pegou", exceto ocasionalmente, foi na habitação. Noutros casos, porém, se utilizou o ferro com toda a sua força — isto é, até que se percebeu que a força não era, de fato, sua qualidade mais confiável. Havia um fato preocupante — o ferro por vezes sofria falhas espetaculares. O ferro fundido, em especial, tendia a lascar ou rachar se não fosse fundido perfeitamente, e as imperfeições podiam ser impossíveis de detectar. Isso se manifestou tragicamente no inverno de 1860 em uma fábrica têxtil em Lawrence, Massachusetts. Ali, em uma manhã fria, novecentas mulheres, a maioria imigrantes irlandesas, estavam trabalhando em suas máquinas barulhentas quando uma coluna de ferro fundido, que sustentava uma parte do telhado, cedeu abruptamente. Após um momento de hesitação, as outras colunas na mesma fileira também cederam, uma a uma, como botões que estouram em uma camisa, à medida que sofriam mais pressão. As operárias, apavoradas, correram para as saídas, mas, antes que muitas conseguissem sair, o edifício ruiu com um estrondo tamanho que quem ouviu jamais esqueceu. Morreram até duas centenas de operárias — embora, o que é notável, ninguém tenha se preocupado em fazer uma contagem formal, nem na ocasião nem depois. Centenas de outras mulheres ficaram feridas. Muitas que ficaram presas sob o teto sofreram morte medonha, incineradas pelo fogo que se alastrou dos lampiões quebrados.

Na década seguinte o status do ferro sofreu mais um golpe: uma ponte sobre o rio Ashtabula, em Ohio, desmoronou quando um trem de passageiros a atravessava, matando 76 pessoas. Esse acidente se repetiu com uma precisão fantástica três anos mais tarde, quase no mesmo dia, na ponte de Tay, na Escócia. Enquanto um trem a atravessava, em um dia de mau tempo, uma parte da ponte cedeu, atirando os vagões no rio e matando passageiros em um número quase idêntico ao dos que morreram no Ashtabula. Essas foram as tragédias mais notórias; mas, na verdade, acidentes em escala menor com estruturas de ferro eram quase rotina. Por vezes as caldeiras de ferro fundido dos trens explodiam; os trilhos ficavam frouxos ou cediam sob as cargas pesadas, ou com mudanças de temperatura, causando descarrilamentos. De fato, foram as deficiências do ferro que permitiram que o canal do Erie tivesse tanto sucesso. Mesmo já mais velhas, as estradas de ferro ainda podiam ser utilizadas — o que é surpreendente, pois ficavam congeladas e inutilizáveis durante vários meses a cada inverno. Já os trens funcionam o ano todo, e, com a contínua melhoria dos motores, teoricamente poderiam transportar mais carga. Na prática, porém, os trilhos de ferro não aguentavam cargas muito pesadas.

 Algo muito mais forte era necessário, e esse material foi o aço — que não passa de um tipo de ferro, mas com outra proporção de carbono. O aço era um material superior em todos os sentidos, mas não podia ser fabricado em grandes quantidades devido ao alto volume de calor necessário. Servia para fabricar objetos pequenos como espadas e navalhas, mas não em larga escala, para produtos industriais como vigas e trilhos. Em 1857, o problema teve uma solução inesperada e surpreendente, graças a um empresário inglês que não sabia nada da metalurgia, mas gostava de mexer e experimentar. Seu nome era Henry Bessemer e já obtivera grande sucesso por inventar um produto conhecido como pó de bronze, usado para dar um acabamento de falso dourado aos mais diversos objetos. Como os vitorianos gostavam do acabamento dourado, o pó de Bessemer lhe trouxe dinheiro e também o lazer para realizar seus talentos criativos. Durante a guerra da Crimeia, ele decidiu construir armas pesadas; mas percebeu que precisava de um material melhor do que o ferro fundido ou forjado, e assim começou a fazer experiências com novos métodos de produção. Sem realmente saber o que estava fazendo, soprou ar no ferro-gusa derretido, para ver o que aconteceria. O que deveria acontecer, segundo as previsões convencionais, era uma tremenda explosão, razão pela qual nenhuma pessoa qualificada nunca havia tentado esse experimento temerário. Na verdade o ferro não explodiu, mas produziu uma chama de alta intensidade, que queimou e eliminou as impurezas do ferro e resultou em um aço muito duro. De repente ficou possível produzir aço em grandes quantidades. O aço era o material que a Revolução Industrial estava esperando. Tudo, desde as estradas de ferro até as pontes e os navios oceânicos, podia ser então mais forte, e construído de forma mais rápida e mais barata. Os arranha-céus tornaram-se possíveis e assim o perfil das cidades se transformou. Os motores dos trens ganharam força para puxar enormes cargas, em alta velocidade, em todos os continentes. Bessemer ficou imensamente rico e famoso, e muitas cidades dos Estados Unidos (treze, segundo uma fonte) adotaram o nome de Bessemer, ou Bessemer City, em sua homenagem.

Menos de uma década depois da Grande Exposição, estava terminada a era do ferro como material estrutural — o que torna um tanto estranho que a estrutura mais emblemática de todo o século XIX, prestes a se elevar sobre Paris, foi feita desse material condenado. Refiro-me, naturalmente, à maravilha da época, a Torre Eiffel. Nunca na história uma estrutura foi tão avançada tecnologicamente, tão obsoleta materialmente e tão gloriosamente inútil, tudo ao mesmo tempo. E, para contar essa história extraordinária, é preciso voltar lá para cima, para um novo aposento.

10. O corredor

I

Seu nome completo era Alexandre Gustave Boenickhausen-Eiffel, e ia se encaminhando para uma vida obscura e respeitável na fábrica de vinagre do tio, em Dijon, na França, quando a fábrica faliu e ele decidiu estudar engenharia.

Foi um grande engenheiro, para dizer o mínimo. Construiu pontes e viadutos em desfiladeiros impossíveis, saguões para estações ferroviárias de uma amplidão deslumbrante e outras estruturas grandiosas e de grande dificuldade técnica, que continuam a impressionar e inspirar os visitantes — incluindo, em 1884, uma das mais difíceis de todas: o esqueleto interno que sustenta a Estátua da Liberdade. Todos se lembram de que a Estátua da Liberdade foi obra do escultor Frédéric Bartholdi, e o projeto é seu, claro. Mas, sem a engenhosa estrutura interna para sustentá-la, a Estátua da Liberdade seria apenas uma casca oca de cobre batido, com apenas 25 milímetros de espessura. É a mesma espessura do chocolate de um coelhinho de Páscoa — mas, no caso, um coelho da Páscoa com 46 metros de altura que tem que suportar vento, neve, chuva e maresia, a expansão e a contração do metal ao calor do sol e ao frio, e mil outras severas agressões físicas todos os dias.

A Torre Eiffel em construção, Paris, 1888.

Nunca nenhum desses desafios havia sido enfrentado por um engenheiro, e Eiffel resolveu fazê-lo da forma mais elegante possível: criando uma armação interna em treliça, com vigas cruzadas e molas que a unissem à casca externa de cobre, colocada como uma vestimenta externa. Embora na época ele não soubesse o resultado que essa técnica haveria de ter, no futuro, para os edifícios convencionais, ela marcou a invenção da "construção em cortina", a técnica de construção mais importante do século xx, que possibilitou edificar os arranha-céus. (Os construtores dos primeiros arranha-céus de Chicago também inventaram, independentemente, a técnica da cortina, mas Eiffel chegou lá primeiro.) A capacidade da pele metálica de se torcer sob pressão antecipa o design das asas de avião, muito antes que alguém pensasse seriamente em aviões. Assim, a Estátua da Liberdade é de fato uma grande obra; mas, como todo o seu engenho fica por baixo do manto da Liberdade, quase ninguém aprecia essa maravilha da engenharia.

Eiffel não era um homem vaidoso, mas fez questão de projetar sua próxima grande obra de modo que ninguém deixasse de apreciar seu papel na construção: criou algo que era *apenas* esqueleto. O evento que o gerou foi a Exposição de Paris de 1889. Como de costume nesse tipo de coisa, os organizadores queriam uma peça central emblemática para a exposição e abriram um concurso. Cerca de cem propostas foram apresentadas, incluindo uma guilhotina de trinta metros de altura, em homenagem à contribuição ímpar dada pela França à decapitação. Para muitos, essa proposta não era menos absurda do que a vencedora, a de Eiffel. Grande número de parisienses não viam sentido em colocar um enorme objeto sem função alguma, semelhante a uma torre de petróleo, plantado bem no meio da cidade.

A Torre Eiffel não foi apenas o maior objeto que alguém já tinha proposto para ser construído; foi também o mais inútil. Não era um palácio, nem uma sepultura, nem local de culto; nem sequer homenageava algum herói caído. Eiffel insistiu, intrépido, que sua torre teria muitas aplicações práticas — seria um excelente posto de vigia militar e ótimo local para experiências aeronáuticas e meteorológicas nos patamares superiores —, mas, por fim, até ele mesmo reconheceu que queria construí-la simplesmente para o prazer, um tanto estranho, de erigir algo realmente enorme.

Muitas pessoas detestaram o projeto, especialmente artistas e intelectuais. Um grupo de notáveis, que incluía Alexandre Dumas, Émile Zola, Paul Verlaine e Guy de Maupassant, apresentou uma carta longa, bastante excitada, protestando contra "o defloramento de Paris", e argumentando que, "quando os estrangeiros vierem ver a nossa exposição, exclamarão com espanto, 'O quê! É esta a atrocidade que os franceses criaram para nos mostrar o seu famoso bom gosto!'". A Torre Eiffel, continuavam eles, era "uma invenção grotesca e mercenária de um construtor de máquinas". Eiffel aceitou os insultos com serenidade e bom humor, simplesmente notando que um dos indignados signatários da petição, o arquiteto Charles Garnier, era membro da comissão que havia aprovado a torre.

Hoje em dia, totalmente acabada, a Torre Eiffel nos parece tão singular e completa, como algo que não podia ser diferente do que é; mas devemos nos lembrar de que é uma estrutura extremamente complexa, uma armação em treliça com 18 mil peças encaixadas intrincadamente, que só vieram a se unir por obra de imensa inteligência e esforço do raciocínio. Considere apenas os primeiros sessenta metros da estrutura, até a primeira plataforma — já na altura de um edifício de quinze andares. Até aí as pernas se inclinam abruptamente para dentro, em um ângulo de 54 graus. Sem dúvida tombariam, se não fossem seguras pela plataforma. Esta tampouco poderia se sustentar sem as quatro pernas embaixo a apoiá-la. O conjunto funciona perfeitamente quando se reúnem as peças; mas isoladas, antes de se unirem, elas não têm como se firmar. Assim, o primeiro desafio de Eiffel era conceber uma maneira de segurar quatro pernas imensamente altas e pesadas, todas ameaçando tombar para dentro, e então, no momento certo, colocar cada uma na posição correta, de modo que as quatro se reunissem exatamente nos pontos de apoio certos, sustentando uma grande plataforma pesadíssima. O alinhamento incorreto de uma perna, mesmo com erro de apenas um décimo de grau, a deslocaria em 45 centímetros — muito mais do que poderia ser corrigido sem derrubar a estrutura toda e começar tudo de novo. Eiffel realizou essa delicada operação ancorando cada perna em um gigantesco contêiner de areia, tal como um pé em uma grande bota, que a prendia com segurança durante a construção. Depois, quando cada perna já estava completa, podia ser colocada na posição certa, tirando-se a areia das caixas de maneira cuidadosamente controlada. O sistema funcionou perfeitamente.

Mas isso foi só o começo. Acima da primeira plataforma vinha outra estrutura de ferro de 244 metros, feita de 15 mil peças, em geral grandes e desajeitadas, que tinham de ser equilibradas e levadas aos seus respectivos lugares, a uma altura cada vez maior e mais difícil. Em certas juntas a tolerância se reduzia a um décimo de milímetro. Alguns observadores estavam certos de que a torre não suportaria o próprio peso. Um professor de matemática encheu folhas e folhas de papel com cálculos febris e declarou que quando dois terços da torre estivessem prontos, os pés escorregariam para os lados e o conjunto desabaria com estrondosa fúria, esmagando o bairro inteiro embaixo. Na verdade, a Torre Eiffel é bastante leve, com apenas 9500 toneladas — afinal, é feita sobretudo de ar —, e necessitou de alicerces de apenas 2,1 metros de profundidade para suportar seu peso.

Mais tempo foi gasto para projetar a Torre Eiffel do que para edificá-la. A construção levou menos de dois anos e ficou bem abaixo do orçamento. Apenas 130 operários foram necessários no local, e nenhum deles morreu durante o trabalho — uma conquista magnífica para uma empreitada tão grande naquela época. Até a finalização do edifício Chrysler em Nova York, em 1930, ela foi a estrutura mais alta do mundo. Apesar de, em 1889, o aço já suplantar o ferro em todo lugar, Eiffel o rejeitou porque sempre havia trabalhado com ferro e não se sentia à vontade com o aço. Portanto, há certa ironia no fato de que a mais grandiosa edificação de ferro jamais construída foi também a última.

A Torre Eiffel foi a estrutura mais marcante e imaginativa do mundo no século XIX, e também, talvez, sua maior realização estrutural; mas não foi o edifício mais caro do seu século, nem mesmo do seu ano. No mesmo momento em que era construída em Paris, a mais de 3 mil quilômetros de distância, no sopé dos montes Apalaches, na Carolina do Norte, uma construção ainda mais cara ia se elevando — uma residência particular em grande escala. Levaria mais que o dobro do tempo da Torre Eiffel, empregando quatro vezes mais operários, a um custo três vezes maior; e se destinava a ser habitada apenas alguns meses por ano, por um só homem e sua mãe. Chamada Biltmore, ela era (e continua sendo) a maior casa particular já construída na América do Norte. Nada poderia mostrar melhor as mudanças econômicas do fim do século XIX quanto o fato de que os moradores do Novo Mundo agora construíam casas maiores do que os mais grandiosos monumentos do Velho Mundo.

Em 1889 os Estados Unidos estavam no auge de um suntuoso período de hiperautoindulgência conhecido como a Era Dourada. Jamais haveria outra época igual a essa. Entre 1850 e 1900, todos os índices de produtividade, riqueza e bem-estar dispararam nos Estados Unidos. A população do país triplicou no período, mas sua riqueza aumentou treze vezes. A produção de aço passou de 13 mil toneladas por ano para 11,3 milhões. As exportações dos mais diversos produtos de metal — armas, trilhos, tubulações, caldeiras, máquinas de todo tipo — saltaram de 6 milhões de dólares para 120 milhões de dólares. O número de milionários do país, menos de vinte em 1850, subiria para 40 mil até o final do século.

As ambições industriais da América deixavam os europeus divertidos, depois consternados e, por fim, alarmados. Na Inglaterra surgiu o Movimento Nacional pela Eficiência, com a ideia de recapturar o espírito de "buldogue" que havia predominado antes na Grã-Bretanha. Livros com títulos como *Os invasores americanos* e *A invasão comercial americana da Europa* faziam sucesso. Mas, na verdade, o que os europeus estavam vendo era só o começo.

No início do século xx os Estados Unidos já produziam mais aço do que a Alemanha e a Grã-Bretanha juntas — fato que seria inconcebível meio século antes. O que mais aborrecia os europeus era que quase todos os avanços tecnológicos na produção de aço foram feitos na Europa, mas eram os Estados Unidos que produziam esse material. Em 1901, J. P. Morgan absorveu e amalgamou uma série de empresas menores, formando a poderosa us Steel Corporation (Companhia Americana do Aço), a maior empresa comercial que o mundo já tinha visto. Valia 1,4 bilhão de dólares — mais que todas as terras nos Estados Unidos a oeste do rio Mississippi, e o dobro do próprio governo federal, medido pela receita anual.

O sucesso industrial dos Estados Unidos produziu uma magnífica lista de potentados financeiros: as famílias Rockefeller, Morgan, Astor, Mellon, Frick, Carnegie, Gould, Du Pont, Belmont, Harriman, Huntington, Vanderbilt e muitas outras, que desfrutavam de suas riquezas dinásticas praticamente inesgotáveis. John D. Rockefeller ganhava 1 bilhão de dólares por ano, convertido em dinheiro de hoje, e não pagava nenhum imposto de renda. Aliás, ninguém pagava, pois o imposto de renda ainda não existia no país. Em 1894 o Congresso tentou introduzir um imposto de 2% sobre os lucros acima de 4 mil dólares, mas a Suprema Corte o julgou inconstitucional. O imposto de renda só se tornou parte integrante da vida americana em 1914; até essa data, todo dinheiro ganho era conservado. As pessoas nunca mais seriam tão ricas.

Gastar toda essa riqueza se tornou, para muitos, uma ocupação mais ou menos de tempo integral. Havia uma espécie de exagero desesperado e vulgar em quase tudo que faziam. Em um jantar de Nova York os convidados encontraram uma pilha de areia sobre a mesa, e em cada prato uma pequenina pá de ouro; quando foi dado um sinal, foram convidados a escavar a areia em busca de diamantes e outras pedras preciosas ali enterradas. Em outra festa — talvez a mais absurda jamais oferecida — dezenas de cavalos, com os cascos acolchoados, foram levados para o salão de baile do Sherry's, um grande e estimado restaurante, e amarrados às mesas, para que os convidados, vestidos de caubóis, pudessem desfrutar da novidade — o prazer sublimemente inútil de jantar montado a cavalo em um salão de baile nova-iorquino. Muitas festas custavam dezenas de milhares de dólares. Em 26 de março de 1883, a sra. William K. Vanderbilt quebrou todos os precedentes dando uma festa que custou 250 mil dólares — embora, como o *New York Times* criteriosamente admitiu, servisse para marcar o fim da Quaresma. Facilmente deslumbrado naquela época, o *Times* publicou 10 mil palavras de verborreia desenfreada, cobrindo cada detalhe do evento. Foi nessa festa que a sra. Cornelius Vanderbilt fantasiou-se de lâmpada elétrica (talvez a única ocasião em sua vida em que se poderia dizer que estava radiante).

Muitos novos-ricos viajavam para a Europa e começaram a comprar obras de arte, mobília e tudo mais que pudesse ser encaixotado e despachado para casa. Henry Clay Folger, presidente da Standard Oil (e parente distante da família Folger, os magnatas do café), começou a colecionar os Primeiros Fólios de William Shakespeare, geralmente vendidos por aristocratas em dificuldades financeiras; acabou adquirindo cerca de um terço de todos os exemplares sobreviventes, que hoje formam a base da grande Folger Shakespeare Library, em Washington, DC. Muitos, como Henry Clay Frick e Andrew Mellon, formaram grandes coleções de arte, enquanto outros simplesmente compravam de forma indiscriminada; e entre estes ninguém se compara ao magnata dos jornais William Randolph Hearst, que comprava tesouros em tamanha abundância que necessitou de dois armazéns no Brooklyn para guardá-los. Hearst e sua esposa não eram, evidentemente, compradores muito sofisticados; quando ele contou a ela que o castelo que acabava de comprar no

País de Gales era em estilo "normando" ("*Norman*"), ela teria perguntado: "Qual Norman?".

Os novos-ricos começaram a colecionar não só obras de arte e artefatos europeus, mas até os próprios europeus. No último quarto do século xix, virou moda identificar aristocratas europeus carentes de dinheiro e casar as filhas com eles. Nada menos de quinhentas moças ricas americanas decidiram fazer isso. Em quase todos os casos, tratava-se menos de um casamento que de uma transação comercial. May Goelet, futura herdeira de 12,5 milhões de dólares, foi cortejada por um certo capitão George Holford, que era rico e possuía três mansões. "Infelizmente", observou ela, melancolicamente, em uma carta para casa, "esse senhor não tem título." Ela se casou então com o duque de Roxburghe, conquistando assim uma vida terrível, mas um título sensacional. Para algumas famílias britânicas, casar com uma americana rica chegava a ser uma síndrome. Lorde Curzon casou-se com duas americanas (uma depois da outra, é claro). O oitavo duque de Marlborough casou-se com Lily Hammersley, uma viúva americana nada atraente (um jornal a descreveu como "uma mulher malvestida, com bigode"), mas fabulosamente rica; já o nono duque de Marlborough casou-se com Consuelo Vanderbilt, que era bonita *e* ainda trazia 4,2 milhões de dólares em ações ferroviárias. Enquanto isso seu tio, lorde Randolph Churchill, casou-se com a americana Jenny Jerome, que não trouxe tanto dinheiro para a família, mas produziu Winston Churchill. No início do século xx, 10% de todos os casamentos na aristocracia britânica foram com americanas — uma proporção extraordinária.

Em seu país natal, os novos-ricos dos Estados Unidos construíram casas em grande escala. Os mais grandiosos eram os Vanderbilt, que ergueram dez mansões na Quinta Avenida, em Nova York. Uma delas tinha 137 aposentos, tornando-se uma das maiores residências urbanas já construídas. Mas eles possuíam mansões ainda mais palacianas fora da cidade, especialmente em Newport, Rhode Island. Talvez no único exemplo conhecido de uso da ironia pelos super-ricos, chamaram suas casas de Newport de "chalés". Na verdade eram casas tão grandes que até os criados precisavam de criados. Continham hectares de mármore, candelabros radiosos, tapeçarias do tamanho de uma quadra de tênis, acessórios maciços de ouro e prata. Já se avaliou que, se fosse construída hoje, a mansão The Breakers custaria meio bilhão de dólares — um tanto excessivo para uma casa de veraneio. A ostentação dessas propriedades gerou uma desaprovação tão generalizada que por algum tempo uma comissão do Senado considerou seriamente introduzir uma lei limitando a quantia que uma pessoa poderia gastar na construção de uma casa.

O arquiteto responsável por boa parte disso tudo foi um homem chamado Richard Morris Hunt. Criado em Vermont, era filho de um parlamentar, mas aos dezenove anos foi para Paris e tornou-se o primeiro americano a estudar arquitetura na École des Beaux Arts — na verdade, foi o primeiro americano a receber instrução formal como arquiteto. Era charmoso e bonitão — "o mais belo americano em Paris", segundo um observador —, porém até 1881, quando já estava com bons cinquenta anos, tinha tido uma carreira próspera e respeitável, mas um tanto banal. Um projeto típico foi a base da Estátua da Liberdade — uma encomenda lucrativa, mas que não poderia servir de base para uma reputação. Foi então que Hunt descobriu os ricos — e, em especial, os Vanderbilt.

Os Vanderbilt eram a família mais rica da América, com um império fundado em ferrovias e transportes marítimos por Cornelius Vanderbilt, "um mascador de tabaco grosseiro, imbecil e blasfemo", na opinião de um contemporâneo. Cornelius Vanderbilt — "o Comodoro", como ele gostava de ser chamado, embora não tivesse direito ao título — não oferecia muito em termos de sofisticação ou encanto intelectual, mas tinha um dom quase sobrenatural para ganhar dinheiro.* Em certo momento ele controlava, pessoalmente, cerca de 10% de todo o dinheiro em circulação nos Estados Unidos. Os Vanderbilt possuíam, em conjunto, cerca de 30 mil quilômetros de linhas férreas e a maior parte do que transitava sobre elas; e isso lhes dava tanto dinheiro que realmente não sabiam o que fazer com ele. Assim, Richard Morris Hunt tornou-se, da maneira mais simpática possível, aquele que os ajudava a gastá-lo. Para eles, construiu mansões de suntuosa grandeza na Quinta Avenida em Nova York, em Bar Harbor, no Maine, em Long Island e em Newport. Até o mausoléu da família em Staten Island custou 300 mil dólares — tanto quanto uma mansão de dimensões exageradas. Fosse qual fosse o capricho arquitetônico que viesse

---

* O Comodoro também tinha íntima familiaridade com as fragilidades de ferro mencionadas no capítulo anterior. Em 1838, um trem da Estrada de Ferro Camden e Amboy em que ele viajava descarrilou quando um eixo se quebrou, e o vagão de Vanderbilt despencou de um barranco de dez metros. Dois passageiros morreram. Vanderbilt ficou gravemente ferido mas sobreviveu. Também viajava no trem, e saiu ileso, o ex-presidente John Quincy Adams.

à cabeça de um Vanderbilt, lá estava Hunt para satisfazê-lo. Oliver Belmont, marido de Alva Vanderbilt, era louco por cavalos, e pediu a Hunt que projetasse uma mansão de 52 aposentos, o castelo de Belcourt, onde todo o andar térreo fosse de estábulos, de modo que Belmont pudesse entrar na casa com sua carruagem pela porta da frente. Os cavalos tinham baias com painéis de teca e acessórios de prata esterlina. As dependências da família ficavam no andar de cima.

Em uma das muitas mansões dos Vanderbilt, uma copa para o desjejum era adornada com um quadro de Rembrandt. Em The Breakers havia uma casa de brinquedo para as crianças que era maior e mais bem equipada do que as casas de verdade da maioria das pessoas; incluía até cordinhas para puxar sinetas na casa principal, para chamar os criados caso as crianças de repente desejassem refrescos, precisassem que alguém lhes amarrasse os cadarços, ou sofressem alguma outra crise de desconforto. Os Vanderbilt se tornaram tão poderosos e mimados que conseguiam sair impunes de qualquer coisa — até do assassinato. Reggie Vanderbilt, filho de Cornelius e Alice Vanderbilt, era um motorista notoriamente imprudente (além de mimado, arrogante, ocioso, estúpido e sem nenhuma característica redentora) e atropelou pedestres em Nova York em cinco ocasiões distintas. Dois deles morreram e um terceiro ficou aleijado para o resto da vida. Ele nunca foi acusado de qualquer crime.

O único membro da família que parecia imune ao desejo de ser extravagante ou revoltante foi George Washington Vanderbilt, um membro do clã tão tímido e retraído que às vezes era considerado doente mental. Na verdade, era extremamente inteligente e falava oito idiomas. Morou na casa paterna até a idade adulta, e passava o tempo traduzindo literatura moderna para o grego antigo e vice-versa. Tinha uma coleção de mais de 20 mil livros — provavelmente a maior biblioteca particular dos Estados Unidos. Quando tinha 23 anos de idade, seu pai morreu, deixando uma fortuna de cerca de 200 milhões de dólares. George herdou 10 milhões, o que não parece tanto assim, mas equivale a 300 milhões de dólares em dinheiro de hoje.

Em 1888 ele decidiu, finalmente, construir uma casa para si. Comprou 50 mil hectares cobertos de bosques na Carolina do Norte e contratou Richard Morris Hunt para construir algo confortável. Vanderbilt decidiu que queria algo no estilo dos castelos do Loire — porém mais grandioso, é claro, e com melhores canalizações —, e assim de fato "construiu mais" em "Biltmore" (embora, ao que parece, nunca tenha percebido o trocadilho).* Muito inspirado no famoso Chateau de Blois, é uma vasta propriedade, verdadeira montanha de calcário de Indiana, gloriosamente exagerada, com 250 aposentos, uma fachada de 237 metros e área total de dois hectares. Biltmore foi, e continua sendo, a maior casa já feita nos Estados Unidos. Para a sua construção Vanderbilt empregou mil trabalhadores, a um salário médio de noventa centavos por dia.

Encheu então a propriedade com o melhor de tudo que os europeus pudessem lhe vender, o que no fim dos anos 1880 era praticamente tudo — tapeçarias, móveis, obras de arte da era clássica. A escala em que tudo foi feito faz lembrar, e até ultrapassa, os excessos maníacos de William Beckford em Fonthill. A mesa de jantar acomodava 76 pessoas. O pé-direito tinha 22 metros de altura. Morar lá devia ser como viver no saguão de uma grande estação ferroviária.

Para o ajardinamento da área externa trouxe o idoso Frederick Law Olmsted, que projetou o Central Park em Nova York e convenceu Vanderbilt a transformar grande parte da propriedade em uma floresta experimental. O secretário da Agricultura, J. Sterling Morton, ficou maravilhado ao ver que Vanderbilt empregava mais homens e dispunha de um orçamento maior para sua floresta do que o dele próprio para todo um departamento federal. A propriedade incluía trezentos quilômetros de estradas e também uma vila — na verdade uma pequena cidade, com escolas, igrejas, hospital, estação ferroviária, bancos e lojas para atender aos 2 mil empregados da propriedade e suas famílias. Os trabalhadores levavam uma vida próspera, mas semifeudal, restrita por muitas regras. Não podiam ter cães, por exemplo. Para sustentar a propriedade, as florestas de Vanderbilt foram abatidas para vender a madeira; suas muitas fazendas produziam frutas, legumes, laticínios, ovos, aves e gado. Também empreendeu algumas atividades de produção e processamento.

George pretendia viver ali com a mãe vários meses por ano, mas ela morreu logo depois que Biltmore foi terminada. Assim, passou a residir ali em maciça solidão até 1898, quando se casou com Edith Stuyvesant Dresser, com quem teve uma única filha, Cornelia. Nessa altura foi ficando claro que a propriedade era um desastre econômico. Os prejuízos anuais chegavam a 250 mil dólares, e George tinha de mantê-la em funcionamento lançando mão de um

---

* *Biltmore* soa em inglês como "built more", ou seja, "construiu mais". (N. T.)

capital cada vez menor. Em 1914, ele morreu de repente. A esposa e a filha venderam a maior parte possível da propriedade, o mais rápido que puderam, e nunca mais quiseram ter nada a ver com ela.

II

Aqui poderíamos fazer uma pausa para pensar em onde estamos e por quê. Estamos na passagem, como eram chamados os corredores domésticos na maioria dos projetos arquitetônicos do século xix. É o espaço menos agradável e mais sombrio da casa, já que não tem janelas e precisa absorver um pouco de luz natural pelas portas abertas dos aposentos vizinhos. Mais ou menos na metade do corredor há uma porta que pode ser fechada — e antigamente decerto estava sempre fechada — dividindo a ala dos serviços dos domínios privados mais adiante. E, logo além dessa porta, próximo à escada dos fundos, há um nicho na parede que não podia existir quando a casa foi construída, pois sem dúvida foi projetado para abrigar algo que ainda não existia em 1851, mas que haveria de mudar o mundo, e mais depressa do que se imaginava. É esse nicho, em especial, que nos trouxe até aqui.

Se você andou se perguntando, nas últimas páginas, o que a abundante riqueza dos americanos na Era Dourada tem a ver com um corredor no andar térreo de uma casa inglesa, a resposta é: tem mais do que você imagina. Desse momento em diante, a direção e o impulso da vida moderna foram, cada vez mais, definidos por eventos americanos, invenções americanas, interesses e exigências americanos. Para os europeus isso causava certa consternação, mas era também um tanto emocionante, pois os americanos faziam as coisas de uma maneira que ninguém tinha feito antes.

Para começar, eram tão apaixonados pela ideia de progresso que inventavam coisas sem nem saber se teriam alguma utilidade ou não. A quintessência absoluta desse fenômeno foi Thomas Edison. Ninguém foi melhor que ele (ou pior, dependendo do ponto de vista) em inventar coisas que não tinham nenhuma necessidade ou finalidade óbvia. De modo geral, Edison foi, naturalmente, um imenso sucesso, e grande criador de riquezas. Em 1920 foi estimado que as indústrias geradas por suas invenções e seus aperfeiçoamentos valiam, no total, 21,6 bilhões de dólares. Mas ele era péssimo em calcular quais dos seus interesses teriam as melhores perspectivas comerciais. Ele simplesmente se convenceu, de uma maneira que nenhum ser humano jamais fizera, de que qualquer coisa que inventasse daria dinheiro. Na verdade, em geral isso não acontecia — o que foi especialmente verdadeiro com seu acalentado sonho, que lhe custou caro, de encher o mundo de casas de concreto.

O concreto foi um dos produtos mais empolgantes do século xix. Como material de construção já era usado havia muito tempo — a grande cúpula do Panteão de Roma é feita de concreto, a catedral de Salisbury se apoia em alicerces de concreto —, mas sua grande virada na era moderna se deu em 1824, quando Joseph Aspdin, um humilde pedreiro de Leeds, no norte da Inglaterra, inventou o cimento Portland, assim denominado para sugerir que era tão atraente e durável como a pedra de Portland. O cimento Portland era muito superior a qualquer produto então existente. Na água, apresentava um desempenho ainda melhor do que o cimento romano do reverendo James Parker. De que modo Aspdin inventou seu produto é algo que sempre foi um mistério, pois para fabricá-lo eram necessárias algumas etapas realizadas com precisão — a saber, pulverizar o calcário até determinado grau de finura, misturá-lo com argila com certo grau de umidade e aquecê-lo a temperaturas muito mais elevadas do que se encontrariam em um forno comum de calcário. O que levou Aspdin a alterar os componentes e logo concluir que eles formariam um produto que ficaria mais duro, e com a textura mais lisa, quando aquecido a altíssima temperatura é um enigma que não pode ser respondido; mas de alguma forma foi o que ele fez, e com isso enriqueceu.

Durante anos Edison foi cativado pelas possibilidades do concreto, e por volta da virada do século decidiu seguir seus instintos e dar uma grande cartada. Fundou a Edison Portland Cement Company e construiu uma enorme fábrica perto de Stewartsville, Nova Jersey. Em 1907 Edison era o quinto maior produtor de cimento do mundo. Seus pesquisadores patentearam quase cinquenta métodos para fabricar cimento de qualidade em grandes quantidades. O cimento de Edison construiu o Yankee Stadium e o primeiro trecho de estrada de concreto do mundo; mas o grande sonho do inventor era encher o planeta de casas feitas de concreto.

Seu plano era fazer o molde de uma casa completa, onde se poderia despejar o concreto em um fluxo contínuo, formando não só paredes e pisos, mas toda a estrutura interior — banheiros, privadas, pias, armários, umbrais, até mesmo as molduras dos quadros. Com exceção de alguns detalhes como portas e interruptores de luz, tudo seria feito de concreto. As paredes até poderiam ser de concreto colorido, sugeriu Edison, dispensando a pintura para sempre. Uma equipe de quatro homens construiria uma nova casa a cada dois dias, calculou ele. Edison esperava que suas casas de concreto se vendessem por 1200 dólares, cerca de um terço do custo de uma casa convencional do mesmo tamanho.

Foi um sonho louco, que por fim demonstrou ser irrealizável. Os problemas técnicos eram esmagadores. Os moldes, do tamanho da própria casa, é claro, eram ridiculamente complexos e desajeitados; mas o verdadeiro problema era enchê-los de forma suave e homogênea. O concreto é uma mistura de cimento, água e agregados — isto é, cascalho e pedrinhas —, e é da natureza dos agregados querer afundar. O desafio dos engenheiros de Edison era formular uma mistura líquida o suficiente para fluir para cada canto do molde, porém grossa o suficiente para manter os agregados em suspensão; assim, desafiando a gravidade, o cimento endureceria até uma consistência lisa e uniforme, de qualidade suficiente para convencer as pessoas de que estavam comprando uma casa, e não um abrigo subterrâneo. Foi uma ambição impraticável. Mesmo que tudo corresse bem, pelos cálculos dos engenheiros a casa pesaria 204 toneladas, causando todo tipo de tensões estruturais.

Todos os desafios técnicos, além do problema do excesso de oferta no setor (que a enorme fábrica de Edison em muito contribuía para agravar), dificultaram para Edison ganhar dinheiro com o empreendimento. Fabricar cimento era um negócio difícil de qualquer maneira, por ser muito sazonal. Mas Edison prosseguiu na ideia, e projetou toda uma série de móveis de concreto — escrivaninhas, armários, cadeiras, até um piano — para incluir em suas casas de concreto. Prometeu que em breve ofereceria ao público uma cama de casal que nunca se desgastaria, por apenas cinco dólares. A coleção completa seria lançada em uma feira da indústria de cimento a se realizar em Nova York em 1912. Mas, quando a exposição abriu, o estande de Edison estava vazio. Ninguém de sua empresa jamais deu uma explicação. Foi a última vez que se ouviu falar em mobília de concreto. Ao que se saiba, Edison nunca mais falou no assunto.

Algumas casas de concreto foram construídas, e umas poucas ainda estão em pé em Nova Jersey e Ohio; mas o conceito geral nunca "pegou", e as casas de concreto se tornaram um dos fracassos mais custosos de Edison. E isso não é dizer pouco, pois ele era bom em conceber coisas que ainda não existiam, mas péssimo para perceber de que forma o mundo as utilizaria. Por exemplo, ele não enxergou, em absoluto, o potencial do fonógrafo como meio de entretenimento; considerou-o apenas um dispositivo para tomar ditado e arquivar vozes — na verdade, chamou-o de "máquina falante". Durante anos se recusou a aceitar que o futuro do cinema estava em projetar imagens em uma tela, pois odiava a ideia de que as imagens poderiam aparecer também para alguém que tivesse penetrado na câmara de visualização sem comprar ingresso. Durante muito tempo conservou a ideia de manter as imagens bem guardadas dentro de caixas do tipo *peepshow*, movidas a manivela, funcionando com moedas. Em 1908 declarou, com toda a confiança, que o avião não tinha futuro.

Depois de seus onerosos fracassos com o cimento, Edison passou para outras ideias, que em geral se mostraram impraticáveis ou insensatas. Interessou-se pela guerra, e previu que logo conseguiria induzir o coma em massa nas tropas inimigas através de "atomizadores eletricamente carregados". Inventou também um plano para construir eletroímãs gigantes, que apanhariam as balas inimigas em sua trajetória pelo ar e as enviariam de volta para o ponto de origem. Investiu pesado em uma loja de departamentos automatizada, onde o consumidor colocaria uma moeda em uma máquina e em seguida um saco de carvão, ou de batatas, cebolas, pregos, grampos ou qualquer outra mercadoria desejada, desceria por um tubo até ele. O sistema nunca funcionou. Nunca chegou nem perto de funcionar.

O que nos traz, enfim, para o nicho na parede e o objeto que ele contém, algo que mudou o mundo: o telefone. Quando Alexander Graham Bell inventou o telefone, em 1876, ninguém percebeu todo o seu potencial, nem o próprio Bell. Muitos não viram ali potencial nenhum. Executivos da Western Union descartaram a invenção com o famoso veredicto de que aquilo era "um brinquedo elétrico". Assim, Bell prosseguiu sozinho, e se deu muito bem com sua perseverança, para dizer o mínimo. A patente de Bell (nº 174465, nos Estados Unidos) se tornou a patente de maior valor já concedida até hoje. Mas tudo que ele realmente fez foi unir tecnologias já existentes. Os componentes necessários para fazer o telefone já existiam havia trinta anos, e os princípios eram bem compreendidos. O problema não era conseguir que a voz passasse ao longo de um fio — as crianças já faziam isso com duas latas e um barbante havia anos —, mas amplificá-la para poder ser ouvida à distância.

Em 1861, um professor alemão chamado Philipp Reis construiu um protótipo, e até o chamou de "Telephon" — motivo pelo qual os alemães tendem, naturalmente, a lhe dar o crédito pela invenção. A única coisa que o telefone de Reis não fazia, porém, que se saiba, era funcionar de fato. Podia apenas enviar sinais simples como cliques e uma pequena faixa de tons musicais — e não fazia isso com eficácia suficiente para desafiar a primazia do telégrafo. Por ironia, descobriu-se mais tarde que, quando os pontos de contato no dispositivo de Reis ficavam sujos ou empoeirados, podiam transmitir a fala com uma fidelidade impressionante. Infelizmente Reis, com sua meticulosidade teutônica, sempre mantinha seus equipamentos impecavelmente limpos; e assim foi para o túmulo sem nunca saber que tinha chegado pertíssimo de produzir um instrumento que funcionava. Pelo menos três outros homens, incluindo o americano Elisha Gray, já estavam bem adiantados no caminho para elaborar um telefone útil quando Bell teve seu grande momento em Boston, em 1876. Gray, na verdade, solicitou uma intenção de patente — uma espécie de reserva que permitia proteger uma invenção que ainda não estava bem aperfeiçoada — no mesmo dia em que Bell apresentou seu pedido formal de patente; e, lamentavelmente para Gray, Bell chegou algumas horas na frente.

Bell nasceu em 1847, no mesmo ano de Thomas Edison, e cresceu em Edimburgo, mas emigrou para o Canadá com os pais em 1870 depois de uma tragédia familiar — seus dois irmãos morreram de tuberculose, com apenas três anos de diferença.* Quando seus pais se estabeleceram em uma fazenda em Ontário, Bell assumiu o cargo de professor de fisiologia vocal na recém-fundada Universidade de Boston — uma nomeação surpreendente, já que ele não tinha formação em fisiologia vocal, nem diploma universitário algum. Tudo que tinha, na verdade, era um interesse pelas comunicações e o envolvimento de sua família nesse campo, que vinha de longa data. Sua mãe era surda, e seu pai, um perito mundial em fala e elocução, em uma época em que esta última era vista com enorme respeito. O livro de Bell pai, *The standard elocutionist* [O orador padrão], havia acabado de vender 250 mil exemplares apenas nos Estados Unidos. De toda forma, o cargo de Bell na Universidade de Boston

---

* A família de Edison também morava no Canadá até pouco antes de ele nascer. É interessante considerar como a história norte-americana poderia ter sido diferente se Edison e Bell tivessem ficado ao norte da fronteira e ali realizado suas invenções.

não era tão grandioso quanto pode parecer. Ele foi contratado para dar somente cinco horas de aulas por semana, com um salário de 25 dólares. Por sorte, isso veio a calhar, pois lhe deu tempo para prosseguir em suas experiências.

Bell procurava maneiras de amplificar os sons eletricamente, como auxílio para os deficientes auditivos. Logo lhe ocorreu que esse trabalho também poderia ser usado para enviar vozes a distância, fazendo assim o "telégrafo falante", como ele o denominou. Para auxiliá-lo nessa nova linha de pesquisa, contratou um jovem chamado Thomas A. Watson. Juntos, os dois se atiraram ao problema no início de 1875. Pouco mais de um ano depois, em 10 de março de 1876, uma semana após o 29º aniversário de Bell, ocorreu o momento mais famoso na história das telecomunicações, em um pequeno laboratório no número cinco da Exeter Place, em Boston. Bell derramou por acidente um pouco de ácido no colo e disse ao telefone, hesitante, "Senhor Watson, venha aqui, por favor, estou precisando do senhor", e Watson, espantado, ouviu a mensagem claramente em outro aposento. Pelo menos foi essa a história que Watson contou cinquenta anos depois, em uma série de anúncios comemorativos do aniversário da invenção do telefone. Bell, que morreu quatro anos antes desse aniversário, nunca havia mencionado que derramou ácido — e, pensando bem, seria estranho que uma pessoa assustada, com uma dor lancinante no colo, enunciasse tal pedido calmamente, em volume de voz normal, para alguém que não estava presente no local. Além disso, como o protótipo do telefone ainda era muito primitivo, Watson só conseguiria ouvir uma mensagem se estivesse com o ouvido pressionado contra uma palheta em vibração, e parece um tanto improvável que ele estaria à escuta, com o ouvido colado ao dispositivo, à espera da possibilidade de que Bell, surpreendido pela dor do ácido, viesse a chamá-lo. Mas, sejam quais forem as circunstâncias exatas, as anotações de Bell confirmam que ele pediu a Watson que viesse ter com ele, e Watson, em outra sala, ouviu o pedido claramente. Foi dado assim o primeiro telefonema da história.

Watson merece mais atenção do que a história lhe concedeu. Nascido em Salem, Massachusetts, em 1854, sete anos depois do nascimento de Bell na Escócia, parou de estudar aos catorze anos e teve vários empregos medíocres até se acertar com Bell. Os dois homens estavam ligados por profundos sentimentos de respeito e até mesmo afeto, porém nunca chegaram a chamar-se pelo primeiro nome, apesar de meio século de amizade. É impossível dizer exatamente até que ponto foi vital o papel de Watson na invenção do telefone, mas sem dúvida ele foi muito mais que um mero assistente. Durante os sete anos em que trabalhou para Bell, registrou sessenta patentes em seu próprio nome, inclusive uma para o característico toque da sineta que durante décadas foi parte invariável de todos os telefonemas. É notável que, antes dessa invenção, a única maneira de saber se alguém estava tentando ligar para você era levantar o fone de vez em quando e ver se havia alguém na linha.

Para a maioria das pessoas o telefone era uma novidade tão incompreensível que Bell teve que explicar exatamente o que ele fazia. "O telefone", escreveu ele, "pode ser descrito, resumidamente, como um dispositivo elétrico para a reprodução, em lugares diferentes, dos tons e das articulações da voz de um falante, de modo que as conversas podem ser mantidas de boca em boca entre pessoas em diferentes aposentos, diferentes ruas ou diferentes cidades [...] A grande vantagem que possui sobre todas as outras formas de aparelhos elétricos é que não é necessária nenhuma habilidade para operar o instrumento."

Exibido na Exposição do Centenário, na Filadélfia, naquele verão, atraiu pouca atenção. A maioria dos visitantes ficou bem mais impressionada com uma caneta elétrica inventada por Thomas Edison. A caneta trabalhava depressa, fazendo furos em uma folha de papel para formar o contorno das letras, como uma espécie de estêncil, permitindo injetar tinta nas páginas que estavam por baixo, e assim fazer várias cópias de um documento rapidamente. Edison, sempre equivocado, estava confiante de que essa invenção seria "maior que a telegrafia". Claro que não foi, mas alguém gostou da ideia da caneta que furava rapidamente e a adaptou para injetar tinta debaixo da pele. Nascia assim a moderna pistola de tatuagem.

Quanto ao telefone, Bell perseverou e aos poucos conquistou seguidores. A primeira instalação telefônica começou a funcionar em Boston, em 1877. Ela permitia a comunicação em três canais, entre uma empresa privada e dois bancos (um deles com o curioso nome de Shoe and Leather Bank [Banco dos calçados e do couro]). Em julho daquele ano Bell já tinha duzentos telefones em operação na cidade, e em agosto o número saltou para 1300, embora em geral fossem apenas conexões de duas vias dentro de escritórios — algo mais parecido com um interfone do que com um telefone. A verdadeira revolução foi a invenção do painel de distribuição de chamadas, no ano seguinte. Ele permitia que qualquer usuário de um telefone falasse com qualquer outro usuário no seu distrito — e não tardou para que houvesse numerosos usuários. No início da década de 1880 os Estados Unidos tinham 60 mil telefones em funcionamento. Nos vinte anos seguintes esse número aumentaria para mais de 6 milhões.

Originalmente, o telefone foi visto como um aparelho para prestação de serviços — previsão do tempo, notícias do mercado acionário, alarmes de incêndio, entretenimento musical, e até canções de ninar para acalmar bebês agitados. Ninguém percebeu sua utilidade para fazer fofocas, manter relações sociais ou fazer contato com amigos e familiares. A maioria das pessoas consideraria absurda a ideia de conversar por telefone com alguém que se costumava ver regularmente.

Como o telefone se baseava em várias tecnologias já existentes, e gerava lucros rápidos, uma série de pessoas e empresas passou a desafiar as patentes de Bell ou simplesmente ignorá-las. Felizmente para Bell, seu sogro, Gardiner Hubbard, era um advogado brilhante e incansável. Ele iniciou ou defendeu seiscentas ações judiciais, e ganhou todas elas. A maior foi contra a grande e monolítica Western Union, que se uniu a Edison e a Elisha Gray para tentar controlar a nova área dos telefones, por quaisquer meios possíveis. Nessa altura a Western Union era uma parte fundamental do império Vanderbilt, e os Vanderbilt odiavam não chegar em primeiro lugar. Eles dispunham de todas as vantagens — recursos financeiros, uma rede já existente de fios, técnicos e engenheiros do mais alto calibre —, ao passo que Bell tinha apenas duas coisas: uma patente e o advogado Gardiner Hubbard. Este abriu processo por violação de patentes e ganhou o caso em menos de um ano.

No início do século xx a companhia telefônica de Bell, com o novo nome de American Telephone & Telegraph (AT&T), era a maior empresa do país, e sua ação era negociada a mil dólares. (Na década de 1980, quando a empresa foi, por fim, desmembrada para satisfazer os reguladores antitruste, seu valor era superior ao valor combinado da General Electric, General Motors, Ford, IBM, Xerox e Coca-Cola, e empregava 1 milhão de pessoas.) Bell mudou-se para Washington, DC, tornou-se cidadão americano e se dedicou a atividades meritórias. Entre outras coisas, inventou o pulmão de aço e fez experiências com a telepatia. Em 1881, quando o presidente James A. Garfield foi baleado por um lunático descontente, Bell foi chamado para tentar localizar a bala. Ele havia inventado um detector de metais que funcionava muito bem no laboratório, mas deu resultados confusos na cabeceira de Garfield. Só muito mais tarde se percebeu que o aparelho estava detectando as molas do colchão presidencial. Em meio a todas essas atividades, Bell ajudou a fundar a revista *Science* e a National Geographic Society, em cuja revista escrevia sob o memorável *nom de plume* de H. A. Largelamb (anagrama de "A. Graham Bell").

Bell tratou com generosidade o amigo e colega Watson. Embora não tivesse obrigação legal de fazê-lo, deu a Watson 10% da empresa, permitindo que este se aposentasse com excelentes rendas com apenas 27 anos de idade. Podendo então fazer o que quisesse, Watson dedicou o resto da vida justamente a isso. Viajou pelo mundo, leu muito e se formou em geologia no Massachusetts Institute of Technology (MIT). Fundou então um estaleiro, que logo cresceu até empregar 4 mil homens, gerando um alto grau de estresse e de obrigações, algo que ele não desejava em absoluto. Assim, vendeu o negócio, converteu-se ao islamismo e se tornou seguidor de Edward Bellamy, filósofo radical e meio comunista que, por um curto período na década de 1880, gozou de fenomenal estima e popularidade. Na meia-idade, cansado de Bellamy, Watson mudou-se para a Inglaterra e começou a atuar no teatro, arte em que demonstrou um talento inesperado. Destacou-se em especial nos papéis shakespearianos, e apresentou-se várias vezes em Stratford-upon-Avon, até voltar aos Estados Unidos, onde desfrutou de uma tranquila aposentadoria. Morreu, rico e satisfeito, em sua casa de inverno em Pass-Grille Key, Flórida, pouco antes de fazer 81 anos, em 1934.

Dois outros nomes merecem ser mencionados em relação ao telefone. O primeiro é Henry Dreyfuss. Jovem designer teatral cuja experiência anterior se limitava à criação de cenários e interiores de salas de cinema, foi contratado pela nova AT&T no início dos anos 1920 para projetar um novo tipo de telefone que substituísse os aparelhos retos, tipo "candelabro". Dreyfuss apresentou um design surpreendente: um aparelho baixinho e quadrado, moderno e elegante, em que o fone descansava lateralmente em uma base um pouco atrás e acima de um grande disco giratório. Este se tornou o aparelho telefônico padrão no mundo todo, durante a maior parte do século XX. Era uma dessas coisas — mais ou menos como a Torre Eiffel — que funcionava tão bem, e parecia tão inevitável, que é preciso um esforço para lembrar que alguém teve de imaginá-lo; mas, na verdade, quase tudo que há nele — a resistência do disco giratório, o baixo centro de gravidade que o tornava quase impossível de tombar, a ideia brilhante de juntar as funções de fala e audição em uma só peça —, tudo isso foi resultado do pensamento consciente e inspirado de um homem que, normalmente, nunca teria tido permissão nem para chegar perto da área do desenho industrial. Por que os engenheiros da AT&T escolheram o jovem cenógrafo Dreyfuss para esse projeto? O motivo foi esquecido, mas eles não poderiam ter feito uma escolha melhor.

Dreyfuss não projetou o disco giratório; este já fora projetado na própria firma de Bell, em 1917, por um funcionário, William G. Blauvelt. Foi ele que decidiu colocar três letras junto com os números (mas não todos). Não atribuiu nenhuma letra para o primeiro número, pois na época era necessário rodar o disco até um pouco além do primeiro orifício para gerar o sinal que iniciava uma chamada. Assim, a sequência era dois (ABC), três (DEF), quatro (GHI), e assim por diante. Blauvelt logo excluiu o Q, pois sempre teria que ser seguido por um U, limitando a sua utilidade; e no fim eliminou também o Z, que não ocorre o suficiente em inglês para ser útil. Cada estação recebia um nome, em geral derivado da rua ou bairro em que se localizava — Bensonhurst, Hollywood, Pennsylvania Avenue, por exemplo, apesar de algumas estações usarem nomes de árvore ou de outros objetos; a pessoa que chamava pedia à telefonista que a conectasse com "Pennsylvania 6-5000" (como na música de Glenn Miller) ou "Bensonhurst 5342". Quando foi introduzida a discagem direta, em 1921, os nomes foram reduzidos a prefixos de duas letras, e surgiu a convenção de colocar essas letras em maiúsculas, como "HOllywood" ou "BEnsonhurst". O sistema tinha certo charme, mas ficou cada vez mais impraticável. Muitos nomes, como RHinelander ou SYcamore, por exemplo, eram sujeitos a confusão entre os que não tinham uma ortografia caprichada. As letras também dificultavam a introdução da discagem direta do exterior, já que os telefones de outros países nem sempre tinham letras, ou então tinham letras e números em outras posições. Assim, a partir de 1962 o sistema antigo foi sendo lentamente eliminado nos Estados Unidos. Hoje as letras servem apenas como auxílio à memória, permitindo que o usuário se lembre de discar 1-800-BUY-PIZZA, ou algo assim.

Quanto à nossa casa paroquial, é impossível dizer quando o primeiro telefone ali chegou, mas sua instalação deve ter sido um evento emocionante para algum pároco do início do século XX e sua família. Hoje, porém, o nicho está vazio. A época em que as casas tinham um único telefone, ao pé da escada, já vai muito longe, e hoje ninguém quer falar em um lugar tão exposto e desconfortável.

III

Para muita gente, a nova era de enorme riqueza nos Estados Unidos possibilitava satisfazer caprichos bastante peculiares. George Eastman, famoso pelos filmes e câmeras Kodak, nunca se casou, e morava em uma casa enorme, em Rochester, Nova York, com a mãe; mas tinha muitos empregados, incluindo um organista, que o acordava — e provavelmente também acordava muitos outros moradores de Rochester — com um recital ao nascer do sol, tocado em um gigantesco órgão. Outra peculiaridade cativante de Eastman era ter uma cozinha particular no andar superior da casa, onde gostava de ficar de avental, assando tortas. Um pouco mais extremo foi John M. Longyear, de Marquette, Michigan. Ao descobrir que a Duluth, Mesabi & Iron Range Railroad ganhara o direito de assentar trilhos para transportar minério de ferro bem junto da sua casa, mandou desmontar e embalar toda a sua propriedade — "casa, arbustos, árvores, fontes ornamentais, cercas vivas, entradas de carro, a cabine do porteiro, a *porte-cochère*, estufas e estábulos", nas palavras admiradas de um biógrafo — e transferiu tudo para Brookline, Massachusetts, onde replicou sua tranquila existência anterior até o último botão de flor, mas sem trens passando embaixo das janelas. Em comparação, o costume de certo Frank Huntington Beebe de manter duas mansões lado a lado — uma para morar e outra para decorar e redecorar de forma incessante — parece admiravelmente contido.

Mas, quando se trata de pura determinação de gastar dinheiro, seria difícil vencer a sra. E. T. Stotesbury — ou rainha Eva, como era conhecida. Como entidade econômica, era um assombro. Certa vez gastou meio milhão de dólares levando um grupo de amigos a uma viagem de caça, simplesmente para matar jacarés em número suficiente para fazer um jogo de malas e caixas para chapéus. Em outra ocasião, mandou redecorar, do dia para a noite, todo o piso térreo de El Mirasol, sua mansão na Flórida, mas esqueceu de informar seu pobre e sofredor marido, de forma que, quando este acordou no dia seguinte e desceu a escada, por algum tempo não teve certeza de onde se encontrava.

O marido em questão, Edward Townsend Stotesbury, fez fortuna como executivo do império bancário de J. P. Morgan. Embora fosse um conceituado banqueiro, não tinha muita presença; nas palavras de um cronista da época, era "um digno buraco na atmosfera, a mão invisível que assinava os cheques". Stotesbury tinha uma fortuna de 75 milhões de dólares quando conheceu a sra. Stotesbury, em 1912 — ela acabava de esgotar a boa vontade e o saldo bancário do primeiro marido, Oliver Eaton Cromwell —, e, com uma eficiência estonteante, ajudou Stotesbury a gastar 50 milhões de dólares de sua fortuna em novas mansões. Começou com Whitemarsh Hall, na Filadélfia, uma casa tão grande que não há dois relatos que a descrevam da mesma maneira. Dependendo da fonte, tinha 154 aposentos, ou 172, ou 272. Todas concordam que tinha catorze elevadores, muito mais que a maioria dos hotéis. Stotesbury gastava quase 1 milhão de dólares por ano só para mantê-la, empregando quarenta jardineiros e noventa outros serviçais. O casal Stotesbury também tinha uma casa de verão em Bar Harbor, no Maine, com apenas oitenta aposentos e 28 banheiros, e uma residência ainda mais palaciana na Flórida, El Mirasol.

O arquiteto dessa última extravagância foi Addison Mizner, hoje quase esquecido, mas que foi, por um breve e brilhante período, talvez o arquiteto mais procurado, e decerto o mais extraordinário dos Estados Unidos.

Mizner nasceu em uma família antiga e distinta do norte da Califórnia. Seu irmão foi o dramaturgo e empresário Wilson Mizner, que, entre muitas outras obras, foi coautor da canção "Frankie and Johnnie". Antes de se tornar arquiteto, Addison levou uma vida extremamente exótica: foi pintor de lanternas mágicas em Samoa, negociante de alças de caixão em Xangai, vendedor de antiguidades orientais para americanos ricos, garimpeiro de ouro em Klondike. Voltando aos Estados Unidos, tornou-se paisagista em Long Island e, por fim, entrou na arquitetura convencional em Nova York; mas teve que abandonar a carreira abruptamente quando as autoridades perceberam que não tinha formação alguma na área — "nem mesmo um curso por correspondência", nas palavras de um observador espantado — nem licença para trabalhar. Assim, em 1918 transferiu suas atividades arquitetônicas para Palm Beach, na Flórida, onde havia menos exigência com as qualificações profissionais, e começou a construir casas para gente muito, muito, muito rica.

Em Palm Beach fez amizade com um jovem chamado Paris Singer, um dos 24 filhos de Isaac M. Singer, magnata das máquinas de costura. Paris, que era artista, esteta, poeta, negociante e provocador, detinha grande poder no mundo neurótico da alta sociedade de Palm Beach. Para ele, Mizner projetou o Everglades Club, que logo se tornou o local mais exclusivo do sul do país. Havia apenas trezentos membros, e Singer era impiedosamente seletivo para com os que permitia entrar. Uma mulher foi excluída porque ele achava sua risada irritante. Quando outra dama implorou clemência para sua aflita amiga, Singer lhe disse para afastar-se do caso, ou seria excluída também. Ela recuou.

Mizner garantiu seu sucesso ao conseguir uma encomenda de Eva Stotesbury para construir El Mirasol, uma casa de inverno de proporções previsivelmente grandiosas. (Só a garagem tinha lugar para quarenta carros.) Tornou-se um projeto mais ou menos permanente, pois a cada vez que outra pessoa em Palm Beach ameaçava construir algo maior, a sra. Stotesbury mandava Mizner acrescentar um anexo ou ampliação, de modo que El Mirasol fosse eternamente suprema.

É justo dizer que, quase com certeza, nunca houve um arquiteto como Addison Mizner. Ele não acreditava na utilidade das plantas arquitetônicas, e dava instruções apenas aproximadas aos seus operários, usando expressões como "mais ou menos desta altura" e "bem aqui". Seus esquecimentos também eram famosos. Às vezes instalava portas que davam para paredes nuas; em um caso interessante, a porta revelava o interior de uma chaminé. O proprietário de uma nova e elegante garagem para barcos no lago Worth foi tomar posse dela e logo descobriu que tinha quatro paredes inteiriças, sem entrada alguma. Para um cliente chamado George S. Rasmussen, Mizner se esqueceu de incluir a escada; assim, colocou uma escada do lado de fora, apoiada em uma parede externa, como um adendo. Com isso, o sr. e a sra. Rasmussen eram obrigados a vestir impermeáveis ou alguma outra roupa apropriada quando queriam subir ou descer um andar em sua própria casa. Quando indagado sobre esse lapso, Mizner teria dito que não tinha importância, pois de todo modo ele não gostava de Rasmussen.

Segundo a revista *New Yorker*, esperava-se que seus clientes aceitassem o que quer que ele tivesse vontade de construir. Eles lhe davam um gordo cheque, desapareciam por cerca de um ano e depois voltavam para aceitar uma casa completa — sem saber se o que os esperava seria uma *hacienda* em estilo mexicano, uma *piazza* gótica veneziana, um castelo mourisco ou alguma festiva combinação dos três estilos. Mizner tinha atração especial pelo aspecto envelhecido e pitorescamente arruinado dos *palazzos* italianos, e "envelhecia" suas próprias criações perfurando buracos na madeira com uma broca de mão para imitar buracos de insetos, e desfigurando as paredes com manchas artísticas, com a intenção de sugerir alguma pitoresca colônia de fungos da Renascença. Depois que seus operários criavam uma porta ou prateleira bem trabalhada, ele por vezes pegava uma marreta e quebrava um canto, para dar um ar de venerável antiguidade. Certa vez usou cal virgem e goma laca para envelhecer as cadeiras de couro do Everglades Club. Infelizmente, o calor do corpo dos convidados aqueceu a goma laca, que se transformou em uma geleia grudenta, e várias pessoas ficaram presas. "Passei a noite inteira puxando as damas para tirá-las daquelas malditas cadeiras", lembrou, anos mais tarde, um garçom do clube. Várias mulheres deixaram ali as costas de seus vestidos. Mas apesar de suas idiossincrasias, Mizner era muito admirado. Por vezes tinha até uma centena de projetos em andamento ao mesmo tempo, e, segundo consta, chegava a projetar duas casas em um só dia. "Alguns autores", escreveu um cronista em 1952, "já classificaram o seu Everglades Club, em Palm Beach, e seu Claustro, em Boca Raton, entre as construções mais belas do país." Frank Lloyd Wright era seu fã. Com o passar do tempo, Addison Mizner foi ficando cada vez mais gordo e mais excêntrico. Muitas vezes era visto fazendo compras em Palm Beach de pijama e roupão. Morreu de um ataque cardíaco em 1933.

Em 1929 a quebra da Bolsa de Nova York deu fim aos excessos mais notáveis da época. E. T. Stotesbury foi especialmente atingido. Em um esforço inútil para acalmar seus saldos bancários, pediu à esposa que limitasse as despesas com entretenimento a não mais de 50 mil dólares por mês; mas a temível sra. Stotesbury achou essa restrição cruel e impraticável. O sr. Stotesbury já estava bem a caminho da insolvência quando, providencialmente, morreu de um ataque cardíaco, em 16 de maio de 1938. Eva Stotesbury viveu até 1946, mas teve de vender joias, quadros e residências para manter-se modestamente. Após sua morte, uma construtora comprou El Mirasol e a demoliu para construir mais casas no mesmo terreno. Cerca de vinte outras casas projetadas por Mizner em Palm Beach — a maior parte do que ele construiu, em suma — também já foram derrubadas.

As mansões dos Vanderbilt com que começamos este relato não se saíram muito melhor. A primeira mansão Vanderbilt na Quinta Avenida foi construída em 1883, e já estava sendo demolida em 1914. Até 1947 todas já tinham desaparecido. Nenhuma das casas de campo da família foi habitada pela segunda geração.

É notável que quase nada do que havia dentro das casas foi salvo. Quando perguntaram a Jacob Volk, diretor da Jacob Volk Wrecking Company, por que não tentou salvar objetos de valor inestimável, como as lareiras de mármore de Carrara, os azulejos mouriscos, os painéis jacobinos e outros tesouros, da residência de William K. Vanderbilt, na Quinta Avenida, ele respondeu com um olhar fulminante para o interlocutor, dizendo: "Não trabalho com coisas de segunda mão".

11. O estúdio

I

Em 1897, James Henry Atkinson, jovem dono de uma loja de ferragens em Leeds, pegou uma tabuinha de madeira, um arame rígido e não muito mais que isso, e criou um dos maiores inventos da história: a ratoeira. É um dos vários objetos úteis — como o clipe de papel, o zíper ou o alfinete de fralda, entre muitos outros — inventados no século XIX que desde o início foram praticamente perfeitos, de modo que quase não receberam melhoramentos nas décadas seguintes. Atkinson vendeu sua patente por mil libras esterlinas, uma soma considerável para a época, e depois foi pai de outros inventos, mas nenhum deles lhe trouxe tanto dinheiro e imortalidade.

Sua ratoeira, fabricada sob o nome comercial de Little Nipper [pequena mordedora], já foi vendida às dezenas de milhões, e continua acabando com os camundongos com eficiência brutal, no mundo todo. Em nossa casa possuímos várias Little Nippers, e ouvimos o temível estalo de um evento terminal com muito mais frequência do que gostaríamos. No inverno, apanhamos camundongos duas ou três vezes por semana, quase sempre no mesmo lugar — aquele pequeno e desolado aposento lá no final da casa.

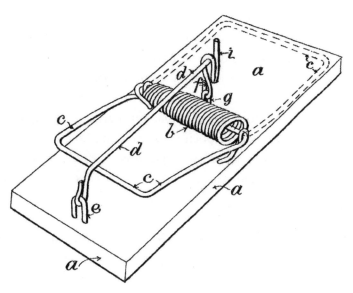
Desenho de James Henry Atkinson para a patente da sua ratoeira, 1899.

Embora a palavra "estúdio" faça lembrar um espaço importante, não passa de um depósito com um nome sofisticado na extremidade da casa, muito escuro e frio, mesmo nos meses mais brandos do ano, de modo que não incentiva ninguém a ficar por ali. É mais um aposento que não aparece nos planos originais de Edward Tull. Presumo que o sr. Marsham o acrescentou porque precisava de um escritório para redigir seus sermões e receber os paroquianos — em especial, ouso dizer, os menos refinados, com suas botas enlameadas; a esposa de um grande proprietário seria recebida na sala de visitas, ou no parlatório ao lado, bem mais confortável. Hoje, nosso estúdio é o último refúgio dos móveis antigos e das fotos que um dos membros da sociedade conjugal admira e o outro ficaria feliz se visse queimar numa fogueira. Quase não temos mais motivos para ir até lá — exceto verificar as ratoeiras.

Os camundongos não são criaturas fáceis de compreender. Veja-se, para começar, sua notável credulidade. Considerando-se a facilidade com que aprendem a atravessar labirintos e outros ambientes complexos criados em laboratórios, é surpreendente que ainda não tenham percebido que um pouquinho de manteiga de amendoim em uma plaquinha de metal inclinada sobre uma plataforma de madeira é uma tentação a que vale a pena resistir. Outro mistério da nossa casa é a sua predileção por este aposento, o estúdio, e eu quase diria sua determinação de ali morrer. Não é apenas o aposento mais frio da casa, como também o mais afastado da cozinha e de todas as migalhas de biscoitos, grãos de arroz perdidos e nacos de outras guloseimas que ali acabam no chão e estão à disposição; mas os ratos ficam bem longe (provavelmente, como já nos sugeriram, porque nosso cachorro dorme na cozinha). Seja como for, o fato é que uma ratoeira na cozinha, por mais suntuosa que seja a isca, não apanha nada mais além de poeira. É para o estúdio que nossos ratos parecem fatalmente atraídos, e por isso julguei que este poderia ser o local adequado para considerar alguns dos muitos seres vivos que moram conosco.

Onde quer que haja seres humanos há ratos ou camundongos. Nenhuma outra criatura vive em tantos ambientes diferentes como eles, e nós. O camundongo doméstico — *Mus musculus*, como é chamado formalmente — é maravilhosamente adaptável em relação ao meio ambiente. Já foram encontrados vivendo em um depósito de carne permanentemente refrigerado a $-10°C$. Comem praticamente qualquer coisa. É quase impossível mantê-los fora de uma casa: um camundongo adulto consegue passar por uma abertura de apenas um centímetro de largura, tão apertada que você apostaria um bom dinheiro que camundongo algum conseguiria passar por ali. Mas eles conseguem. E muitas vezes passam.

Uma vez dentro de casa, eles se reproduzem prodigiosamente. Em condições ideais (e na maioria das casas, as condições quase sempre são ideais), uma fêmea de camundongo produz sua primeira ninhada com seis a oito semanas de idade; e dali em diante, todos os meses. E como uma ninhada típica tem de seis a oito filhotes, o número pode aumentar muito depressa. Um casal de camundongos com reprodução prolífica poderia, teoricamente, gerar 1 milhão de descendentes em um ano. Isso não acontece nas nossas casas, graças a Deus, mas uma vez ou outra os camundongos ficam completamente fora de controle. A Austrália parece ser particularmente vulnerável. Em um famoso surto, em 1917, a cidade de Lascelles, no oeste do estado de Victoria, foi invadida pelos ratos, após um inverno excepcionalmente quente. Por um período breve, mas memoravelmente animado, havia ali camundongos em tal densidade que todas as superfícies horizontais se tornaram uma massa de corpos em agitação frenética. Todos os objetos inanimados se contorciam sob as camadas de pelagem. Não havia onde sentar. As camas eram inúteis. "As pessoas estão dormindo sobre as mesas, para evitar os ratos", disse um jornal. "As mulheres vivem em constante estado de terror, e os homens tratam de impedir que os camundongos entrem pelo colarinho do casaco." Mais de 1500 toneladas de camundongos — talvez 100 milhões deles — foram mortas, até que o surto foi derrotado.

Mesmo em número relativamente pequeno, os camundongos podem causar muitos danos, sobretudo nos locais onde se guardam alimentos. Os camundongos e outros roedores consomem cerca de um décimo da colheita anual de cereais nos Estados Unidos — uma proporção assombrosa. E cada um deles elimina cerca de cinquenta pelotas de fezes por dia, o que também causa muita contaminação. Como é impossível atingir a perfeição no armazenamento de cereais, na maioria dos países as normas de higiene permitem até duas pelotas fecais por *pint* (aproximadamente meio litro) de grãos — fato a ter em mente da próxima vez que você vir um pão integral.

Os camundongos são notáveis vetores de doenças. O hantavírus, uma família de distúrbios respiratórios e renais, sempre desagradáveis e muitas vezes mortais, é particularmente associado aos camundongos e seus excrementos. (O nome *hanta* vem de um rio na Coreia onde a doença foi observada pela primeira vez pelos ocidentais, durante a Guerra da Coreia.) Felizmente o hantavírus é bastante raro, já que poucos de nós costumam respirar as frágeis emanações vindas das fezes de camundongos; mas se você, por acaso, ficar de joelhos perto de resíduos contaminados — agachado em um sótão, por exemplo, ou se montar uma armadilha dentro de um armário de mantimentos — em muitos países você corre risco de infecção. No mundo todo, mais de 200 mil pessoas são infectadas por ano com o hantavírus, que mata de 30% a 80% das vítimas, dependendo da rapidez e da qualidade do tratamento. Nos Estados Unidos, entre trinta e quarenta pessoas contraem hantavírus a cada ano, e cerca de um terço delas morre. Na Grã-Bretanha, felizmente, a doença ainda não foi registrada. Os camundongos também estão relacionados com a ocorrência da salmonelose, leptospirose, tularemia, peste bubônica, febre tipo Q, hepatite e tifo murino, entre muitos outros males. Em suma, há ótimas razões para não querê-los em casa.

Quase tudo o que se pode dizer sobre os camundongos se aplica igualmente, mas em grau multiplicado, aos seus primos, os ratos. Estes são mais comuns nas nossas casas, e suas proximidades, do que gostaríamos de pensar. Até nas melhores casas eles por vezes surgem. Existem em duas variedades principais no mundo de clima temperado: o *Rattus rattus*, também chamado pelo nome revelador de rato de telhado, e o *Rattus norvegicus*, ou ratazana.* O rato de telhado gosta de viver no alto — sobretudo em árvores e sótãos; assim, os passinhos apressados que você ouve sobre o teto do seu quarto, tarde da noite, podem não ser, desculpe dizer, de camundongos. Felizmente, os ratos de telhado são um pouco mais discretos que as ratazanas, que vivem em tocas e são as que vemos correndo pelos esgotos nos filmes, ou rondando as latas de lixo nas vielas das cidades.

Costumamos associar os ratos a condições de pobreza; mas eles não são tolos, e preferem uma casa mais abastada a uma pobre. Além do mais, a casa moderna lhes oferece um ambiente delicioso. "O alto teor de proteínas que caracteriza os bairros mais ricos é particularmente sedutor", escreveu há alguns anos James M. Clinton, uma autoridade sanitária dos Estados Unidos, em um relatório de saúde pública que contém uma das pesquisas mais impressionantes, e também enervantes, jamais feitas sobre o comportamento do rato-doméstico. Não apenas as casas modernas estão cheias de alimentos, mas também a maneira de descartá-los pode torná-los praticamente irresistíveis. Como disse Clinton: "Hoje as lixeiras das residências despejam uma alimentação abundante, uniforme e bem equilibrada para os ratos". Segundo Clinton, uma das mais antigas lendas urbanas, segundo a qual os ratos entram em casa por meio do vaso sanitário, é verdadeira. Houve um surto em Atlanta, e os ratos invadiram várias casas de bairros ricos e morderam diversas pessoas. "Em muitas ocasiões", relatou Clinton, "os ratos foram encontrados vivos dentro dos vasos sanitários, com a tampa abaixada." Não poderia haver melhor razão para abaixar sempre a tampa.

Uma vez dentro do ambiente doméstico, a maioria dos ratos mostra pouco medo "e chega a se aproximar, deliberadamente, de pessoas imóveis e fazer contato com elas". Ficam especialmente atrevidos na presença de crianças e idosos. "Constatei o caso de uma mulher indefesa que foi atacada por ratos

---

* No passado, a ratazana era chamada de rato-marrom e o rato de telhado de rato-preto; mas os nomes são enganosos, pois a cor da pelagem do rato não indica nada com confiabilidade. Assim, hoje os rodentologistas costumam evitar esses termos.

enquanto dormia", relatou Clinton. E continua: "A vítima, uma idosa hemiplégica, sofreu hemorragias graves devido às mordidas de rato, e faleceu, apesar de receber tratamento hospitalar de emergência. Sua neta de dezessete anos, que dormia no mesmo quarto no momento do ataque, não foi ferida".

É quase certo que as mordidas de rato sejam subnotificadas, pois só os casos mais graves atraem a atenção; mas, mesmo usando os números mais conservadores, pelo menos 14 mil pessoas nos Estados Unidos são atacadas por ratos a cada ano. Eles têm dentes muito afiados e podem se tornar agressivos se encurralados, mordendo "de maneira selvagem, às cegas, à maneira de cães raivosos", nas palavras de uma autoridade no assunto. Um rato bem motivado pode saltar até noventa centímetros — algo bastante enervante se ele vier na sua direção, aparentando estar zangado.

A habitual defesa contra os ataques de ratos é o veneno. Muitos venenos são elaborados com base no fato curioso de que ratos não conseguem regurgitar; assim, retêm no corpo os venenos que outros animais, como cães e gatos, por exemplo, eliminariam rapidamente pelo vômito. Também se utilizam anticoagulantes, mas há evidências sugerindo que os ratos estão criando resistência a eles.

Os ratos também são inteligentes, e muitas vezes trabalham em cooperação. No antigo mercado de aves de Gansevoort, em Greenwich Village, Nova York, as autoridades sanitárias não compreendiam como os ratos conseguiam roubar ovos sem quebrá-los; assim, certa noite um funcionário do controle de pragas sentou-se em um esconderijo para assistir à cena. O que ele viu foi que um rato abraçava um ovo com as quatro patas e em seguida rolava, ficando de costas. Um segundo rato arrastava então o primeiro pela cauda até a toca, onde poderiam compartilhar seu butim em paz. Também os operários em um frigorífico descobriram que pedaços de carne, pendurados em ganchos, eram jogados no chão e devorados, noite após noite. Um funcionário chamado Irving Billig presenciou a cena noturna e descobriu que um bando de ratos formava uma pirâmide embaixo de um pedaço de carne; depois, um deles a escalava até o topo e de lá pulava para a carne. Subia nela então e a ia roendo em torno do gancho até que ela caía no chão — quando então centenas de ratos, à espera, se atiravam vorazmente sobre ela.

Os ratos podem se empanturrar se houver muita comida disponível; mas também, se necessário, se viram com bem pouco. Um animal adulto pode sobreviver com menos de trinta gramas de comida por dia e apenas uns quinze gramas de água. Parecem também gostar de roer fios elétricos. Ninguém sabe por quê, já que fios não são nutritivos e nada oferecem em troca, exceto uma boa probabilidade de um choque fatal. Mesmo assim os ratos não conseguem se conter. Acredita-se que mais de um quarto de todos os incêndios que não são explicados de outra forma pode ser atribuído a fios elétricos roídos por ratos.

Quando não estão comendo, provavelmente estão fazendo sexo. Sua atividade sexual é intensa — até vinte vezes por dia. Se um rato macho não consegue encontrar uma fêmea, ficará feliz em encontrar alívio em outro macho — ou, pelo menos, fará isso de bom grado. As ratas têm uma fecundidade impressionante. Em média, uma ratazana adulta produz 35,7 filhotes em um ano, em ninhadas de seis a nove de cada vez. Em condições adequadas, porém, uma rata pode produzir uma nova ninhada com até vinte filhotes, a cada três semanas. Teoricamente, um casal de ratos reprodutores poderia iniciar uma dinastia de 15 mil novos ratos em um ano. Na prática isso não acontece porque os ratos morrem em grande quantidade. Como muitos animais, eles são mais ou menos programados pela evolução para expirar com bastante facilidade. A taxa de mortalidade anual é de 95%. Uma campanha de extermínio levada adiante com determinação em geral reduz a população de ratos no mínimo em 75%; mas, assim que a campanha cessa, a população de ratos se recupera em seis meses ou menos. Em suma, um só rato, como indivíduo, não tem grandes perspectivas na vida; mas sua família é realmente impossível de erradicar.

No entanto, os ratos são muito preguiçosos. Passam até vinte horas por dia dormindo, na maior parte das vezes saindo para procurar comida logo após o pôr do sol. Raramente se arriscam a se afastar mais de cinquenta metros; isso pode fazer parte de sua política de sobrevivência, já que as taxas de mortalidade sobem muito sempre que são obrigados a migrar.

Quando os ratos são mencionados em um contexto histórico, o assunto que invariavelmente se segue é a peste bubônica, o que talvez não seja muito justo. Para começar, não são os ratos que nos infectam com a peste; eles apenas abrigam as pulgas (as quais abrigam as bactérias) que disseminam a doença. A peste mata os ratos com a mesma energia com que mata o ser humano. Na verdade, ela mata muitas outras criaturas também. Um dos sinais de surto de peste é a grande quantidade de cães, gatos, vacas e outros animais mortos, espalhados por determinada área. As pulgas preferem o sangue de criaturas com pelagem ao sangue do ser humano; em geral só recorrem a nós quando não há nada melhor disponível. Por essa razão, os epidemiologistas modernos, trabalhando em lugares onde a peste ainda é comum — em especial certas partes da África e da Ásia —, em geral evitam abater ratos e outros roedores com muito entusiasmo durante os surtos. Num sentido muito real, não há melhor momento para ter ratos perto de nós do que durante um surto de peste. E, de qualquer forma, mais de setenta outras criaturas além dos ratos — incluindo o coelho, a ratazana, o camundongo, o rato-calunga, a marmota e o esquilo — já foram implicadas na disseminação da peste. Além disso, o pior surto de peste da história, ao que parece, não envolveu ratos, de modo algum — pelo menos na Inglaterra. Muito antes da famosa peste negra do século XIV, uma praga ainda mais feroz devastou a Europa no século VII. Em alguns lugares quase toda a população morreu. Bede, em sua história da Inglaterra, escrita no século seguinte, diz que, quando a peste chegou ao seu mosteiro, em Jarrow, matou a todos, exceto o abade e um menino — uma taxa de mortalidade bem superior a 90%. Qualquer que fosse a origem dessa epidemia, ao que parece não foi o rato. Nenhum osso de rato do século VII foi encontrado na Grã-Bretanha — e muita gente já procurou intensamente. Uma escavação em Southampton coletou 50 mil ossos de animais em um aglomerado de habitações e seus arredores; mas nenhum era de rato.

Já se sugeriu que alguns surtos atribuídos à peste talvez não fossem peste, mas ergotismo, doença fúngica dos grãos. A peste não atingiu muitos lugares frios e secos do norte — a Islândia escapou por completo, assim como grande parte de Noruega, Suécia e Finlândia —, embora esses lugares tivessem ratos. Ao mesmo tempo, a peste era associada com anos de muita chuva em quase todo lugar onde surgia — ou seja, uma circunstância favorável ao ergotismo. O único problema dessa teoria é que os sintomas de ergotismo não são parecidos com os da peste. Pode ser que a palavra "peste" ou "pestilência" fosse usada, na época, de maneira vaga, e depois mal interpretada pelos historiadores.

Mesmo há apenas uma ou duas gerações, o número de ratos nas áreas urbanas pode ter sido bem maior do que agora. Em 1944 a *New Yorker* noticiou que uma equipe de exterminadores de pragas entrou em ação em um hotel bem conhecido (mas cuidadosamente não identificado) em Manhattan, e em três noites apanhou 236 ratos no porão e no pavimento abaixo dele. Na mesma época, os ratos tomaram conta do já mencionado mercado de aves de Gansevoort. Eles o invadiram em tal número que algumas vezes, ao abrir as gavetas, as secretárias encontravam ratos saltando de suas escrivaninhas. Foram chamados exterminadores de pragas, que apanharam 4 mil ratos em questão de dias, mas não conseguiram tornar o mercado à prova desses animais. No final, o mercado foi fechado.

Muitas vezes lemos a afirmação de que, em uma cidade típica, há um rato para cada ser humano, mas há estudos mostrando que isso é um exagero. O número real tende mais para um rato para cada 36 pessoas. Infelizmente, isso ainda resulta em muitos ratos — um quarto de milhão em Londres, por exemplo.

II

A verdadeira vida em sua casa se dá em uma escala muito pequena. Nos domínios do minúsculo, sua casa está repleta de vida: é uma verdadeira floresta tropical para seres que rastejam e escalam sem parar. Exércitos de criaturinhas diminutas patrulham a selva ilimitada das fibras do carpete, voam de *paraglide* em meio aos grãos flutuantes de poeira, rastejam pelos lençóis à noite para se alimentar em uma vasta e deliciosa montanha de carne, adormecida mas levemente ofegante: você. Essas criaturas existem em números difíceis de imaginar. Só o seu colchão, se for mediano quanto a limpeza, idade e dimensões e virado com frequência mediana (ou seja, quase nunca), é provavelmente o lar de 2 milhões de ácaros, pequenos demais para serem vistos a olho nu, mas que estão ali, sem dúvida nenhuma. Já se calculou que, se o seu travesseiro tem seis anos de uso (a idade média de um travesseiro), um décimo do peso dele é composto de pele descamada, ácaros vivos e mortos, e fezes de ácaros.

Movendo-se entre os ácaros da cama, em uma escala muito mais gigantesca, também pode haver piolhos, pois parece que essas criaturas outrora quase derrotadas estão de volta. Tal como os ratos, há duas variedades principais: *Pediculus capitis*, o piolho-da-cabeça, e *Pediculus corporis*, o piolho-do-corpo. Estes, são insetos irritantes relativamente novos; evoluíram a partir dos piolhos-da-cabeça em algum momento dos últimos 50 mil anos. Entre os dois, o piolho-da-cabeça é muito menor (mais ou menos do tamanho de uma semente de gergelim, e até parecido com uma), e por isso mais difícil de detectar.

Uma fêmea adulta de piolho bota de três a seis ovos por dia. Cada indivíduo pode viver cerca de trinta dias. Os ovos de piolhos, que aderem aos cabelos, se chamam lêndeas. Os piolhos vêm desenvolvendo uma crescente resistência aos pesticidas, mas a maior razão para o seu aumento, ao que parece, é o ciclo de lavagem em baixa temperatura nas máquinas de lavar. Como disse o dr. John Maunder, do British Medical Entomology Centre: "Se você pegar suas roupas com piolhos e lavar em baixa temperatura, só vai conseguir piolhos bem limpos".

Historicamente, a pior praga do quarto de dormir eram os percevejos — *Cymex lectuarius* é o nome científico desses pequenos sugadores de sangue. Os percevejos garantiam que ninguém nunca dormisse sozinho. Em épocas antigas as pessoas eram quase levadas à loucura por esses insetos e pelo desejo de se livrar deles. Quando Jane Carlyle descobriu que percevejos haviam invadido a cama da sua governanta, mandou desmontá-la e levá-la até o jardim, onde cada parte foi lavada com cloreto de cal e em seguida imersa em água por dois dias, para afogar todos os percevejos que sobrevivessem ao desinfetante. Enquanto isso, a roupa de cama foi levada para uma sala fechada e polvilhada repetidamente com pó desinfetante, até que não houvesse mais nenhum inseto. Só então a cama foi montada outra vez e a governanta pôde voltar a ter uma noite de sono normal, em uma cama que devia ser bastante tóxica para ela, bem como para qualquer inseto que ali se atrevesse a rastejar de novo.

Mesmo quando as camas não estavam infestadas, era rotina desmontá-las pelo menos uma vez por ano e pintá-las com desinfetante ou verniz, por precaução. Os fabricantes costumavam anunciar que suas camas podiam ser desmontadas de maneira rápida e fácil para a manutenção anual. As camas com estrutura de latão se popularizaram no século xix não porque o bronze fosse, de repente, um material elegante, mas porque não dava abrigo aos percevejos.

Tal como os piolhos, os indesejados percevejos atualmente estão de volta. Na maior parte do século xx, estiveram praticamente extintos na maior parte da Europa e dos Estados Unidos graças à ascensão dos inseticidas modernos; mas nos últimos anos vêm mostrando uma vigorosa recuperação. Ninguém sabe ao certo por quê. Pode ter algo a ver com mais viagens internacionais, pois as pessoas os trazem para casa na mala e assim por diante; ou talvez estejam criando mais resistência aos venenos e sprays que espargimos sobre eles. Seja qual for a causa, hoje voltaram a ser notados. "Alguns dos melhores hotéis de

Nova York têm percevejos", segundo um especialista citado no *New York Times*, em um relatório de 2005. O artigo do *Times* observava ainda que, como a maioria das pessoas não tem experiência com percevejos e não sabe o que procurar, é provável que só descubram que estão infestadas quando acordarem e se virem deitadas sobre uma multidão deles.

Se você tivesse o equipamento adequado e boa motivação, poderia encontrar incontáveis milhões de graciosas criaturinhas que convivem com você — vastas tribos de isópodes, endoparasitas, miriápodes, quilópodes, paurópodes e outras coisinhas quase invisíveis. Algumas são praticamente impossíveis de se erradicar. Foi encontrado um inseto chamado *Niptus hololeucus* que vive dentro da pimenta caiena e nas rolhas das garrafas de cianureto. Alguns, como os ácaros da farinha e os ácaros do queijo, jantam com você com regularidade.

Se descermos para o próximo nível dos seres vivos, o mundo dos micróbios, os números aumentam além da possibilidade de cálculo. A pele do seu corpo é o lar de cerca de 1 trilhão de bactérias. Dentro de você há outros milhares de trilhões, muitas delas realizando tarefas necessárias e úteis, como decompor os alimentos no intestino. No total, seu corpo abriga cerca de 100 quatrilhões de células bacterianas. Se você pudesse pegar todas elas e colocá-las em uma pilha, esta pesaria cerca de dois quilos. Os micróbios são tão onipresentes que esquecemos que cada casa moderna tem objetos de metal grandes e pesados — geladeira, máquina de lavar roupa, lavadora de louça — que existem exclusivamente para matar ou eliminar os micróbios. Tirá-los da nossa vida é uma luta diária interminável para a maioria de nós.

Um dos microbiologistas mais célebres do mundo é provavelmente o dr. Charles P. Gerba, da Universidade do Arizona, tão devotado à sua área que deu a um de seus filhos o nome do meio de "Escherichia", em homenagem à bactéria *Escherichia coli*. O dr. Gerba constatou, há alguns anos, que os micróbios domésticos nem sempre são mais numerosos onde poderíamos supor. Em uma famosa pesquisa, ele mediu o conteúdo bacteriano de diferentes aposentos em várias casas, e descobriu que, regularmente, a superfície mais limpa da casa é o assento sanitário. Isso porque ele é limpo com desinfetante com mais frequência do que qualquer outra superfície da casa. Em contraste, o tampo da escrivaninha tem, em média, cinco vezes mais bactérias que o assento do vaso sanitário.

A área mais suja de todas foi a pia da cozinha, seguida de perto pelo tampo da pia; e o objeto mais imundo é o pano de limpeza da cozinha. Em geral ele fica lotado de bactérias, e usá-lo para limpar o tampo da pia, ou a mesa de refeição (ou os pratos, a tábua de pão, um queixinho engordurado, ou qualquer outra superfície), apenas transfere os micróbios de um lugar para o outro, dando-lhes novas oportunidades de se reproduzir e proliferar. Outra maneira eficiente de disseminar os micróbios, segundo o dr. Gerba, é dar a descarga no vaso sanitário com a tampa levantada, lançando no ar um jato com bilhões de micróbios. Muitos ficam ali, flutuando como minúsculas bolhas de sabão, esperando para serem inalados, durante até duas horas; outros vão pousar em vários objetos, tais como sua escova de dentes. Eis aqui, portanto, outra boa razão para abaixar a tampa do vaso.

Mas a descoberta mais memorável dos últimos anos quanto aos micróbios deve ser a de uma estudante secundarista da Flórida, cheia de espírito empreendedor, que comparou a qualidade da água nos vasos sanitários de várias lanchonetes do bairro com a qualidade do gelo colocado nos refrigerantes, e constatou que em 70% dos estabelecimentos pesquisados a água do vaso sanitário era mais limpa do que a do gelo.

Talvez o fato mais notável sobre essas incontáveis formas de vida é que sabemos muito pouco sobre elas — e como é recente o pouco que sabemos. Os ácaros da cama só foram descobertos em 1965, embora existam milhões deles em todas as camas. Já em 1947 um correspondente médico da revista *New Yorker* escreveu: "Os ácaros se encontram raramente neste país, e há até pouco tempo eram quase desconhecidos na cidade de Nova York". Mas no final dos anos 1940 inúmeros moradores de um complexo de apartamentos chamado Kew Gardens, no Queens, em Nova York, começaram a adoecer, apresentando sintomas de gripe. A doença ficou conhecida como "febre misteriosa de Kew Gardens", até que um astuto exterminador de pragas percebeu que os camundongos também estavam adoecendo e descobriu, em uma inspeção rigorosa, que havia minúsculos ácaros vivendo na pelagem dos roedores — os mesmos que supostamente não existiam no país em grande número. Eram esses ácaros que estavam transmitindo a *rickettsialpox*, doença semelhante à febre tifoide, aos moradores do complexo.

A mesma ignorância predominou em relação a muitas criaturas maiores, inclusive um dos mais importantes e menos compreendidos de todos os animais que por vezes se encontram nas casas modernas: o morcego. Quase ninguém gosta dos morcegos, o que é lamentável, porque eles fazem muito mais bem do que mal. Comem grandes quantidades de insetos, beneficiando as plantações e o ser humano. O morcego marrom, a espécie mais comum nos Estados Unidos, consome até seiscentos mosquitos por hora. O pequenino pipistrelo — que não pesa mais que uma pequena moeda — ingere até 3 mil insetos em suas incursões noturnas. Sem os morcegos, haveria muito mais mosquitos na Escócia, larvas no solo na América do Norte e febres nos trópicos. As árvores das florestas seriam mastigadas até serem destruídas. As plantações precisariam de mais agrotóxicos. O mundo natural se tornaria um lugar estressado até a exaustão. Os morcegos também são vitais para o ciclo de vida de muitas plantas silvestres, colaborando na polinização e na dispersão de sementes. Um minúsculo morcego da América do Sul, o *Carollia perspicillata*, chega a comer 60 mil sementinhas a cada noite. A propagação das sementes feita por uma única colônia — cerca de quatrocentos desses morceguinhos — pode produzir, anualmente, 9 milhões de mudas de árvores frutíferas. Sem os morcegos, essas novas árvores frutíferas não existiriam. Eles também são essenciais para a sobrevivência, na natureza, de madeira balsa, abacates, bananas, frutas-pão, cajus, cravo, tâmaras, figos, goiabas, mangas, pêssegos, cactos saguaro, entre outros.

Há muito mais morcegos no mundo do que a maioria das pessoas imagina. Na verdade, eles constituem aproximadamente um quarto de todas as espécies de mamíferos — cerca de 1100. Variam em tamanho desde o morcego-abelha, que realmente não é maior que uma abelha e, portanto, é o menor de todos os mamíferos, até as magníficas raposas-voadoras da Austrália e do sul da Ásia, que podem alcançar quase dois metros de envergadura.

No passado já foram feitas tentativas de aproveitar as qualidades especiais dos morcegos. Na Segunda Guerra Mundial, o Exército americano investiu muito tempo e dinheiro em um plano extraordinário para acoplar minúsculas bombas incendiárias a morcegos e lançar de aviões um grande número deles — até 1 milhão de cada vez — sobre o Japão. A ideia era que os morcegos se empoleirariam nos beirais e telhados e suas pequeninas bombas-relógio iriam deflagrar, fazendo com que pegassem fogo e causassem, assim, centenas de milhares de incêndios.

Elaborar bombas e timers tão pequenos exigia muita experiência e engenho; mas, finalmente, na primavera de 1943, o trabalho estava adiantado e foi marcada uma experiência em Muroc Lake, na Califórnia. No entanto, as coisas não correram bem como o planejado, para dizer o mínimo. Os morcegos estavam bem armados com suas bombas em miniatura, mas ficou claro que essa não era uma boa ideia. Eles não pousaram em nenhum dos alvos designados, mas destruíram todos os hangares e a maioria dos depósitos no aeroporto de Muroc Lake, bem como o carro de um general do Exército. O relatório do general sobre os acontecimentos do dia deve ter sido uma leitura muito interessante. Seja como for, o programa foi cancelado logo em seguida.

Um plano menos maluco, mas não mais bem-sucedido, para utilizar os morcegos foi concebido pelo dr. Charles A. R. Campbell, da Escola de Medicina da Universidade de Tulane. A ideia de Campbell era construir gigantescas "torres de morcegos", onde estes poderiam se empoleirar, procriar e sair para comer mosquitos. Isso, segundo Campbell, reduziria substancialmente a malária, e também forneceria guano em quantidades comercialmente viáveis. Várias torres foram construídas, e algumas ainda estão de pé, mesmo que precariamente, mas nunca cumpriram sua função. Ao que parece, os morcegos não gostam de receber ordens sobre onde devem morar.

Nos Estados Unidos os morcegos foram perseguidos pelos agentes da saúde durante anos, devido a uma preocupação exagerada, e por vezes irracional, de que eles transmitem a raiva. A história começou em outubro de 1951, quando uma mulher anônima no oeste do Texas, esposa de um plantador de algodão, deparou com um morcego em frente da sua casa. Ela pensou que estivesse morto, mas quando se inclinou para ver melhor, o animal pulou e lhe mordeu o braço. Isso é algo muito inusitado. Os morcegos americanos são todos insetívoros, e não havia registro de nenhum caso em que tivessem mordido um ser humano. Ela e o marido desinfetaram e cobriram a ferida — que era bem pequena — e não pensaram mais no caso. Três semanas depois, a mulher foi internada num hospital em Dallas, delirando. Estava "extremamente agitada", sem conseguir falar ou engolir. Seus olhos estavam cheios de terror. Não havia nada que se pudesse fazer por ela. A raiva pode ser tratada com sucesso, mas apenas se o tratamento for imediato. Depois que os sintomas se manifestam, já é tarde demais. Após quatro dias de sofrimento indizível, a mulher entrou em coma e morreu.

Foi então que começaram a surgir mais casos de pessoas mordidas por morcegos que estavam com raiva, em vários outros locais — um na Flórida, um em Massachusetts, um na Califórnia, dois na Pensilvânia, mais dois no Texas. Tudo isso ocorreu ao longo de quatro anos — não foi um surto galopante, de modo algum, mas causou preocupação. Finalmente, no dia de ano-novo de 1956, um funcionário da saúde pública do Texas, o dr. George C. Menzies, foi internado em um hospital de Austin com sintomas de raiva. Menzies vinha estudando algumas cavernas na região central do Texas, buscando sinais da existência de morcegos com raiva, mas, pelo que constava, não fora mordido nem exposto à doença. Mesmo assim, de alguma forma ele se infectou e, depois de apenas dois dias no hospital, morreu da mesma forma hedionda, típica da raiva, em sofrimento e terror, com os olhos arregalados como dois pires.

O caso foi amplamente divulgado e resultou em uma espécie de histeria vingativa. Funcionários de alto escalão concluíram que o extermínio era um passo urgente e necessário. Os morcegos se tornaram as criaturas mais antipatizadas do país. Seguiram-se anos de perseguição constante, e em muitos lugares a população de morcegos sofreu uma depredação chocante. Em um caso, a maior colônia do mundo, em Eagle Creek, Arizona, caiu de 30 milhões para 3 mil morcegos em poucos anos.

Merlin D. Tuttle, principal autoridade em morcegos nos Estados Unidos e fundador da Bat Conservation International, organização de proteção a esses animais, contou uma história, relatada na *New Yorker* em 1988, em que funcionários de saúde pública no Texas disseram a um agricultor que, se não matasse os morcegos de uma caverna na sua propriedade, ele, sua família e seus animais estariam em grave risco de contrair raiva. Seguindo as instruções recebidas, o agricultor encheu a caverna de querosene e ateou fogo. O incêndio matou cerca de um quarto de milhão de morcegos. Mais tarde, quando Tuttle entrevistou o agricultor, perguntou-lhe há quanto tempo sua família era dona da propriedade. Por volta de um século, respondeu o fazendeiro. E em todo esse tempo, perguntou Tuttle, eles já tinham sofrido ataques de raiva? Não, foi a resposta.

"Quando lhe expliquei a utilidade dos morcegos, e as consequências do que tinha feito, ele não se conteve e começou a chorar", disse Tuttle. De fato, como observa ele, "morrem mais pessoas anualmente por intoxicação alimentar em piqueniques de igreja do que já morreram em toda a história humana devido ao contato com morcegos".

Hoje, os morcegos estão entre os animais que mais correm perigo. Cerca de um quarto de suas espécies está ameaçado de extinção — uma porcentagem elevadíssima, e realmente espantosa para uma criatura tão essencial à vida. Há mais de quarenta espécies já à beira de extinguir-se. Como os morcegos são bastante reclusos, e às vezes difíceis de estudar, muitos dados são incertos. Na Grã-Bretanha, por exemplo, não se sabe se restaram dezessete ou dezesseis espécies de morcego. As autoridades não têm provas para concluir se o grande morcego-de-orelhas-de-rato está extinto, ou ainda sobrevive, bem escondido.

O que se sabe ao certo é que as coisas podem estar piorando para os morcegos em todo lugar. No início de 2006 uma nova doença causada por fungos, altamente mortal, chamada síndrome do focinho branco (porque embranquece os pelos no focinho das vítimas), foi descoberta entre morcegos que hibernavam em uma caverna em Nova York. A doença mata até 95% dos animais infectados. Ela já se espalhou para meia dúzia de outros estados e quase com certeza vai se alastrar ainda mais. No fim de 2009 os cientistas ainda não faziam ideia do que há nesse fungo que mata o seu hospedeiro, como ele se espalha, onde se originou, ou como detê-lo. Só se sabe que o fungo sobrevive muito bem no clima frio — o que não é uma boa notícia para os morcegos de grande parte da América do Norte, Europa e Ásia.

Muitas criaturas são tão despretensiosas, e por vezes tão pouco estudadas, que mal percebemos quando se extinguem. Por exemplo, na Grã-Bretanha foram perdidas vinte espécies de mariposas no século XX, e mesmo assim não se notam protestos. Cerca de 75% das espécies de mariposas britânicas sofreram declínio da população. Entre as causas prováveis estão a intensificação agrícola e os pesticidas mais poderosos; mas não há certeza. As borboletas também estão sofrendo; há na Grã-Bretanha pelo menos oito espécies com a população no nível mais baixo de todos os tempos, também por razões que só podemos supor. Os efeitos indiretos também podem ser consideráveis. As aves costumam ter uma perigosa dependência em relação às populações saudáveis de mariposas e borboletas. Uma única família de chapins-azuis pode consumir 15 mil lagartas em uma temporada. Assim, uma queda no número de insetos acarreta também um declínio nas populações de aves.

III

Devemos dizer que nem sempre as populações declinam. Às vezes elas aumentam de tal modo que chegam a fazer história. Basta ver o que ocorreu em 1873, quando os agricultores do oeste dos Estados Unidos e das planícies canadenses sofreram uma invasão devastadora, nunca vista. De repente surgiram enxames de gafanhotos das montanhas Rochosas — grandes massas de insetos sibilantes, cheios de apetite, que tapavam o sol e devoravam tudo que estivesse no caminho. Onde quer que os enxames aterrisassem, os efeitos eram terríveis. Deixavam nus campos e pomares, e devoravam praticamente tudo que encontravam. Comiam couro e lona, a roupa para secar nos varais, a lã nas costas dos carneiros vivos, até mesmo o cabo de madeira das ferramentas. Uma testemunha relatou, espantada, que eles pousaram em tal número que apagaram um incêndio de bom tamanho. Segundo a maioria das testemunhas, foi como assistir ao fim do mundo. O barulho era ensurdecedor. Calculou-se que um único enxame tinha 2900 quilômetros de extensão e talvez 180 quilômetros de largura. Demorou cinco dias para passar. Acredita-se que continha pelo menos 10 bilhões de insetos, mas outras estimativas chegam a 12,5 *trilhões*, com um peso total de 27,5 milhões de toneladas. Foi, quase com certeza, a maior reunião de seres vivos jamais vista na Terra. Nada poderia desviá-los. Quando dois enxames se encontravam, um passava através do outro e reaparecia do outro lado, em fileiras ininterruptas. Bater nos enxames com pás ou pulverizar inseticida não causava neles qualquer impacto mensurável.

Isso aconteceu exatamente no momento em que as pessoas estavam se mudando, em grande número, para o oeste dos Estados Unidos e Canadá, criando um novo cinturão de trigo nas grandes planícies. A população de Nebraska, por exemplo, passou de 28 mil habitantes para mais de 1 milhão em apenas uma geração. No total, 4 milhões de novas fazendas foram criadas a oeste do rio Mississippi no período que se seguiu à Guerra Civil americana; e muitos desses novos agricultores estavam altamente endividados, com hipotecas sobre a casa e a terra, e ainda empréstimos para comprar os equipamentos — ceifadeiras, debulhadoras, colheitadeiras, e assim por diante — necessários para a agricultura em escala industrial. Outras centenas de milhares haviam investido grandes somas em ferrovias, silos para grãos e negócios de todo tipo para servir as populações do oeste, na época em franca expansão. Agora um vasto número de pessoas ia sendo literalmente arrasado.

No final do verão os gafanhotos desapareceram, dando lugar a um pouco de alívio e esperança. Mas o otimismo foi equivocado. Eles voltaram nos três verões seguintes, cada vez em maior número. Começou a se firmar a ideia inquietante de que a vida no oeste do país talvez fosse insustentável. Não menos alarmante era a ideia de que os gafanhotos poderiam se alastrar para o leste e começar a devorar as terras ainda mais férteis do centro-oeste e do leste do país. Nunca houve um momento tão sombrio e tão indefeso em toda a história americana.

Mas depois tudo isso simplesmente terminou. Em 1877 os enxames estavam muito reduzidos, e os gafanhotos pareciam curiosamente letárgicos. No ano seguinte, não apareceram. O gafanhoto das montanhas Rochosas (seu nome oficial era *Melanoplus spretus*) não só recuou, mas desapareceu por completo. Foi um milagre. O último espécime vivo foi encontrado no Canadá, em 1902. Nenhum deles foi visto desde então.

Demorou mais de um século para os cientistas compreenderem o que aconteceu, mas parece que os gafanhotos se retiravam todos os invernos para hibernar e se reproduzir no rico solo argiloso às margens dos rios sinuosos dos planaltos a leste das Rochosas. Era justamente aí que as novas levas de agricultores estavam transformando a terra, por meio do arado e da irrigação — que matavam os gafanhotos e suas pupas enquanto dormiam. Os fazendeiros não poderiam ter planejado um remédio mais eficaz, nem que gastassem milhões de dólares e estudassem o assunto durante anos. Nunca se pode dizer que uma extinção seja uma coisa boa, mas esta deve ter sido a mais positiva que já houve.

Se os gafanhotos continuassem a proliferar, o mundo seria um lugar muito diferente. A agricultura e o comércio mundiais, o povoamento do oeste americano e, por fim, o destino de nossa antiga casa paroquial, assim como quase tudo que existe mais além disso, ou é vinculado a tudo isso, teria sido profundamente diferente, de maneiras que mal conseguimos imaginar. Os fazendeiros americanos no último quartel do século xix já demonstravam um populismo irado, profundamente ressentido contra os bancos e as grandes empresas, e esses sentimentos ecoavam nas cidades, em especial entre os imigrantes recém-chegados. Se a agricultura entrasse em colapso, causando sofrimento e fome generalizados, poderia muito bem haver uma corrida em massa para o socialismo. Decerto havia muita gente que desejava ardentemente esse resultado.

Em vez disso, é claro, os problemas amainaram, o oeste retomou sua longa expansão, os Estados Unidos se tornaram o celeiro do mundo, e a paisagem rural britânica entrou em um prolongado declínio, do qual nunca se recuperou totalmente. A essa história vamos chegar no seu devido tempo; mas por enquanto vamos entrar no jardim e considerar por que uma parte tão grande dessa paisagem era, e continua sendo, tão atraente para ali ficar.

12. O jardim

I

Em 1730, a rainha Caroline de Anspach, esposa do rei George II, sempre diligente e em busca de aperfeiçoamentos, fez algo bastante ousado. Ela ordenou que fosse desviado o pequeno rio Westbourne, em Londres, para formar um grande lago no meio do Hyde Park. Esse lago, chamado Serpentine, ainda existe e é muito admirado pelos visitantes, embora quase ninguém perceba o seu valor histórico.

O Serpentine foi o primeiro lago artificial do mundo concebido de modo a não parecer artificial. É difícil imaginar como essa ideia era radical na época. Antes do Serpentine, todos os lagos e tanques artificiais eram rigorosamente geométricos — ou retangulares, como um espelho d'água, ou circulares, como o Round Pond nos Kensington Gardens, jardim vizinho ao Hyde Park, construído apenas dois anos antes. Mas eis que surgia um lago artificial curvilíneo e gracioso, serpenteando sedutoramente, que parecia ter sido formado por um acaso da natureza. As pessoas ficaram encantadas com esse embuste proposital e acorriam para admirá-lo. A família real ficou tão satisfeita que por algum tempo manteve dois grandes barcos no Serpentine, embora mal houvesse espaço para que eles manobrassem sem colidir.

Para a rainha Caroline foi um raro triunfo popular, pois suas ambições na área da jardinagem nem sempre foram sábias. No mesmo período ela se apropriou de oitenta hectares do Hyde Park para incorporá-los ao palácio de Kensington, proibindo os cidadãos comuns de percorrer seus caminhos frondosos, exceto aos sábados, e em parte do ano, e apenas se tivessem aspecto respeitável. Isso se tornou, é claro, motivo de ressentimento generalizado. A rainha também brincou um pouco com a ideia de tornar o parque de Saint James inteiramente privado, e perguntou ao primeiro-ministro, Robert Walpole, quanto isso custaria. "Apenas a coroa, senhora", respondeu ele com um sorriso sutil.

O Serpentine foi um sucesso imediato, e o crédito pela engenharia e, provavelmente, também pela concepção pertence a uma figura obscura de nome Charles Bridgeman. As origens desse homem genial são misteriosas. Ele surgiu, aparentemente do nada, em 1709, com um conjunto de desenhos de alto calibre, todos assinados, para algumas obras de paisagismo propostas para o palácio de Blenheim. Antes disso, tudo que temos sobre ele são conjecturas: onde nasceu, as circunstâncias de sua educação, onde adquiriu suas consideráveis habilidades. Não há consenso sobre seu nome: Bridgeman ou Bridgman. No entanto, durante trinta anos depois de entrar em cena, ele esteve presente onde quer que fosse necessário um trabalho de paisagismo de alta classe. Trabalhou com todos os principais arquitetos — John Vanbrugh, William Kent, James Gibbs, Henry Flitcroft — em projetos por toda a Inglaterra. Planejou e realizou o Stowe, o jardim mais elogiado da época. Foi nomeado jardineiro real, e administrou os jardins de Hampton Court, Windsor, Kew e todos os parques nacionais em todos os domínios da Coroa. Criou Richmond Gardens. Projetou o Round Pond e o Serpentine. Além disso, fez trabalhos de agrimensura e projetos arquitetônicos para propriedades em todo o sul da Inglaterra. Onde quer que houvesse um trabalho importante de ajardinamento, ali estava Bridgeman. Dele não sobreviveu nenhum retrato individual; mas ele aparece, inesperadamente, no segundo quadro da série *The rake's progress* [O caminho do libertino], de Hogarth, onde faz parte de um grupo de pessoas, incluindo um alfaiate, um professor de dança e um jóquei, que importunam o jovem dissoluto para que aplique seu dinheiro com eles.* Mas Bridgeman parece desconfortável e rígido, como se tivesse entrado na pintura errada.

---

* Como essa série de quadros traça o declínio de um jovem rico, é bem apropriado que tenha pertencido a William Beckford, de Fonthill, antes que sua vida (e sua casa) entrassem em colapso.

Charles Bridgeman (o quarto a partir da esquerda, segurando uma planta), em The rake's progress, *de William Hogarth.*

A jardinagem já era um grande negócio na Inglaterra quando Bridgeman surgiu no mercado. Em Londres, o viveiro de Brompton Park, que ficava num terreno agora ocupado pelos grandes museus de South Kensington, abrangia quarenta hectares e produzia um volume enorme de arbustos, plantas exóticas e outras para mansões de todo país. Mas esses jardins eram muito diferentes dos que conhecemos hoje. Para começar, eram vivamente coloridos: os caminhos eram recobertos de cascalho colorido, as estátuas pintadas de cores vivas, as mudas escolhidas pela intensidade dos matizes. Nada era natural nem discreto. A topiaria, ou poda escultural, transformava os arbustos de buxo em cavalos a galope. Os caminhos e as divisões eram mantidos rigorosamente em linha reta, margeados por cercas vivas ou teixos minuciosamente podados. A formalidade reinava. O terreno em torno de uma casa senhorial não era um parque, mas sim um exercício de geometria.

E então, de repente, toda essa ordem e artificialismo foram varridos do mapa, e virou moda fazer tudo parecer natural. De onde surgiu esse impulso não é fácil de dizer. O início do século XVIII foi uma época em que quase todos os jovens ingleses de famílias privilegiadas faziam longas viagens pela Europa. Praticamente sem exceção, voltavam para casa cheios de entusiasmo pela ordem formal do mundo clássico e um ardente desejo de reproduzi-la na paisagem inglesa. Quanto à arquitetura, não ansiavam por nada mais do que serem derivativos, com muito orgulho e nenhuma imaginação. No entanto, em relação ao ajardinamento, rejeitaram a rigidez e começaram a construir um mundo inteiramente novo nos terrenos externos. Para quem acredita que os ingleses têm o gênio para a jardinagem em seus cromossomos, parece que essa época comprova bem isso.

Um dos heróis desse movimento foi nosso velho amigo, sir John Vanbrugh, mencionado no capítulo 7. Sendo autodidata, conseguia trazer uma nova perspectiva para a área. Por exemplo, levava em conta a localização da casa no ambiente em torno, como nenhum arquiteto já fizera. No castelo Howard, praticamente a primeira coisa que fez foi girar a casa noventa graus para que se orientasse no eixo norte-sul, em vez de oeste-leste como no projeto anterior de William Talman. Isso impossibilitava orientar a casa no sentido do comprimento, como era o costume, com a paisagem vista de relance como uma espécie de preliminar; por outro lado, tinha a virtude de situar a casa muito mais confortavelmente na paisagem, beneficiando seus ocupantes com uma visão infinitamente mais satisfatória do mundo que se estendia além. Foi uma inversão radical da orientação tradicional, pois antes disso as casas não eram construídas para se desfrutar da vista; elas *eram* a vista a ser desfrutada.

Para maximizar as vistas mais importantes, Vanbrugh introduziu outra característica inspirada — o *folly* (que, em inglês, significa "loucura", "disparate"), um edifício projetado com o único objetivo de completar a paisagem e oferecer um local feliz onde se possa fixar o olhar errante. Seu Templo dos Quatro Ventos, no castelo Howard, foi o primeiro do tipo. Acrescentou ainda a inovação mais criativa e transformadora de todas: o *ha-ha*, uma mureta semifundada na terra. Era uma barreira concebida para separar a parte privada de uma propriedade das áreas de produção, evitando a intromissão visual de um muro ou uma cerca. Foi uma ideia adaptada das fortificações militares francesas (onde Vanbrugh deve tê-las conhecido, em seus anos de prisão). Por serem invisíveis até o último instante, as pessoas costumavam descobri-las exclamando, surpresas, "Ha-ha!" — e daí o nome, pelo que consta. O *ha-ha* não era apenas uma maneira prática de manter os animais fora do gramado, mas uma maneira inteiramente nova de perceber o mundo. O terreno da casa, o jardim, os parques, a propriedade — tudo isso se tornou parte de um todo contínuo. De repente, a parte atraente de uma propriedade não precisava mais terminar nos limites do gramado; podia se estender até o horizonte.

Uma prática menos feliz introduzida por Vanbrugh e seu cliente, Carlisle, no castelo Howard era arrasar as aldeias situadas nos terrenos da propriedade e relocar os ocupantes em lugar, sempre que fossem considerados intrusivos, ou pouco pitorescos. No castelo Howard, Vanbrugh demoliu não só uma vila já existente, mas também uma igreja e o velho castelo em ruínas que deu seu nome à nova residência. Não tardou para que aldeias de norte a sul do país fossem derrubadas para dar lugar a mansões amplas extensas, com a vista desimpedida. Parecia que um homem rico não poderia começar a trabalhar no projeto de uma mansão grandiosa sem antes destruir completamente dezenas de vidas de pessoas humildes. Oliver Goldsmith lamentou essa prática em um longo poema sentimental, "The deserted village" [A aldeia deserta], inspirado por uma visita ao Nuneham Park, em Oxfordshire, quando o primeiro conde de Harcourt estava em pleno processo de varrer do mapa uma antiga vila, a fim de criar um espaço mais pitoresco para sua nova casa. Nesse caso, pelo menos, o destino se vingou de um modo interessante. Depois de terminar o trabalho, o conde saiu para passear por suas terras recém-reconfiguradas; mas, como não conseguia lembrar onde ficava o poço da antiga aldeia, caiu dentro dele e se afogou.*

Vanbrugh não inventou, necessariamente, nenhuma dessas coisas. Horace Walpole, por exemplo, atribuía a Bridgeman a invenção do *ha-ha*, e pode ser, pelo que sabemos, que este tenha dado a ideia a Vanbrugh. Mas também pode ser que Vanbrugh tenha dado a ideia a Bridgeman. Tudo que podemos dizer é que, por volta de 1710, as pessoas de repente começaram a ter muitas ideias para aperfeiçoar a paisagem, sobretudo lhe dando um ar mais natural. Um evento que parece ter contribuído foi uma tempestade em 1711, conhecida como A Grande Ventania, que derrubou árvores em todo o país e fez muita gente perceber, evidentemente pela primeira vez, como era agradável o cenário que elas formavam. Seja como for, o fato é que, de repente, as pessoas se tornaram extraordinariamente dedicadas à natureza.

O ensaísta Joseph Addison tornou-se a voz desse movimento, com uma série de artigos na *Spectator* chamados "Os prazeres da imaginação", onde sugeria que a natureza em si já supria toda a beleza que se poderia desejar. Ela só precisava de um pouquinho de manejo, ou, como ele disse em uma famosa frase: "Um homem pode transformar as suas posses em uma bela paisagem".** E continuava: "Não sei se estou sozinho na minha opinião, mas, de minha parte, prefiro olhar para uma árvore, com toda a sua exuberância e difusão de galhos e ramos, do que vê-la cortada e aparada até formar uma figura matemática". E, de repente, parece que o mundo inteiro estava de acordo com ele.

Mansões imponentes por toda parte passaram a seguir de bom grado esses preceitos, introduzindo caminhos curvilíneos e lagos sinuosos; mas por algum tempo as melhorias foram basicamente arquitetônicas. Por todo o país, ricos proprietários encheram suas terras de grutas, templos, torres de observação, ruínas artificiais, obeliscos, *follies* em forma de castelos, jardins zoológicos, estufas, panteões, anfiteatros, êxedras (paredes curvas com nichos para bustos

---

* No século seguinte, Nuneham Park ganhou uma segunda distinção. Em uma visita feita no verão de 1862, com um grupo que incluía Alice Liddell, filha do reitor da Christ Church, sua faculdade em Oxford, Charles Lutwidge Dodgson, ou Lewis Carroll, deu início às histórias que vieram a se tornar *Alice no País das Maravilhas*.
** Em inglês, "A man might make a pretty landskip of his own possessions". Aqui se vê que a palavra *landscape* (paisagem), ainda bastante nova, não tinha sua grafia definitiva fixada.

de figuras heroicas), ninfeus construídos sobre fontes, e qualquer outro capricho arquitetônico que lhes viesse à mente. E não se tratava de meros ornamentos, mas de monumentos de grande porte. O mausoléu do castelo Howard, projetado por Nicholas Hawksmoor (e onde o patrono de Vanbrugh, o terceiro conde, passa agora a eternidade), era tão grande e custou tão caro quanto qualquer uma das igrejas projetadas por Christopher Wren em Londres. Robert Adam concebeu um projeto para erguer em Herefordshire uma cidade romana completa, com suas muralhas e ruínas pitorescas, totalmente artificial, abrangendo quatro hectares de encostas gramadas, simplesmente para dar a um homem da baixa aristocracia chamado lorde Harley algo interessante para contemplar quando levantasse os olhos da mesa do desjejum. O plano nunca foi realizado, mas outras diversões de incrível magnificência foram construídas. O famoso pagode de Kew Gardens, que se eleva a cinquenta metros, foi durante muito tempo a estrutura mais alta da Inglaterra. Até o século XIX era suntuosamente dourado e recoberto de dragões pintados — oitenta ao todo — e sinos de bronze que retiniam; mas foram vendidos pelo rei George IV para pagar dívidas, de modo que o que vemos hoje é apenas uma casca vazia. Em certa época, havia dezenove outras estruturas fantasiosas espalhadas pelos Kew Gardens, incluindo uma mesquita turca, um Palácio de Alhambra, uma catedral gótica em miniatura, e ainda templos dedicados a Éolo, Aretusa, Belona, Pan, à solidão, à paz e ao sol — tudo isso para que alguns membros da família real tivessem uma seleção de locais interessantes para pontuar seus passeios.

Por algum tempo foi elegante construir um eremitério e ali instalar um eremita residente. Em Painshill, Surrey, um homem assinou um contrato de sete anos para viver em pitoresca reclusão e observando um silêncio monástico, com salário anual de cem libras; mas foi demitido depois de apenas três semanas, ao ser flagrado bebendo no pub local. Um proprietário de Lancashire prometeu uma pensão vitalícia de cinquenta libras anuais para quem se dispusesse a passar sete anos em um subterrâneo em sua mansão, sem cortar os cabelos nem as unhas, nem conversar com mais ninguém. Alguém aceitou a oferta e resistiu quatro anos, até decidir que não aguentava mais; se recebeu pelo menos parte da pensão por seus esforços, infelizmente não se sabe. A rainha Caroline — a mesma do Serpentine, no Hyde Park — encomendou ao arquiteto William Kent uma ermida em Richmond onde instalou um poeta chamado Stephen Duck; mas não foi um sucesso, pois Duck concluiu que não gostava do silêncio, nem de ser fitado por estranhos, e desistiu. Em um desfecho surpreendente, passou a ser o pároco de uma igreja em Byfleet, Surrey. Infelizmente, parece que não foi feliz por lá — aliás, parece que não foi feliz em lugar nenhum — e se matou, afogando-se no Tâmisa.

A expressão máxima da construção de um *folly* foi, com certeza, em Chiswick, uma aldeia a oeste de Londres, onde o conde de Burlington (outro membro do clube Kit-Cat) construiu a Chiswick House. Não era uma casa, em absoluto, e nunca teve intenção de servir de residência, mas um lugar para se apreciar a arte e ouvir música, uma espécie de casa de veraneio de alto luxo, construída em uma escala literalmente palaciana. Foi nessa propriedade que o oitavo duque de Devonshire teve seu primeiro feliz encontro com Joseph Paxton, como você talvez se lembre do capítulo 1.

Enquanto isso, Charles Bridgeman e seus sucessores iam reformulando extensamente paisagens inteiras. Em sua obra-prima, Stowe, em Buckinghamshire, tudo foi feito em uma escala monumental. Uma das cercas do tipo *ha-ha* se estendia por seis quilômetros. Colinas tiveram seu contorno transformado, vales foram inundados, magníficos templos de mármore espalhados de forma quase descuidada. Stowe era diferente de tudo que já se construíra antes, tornou-se uma das primeiras verdadeiras atrações turísticas do mundo. Foi o primeiro jardim na Grã-Bretanha a atrair turistas, e o primeiro a ter um guia informativo. Tornou-se tão popular que, em 1717, lorde Cobham, seu proprietário, teve de comprar uma pousada vizinha para acomodar os visitantes.

Em 1738, Bridgeman morreu e logo foi sucedido por um jovem que não era nem nascido quando ele começara a trabalhar em Stowe. Seu nome era Lancelot Brown, e era exatamente o homem de que o movimento de renovação do paisagismo necessitava naquele momento.

A vida de Brown lembra bastante a de Joseph Paxton. Ambos eram filhos de pequenos sitiantes; ambos, excepcionalmente brilhantes e dedicados ao trabalho, entraram na jardinagem ainda garotos, e logo se destacaram a serviço de clientes ricos. No caso de Brown, a história começou em Northumberland, no norte da Inglaterra, onde seu pai era colono em uma propriedade chamada Kirkharle. Brown foi colocado como aprendiz de jardineiro aos catorze anos e serviu por sete anos; mas deixou então Northumberland e mudou-se para o sul, possivelmente buscando um clima melhor para sua asma. Não se sabe o que fez em seguida, mas deve ter se destacado, pois, logo após a morte de Charles Bridgeman, lorde Cobham o escolheu para ser o novo jardineiro-chefe de Stowe. Ele tinha apenas 24 anos.

Brown encontrou-se então no comando de uma equipe de quarenta homens, servindo como tesoureiro, além de jardineiro-chefe. Aos poucos passou a administrar toda a propriedade, tanto os projetos de construção como os de jardinagem. Dessa forma, e sem dúvida por meio de mais estudos, adquiriu as habilidades necessárias para tornar-se um arquiteto plenamente competente, embora sem formação superior. Em 1749 lorde Cobham morreu, e Brown decidiu tornar-se independente. Mudou-se para Hammersmith, em uma aldeia a oeste de Londres, e embarcou em uma carreira autônoma. Aos 35 anos, estava prestes a tornar-se o personagem que ficou na história como "Capability Brown".

Sua visão era muito ampla: não fazia jardins, fazia paisagens. Era seu hábito, ao ver uma propriedade, anunciar que tinha "capacidades", e assim adquiriu o apelido famoso. Historicamente houve a tendência de retratar Brown como um simples prático, que só sabia experimentar e melhorar as coisas ocasionalmente, e pouco mais fazia que dispor as árvores em conjuntos atraentes. Na verdade, ninguém fez mais terraplanagem, nem trabalhou em uma escala maior do que ele. Para fazer o Vale Grego, em Stowe, seus operários retiraram, em carrinhos de mão, 18 mil metros cúbicos de terra e pedras, que foram espalhadas em outros lugares. Em Heveningham, Suffolk, ele levantou um grande gramado em quatro metros. Não via problema algum em mudar de lugar árvores adultas — e por vezes também aldeias inteiras. Para a primeira finalidade inventou uma máquina com rodas capaz de mover as árvores até doze metros de altura sem prejudicá-las — uma obra de engenharia a serviço da horticultura que foi considerada quase milagrosa. Plantou dezenas de milhares de árvores — 91 mil em um só ano, em Longleat. Construiu lagos que recobriram dezenas de hectares de terras agrícolas produtivas (fato que deve ter feito alguns clientes pensarem duas vezes em suas ideias). No Palácio de Blenheim, uma ponte magnífica atravessava um riacho insignificante; Brown lhe deu um par de lagos e a tornou gloriosa.

Ele era capaz de visualizar mentalmente como ficaria uma paisagem dali a cem anos. Muito antes de alguém pensar nisto, usava quase exclusivamente árvores nativas. São esses toques que fazem suas paisagens parecerem ter evoluído naturalmente, quando, na verdade, foram inteiramente projetadas, quase até o último excremento bovino. Brown era muito mais engenheiro e paisagista do que jardineiro. Tinha um dom especial para "confundir o olhar" — por exemplo, fazendo com que dois lagos em diferentes níveis parecessem um único lago muito maior. Criou paisagens que eram, de certa forma, "mais inglesas" do que as áreas anteriores, que foram substituídas; e fez isso em uma escala tão ampla e radical que hoje é preciso um esforço para imaginar como isso tudo era novidade na época. Chamava seu trabalho de "place-making" [criação do local]. Hoje pode parecer que a paisagem de grande parte das terras baixas da Inglaterra existe desde tempos imemoriais, mas na verdade foi, em boa parte, uma criação do século XVIII, e Brown, mais do que ninguém, foi quem a criou. Se isso é experimentação, foi feita em grande escala.

Brown prestava serviços completos — concepção, fornecimento de plantas, plantio e manutenção dos jardins. Trabalhava depressa e arduamente, e conseguia administrar várias encomendas ao mesmo tempo. Dizia-se que uma caminhada de uma hora por uma propriedade era tudo de que necessitava para elaborar um plano global de melhorias. Outro atrativo da sua abordagem era custar barato a longo prazo. Os jardins com canteiros simétricos, topiaria e quilômetros de sebes bem podadas exigiam muita manutenção; já as paisagens de Brown não necessitavam de cuidados especiais. Era também um homem extremamente prático. Onde os outros construíam templos, pagodes e santuários, Brown construía prédios que *pareciam follies* extravagantes, mas eram, na verdade, fabriquetas de laticínios, ou canis, ou moradias para os trabalhadores da propriedade. Criado em uma fazenda, ele realmente entendia de agricultura, e introduzia muitas modificações que melhoravam a eficiência. Se não foi um grande arquiteto, decerto foi competente; e compreendia a drenagem talvez melhor que qualquer outro arquiteto da época, graças ao seu trabalho de paisagismo. Foi um mestre em engenharia do solo, muito antes da existência dessa disciplina. Invisíveis sob suas pacíficas paisagens, pode haver complexos sistemas de drenagem que transformaram pântanos em campinas, e assim as conservaram por 250 anos. Seu apelido bem poderia ser "Brown Drenagem".

Certa vez, Brown recebeu uma oferta de mil libras para elaborar o paisagismo de uma propriedade na Irlanda, mas recusou, dizendo que ainda não tinha acabado de fazer toda a Inglaterra. Em suas três décadas de trabalho por conta própria realizou cerca de 170 encomendas, transformando boa parte da paisagem inglesa. E, ao fazê-lo, enriqueceu. Em uma década de atividades como autônomo ganhava 15 mil libras por ano, o suficiente para colocá-lo no alto da lista da nova classe média emergente.

Mas nem todos admiravam suas obras, de modo algum. O poeta Richard Owen Cambridge certa vez lhe disse: "Senhor Brown, eu desejo, muito sinceramente, morrer antes do senhor".

"Por quê?", perguntou Brown, surpreso.

"Porque eu gostaria de ver o céu antes de o senhor fazer melhorias por lá", respondeu Cambridge secamente.

O artista John Constable odiava o trabalho de Brown. "Não é beleza porque não é natureza", declarou ele. Mas seu antagonista mais dedicado foi o esnobe sir William Chambers, que descartava as paisagens de Brown como sendo carentes de imaginação, insistindo que "diferem muito pouco dos campos comuns". A ideia de Chambers de melhorar a paisagem era cobri-la de edifícios extravagantes. Foi ele quem desenhou o pagode, a imitação do Palácio de Alhambra e outras atrações em Kew Gardens. Chambers considerava Brown pouco mais que um camponês, sem requinte no falar e nas maneiras; mas os clientes de Brown o amavam. Um deles, lorde Exeter, pendurou um retrato de Brown em sua casa, onde podia vê-lo todos os dias. Brown também parece ter sido um homem muito agradável. Em uma de suas poucas cartas que restaram, ele diz à esposa que, separado dela devido ao trabalho, passava o dia em conversas imaginárias com ela, "conversas que têm todo o seu charme, exceto a sua estimada companhia, que sempre será o prazer sincero e principal, minha querida Biddy, do seu afetuoso marido". Nada mau para alguém com tão pouca instrução, e decerto não são palavras de um camponês. Brown morreu em 1783, aos 66 anos, e foi lamentado por muita gente.

II

Na mesma época em que Capability Brown rejeitava as flores e os arbustos ornamentais, outros encontravam novas espécies em magnífica abundância. O período de cinquenta anos antes e depois da morte de Brown revelou descobertas sem precedentes no mundo botânico. A caça às plantas deu grande impulso à ciência e ao comércio.

Pode-se dizer que quem começou tudo isso foi Joseph Banks, o brilhante botânico que acompanhou o capitão James Cook em sua viagem aos Mares do Sul e mais além, em 1768-71. Banks encheu o pequeno navio de Cook com espécimes de plantas — 30 mil ao todo — incluindo 1400 nunca antes registradas, o que aumentou cerca de um quarto o universo de plantas conhecidas. Com certeza teria encontrado outras na segunda viagem de Cook, mas infelizmente Banks era, além de brilhante, muito mimado. Dessa vez insistiu em levar dezessete criados, incluindo dois músicos para tocarem trompa e entretê-lo à noite. Cook educadamente objetou, e Banks se recusou a viajar. Em vez disso ele financiou uma expedição particular à Islândia. A caminho houve uma parada na baía de Skaill, em Orkney, na Escócia, e ali Banks fez algumas escavações; mas não deu atenção a uma colina de grama que recobria Skara Brae, e assim perdeu a chance de acrescentar uma das maiores descobertas arqueológicas da época às suas muitas outras realizações.

Enquanto isso, dedicados caçadores de plantas iam se espalhando pelo mundo, inclusive na América do Norte, que se revelou especialmente fértil em plantas não só belas e interessantes, mas que se dariam bem no solo britânico. Os primeiros europeus a adentrar no interior dos Estados Unidos, vindos do leste, não estavam em busca de terras para se estabelecer, nem de passagens para penetrar no oeste. Estavam à procura de plantas que pudessem vender, e ali encontraram dezenas de novas espécies maravilhosas — azaleia, aster, camélia, catalpa, eufórbia, hortênsia, rododendro, rudbeckia, trepadeira da Virgínia, cereja selvagem e muitos tipos de samambaias, arbustos, árvores e trepadeiras. Era possível fazer fortuna encontrando novas plantas e levando-as de volta a salvo para os canteiros da Europa, onde pudessem se propagar. Logo os bosques da América do Norte estavam tão cheios de caçadores de plantas que é impossível dizer agora quem descobriu exatamente o quê. John Fraser, que deu nome ao abeto de Fraser, descobriu 44 novas espécies de plantas, ou talvez 215, segundo diferentes histórias da botânica.

Os perigos de caçar plantas eram consideráveis. Joseph Paxton enviou dois homens à América do Norte para ver o que poderiam encontrar, e ambos se afogaram quando seu barco, sobrecarregado, emborcou em um rio encachoeirado na Colúmbia Britânica. O filho de André Michaux, um caçador francês, foi horrivelmente mutilado por um urso. No Havaí, David Douglas, descobridor do abeto de Douglas, caiu em uma armadilha para animais em um momento muito desfavorável: ela já estava ocupada por um touro selvagem, que pisoteou Douglas até a morte. Outros se perderam e passaram fome, ou morreram de malária, febre amarela ou outras doenças, ou foram mortos por índios. No entanto, os que tinham sucesso muitas vezes adquiriam riqueza considerável — e talvez ninguém mais notável que Robert Fortune, que encontramos no capítulo 8 arriscando-se pela China, disfarçado de nativo, para descobrir como se produzia o chá. Ao introduzir o plantio do chá na Índia, ele possivelmente salvou o Império britânico; mas foi por trazer crisântemos e azaleias aos canteiros britânicos que acabou morrendo rico.

Outros eram motivados simplesmente pela busca de aventuras — por vezes perigosamente equivocadas, ao que parece. Talvez os mais notáveis, e mais surpreendentes, nessa categoria tenham sido os jovens amigos Alfred Russel Wallace e Henry Walter Bates, ambos filhos de comerciantes ingleses de meios modestos. Embora nenhum dos dois já tivesse estado no exterior, em 1848 decidiram viajar para a Amazônia à procura de espécimes botânicos. Logo depois o grupo aumentou com o irmão de Wallace, Herbert, e outro amador entusiasmado, Richard Spruce, professor primário nas terras do castelo de Howard, em Yorkshire, que nunca tinha enfrentado nada mais desafiador do que uma campina inglesa. Nenhum deles não estava nem remotamente preparado para a vida nos trópicos, como demonstrou o pobre Herbert, que contraiu febre amarela e acabou morrendo. Os outros, porém, perseveraram, e por razões desconhecidas, decidiram separar-se e seguir em direções diferentes.

Wallace mergulhou na selva ao longo do rio Negro, e com obstinação passou os quatro anos seguintes coletando espécimes. Os desafios que enfrentou foram intermináveis. Os insetos faziam de sua vida um tormento. Quebrou seus óculos, dos quais era altamente dependente, ao deparar com um ninho de vespas, e perdeu uma bota em outro momento caótico, precisando manquitolar pela selva durante algum tempo com apenas um pé calçado. Deixava perplexos seus guias indígenas, pois trocava a cachaça dos frascos por suas amostras, sem tomar a bebida alcoólica, como faria qualquer homem sensato. Julgando-o louco, eles se apoderaram do restante da cachaça e desapareceram na selva. Sem se dar por vencido, Wallace seguiu em frente.

Depois de quatro anos, Wallace saiu esgotado da floresta tropical, com as roupas em farrapos, tremendo e delirando de febre recorrente, mas com uma rara coleção de amostras. Na cidade portuária de Belém do Pará garantiu sua volta à Inglaterra em um barco chamada *Helen*. No meio do caminho, porém, em pleno Atlântico, a embarcação pegou fogo e Wallace conseguiu, a custo, entrar em um bote salva-vidas, deixando para trás sua preciosa carga. Assistiu ao navio, consumido pelas chamas, naufragar sob as ondas, levando junto seus tesouros. Ainda sem se deixar vencer (bem, talvez um pouco abatido), Wallace se permitiu um período de convalescença e em seguida rumou para o outro extremo da terra, para o arquipélago malaio. Ali vagou sem cessar por oito anos, reunindo uma impressionante coleção de 127 mil espécimes, incluindo mil insetos e duzentas aves nunca antes registrados, que conseguiu levar para a Inglaterra em segurança.

Bates, por sua vez, ficou na América do Sul mais sete anos após a partida de Wallace, explorando, sobretudo de barco, o Amazonas e seus afluentes. Por fim levou de volta para a Inglaterra quase 15 mil exemplares de animais e insetos, o que parece um número modesto comparado com os 127 mil de Wallace; no entanto, cerca de 8 mil de seus espécimes — mais da metade, uma proporção fenomenal — eram novos para a ciência.

Mas o mais notável de todos, em muitos aspectos, foi Richard Spruce. Ele passou dezoito anos na América do Sul, explorando áreas nunca antes visitadas por um europeu, e organizando vastas quantidades de informações, incluindo glossários de 21 línguas de índios nativos. Entre muitas outras coisas, descobriu uma planta produtora de borracha de importância comercial, as espécies de coca das quais se deriva a cocaína moderna, a variedade de quina que produz o quinino — durante um século o único remédio eficaz contra a malária e outras febres tropicais —, e também a água tônica com sabor de quina, que é a base do gim-tônica.

Quando finalmente voltou para Yorkshire, descobriu que todo o dinheiro que tinha ganhado com seus empreendimentos de mais de vinte anos fora mal investido pelas pessoas a quem o confiara, e que se encontrava agora sem tostão. Sua saúde estava tão arruinada que passou a maior parte dos 27 anos seguintes na cama, catalogando, muito devagar, suas descobertas. Nunca encontrou forças para escrever suas memórias.

Graças aos esforços desses homens ousados e dezenas de outros como eles, o número de plantas disponíveis para os jardineiros ingleses aumentou enormemente — de cerca de mil em 1750 para bem mais de 20 mil cem anos depois. Plantas exóticas recém-descobertas se tornaram extremamente valorizadas. Uma pequena conífera decorativa descoberta no Chile em 1782 poderia, por volta de 1840, chegar a cinco libras na Grã-Bretanha, aproximadamente o custo anual de ter uma empregada doméstica. As plantas para canteiros também se tornaram uma grande indústria. Tudo isso deu um impulso poderoso para a jardinagem amadora.

Outro impulso, este inesperado, veio da expansão do transporte ferroviário. Os trens permitiam que as pessoas se mudassem para bairros distantes, viajando diariamente até o trabalho. Os subúrbios davam mais espaço aos proprietários, e o maior espaço externo permitia — na verdade, quase exigia — que a nova geração de moradores desses bairros se interessasse pela jardinagem.

Mas houve outra mudança com consequências ainda mais profundas que todas as outras: o aumento do interesse feminino pela jardinagem doméstica. O catalisador foi uma mulher chamada Jane Webb, inexperiente em jardinagem, famosa autora de um livro popular em três volumes chamado *The mummy! A tale of the twenty-second century* [A múmia! Uma história do século XXII], que publicou anonimamente em 1827, com apenas vinte anos de idade. Sua descrição de uma máquina a vapor para cortar grama despertou tanto entusiasmo em John Claudius Loudon, escritor especializado em jardinagem, que ele a procurou para travar uma amizade, pensando que o autor anônimo era um homem. Loudon ficou ainda mais animado ao descobrir que a autora era mulher, e logo lhe propôs casamento, embora tivesse o dobro da sua idade.

Jane aceitou, e assim teve início uma parceria emocionante e produtiva. John Claudius Loudon já tinha muito prestígio no mundo da horticultura. Nascido em uma fazenda na Escócia, em 1783, mesmo ano em que morreu Capability Brown, passou a juventude em uma febre de autoaperfeiçoamento, aprendendo sozinho seis línguas, inclusive grego e hebraico, e absorvendo dos livros tudo que havia para saber sobre botânica, horticultura, história natural e tudo mais relacionado às artes da vegetação. Em 1804, aos 21 anos, começou a produzir um fluxo aparentemente interminável de livros robustos, com títulos sérios e formais como *Breve tratado sobre diversas melhorias feitas recentemente em estufas, Observações sobre a formação e a gestão de plantações úteis e ornamentais, Os diferentes modos de cultivar o abacaxi* — que eram bem mais vendidos do que poderíamos supor. Além disso, editou, escreveu grande parte e, com efeito, produziu sozinho várias revistas de jardinagem popular, até cinco títulos de uma só vez — e tudo isso, note-se, apesar de uma incrível falta de sorte com a saúde. Tinha forte propensão para adoecer e ter terríveis complicações. Seu braço direito, por exemplo, teve de ser amputado devido a complicações decorrentes de um tratamento equivocado para combater a febre reumática. Logo depois teve ancilose no joelho, deixando-o manco. Em consequência das dores crônicas, tornou-se por um tempo viciado em láudano. A vida nunca foi fácil para ele.

A sra. Loudon foi ainda mais bem-sucedida do que o marido, graças a um único trabalho: *Practical instructions in gardening for ladies* [Instruções práticas de jardinagem para senhoras], publicado em 1841, obra magnificamente oportuna. Foi o primeiro livro, de qualquer tipo, que incentivou as mulheres das classes elevadas a sujar as mãos e até mesmo ganhar um leve brilho de suor com a transpiração. Isso tudo era tão novo que quase chegava ao erotismo. *Gardening for ladies* insistia bravamente que as mulheres podiam fazer jardinagem sem supervisão masculina, bastando guardar algumas precauções — trabalhar com afinco, mas não muito vigorosamente, usar apenas ferramentas leves e nunca pisar em solo úmido, devido às emanações insalubres que podiam subir pelas saias. O livro parece supor que a leitora quase nunca havia estado ao ar livre, muito menos posto as mãos em uma ferramenta de jardinagem. Eis aqui, por exemplo, a sra. Loudon explicando o que faz uma pá:

> A operação de escavação, assim como realizada por um jardineiro, consiste em empurrar a parte de ferro da enxada, que age como uma cunha, perpendicularmente no solo, através da pressão do pé, e depois usar o cabo longo como uma alavanca, para levantar a terra solta e jogá-la para trás.

O livro inteiro é assim, descrevendo em detalhes quase dolorosos as ações mais corriqueiras e óbvias, como a extremidade da pá que se deve enfiar na terra. Hoje é praticamente ilegível, e provavelmente não foi muito lido na época. O valor de *Gardening for ladies* não reside tanto no que continha, mas no que representava: a permissão para sair e *fazer* alguma coisa. O livro surgiu no momento certo para cativar a fantasia do país. Em 1841, as mulheres de classe média em todos os lugares estavam entediadas até a loucura pela rigidez da vida que levavam, e agradeciam qualquer sugestão de diversão. *Gardening for ladies* permaneceu em catálogo, lucrativamente, até o fim do século. E realmente conseguiu incentivar as mulheres a sujar as mãos. Todo o segundo capítulo era dedicado ao esterco.

Além do seu atrativo como recreação, houve outro impulso, este mais inesperado, para o movimento da jardinagem no século XIX, e também aqui John Claudius Loudon desempenhou papel central. A época foi marcada por epidemias de cólera e outras doenças contagiosas que matavam em grande número. Isso não despertou o desejo de fazer jardinagem, exatamente; mas originou um anseio geral por ar fresco e espaços abertos — sobretudo quando ficou evidente que os cemitérios urbanos eram, em geral, lugares imundos, superlotados e insalubres.

Em meados do século XIX, Londres tinha apenas noventa hectares de cemitérios. As pessoas eram enterradas em uma densidade que mal conseguimos imaginar. Quando o poeta William Blake morreu, em 1827, foi enterrado em Bunhill Fields em cima de outros três mortos; mais tarde, outros quatro foram enterrados em cima dele. Dessa maneira os cemitérios londrinos absorviam quantidades absurdas de cadáveres. A igreja paroquial de Saint Marylebone continha, por estimativa, 100 mil corpos, em um cemitério de 2 mil metros quadrados. Onde vemos hoje a National Gallery, em Trafalgar Square, ficava o modesto cemitério da igreja de St. Martin-in-the-Fields. Continha 70 mil corpos em uma área do tamanho de um pequeno parque urbano atual, além de incontáveis milhares sepultados nas criptas no interior da igreja. Em 1859, quando St. Martin anunciou a intenção de limpar as criptas, o naturalista Frank Buckland decidiu encontrar o caixão do grande cirurgião e anatomista John Hunter, para que seus restos mortais pudessem ser enterrados na abadia de Westminster. Buckland deixou um relato fascinante do que encontrou lá dentro.

"Depois que o sr. Burstall desbloqueou a pesada porta de carvalho da cripta número três", escreve Buckland, "jogamos a luz da nossa lanterna olho de boi para dentro da cripta, e vi uma cena que eu jamais esquecerei." Na escuridão sombria na sua frente estavam milhares e milhares de caixões em desordem, quebrados, amontoados por toda parte, como se atirados por um tsunami. Buckland demorou dezesseis dias de dedicada pesquisa para encontrar o que buscava. Infelizmente, ninguém se preocupou com nenhum dos outros caixões, que foram levados, sem cerimônia, para sepulturas não identificadas em outros cemitérios. Em consequência, hoje desconhecemos o paradeiro dos restos mortais de muitos notáveis — o fabricante de móveis Thomas Chippendale, a amante real Nell Gwyn, o cientista Robert Boyle, o miniaturista Nicholas Hilliard, o salteador Jack Sheppard e o Winston Churchill original, pai do primeiro duque de Marlborough e antepassado do primeiro-ministro, para citar apenas alguns.

Muitas igrejas obtinham a maior parte da sua renda dos sepultamentos, e não queriam abrir mão de um negócio tão lucrativo. Na capela batista Enon em Clement's Lane em Holborn (onde fica hoje a Escola de Economia de Londres), as autoridades eclesiásticas conseguiram enfiar a quantidade colossal de 12 mil cadáveres no porão, em apenas dezenove anos. Não surpreende que esse volume de carne pútrida criasse cheiros nauseabundos, impossíveis de conter. Durante os serviços religiosos era comum que vários paroquianos desmaiassem. Por fim a maioria parou de vez de frequentar a igreja; mas a capela continuava aceitando corpos para o enterro. O pároco precisava da renda.

Os cemitérios ficaram tão superlotados que era quase impossível enfiar uma pá na terra sem trazer à luz um braço, uma perna ou alguma outra relíquia orgânica em decomposição. Os corpos eram enterrados em covas tão rasas e de maneira tão descuidada que muitas vezes ficavam expostos por animais carniceiros, ou subiam espontaneamente à superfície, como fazem as pedras nos canteiros de flores, e tinham de ser novamente enterrados. Nas cidades as pessoas quase nunca ficavam à beira do túmulo para assistir ao enterro propriamente dito. Era uma experiência demasiado perturbadora, e também considerada perigosa. Havia abundantes relatos de pessoas que iam visitar um cemitério e eram derrubadas pelas emanações pútridas. Um certo dr. Walker testemunhou em um inquérito parlamentar que os trabalhadores dos cemitérios, antes de lidar com um caixão, perfuravam um buraco na lateral, inseriam um tubo e queimavam os gases que escapavam — processo que podia demorar vinte minutos, segundo Walker. Ele sabia do caso de um homem que não observou essas precauções habituais e foi derrubado de imediato — "como se atingido por uma bala de canhão" — pelos gases emanados de um túmulo recém-cavado. "Inalar esse gás, não diluído com o ar atmosférico, é morte instantânea", confirmou a comissão em seu relatório escrito, acrescentando sombriamente, "e, mesmo quando muito diluído, gera doenças que normalmente terminam em morte." Até o final do século, a revista médica *The Lancet* publicava relatos ocasionais de pessoas abatidas pelo ar fétido ao visitar cemitérios.

A solução sensata para toda essa horrível situação de pestilência, segundo muitos, era transferir os cemitérios para fora das cidades e torná-los mais semelhantes a parques. Joseph Paxton foi um entusiasta da ideia, mas o principal promotor desse movimento foi o incansável e onipresente John Claudius Loudon. Em 1843, ele escreveu e publicou *On the laying out, planting, and managing of cemeteries; and on the improvement of churchyards* [Sobre a localização, a implantação e a gestão de cemitérios; e sobre a melhoria dos adros das igrejas] — um livro inesperadamente oportuno, já que ele mesmo iria precisar de um cemitério antes do fim do ano. Um dos problemas dos cemitérios londrinos, como notou Loudon, era serem construídos em solo argiloso pesado, que não proporciona boa drenagem e favorece a purulência e a estagnação. Cemitérios nos bairros, sugeriu ele, poderiam ser implantados em solos arenosos ou de cascalho, onde os corpos ali enterrados se tornariam, na verdade, um saudável adubo. Árvores e arbustos plantados em abundância não só criariam um ar bucólico, mas absorveriam quaisquer miasmas que vazassem dos túmulos, substituindo o ar fétido por ar fresco. Loudon projetou três cemitérios desse novo modelo, fazendo-os quase indistinguíveis de parques. Infelizmente, ele mesmo não conseguiu o descanso eterno em uma das suas próprias criações, pois morreu, desgastado pelo excesso de trabalho, antes que fossem construídas; mas foi enterrado no cemitério Kensal Green, no oeste de Londres, construído segundo princípios semelhantes.

Em uma virada surpreendente, os cemitérios se tornaram parques, para todos os efeitos. Nas tardes de domingo as pessoas os frequentavam não só para prestar respeito aos mortos, mas para passear, tomar ar e fazer piqueniques. O cemitério Highgate, no norte de Londres, com vistas amplas e monumentos majestosos, tornou-se, em si mesmo, uma atração turística. Quem morava nas proximidades comprava chaves do portão para entrar e sair quando aprouvesse. O maior de todos era o cemitério Brookwood, em Surrey, aberto em 1854 pela Empresa Nacional de Mausoléus e Necrópoles de Londres, que chegou a ter quase um quarto de milhão de corpos enterrados em seus oitocentos hectares de áreas bucólicas. Tornou-se um empreendimento de tais proporções que a empresa inaugurou uma linha férrea privada entre Londres e Brookwood, 37 quilômetros a oeste, com três classes de serviço e duas estações em Brookwood: uma para os anglicanos e outra para não conformistas. Os trabalhadores ferroviários a chamavam carinhosamente de "Expresso dos Defuntos". O serviço durou até 1941, quando recebeu um golpe mortal dos bombardeiros alemães.

Aos poucos ficou claro para as autoridades que de fato eram desejados não cemitérios semelhantes a parques, mas sim parques de verdade. No ano da morte de Loudon, um fenômeno inteiramente novo — o parque municipal — foi inaugurado em Birkenhead, em frente a Liverpool, do outro lado do rio Mersey. Criado em cinquenta hectares de terreno baldio, foi um sucesso instantâneo e uma maravilha muito aclamada; e é quase desnecessário dizer que foi projetado pelo sempre diligente, sempre inventivo, sempre confiável Joseph Paxton.

Os parques já existiam nessa época, mas não eram como os parques que conhecemos hoje. Para começar, em geral eram exclusivos. Apenas as pessoas elegantes e de alto nível social (além de algumas cortesãs despudoradas, ocasionalmente) tinham autorização para entrar nos grandes parques de Londres até meados do século xix. Havia um "entendimento tácito", como é sempre chamado, de que os parques não eram para as pessoas das classes baixas, ou mesmo da classe média, seja como for que se definam essas categorias. Alguns parques nem se preocupavam em manter essa regra implícita. Até 1835 o Regent's Park cobrava uma taxa de admissão para expressamente desincentivar a entrada das pessoas do povo, que poderiam atravancar as veredas e rebaixar o tom geral do público. Muitas novas cidades industriais não tinham parques de espécie alguma; assim, para numerosos trabalhadores não havia nenhum lugar para tomar ar fresco e ter um pouco de lazer, além de caminhar pelas estradas poeirentas que saíam da cidade para o campo; e quem se atrevesse a sair dessas trilhas esburacadas e pisar em terrenos privados — seja para admirar a vista, esvaziar a bexiga ou tomar um gole de água de um riacho — se arriscava a prender o pé em uma armadilha de aço. Era uma época em que as pessoas eram rotineiramente degredadas para a Austrália por caçar ilegalmente, e qualquer transgressão, ainda que leve, era considerada nefasta.

Assim, a ideia de um parque construído pela cidade para a livre utilização de todos os seus cidadãos, qualquer que fosse sua posição social, era extremamente emocionante. Paxton evitava as avenidas formais e os panoramas bem-ordenados que os parques em geral adotavam, e criava, em vez disso, algo mais natural e convidativo. O Birkenhead Park fazia lembrar os terrenos de uma propriedade privada, mas se destinava a ser utilizado por todos. O conceito foi muito aplaudido, e sua influência se estendeu muito além das plagas inglesas. Na primavera de 1851 (aquele ano!), um jovem jornalista e escritor americano chamado Frederick Law Olmsted, em férias no norte da Inglaterra, passeando a pé com dois amigos, parou para comprar mantimentos para o almoço em uma padaria de Birkenhead, e o padeiro falou do parque com tal entusiasmo e orgulho que os três decidiram dar uma olhada. Olmsted ficou encantado. A qualidade do projeto paisagístico "atingiu ali uma perfeição com que eu nunca havia sonhado", lembrou ele em *Walks and talks of an American farmer in England* [Caminhadas e conversas de um fazendeiro americano na Inglaterra], seu popular relato dessa viagem. Naquela época, muitas pessoas em Nova York pediam com insistência um parque público decente para a cidade; e este, pensou Olmsted, era exatamente o parque de que precisavam. Mas na época não fazia ideia de que, seis anos mais tarde, ele próprio projetaria um parque assim.

Frederick Law Olmsted nasceu em 1822 em Hartford, Connecticut, filho de um próspero comerciante, e passou o início da vida adulta voando de emprego em emprego. Trabalhou em uma fábrica têxtil, fez-se ao mar como marinheiro mercante, administrou uma pequena fazenda e, finalmente, passou a escrever. Após voltar da Inglaterra para os Estados Unidos, entrou no quadro do então nascente *New York Times* e partiu para visitar os estados do sul, produzindo uma aplaudida série de artigos jornalísticos mais tarde publicados em um livro de sucesso, *The cotton kingdom* [O reino do algodão]. Tornou-se uma espécie de provocador, socializando com gente como Washington Irving, Henry Wadsworth Longfellow e William Makepeace Thackeray, quando estes visitavam a cidade, e entrou na editora Dix & Edwards, onde se tornou sócio. Por um tempo tudo parecia ir a seu favor; mas a editora sofreu uma série de reveses financeiros e em 1857 — um ano de depressão econômica e numerosas falências bancárias — viu-se repentinamente quebrado e desempregado.

Nesse mesmo momento a cidade de Nova York estava prestes a iniciar a conversão de 340 hectares de campos relvados e terrenos incultos no tão esperado Central Park. Era um local enorme, com cerca de quatro quilômetros de norte a sul e oitocentos metros de largura. Olmsted, num gesto de certo desespero, candidatou-se a superintendente da equipe de operários e conseguiu o cargo. Aos 35 anos, para ele esse não foi um passo avante. Tornar-se superintendente de um parque municipal, para alguém que já tinha desfrutado de tanto sucesso como ele, era um revés humilhante; mas sobretudo porque ninguém garantia o sucesso do Central Park. Para começar, na época ele não era nada "central". A área conhecida como "Uptown Manhattan" ficava cerca de três quilômetros mais para o sul. A área proposta para o parque era um grande terreno baldio desabitado — uma vastidão desolada de pedreiras abandonadas e "pântanos pestilentos", nas palavras de um observador. A ideia de transformá-lo em um local belo e popular parecia ridiculamente ambiciosa.

Nenhum projeto havia sido escolhido para o parque — que, aliás, sempre era chamado de "o" Central Park, com artigo definido, nos primeiros tempos. Um prêmio de 2 mil dólares aguardava o vencedor, e Olmsted precisava do dinheiro. Ele se associou a um jovem arquiteto britânico, recém-chegado à América, chamado Calvert Vaux, e apresentou um plano.* Vaux (pronuncia-se "vóks") era uma figura pequena, de apenas um metro e meio de altura. Foi criado em Londres, filho de um médico, mas emigrou para os Estados Unidos em 1850, logo após diplomar-se. Olmsted tinha paixão e visão, mas não era bom desenhista, e Vaux poderia suprir essa habilidade. Foi o início de uma parceria de imenso sucesso. Para satisfazer aos requisitos da concorrência, todas as propostas tinham que incorporar certos elementos — campo para desfiles, quadras de jogos, lagoa para patinação no gelo, pelo menos um jardim de flores e uma torre de vigia, entre muitas outras coisas; e também precisavam incorporar quatro ruas que o atravessassem, a intervalos, para que o parque não virasse uma barreira para o tráfego de leste a oeste ao longo de todo o seu comprimento. O que mais deu destaque ao projeto de Olmsted e Vaux foi sua decisão de fazer essas ruas transversais passarem sob o parque, abaixo da linha de visão, separando-as fisicamente dos visitantes, que podiam caminhar com

---

* Vaux também teve uma carreira independente de sucesso. Entre muitas outras obras, foi coprojetista, com outro inglês, Jacob Wrey Mould, do Museu Americano de História Natural, com vista para o Central Park.

segurança sobre elas, em passarelas. "A ideia também tinha a vantagem de permitir que o parque fosse fechado à noite sem interromper o tráfego", escreve Witold Rybczynski em sua biografia de Olmsted. A proposta da dupla era a única a incluir essa característica.

É fácil supor que projetar um parque consiste, basicamente, de plantar árvores, estabelecer alamedas, colocar bancos e escavar uma ou outra lagoa. Na verdade, o Central Park foi um *enorme* projeto de engenharia. Mais de 20 mil barris de dinamite foram necessários para reconfigurar o terreno segundo as especificações de Olmsted e Vaux, e foi preciso trazer mais de meio milhão de metros cúbicos de terra vegetal fresca para deixar a terra fértil o suficiente para o plantio. No pico da construção, em 1859, o Central Park tinha 3600 homens trabalhando. O parque abriu aos poucos, sem uma inauguração grandiosa. Muita gente o julgou desordenado e confuso. E é verdade: o Central Park tem muito poucos pontos focais predominantes. Como disse Adam Gopnik: "A alameda central não tem orientação definida e não vai para nenhum lugar específico. Os lagos e os tanques ficam aninhados em seus próprios terrenos, e não formam uma via aquática contínua. As principais áreas não estão nitidamente demarcadas, mas se imiscuem umas nas outras. Há uma ausência deliberada de orientação, planejamento claro e lucidez familiar e tranquilizadora. O Central Park não tem um ponto central".

Mas as pessoas passaram a amá-lo mesmo assim, e logo Olmsted estava recebendo encomendas de todo o país. Isso é um tanto surpreendente, pois Olmsted não tinha muita habilidade para construir parques do tipo que as pessoas realmente queriam — e quanto mais parques ele construía, mais evidente isso se tornava. Olmsted estava convencido de que todos os males da vida urbana se deviam ao ar viciado e à falta de exercício, produzindo "uma prematura falta de vigor no cérebro". Caminhar calmamente, em reflexão tranquila, era o remédio necessário para restaurar a saúde, a energia e até mesmo o moral de um cidadão cansado. Assim, Olmsted era absolutamente contra qualquer coisa que fosse ruidosa, vigorosa ou divertida. Em especial, não queria distrações como zoológicos e lagos com barquinhos — o tipo de coisa que os usuários ansiavam em um parque de diversões. No Franklin Park, em Boston, ele proibiu jogar beisebol, além de todas as outras "recreações ativas", como ele desdenhosamente as chamava, para todos exceto os menores de dezesseis anos. As comemorações do Quatro de Julho eram terminantemente proibidas.

As pessoas reagiram ignorando as regras, e as autoridades do parque aceitavam, fechando os olhos, de modo que os parques de Olmsted acabaram sendo muito mais prazerosos do que ele desejava que fossem, embora bem mais restritos do que os parques da Europa, com seus animados jardins para tomar cerveja e seus carrosséis iluminados.

Embora só começasse a trabalhar com paisagismo quase na meia-idade, a carreira de Olmsted foi incrivelmente produtiva. Ele construiu mais de cem parques municipais em toda a América do Norte — em Detroit, Albany, Buffalo, Chicago, Newark, Hartford e Montreal. Embora o Central Park seja a sua criação mais famosa, muitos julgam o Prospect Park, no Brooklyn, sua obra-prima. Também executou mais de duas centenas de encomendas para propriedades privadas e instituições de todo tipo, incluindo cerca de cinquenta campi universitários. Biltmore foi o último projeto de Olmsted — e, na verdade, um dos seus últimos atos racionais. Pouco tempo depois seu estado mental decaiu, entrando numa demência incurável. Passou os últimos cinco anos de vida no asilo McLean, em Belmont, Massachusetts — nos jardins que, é quase desnecessário dizer, ele mesmo havia projetado.

III

Apesar do evidente perigo de especular sobre o estilo de vida adotado pelo bom reverendo sr. Marsham na sua casa paroquial, algo que ele provavelmente gostaria de possuir, se é que de fato não possuía, era uma estufa de plantas, pois a estufa foi o grande novo brinquedo da época. Inspiradas pelo Palácio de Cristal de Joseph Paxton, em Londres, e em feliz coincidência com a oportuna abolição dos impostos sobre o vidro, as estufas começaram a aparecer por toda parte e a ser preenchidas com os novos e interessantes espécimes de plantas que chegavam à Grã-Bretanha, vindas de todo o globo. Mas essa transferência generalizada de seres vivos entre continentes não foi sem consequências. No verão de 1863, um jardineiro perspicaz em Hammersmith, no oeste de Londres, encontrou uma preciosa videira doente em sua estufa. Não conseguiu identificar a doença, mas viu que as folhas estavam cobertas de galhas, das quais surgiam insetos de uma espécie que ele não conhecia. Recolheu alguns exemplares e os enviou para John Obadiah Westwood, professor de zoologia em Oxford e autoridade internacional em insetos.

A identidade do proprietário dessa videira se perdeu, o que é lamentável, pois foi uma pessoa de importância significativa: a primeira na Europa a sofrer uma infestação de filoxera, doença transmitida por insetos que em breve devastaria a indústria do vinho europeu. Mas sobre o professor Westwood sabemos muita coisa. Nasceu em circunstâncias modestas — seu pai era fabricante de corantes em Sheffield — e foi totalmente autodidata. Acabou se tornando a maior autoridade na Grã-Bretanha não só em insetos — e ninguém o igualava em perícia entomológica — mas também em textos anglo-saxões. Em 1849 foi nomeado primeiro professor de zoologia em Oxford.

Três anos depois da descoberta da filoxera em Hammersmith, os viticultores da região de Bouches-du-Rhône, perto de Arles, no sul da França, descobriram que suas videiras estavam murchando e morrendo. Logo a morte se espalhava por todos os vinhedos da França. Os proprietários estavam impotentes. Como os insetos infestavam as raízes, o primeiro sinal externo da doença já chegava tarde demais. Como os agricultores não podiam cavar para ver se a filoxera estava presente nas raízes sem com isso matar as videiras, só lhes restava esperar, e preparar-se para uma grande decepção.

Em quinze anos, morreram 40% dos vinhedos da França. Destes, 80% foram "reconstituídos" através do enxerto de raízes americanas. Dentre a devastação geral sobraram pequenas áreas com uma misteriosa imunidade. Toda a região da champanhe foi exterminada, exceto por dois pequenos vinhedos perto de Reims, que por algum motivo resistiram à infecção e até hoje produzem uvas das suas antigas raízes — a única champanhe francesa original que ainda subsiste.

Espécimes do pulgão filoxera do Novo Mundo decerto chegaram antes disso à Europa, mas devem ter chegado mortos, pois não conseguiam sobreviver à longa viagem por mar. O advento dos rápidos navios a vapor, e dos trens ainda mais rápidos em terra, permitiu aos pequenos pulgões chegar descansados e prontos para conquistar novos territórios.

A filoxera, originária dos Estados Unidos, já tinha eliminado todas as tentativas de introduzir vinhas europeias em solos norte-americanos — assunto que causou consternação e desespero desde os franceses de Nova Orleans até o Monticello de Thomas Jefferson, passando por Ohio e pelas colinas do estado de Nova York. As videiras americanas eram imunes à filoxera, mas não produziam um bom vinho. Alguém então percebeu que, enxertando videiras europeias nas raízes americanas, o resultado era uma planta resistente à filoxera. A questão era saber se essas plantas produziriam um vinho tão bom como antes.

Na França, muitos vinicultores não suportavam a ideia de corromper suas videiras com cepas norte-americanas. Os da região da Borgonha, temendo que seus amados e valiosos *grand crus* ficassem irremediavelmente comprometidos, se recusaram por catorze anos a permitir que as raízes americanas viessem denegrir suas antigas vinhas, embora as vissem secando e morrendo em cada encosta de colina. É quase certo que muitos produtores fizeram enxertos ilícitos, salvando assim seus nobres vinhos da extinção.

Mas é graças às raízes norte-americana que os vinhos franceses ainda existem. É impossível dizer se os vinhos estão piores agora do que eram antes. A maioria das autoridades pensa que não; mas um recurso desesperado, como esse tipo de enxerto, sempre alimenta as dúvidas dos que já tendem a duvidar. O certo é que os vinhos da época pré-filoxera que ainda sobrevivem têm um prestígio que já levou compradores a abrir mão de grandes somas — e até do bom senso — na ânsia de possuir algo tão delicioso e insubstituível. Em 1985, o editor americano Malcolm Forbes pagou 156 450 dólares por uma garrafa de Château Lafite 1787. Como era valiosa demais para ser bebida, ele a colocou em exposição em uma vitrine especial. Infelizmente, os holofotes que iluminavam sua preciosa aquisição fizeram encolher a antiga cortiça, a qual caiu dentro da garrafa, produzindo um respingo de 156 450 dólares. Ainda pior foi o destino de um Château Margaux do século XVIII, famoso por ter pertencido a Thomas Jefferson e avaliado em exatamente 519 750 dólares. Em 1989, ao exibir sua aquisição em um restaurante de Nova York, William Sokolin, um comerciante de vinhos, bateu sem querer a garrafa contra a lateral de um carrinho de servir; ela se quebrou, transformando, em um instante, a garrafa de vinho mais cara do mundo na mancha de tapete mais cara do mundo. O gerente do restaurante mergulhou um dedo no vinho e declarou que, de qualquer maneira, já não estava próprio para beber.

IV

Enquanto a Revolução Industrial produzia máquinas maravilhosas que transformavam o modo de viver das pessoas (e às vezes também das pragas), a ciência da horticultura estava assustadoramente defasada. Até o século XIX, ninguém conhecia nem mesmo fatos básicos como o que, exatamente, faz as plantas crescerem. Todos sabiam que é preciso fertilizar o solo, mas havia pouco consenso sobre o *motivo* disso, ou sobre qual seria o fertilizante eficaz. Um levantamento entre agricultores feito na década de 1830 mostrou que os fertilizantes em uso naquela época incluíam serragem, penas, areia do mar, feno, peixes mortos, conchas de ostra, panos de lã, cinzas, aparas de chifres, alcatrão de hulha, calcário, gesso, sementes de algodão, entre várias outras coisas. Algumas dessas substâncias davam resultado melhor do que se poderia esperar — afinal, os agricultores não eram tolos —, mas ninguém sabia classificá-las em ordem de eficácia, ou dizer em que proporções elas seriam mais eficientes. Em consequência, a trajetória da produção agrícola caía inexoravelmente. A safra de milho no estado de Nova York baixou de trinta *bushels* por acre em 1775 para um quarto desse rendimento meio século depois. Alguns cientistas eminentes, como o suíço Nicholas-Théodore de Saussure, o alemão Justus Liebig e o inglês Humphry Davy estabeleceram uma relação entre, por um lado, o nitrogênio e os sais minerais e, por outro, a fertilidade do solo; mas ainda não se sabia como introduzir essas substâncias no solo, de modo que os agricultores continuavam a aplicar muitas substâncias ineficazes nas plantações.

Foi então que, na década de 1830, surgiu de repente o produto milagroso que o mundo esperava: o guano, ou seja, excrementos de aves. O guano já era utilizado no Peru desde o tempo dos incas, e sua eficácia sempre foi notada por exploradores e viajantes; mas foi apenas nos anos 1830 que alguém teve a ideia de recolhê-lo em sacos e vendê-lo para os agricultores desesperados no hemisfério norte. Assim é que foi descoberto, porém, não havia como atender à enorme demanda de guano. Uma aplicação de guano dava nova energia aos campos e aumentava a produtividade das culturas em até 300%. O mundo foi tomado pela "mania do guano". Esse fertilizante funcionava porque contém muito nitrogênio, fósforo e nitrato de potássio, ou salitre — por coincidência, também ingredientes vitais da pólvora. O ácido úrico contido no guano também era muito valorizado pelos fabricantes de tinturas. Assim, o guano ganhou valor em diversas direções. Logo, não havia quase nada no mundo que as pessoas desejassem mais.

O guano era abundante em locais onde as aves se aninham. Muitas ilhas rochosas eram literalmente recobertas de guano: depósitos de cinquenta metros de profundidade não eram desconhecidos. Algumas ilhas do Pacífico eram, em essência, apenas de guano. O comércio do guano enriqueceu muita gente. O banco comercial britânico Schroder's foi fundado, essencialmente, sobre o comércio de guano. Durante trinta anos o Peru recebeu praticamente todas as suas divisas estrangeiras em troca de sacos de excrementos de aves, que despachava para um mundo agradecido. O Chile e a Bolívia entraram em guerra devido a disputas pelo guano. O Congresso americano instituiu a Lei das Ilhas de Guano, que permitia às empresas privadas reivindicar como território dos Estados Unidos qualquer ilha produtora de guano que descobrissem, desde que fosse desabitada e não estivesse sob jurisdição de outro país. Mais de cinquenta ilhas foram assim anexadas.

Embora o guano melhorasse a vida dos agricultores, teve um efeito muito grave na vida das cidades: matou o mercado de dejetos humanos. Antes, as pessoas que esvaziavam as fossas céticas vendiam os detritos aos agricultores ao redor das cidades, o que ajudava a reduzir o custo do descarte. Mas depois de 1847 o mercado de resíduos humanos entrou em colapso, e a eliminação dos dejetos se tornou um problema — em geral resolvido jogando-se todos os detritos no rio mais próximo, com consequências que, como veremos, levariam décadas para serem resolvidas.

O problema inevitável do guano era que havia levado séculos para se acumular, mas era consumido com enorme rapidez. Uma ilha no litoral da África com cerca de 200 mil toneladas de guano foi inteiramente raspada em pouco mais de um ano. Os preços subiram para quase oitenta dólares a tonelada. Nos anos 1850 o agricultor médio tinha que enfrentar uma triste opção: ou gastar cerca de metade da sua renda em guano, ou ver suas plantações murcharem. Era urgente encontrar um fertilizante sintético, algo que alimentasse as culturas de maneira confiável e econômica. É exatamente nesse ponto que entra na história uma figura curiosa chamada John Bennet Lawes.

Lawes era filho de um rico proprietário de terras em Hertfordshire, e desde a infância tinha paixão pelas experiências químicas. Transformou um quarto vazio da casa dos pais em laboratório, e passava a maior parte do tempo ali trancado. Por volta de 1840, aos vinte e poucos anos de idade, sua curiosidade foi despertada por uma peculiaridade intrigante da farinha de ossos: esse fertilizante, espalhado em certos solos, como calcário e turfa, aumentava maravilhosamente a produção de nabos; mas aplicado em solo argiloso não exercia efeito algum. Ninguém sabia por quê. Lawes começou a fazer experimentos na fazenda da família, utilizando várias combinações de solos, plantas e adubos, para tentar chegar ao fundo do problema. Foi esse, basicamente, o início da agricultura científica. Em 1843, ano em que Loudon morreu, Lawes transformou parte da fazenda na Estação Experimental Rothamstead — o primeiro centro de pesquisas agrícolas do mundo.

Lawes tinha obsessão por fertilizantes e adubos. Ninguém jamais teve um interesse tão profundo por adubos como ele. Não havia nenhum aspecto dessa área que não lhe despertasse fascínio. Dava aos seus animais diferentes tipos de alimentos, e então estudava o esterco para ver como agiria sobre as plantações. Aplicava nas plantas todas as combinações de produtos químicos que conseguisse imaginar; e assim descobriu que os fosfatos minerais, tratados com ácido, tornavam a farinha de osso eficaz em todos os solos, embora ele não soubesse por quê. (A resposta veio muito depois, de outras partes, e consiste no fato de que o agente de fertilização ativo nos ossos animais, o fosfato de cálcio, fica inerte em solos alcalinos e necessita de ácido para ativar.) Mesmo sem compreender bem esse aspecto, Lawes criou o primeiro fertilizante químico, que chamou de "superfosfato de cal" — e assim o mundo ganhou o fertilizante de que necessitava desesperadamente. Tal era a devoção de Lewis ao seu trabalho que, em sua lua de mel, juntou-se à noiva em uma prolongada excursão às áreas industriais do rio Tâmisa e seus afluentes, à procura de um local para uma nova fábrica. Morreu em 1900, muito rico.

Toda essa evolução — a ascensão da jardinagem amadora, o crescimento dos subúrbios residenciais, a elaboração de fertilizantes poderosos — gerou um importante fato, que transformou a aparência do mundo mas quase nunca é notado: a ascensão do gramado doméstico.

Antes do século xix, os gramados se encontravam, quase exclusivamente, nas mansões senhoriais e instituições com grandes terrenos circundantes, devido ao alto custo da manutenção. Para quem desejasse ter um gramado bem tratado, só havia duas opções. A primeira era manter um rebanho de ovelhas para podar a grama naturalmente. Foi essa a opção escolhida no Central Park, em Nova York: até o final do século XIX, o parque era o hábitat de duas centenas de ovelhas, que por ali vagavam sob os cuidados de um pastor (este residia na casa que hoje é o restaurante Tavern-on-the-Green). A outra opção era contratar uma equipe dedicada de pessoas, que na época de crescimento passavam o tempo todo ceifando, juntando e retirando a grama em carrinhos. Ambas as opções eram caras e não davam bom acabamento. Até mesmo um gramado ceifado cuidadosamente era, pelos padrões modernos, áspero e cheio de touceiras; e as ovelhas pastando pioravam ainda mais o resultado. Qual dessas opções foi escolhida pelo sr. Marsham na sua casa paroquial é impossível dizer; mas como sabemos que contratou um jardineiro, James Barker, é provável que o gramado fosse ceifado. De toda forma, devia ter um péssimo aspecto.

Há uma pequena possibilidade de que o sr. Marsham utilizasse uma engenhoca que na época causava entusiasmo, mas também certo nervosismo: o cortador de grama. Foi uma invenção de Edwin Beard Budding, capataz de uma fábrica de tecidos em Stroud, Gloucestershire, que em 1830, ao examinar uma máquina de cortar tecidos, teve a ideia de virar de lado o mecanismo de corte, colocá-lo em um aparelho menor, com rodas e uma barra para segurar, e usá-lo para cortar grama. Até então ninguém havia pensado em uma máquina para aparar a grama; foi um conceito totalmente novo. Ainda mais notável é que a máquina de Budding, assim como ele a patenteou, já antecipava exatamente, em aparência e funcionamento, o moderno cortador com cilindros.

A diferença consiste em apenas dois aspectos essenciais. Primeiro, a antiga máquina era pesadíssima e difícil de manobrar. James Ferrabee & Co., o fabricante da máquina de Budding, prometia no prospecto aos proprietários da sua nova máquina — não, curiosamente, a jardineiros ou criados das mansões, mas sim aos próprios donos — que ali teriam "um exercício divertido, útil e saudável", e incluía ilustrações mostrando compradores felizes caminhando com a máquina como se empurrassem um carrinho de bebê em uma superfície lisa. Na verdade, a máquina de Budding era exaustiva. O operador não só devia acionar uma pesada embreagem e agarrá-la ferozmente, como também tinha que se inclinar para a frente com toda a força para fazer a máquina se mover. Manobrá-la para uma nova posição no final de cada fileira do gramado era quase impossível sem ajuda.

Outro problema era que a máquina não cortava muito bem. Sendo tão pesada e mal equilibrada, muitas vezes as lâminas giravam inutilmente sobre o gramado, ou então se enfiavam violentamente na terra. Só de vez em quando deixavam para trás uma grama bem aparada. Além disso, era uma máquina cara. Em consequência disso, não foi sucesso de vendas, e Budding e Ferrabee logo se separaram.

Outros fabricantes, porém, assimilaram o conceito da Budding e, lenta mas obstinadamente, o aperfeiçoaram. O principal problema era o peso. O ferro fundido é imensamente pesado. Como solução, no início muitos modelos eram puxados por cavalos. Uma fábrica empreendedora, a Leyland Steam Power Company, adotou a primeira ideia sugerida por Jane Loudon em 1827 e construiu um cortador movido a vapor; mas era tão maciço e difícil de manipular — pesava uma tonelada e meia — que constantemente corria-se o risco de vê-lo atravessar cercas e sebes.* Enfim, a introdução de correntes de transmissão simples (emprestadas da outra maravilha da época, a bicicleta) e do novo aço de tipo leve, fabricado por Henry Bessemer, viabilizou a fabricação de um cortador pequeno. Era bem o que os pequenos jardins de bairro precisavam. No último quartel do século xix o cortador de grama já tinha se fixado como parte integrante do mundo da jardinagem. Até nas propriedades mais modestas, um bom gramado, bem cortado, tornou-se ideal. Era também uma forma de anunciar ao mundo que o chefe de família era próspero e não precisava usar o terreno para cultivar verduras para a sua mesa.

Depois de dar a ideia inicial, Budding se distanciou dos cortadores de grama; mas criou depois outra invenção que acabou sendo um benefício duradouro para a humanidade: a chave inglesa ajustável. Foi seu cortador de grama, porém, que mudou para sempre o mundo onde pisamos.

Hoje, para muita gente a jardinagem consiste em tratar dos gramados e nada mais. Nos Estados Unidos os gramados cobrem mais superfície — 130 mil quilômetros quadrados — do que qualquer plantação agrícola. Nos gramados domésticos, a tendência da grama é fazer o que as gramíneas selvagens fazem na natureza — ou seja, crescer até uns sessenta centímetros de altura,

---

* Leyland por fim abandonou os cortadores de grama e as máquinas a vapor e passou a se interessar pelo novo motor de combustão interna. Terminou a vida como dono da fábrica de automóveis British Leyland.

florir, ficar marrom e morrer. Para manter a grama curta, verde e em crescimento contínuo é preciso manipulá-la com brutalidade e aplicar muita coisa sobre ela. No oeste dos Estados Unidos, cerca de 60% de toda a água que sai das torneiras, para todas as finalidades, é gasta para regar a grama. Pior ainda são as quantidades de herbicidas e pesticidas — 30 mil toneladas por ano — aplicadas nos gramados. É um fato profundamente irônico que, para a maioria de nós, manter um gramado bonito é a coisa menos "verde" que fazemos.

Nessa nota um pouco deprimente, vamos voltar para a casa e seguir para o último aposento que visitaremos antes de subir para o segundo andar.

13. A sala cor de ameixa

I

Nós a chamamos de "sala cor de ameixa" apenas porque as paredes estavam pintadas dessa cor quando nos mudamos, e assim, por acaso, o nome pegou. Não se sabe como o reverendo sr. Marsham chamava esse aposento. Aparece nos planos originais como "Sala de visitas", mas depois essa importante função foi transferida para a sala ao lado, durante a remodelação geral que privou os funcionários da proposta "Copa do lacaio" e deu ao sr. Marsham uma sala de jantar mais espaçosa. Seja lá qual fosse o nome, o aposento foi concebido, sem dúvida, como *parlor*, ou sala de visitas, provavelmente para receber os convidados mais privilegiados. O sr. Marsham talvez a chamasse de "Biblioteca", pois parte da parede é ocupada por uma estante embutida que vai do chão ao teto, com espaço para uns seiscentos livros, número respeitável para um homem da sua profissão na época. Em 1851 os livros de leitura já eram amplamente acessíveis, mas os livros para exibição eram caros; por isso, caso o sr. Marsham tivesse nas prateleiras uma coleção encadernada em pelica trabalhada, seria sinal de riqueza suficiente para dar à sala o nome de Biblioteca.

O sr. Marsham parece ter dado muita atenção a esta sala. As estantes de livros, as cornijas do teto e a moldura de madeira em torno da lareira são de um estilo semiclássico exuberante, revelando altos gastos e uma escolha cuidadosa. Os livros oitocentistas de desenhos e diagramas ofereciam aos proprietários uma variedade quase infinita de motivos graciosos para individualizar as cornijas do teto e os acabamentos de madeira ou gesso. Mostravam todo tipo de curvas, arabescos e volutas, com nomes esotéricos como *ovolo, ogee* [gola], *quirk* [canaleta], *crocket* [folha], *scotia* [escócia], *cavetto*, dentículo, até mesmo friso "Lesbian cymatium", entre mais de duas centenas de motivos. O sr. Marsham teve muitas opções, escolhendo um entalhe tipo bolha em volta do batente da porta, colunas caneladas nas janelas e guirlandas com fitas esvoaçando na moldura da lareira; na cornija do teto, um imponente friso com uma fileira de semi-hemisférios, em um estilo conhecido como ovo e dardo.

Esse gosto decorativo, na verdade, já estava fora da moda nessa época, e revela que o sr. Marsham era um tantinho caipira; mas hoje podemos lhe ser gratos, pois as linhas clássicas que escolheu nos levam diretamente até o arquiteto mais influente da história mundial — que, aliás, também era um interiorano — prosseguindo até duas casas das mais interessantes que já foram construídas, ambas nos Estados Unidos e também obra de interioranos. Portanto, este capítulo fala, na verdade, sobre os estilos arquitetônicos no âmbito doméstico, e sobre alguns "caipiras" que mudaram o mundo. Toca também, *en passant*, no assunto livros — o que é apropriado, creio, neste capítulo sobre uma sala que talvez tenha sido biblioteca.

Para saber de que modo as características do estilo da sala cor de ameixa, e muitas outras coisas que já foram construídas no mundo, ficaram com a aparência que têm hoje, precisamos deixar Norfolk e a Inglaterra e partir para as planícies ensolaradas do norte da Itália, na antiga e agradável cidade de Vicenza, a meio caminho entre Verona e Veneza, na região do Vêneto. À primeira vista, Vicenza se parece muito com qualquer outra cidade do seu tamanho no norte da Itália, mas muitos visitantes logo sentem uma estranha sensação de familiaridade. A todo momento, ao virar uma esquina, nos encontramos diante de um edifício e temos a estranha sensação de que já o vimos.

Em certo sentido, já vimos mesmo, pois esses edifícios foram os modelos que deram origem a muitos outros edifícios importantes do mundo ocidental: o Louvre, a Casa Branca, o Palácio de Buckingham, a Biblioteca Pública de Nova York, a National Gallery of Art em Washington e um incontável número de bancos, tribunais, igrejas, museus, hospitais, escolas, delegacias de polícia, mansões e também casas despretensiosas. O Palazzo Barbarano e a Villa Piovene decerto compartilham seu DNA arquitetônico com a Bolsa de Valores de Nova York, o Banco da Inglaterra, o Reichstag de Berlim, entre muitos outros. A Villa Capra, numa encosta nos arredores da cidade, traz à mente uma centena de estruturas encimadas por uma cúpula, desde o Templo dos Quatro Ventos, de Vanbrugh, no castelo Howard, até o Jefferson Memorial em Washington, DC. A Villa Chiericati e seu notável pórtico, com frontão triangular e quatro severas colunas, não é apenas *parecida* com a Casa Branca; ela *é* a Casa Branca, mas localizada, estranhamente, em uma fazenda ainda em funcionamento, um pouco além dos limites da cidade, a leste.

O responsável por toda essa presciência arquitetônica foi um pedreiro chamado Andrea di Pietro della Gondola, que, em 1524, antes de completar dezesseis anos, saiu da sua Pádua natal e chegou a Vicenza. Ali fez amizade com um aristocrata influente, Giangiorgio Trissino. Se não fosse por esse feliz encontro, o rapaz provavelmente passaria a vida talhando pedras, coberto de poeira, com seu gênio inexplorado, e hoje o mundo teria uma aparência muito diferente. Felizmente para a posteridade, Trissino percebeu no rapaz um talento que merecia ser cultivado. Ele o levou para sua casa, fez com que aprendesse matemática e geometria, levou-o a Roma para ver os grandes edifícios da Antiguidade, e lhe deu todas as outras vantagens possíveis, que permitiram ao jovem tornar-se o maior arquiteto da época, o mais confiante e o mais influente. No trajeto, Trissino também lhe deu um novo nome, pelo qual todos nós o conhecemos hoje: Palladio, homenagem a Palas Atena, a deusa da sabedoria na Grécia antiga. (O relacionamento dos dois, sinto-me obrigado a informar, parece ter sido totalmente platônico. Trissino era um conhecido galanteador de damas e seu jovem pedreiro era bem casado, a caminho de ser pai de cinco filhos. Trissino apenas gostava muito dele, o que acontecia com a maioria das pessoas na vida de Palladio.)

E assim, sob a tutela desse homem mais velho, Palladio tornou-se arquiteto — um passo incomum para alguém da sua origem, pois na época os arquitetos normalmente começavam a carreira como artistas, não artesãos. Palladio não pintava, não esculpia nem desenhava; apenas projetava edifícios. Mas sua formação prática de pedreiro lhe dava uma vantagem inestimável: um conhecimento profundo das estruturas, que lhe permitia, na frase de Witold Rybczynski, compreender não só *o que* construir, mas também *como* construir.

Palladio foi um caso clássico de talento certo no lugar certo e na hora certa. A épica viagem de Vasco da Gama à Índia, um quarto de século antes, havia quebrado o monopólio de Veneza sobre o lado europeu do comércio de especiarias, minando assim seu predomínio comercial; agora, a riqueza da região ia migrando para o interior. De repente, havia um novo tipo de aristocratas rurais que tinham riqueza e ambição arquitetônica, e Palladio sabia exatamente como usar a primeira para satisfazer a segunda. Começou a pontilhar Vicenza e a área ao redor com as casas mais perfeitas e agradáveis já construídas. Sua genialidade especial era a capacidade de projetar edifícios fiéis aos ideais clássicos, porém ainda mais sedutores e convidativos, mais dotados de conforto, vida e elegância do que os modelos antigos mais severos, dos quais derivavam. Foi um revigoramento dos ideais clássicos que o mundo passou a amar.

A obra de Palladio não é vasta — alguns *palazzos*, quatro igrejas, um convento, uma basílica, duas pontes e trinta *villas*, ou residências, das quais apenas dezessete ainda sobrevivem. Das treze restantes, quatro nunca foram terminadas, sete foram destruídas, uma não chegou a ser construída, e uma está desaparecida sem explicações. Chamada Villa Ragona, se é que foi construída, nunca foi encontrada.

Os métodos de Palladio se baseavam na rigorosa observância das regras, e derivavam dos preceitos de Vitrúvio, arquiteto romano do século I a.C. Vitrúvio não foi um arquiteto especialmente notável; era, na verdade, engenheiro militar. O que lhe deu valor histórico foi o fato acidental de que seus escritos sobreviveram. Uma única cópia do texto de Vitrúvio sobre arquitetura foi encontrada em uma estante de um mosteiro na Suíça, em 1415 — o único texto da Antiguidade clássica sobre arquitetura que sobreviveu. Vitrúvio fixou regras extremamente específicas sobre proporções, ordens, formas, materiais e tudo o mais que pudesse ser quantificado. As fórmulas governavam tudo no seu mundo. O espaçamento em uma fileira de colunas, por exemplo, jamais poderia ser deixado por conta da intuição ou do sentimento; era ditado por fórmulas rígidas, destinadas a conferir uma harmonia automática e confiável. Isso podia chegar a detalhes estonteantes. Por exemplo:

A altura de todas as salas oblongas deve ser calculada somando o comprimento e a largura, tomando a metade desse total e utilizando o resultado para a altura. Mas no caso de uma *exedra* ou um *oecus* quadrado, a altura deve ser uma vez e meia a largura. [...] A altura do *tablinum* no lintel deve ser um oitavo superior à largura. Seu teto deve exceder essa altura em um terço da largura. As *fauces*, ou passagens do *tablinum*, no caso de um átrio menor, devem ter dois terços da largura do *tablinum*, e, em um átrio maior, a metade. [...] Que os bustos dos antepassados, com seus ornamentos, fiquem a uma altura correspondente à largura das alas. A largura e altura proporcional das portas podem ser definidas, se forem dóricas, à maneira dórica, e, se forem jônicas, à maneira jônica, segundo as regras da simetria dos portais dadas no *Quarto livro*.

Palladio, seguindo os preceitos de Vitrúvio, julgava que todos os aposentos deveriam ter uma das sete formas elementares — círculo, quadrado ou cinco tipos de retângulos — e que certos aposentos sempre deviam ser construídos em proporções específicas. A sala de jantar, por exemplo, tinha que ter um comprimento igual ao dobro da largura. Essas formas criavam espaços agradáveis, embora o motivo disso não fosse explicado por Palladio. (Nem tampouco por Vitrúvio.) No entanto, Palladio quase sempre só seguia seus próprios preceitos. Algumas das regras que decretou são bem discutíveis. A ideia de que há uma hierarquia entre os tipos de colunas — as coríntias sempre acima das jônicas e as jônicas sempre acima das dóricas — parece ser uma invenção de Sebastiano Serlio, um contemporâneo de Palladio. Essa regra não é mencionada por Vitrúvio em parte alguma. Palladio também cometeu um erro fundamental: colocava um pórtico com colunas em todas as vilas que construía, sem saber que esse tipo de frente se encontrava apenas nos templos romanos, nunca nas residências. Esse elemento arquitetônico é, provavelmente, o mais copiado, embora seja, do ponto de vista da fidelidade, completamente errado. Mas também pode ser o erro mais feliz da história da arquitetura.

Se Palladio tivesse apenas construído um punhado de belas casas em Vicenza e arredores, seu nome nunca teria dado origem ao adjetivo *paladiano*. O que o tornou famoso foi seu livro, publicado em 1570, já no fim da vida. Chamado *Os quatro livros de arquitetura*, contém, além de plantas e elevações, uma declaração de princípios e um conjunto de conselhos práticos. Era cheio de regras e indicações minuciosas, como "Sobre a altura dos aposentos", "Sobre as dimensões das portas e das janelas"; mas também tinha sugestões úteis (por exemplo: não coloque janelas muito perto dos cantos, pois elas enfraquecem a estrutura geral). Era o livro perfeito para aristocratas amadores.

O primeiro e maior defensor de Palladio no mundo da língua inglesa foi Inigo Jones, cenógrafo e arquiteto inglês (1573-1652). Jones, um autodidata, descobriu a obra de Palladio em uma visita à Itália, vinte anos depois da morte deste, e ficou fascinado, quase obcecado. Comprou todos os desenhos de Palladio em que conseguiu pôr as mãos — cerca de duzentos no total —, aprendeu a falar italiano e até criou uma assinatura baseada na de Palladio. Ao voltar à Inglaterra, começou a construir edifícios *à la* Palladio sempre que podia. O primeiro foi o Queen's House, em Greenwich, construído em 1616. Aos olhos modernos, é um edifício retangular bastante sem graça, que faz lembrar a delegacia central de polícia de uma pequena cidade do meio-oeste americano; mas na Inglaterra quinhentista era incrivelmente "limpo" e moderno. Todos os outros edifícios do país de repente ficaram parecendo de outra época, mais rococó.

O paladianismo ficou associado — de forma quase indistinguível — ao período georgiano. Essa época de arquitetura despojada começou em 1714 com a ascensão ao trono de George I e perdurou durante o reinado de mais três Georges, e ainda o filho de um George, William IV, cuja morte em 1837 levou ao trono a rainha Vitória e uma nova era dinástica. Na prática, é claro, as coisas não foram tão exatas. Os estilos arquitetônicos não mudam só porque um monarca morre; nem tampouco ficam estáticos durante uma longa dinastia.

Como o período georgiano foi longo (1714-1830), surgiram vários refinamentos e elaborações arquitetônicas, que ou desapareceram ou tiveram vida independente. Assim, às vezes é impossível distinguir perfeitamente neoclássico, regência, revival italiano, revival grego e outros termos que denotam determinado estilo, estética ou período de tempo. Nos Estados Unidos, "georgiano" ganhou conotação negativa depois da independência (antes também não era muito popular); os americanos cunharam então o rótulo colonial para os edifícios de antes da independência, e federal para os construídos depois.

O que todos esses estilos tinham em comum era o apego aos ideais clássicos, ou seja, a regras estritas, o que nem sempre era muito favorável. Dispondo de regras, os arquitetos por vezes mal precisavam pensar. Mereworth, uma mansão em Kent projetada por Colen Campbell, é de fato apenas uma cópia da

A Villa Capra ("La Rotonda"), de Paládio (ao alto), e Monticello, a residência de Thomas Jefferson (embaixo).

Villa Capra de Palladio; só a cúpula foi um pouco modificada. Muitas outras construções são igualmente carentes de originalidade. "O que importava era a fidelidade ao cânone", como observou Alain de Botton em *A arquitetura da felicidade*. Embora tenham sido construídos alguns edifícios paladianos esplêndidos — como Chiswick House, a *folly* descomunal de lorde Burlington, no oeste de Londres —, o efeito geral, ao longo do tempo, era repetitivo e tedioso. Como disse o historiador da arquitetura Nikolaus Pevsner, "não é fácil diferenciar mentalmente as diversas vilas e casas de campo construídas nesse período".

Portanto, há certa satisfação em pensar que talvez as duas casas paladianas mais interessantes e originais da época não tenham sido construídas na Europa, por arquitetos formados, mas sim em uma terra distante, por amadores. Mas que amadores eram esses!

II

No outono de 1769, no alto de um morro no planalto de Virgínia — região que era, na época, o limite extremo do mundo civilizado — um jovem começou a construir a casa dos seus sonhos. Ela haveria de consumir mais de meio século da sua vida e quase todos os seus recursos, e nunca a veria terminada. Seu nome era Thomas Jefferson, e a casa era Monticello.

Nunca existiu uma casa assim. Era, quase literalmente, a última casa do mundo. A seu redor se estendia um continente inexplorado. Atrás dela, todo o mundo conhecido. Talvez nada revele tanto sobre Jefferson e sua casa do que o fato de ficar de costas para o Velho Mundo e de frente para o vazio desconhecido de um mundo novo.

O mais marcante em Monticello é sua localização, no alto de uma colina. Não se fazia isso no século XVIII, e por boas razões práticas. Jefferson criou muitas desvantagens ao construir naquele local. Para começar, teve que abrir uma estrada até lá em cima e em seguida limpar e aplainar vários hectares de terreno pedregoso no topo — duas tarefas gigantescas. Também tinha que lidar constantemente com o problema do abastecimento de água no alto do morro, já que é da natureza da água correr para baixo. Foi preciso cavar poços muito fundos, e mesmo assim eles secavam, em média, um ano em cada cinco, e era preciso trazer água em carroças. Os relâmpagos também eram uma preocupação constante, pois a casa era o ponto mais alto em quilômetros ao redor.

Monticello é a Villa Capra de Palladio, mas reinterpretada, construída com outros materiais e em outro continente — gloriosamente original, mas também fiel ao modelo de origem. A era do Iluminismo foi o momento perfeito para os ideais de Palladio. Foi um período intensamente científico, quando se acreditava que tudo, inclusive a beleza e a apreciação da beleza, podia ser reduzido a princípios científicos. E o fato de que o livro de plantas e diagramas de Palladio também era uma boa cartilha para arquitetos amadores o tornava indispensável, tanto prática como espiritualmente, para um homem como Jefferson. Cerca de 450 livros práticos de arquitetura foram produzidos no meio século antes de Jefferson começar a trabalhar em Monticello; ele tinha, portanto, muita escolha, mas Palladio era a sua devoção. "Palladio é a Bíblia", escreveu ele, simplesmente.

Na época em que iniciou Monticello, Jefferson nunca tinha ido a nenhum lugar maior que Williamsburg, a capital de Virgínia na era colonial, onde estudou no College of William and Mary; mas Williamsburg, com seus 2 mil habitantes, não era nenhuma metrópole. Mais tarde viajou para a Itália, mas nunca viu a Villa Capra, e é quase certo que ficaria atônito se a visse, pois a Villa Capra é enorme em comparação com Monticello. Embora as duas se pareçam muito semelhantes nas ilustrações, a versão de Palladio foi construída em uma escala que faz Monticello parecer um chalé. Em parte, isso ocorre porque as áreas de serviço de Monticello — as dependências, como eram chamadas — foram escavadas na encosta do morro e ficam invisíveis a partir da casa e do jardim. Boa parte de Monticello é subterrânea.

O que os visitantes veem hoje em Monticello é uma casa que Jefferson nunca viu, mas apenas sonhou. Não foi terminada em seu tempo de vida nem se viu em muito boas condições. Durante 54 anos Jefferson morou em um canteiro de obras. "Construir e depois derrubar é um dos meus divertimentos favoritos", comentou certa vez, alegremente; e nunca parou de mexer e experimentar em Monticello. O trabalho se prolongou tanto que algumas partes já estavam se deteriorando enquanto outras ainda estavam em construção.

Muitos aspectos dos projetos de Jefferson eram difíceis de realizar. O telhado era um pesadelo para os construtores, exigindo juntas desnecessariamente complicadas. "Nessa área ele era, sem dúvida, mais amador do que profissional", disse-me Bob Self, arquiteto conservador de Monticello, ao me mostrar a casa. "O projeto era sensato, mas muito mais complicado do que precisava ser."

Como arquiteto, Jefferson era exigente ao extremo, chegando a ter atitudes estranhas. Alguns de seus projetos especificavam medidas com sete pontos decimais. Bob Self me mostrou uma medida que pedia 1,8991666 polegada. "Ninguém, nem mesmo hoje em dia, poderia medir alguma coisa com esse grau de precisão", disse ele. "Estamos falando de milionésimos de polegada. Desconfio que isso era apenas uma espécie de exercício intelectual. É realmente a única explicação."

O elemento mais curioso da casa eram as duas escadas. Jefferson julgava que as escadas eram um desperdício de espaço, então as fez com apenas sessenta centímetros de largura e muito íngremes — "parecia uma escadinha de mão", como disse um visitante. Eram escadas tão estreitas e tortuosas que quase tudo que precisasse subir, incluindo a bagagem dos visitantes, tinha de ser içado lá para cima, entrando por uma janela. As escadas ficavam tão enterradas no fundo da casa que não recebiam nenhuma luz natural, e eram escuras e proibitivas, além de íngremes. Vencer os degraus, em especial para descer, é até agora uma experiência enervante. Devido ao perigo, os visitantes não têm permissão para subir ao segundo e ao terceiro andar; assim, grande parte de Monticello fica, infelizmente, fora dos limites. (Esses andares são usados, sobretudo, para a parte administrativa.) Isso significa que os visitantes não podem ver o aposento mais agradável da casa — "a sala do céu", como Jefferson a chamava, que ocupa o espaço dentro da cúpula redonda. Com suas paredes amarelas e piso verde-escuro, sua brisa fresca e a vista suntuosa que temos pelas janelas redondas, seria um lugar perfeito para um estúdio ou retiro particular de qualquer tipo. No entanto, era um lugar de difícil acesso, e na época de Jefferson ficava inutilizável cerca de um terço do ano, pois não havia uma maneira eficaz de aquecê-lo; assim, tornou-se um sótão usado para armazenamento.

Em outros aspectos, a casa era uma maravilha. A cúpula, a característica que mais define Monticello, teve que ser construída de uma forma estranha para se encaixar nas paredes já existentes na parte traseira. "Assim", disse Bob Self, "embora o domo pareça completamente regular, na verdade não é. Houve um enorme exercício de cálculo. As vigas que o sustentam são todas de comprimentos diferentes, mas tinham que abranger o mesmo raio; portanto, o desenho foi todo baseado em senos e cossenos. Nem todo mundo seria capaz de colocar aquele domo lá em cima." Outros detalhes estavam gerações à frente do seu tempo. Para começar, Jefferson colocou treze claraboias na casa, que a fazem excepcionalmente luminosa e arejada.

Saímos para a varanda e Self me mostrou um belo relógio de sol esférico, feito pelo próprio Jefferson. "Não é apenas uma fantástica peça de artesanato", disse ele, "mas também algo que não poderia ser construído sem uma profunda compreensão da astronomia. É impressionante o que esse homem tinha tempo e capacidade para assimilar no cérebro."

Monticello se tornou famosa pelas suas novidades — um pequeno elevador para alimentos construído dentro de uma lareira, banheiros internos, um aparelho chamado polígrafo que utilizava duas canetas para fazer uma cópia de qualquer letra que se escrevesse nele. Outro atrativo, um par de portas que se abriam juntas quando se empurrasse qualquer uma delas deixou os especialistas encantados e perplexos durante um século e meio. Foi só quando seus mecanismos internos foram revelados, em uma reforma na década de 1950, que se descobriu que as portas estavam ligadas por um sistema invisível de hastes e polias debaixo do piso — um mecanismo bastante simples mas espantoso, pois representava muito custo e trabalho para economizar muito pouco esforço.

Jefferson tinha uma energia incrível. Seu maior orgulho era dizer que, em cinquenta anos, o sol nunca o tinha apanhado na cama. Não desperdiçou praticamente nenhum momento dos seus 83 anos. Mantinha registros de tudo, obsessivamente. Tinha sempre sete cadernos de anotações a qualquer momento, e em cada um registrava os detalhes mais microscópicos da vida diária. Marcava minuciosamente o clima de cada dia, os padrões migratórios das aves, as datas em que as flores desabrochavam. Não só guardou cópias de 18 mil cartas que escreveu, e também 5 mil a ele enviadas, como também as registrou, diligentemente, em um "Registro Epistolar" que ocupava mais de 650 páginas. Anotava cada centavo ganho e gasto. Registrou quantas ervilhas eram necessárias para encher um pote de meio litro. Mantinha inventários individuais completos para seus escravos, deixando um raro registro de como eram tratados e o que possuíam.

No entanto, estranhamente, ele não manteve um diário ou um inventário sobre a própria Monticello. "É curioso, mas sabemos mais sobre a casa de Jefferson em Paris do que sobre esta casa", disse-me Susan Stein, a curadora principal, quando visitei Monticello. "Não temos certeza sobre o tipo de revestimentos ou tapetes que havia, nem sobre o mobiliário. Sabemos que a casa tinha dois banheiros internos, mas não sabemos quem podia utilizá-los, ou o que se usava como papel higiênico. Essas coisas não ficam registradas." Assim, estamos em uma posição estranha em relação a Jefferson. Conhecemos os 250 tipos de plantas comestíveis que ele cultivava (ele as classificava segundo seu aproveitamento para a alimentação: raízes, frutos ou folhas), mas sabemos muito pouco sobre diversos aspectos da sua vida dentro de casa.

A casa sempre foi explicitamente destinada a agradar o dono. Em 1772, quando Jefferson trouxe sua jovem esposa, Martha, a Monticello, a construção já levava três anos, e era claro, à primeira vista, que a casa era *dele*. Seu estúdio particular, por exemplo, tinha quase o dobro do tamanho da sala de jantar e do quarto do casal. Tudo que havia na casa era concebido para satisfazer às suas necessidades e aos seus caprichos. Ele podia, por exemplo, verificar a direção e a velocidade do vento em cinco diferentes locais da casa — recurso que, francamente, não fazia muita falta à sra. Jefferson.

Após a morte prematura de Marta, dez anos depois, a casa se tornou ainda mais decididamente dele. Os convidados não podiam entrar na ala íntima — ou seja, na maior parte da casa — exceto escoltados. Os que desejavam folhear os livros na biblioteca tinham que esperar que o sr. Jefferson os levasse ali pessoalmente.

De todos os lapsos enigmáticos nos registros de Jefferson, talvez o mais surpreendente é que ele não mantinha um registro dos seus livros, e não fazia ideia de quantos possuía. Jefferson amava os livros e teve muita sorte de viver em uma geração em que os livros se tornaram comuns. Até uma época relativamente próxima à dele, os livros eram muito raros. Quando o pai de Jefferson morreu, em 1757, deixou uma biblioteca de 42 livros, o que foi considerado notável. Uma biblioteca de quatrocentos livros — número que John Harvard deixou ao morrer — foi considerada tão colossal que o Harvard College recebeu seu nome, em sua homenagem. Ao longo da vida, John Harvard adquiriu cerca de doze livros por ano. Jefferson, por sua vez, comprava cerca de doze livros *por mês*, acumulando mil a cada década, em média.

Sem seus livros, Thomas Jefferson não poderia ser Thomas Jefferson. Para alguém como ele, vivendo num lugar remoto, longe das experiências reais, os livros eram guias essenciais, mostrando como a vida podia ser vivida. E nenhum lhe deu tanta inspiração, satisfação e instruções úteis como *Os quatro livros* de Palladio.

III

Devido às restrições financeiras e seus infindáveis retoques e modificações, Monticello nunca assumiu a melhor aparência que poderia ter, nem de longe. Em 1802, quando a sra. Anna Maria Thornton foi visitá-la, ficou chocada ao descobrir que ainda havia tábuas instáveis na entrada. Nessa altura Jefferson já trabalhava na casa havia mais de trinta anos. "Embora eu estivesse preparada para ver uma casa inacabada, não pude deixar de ficar impressionada... com o aspecto soturno geral do ambiente", escreveu, espantada, em seu diário. O próprio Jefferson não se importava muito com as inconveniências. "Estamos morando agora dentro de uma espécie de forno de tijolos", escreveu ele, alegremente, a um amigo. Jefferson também não cuidava muito bem do local. No clima quente e úmido da Virgínia, as madeiras externas precisam ser pintadas pelo menos uma vez a cada cinco anos. Segundo consta, Jefferson nunca mandou fazer essa pintura. Os cupins começavam a comer a madeira das estruturas assim que eram erguidas, e logo se instalou sobre todo o lugar uma poeira de madeira podre.

Jefferson estava constantemente em dificuldades financeiras, em geral criadas por ele mesmo. Era um perdulário de tirar o fôlego. Em 1790, quando voltou de uma estada de cinco anos na França, trouxe um enorme carregamento de móveis e utensílios domésticos — cinco fogões, 57 cadeiras, vários espelhos, sofás e candelabros, uma cafeteira que ele próprio tinha projetado, relógios, roupa de cama, louças e utensílios de cozinha de todo tipo, 145 rolos de papel de parede, várias lâmpadas de Argand, quatro chapas para fazer waffles e muito mais — um total de 86 grandes caixas. Trouxe ainda uma carruagem completa. Tudo isso foi entregue em sua residência na Filadélfia, na época a capital do país; e depois disso ele continuou comprando todo tipo de coisas.

Embora pessoalmente ascético — Jefferson se vestia mais discretamente do que seus próprios criados domésticos —, gastava somas colossais em comida e bebida. Durante seu primeiro mandato como presidente, gastou 7500 dólares — equivalentes a cerca de 120 mil dólares em dinheiro de hoje — apenas em vinhos. Durante um período de oito anos, comprou nada menos que 20 mil garrafas de vinho. Mesmo aos 82 anos, tristemente mergulhado em dívidas, continuava "encomendando Muscat de Riversalle em lotes de 150 garrafas", como observa um biógrafo com indisfarçada admiração.

Muitas peculiaridades de Monticello provêm das limitações dos operários de Jefferson. Precisou se limitar a apenas um estilo dórico simples nas colunas externas, pois não encontrou nenhum artesão capaz de fazer algo mais complexo. Mas o maior problema, tanto referente às despesas como às frustrações, era a falta de materiais no país. Vale a pena pensar um minuto no que os colonos americanos tinham que enfrentar em sua luta para construir uma civilização em um país sem infraestrutura.

A filosofia imperial da Grã-Bretanha ditava que a América devia lhe fornecer matérias-primas a um preço justo e levar em troca produtos acabados. O sistema foi canonizado em uma série de leis conhecidas como Atos da Navegação, que estipulavam que qualquer produto destinado ao Novo Mundo tinha que se originar na Grã-Bretanha, ou passar por ela no caminho, mesmo que tivesse sido criado, digamos, nas Antilhas, e acabasse fazendo uma inútil travessia do Atlântico, ida e volta. Era um sistema totalmente ineficiente, até insano, mas gerador de belos lucros para produtores e comerciantes britânicos, que tinham um continente inteiro, em rápida expansão, à sua mercê. Na véspera da revolução, a América era o grande mercado de exportação da Grã-Bretanha. Ela consumia 80% das exportações britânicas de tecidos, 76% da exportação de pregos, 60% do ferro forjado, quase a metade do total de vidro vendido no exterior. Com relação ao volume, a América importava anualmente treze toneladas de seda, cinco toneladas de sal, mais de 130 mil chapéus de castor, entre diversas mercadorias. Muitas delas — notavelmente, os chapéus de castor — eram feitas de matérias-primas originárias da América, que poderiam facilmente ser produzidas em fábricas do país — fato que não passava despercebido aos americanos.

O pequeno mercado interno da América e os problemas de distribuição em uma área tão grande significavam que os americanos não conseguiam competir, mesmo quando se atreviam a tentar. Várias fábricas de vidro de bom tamanho foram criadas no século XVIII, e algumas até prosperaram brevemente; mas na época da revolução já não se fabricava vidro algum nas colônias. Na maioria das casas, se uma janela se quebrasse, continuava quebrada. O vidro era tão raro em todo lugar que os imigrantes eram aconselhados a trazer consigo suas vidraças para janelas. Também havia uma carência crônica de ferro. O papel era tão escasso que por vezes chegava a ser inexistente. Apenas a cerâmica mais básica era feita na América — jarros, potes e similares; qualquer coisa de qualidade, como louça e porcelana, tinha que vir da Grã-Bretanha (ou, o que era mais caro ainda, via Grã-Bretanha). Para Jefferson e outros fazendeiros da Virgínia o problema se agravava pela ausência de cidades próximas. Era mais fácil se comunicar com Londres do que com as outras colônias.

A consequência é que praticamente tudo tinha de ser encomendado por intermédio de um agente de exportações na Europa. Cada desejo tinha que ser transmitido em exaustivos pormenores, mas no fim era preciso confiar no discernimento e na dedicação sincera de um estranho. O espaço para decepções era grande. Uma encomenda típica de George Washington (esta de 1757) nos dá uma ideia das inúmeras coisas que os americanos não podiam produzir para seu próprio uso. Washington pediu seis libras de rapé, duas dúzias de escovas de dentes de esponja, vinte sacas de sal, 22 quilos de passas e amêndoas, uma dúzia de cadeiras de mogno, duas mesas ("quatro pés quadrados e meio quando abertas, e que se possam unir ocasionalmente"), um grande queijo Cheshire, lajotas de mármore para uma lareira, uma quantidade de papel machê e papel de parede, um barril de sidra, 22 quilos de velas, vinte filões de açúcar e 250 vidraças, entre muitas outras coisas.

"NB — Que tudo seja cuidadosamente embalado", acrescentou Washington, em leve tom de súplica; mas em vão, pois quase todas as encomendas chegavam com objetos quebrados, estragados ou faltando. Quando se espera quase um ano para receber, digamos, vinte vidraças, e se encontra a metade quebrada e as demais de tamanho errado, até o temperamento mais estoico tende a se descontrolar.

Do ponto de vista dos comerciantes e agentes de exportação, as ordens eram por vezes misteriosas e ambíguas. Um pedido de George Washington instruía seu agente em Londres a adquirir para ele "dois Leões como os Antigos Leões da Itália". O agente supôs, corretamente, que Washington falava em estátuas, mas teria que adivinhar os tipos e os tamanhos. Uma vez que Washington nunca tinha ido à Itália, é provável que nem ele próprio soubesse com certeza o que desejava. As cartas de Washington para sua agência londrina, a Robert Cary & Co., pediam constantemente objetos que estivessem "na última moda", "conforme o gosto mais atual", ou fossem "uniformemente belos e graciosos"; mas as cartas que se seguiam às entregas indicam que só raramente ele obtinha o que desejava.

Mesmo as instruções redigidas com cuidado eram perigosamente suscetíveis a interpretações erradas. Edwin Tunes conta a história de um homem que incluiu na encomenda um desenho do brasão da família, que devia ser gravado em seu serviço de jantar. Para garantir que suas instruções fossem bem compreendidas, desenhou uma flecha grossa para destacar alguns detalhes. Quando os pratos chegaram o homem descobriu, horrorizado, que as flechas tinham sido fielmente copiadas em cada peça.

Era fácil — e para muitos agentes uma tentação irresistível — descarregar na América roupas e objetos que sobravam na Inglaterra porque não estavam mais na moda. "Você não imagina o lixo que se encontra até nas melhores lojas", uma visitante inglesa chamada Margaret Hall escreveu a uma amiga. Um slogan bem-humorado nas fábricas inglesas era: "Serve para a América". Ser cobrado em excesso era uma preocupação constante. Washington escreveu, furioso, à agência Cary dizendo que muitos produtos que chegaram eram "parcos em qualidade, mas não no preço, pois nesse aspecto eles superam em muito qualquer coisa que eu já possuí".

O descuido de agentes e comerciantes deixava os americanos exasperados. O coronel John Tayloe, enquanto construía a famosa Octagon House, em Washington, encomendou uma lareira da fábrica londrina Coade, esperou um ano pela entrega e foi reduzido a uma ira impotente ao abrir a caixa e descobrir que haviam esquecido de enviar o consolo da lareira. Em vez de esperar a chegada de uma prateleira avulsa, mandou fazer uma nova, de madeira, por um marceneiro americano de confiança. A lareira — ainda com o consolo de madeira no alto — continua a ser uma das poucas peças de Coade na América.

Devido às dificuldades de suprimento, os fazendeiros muitas vezes só tinham a opção de fabricar seus próprios materiais. Jefferson decidiu fabricar seus próprios tijolos — fez ao todo cerca de 650 mil —, mas foi um negócio difícil; cerca de metade de cada fornada era inutilizada, pois o aquecimento era muito desigual nos seus fornos de fabricação caseira. Começou a fabricar também seus próprios pregos. Com o aumento das tensões com a Grã-Bretanha, os problemas se agravaram. Em 1774, o Congresso Continental aprovou um acordo de não importação. Jefferson descobriu, abatido, que catorze pares de janelas tipo guilhotina, caríssimas, que tinha encomendado da Inglaterra, e eram extremamente necessárias, não mais chegariam.

As leis que restringiam o comércio na América enfureceram o grande economista inglês Adam Smith (cuja obra *A riqueza das nações* saiu, não por coincidência, no mesmo ano em que os Estados Unidos declararam a independência). E enfureceram ainda mais os norte-americanos, que se ressentiam de ser mantidos eternamente como mercado cativo. Seria exagero sugerir que a exasperação causada pelo comércio foi a causa da Revolução Americana; mas decerto foi um forte componente.

IV

Enquanto Thomas Jefferson fazia suas experiências com Monticello, duzentos quilômetros mais a nordeste seu colega George Washington, também de Virgínia, enfrentava obstáculos e reveses semelhantes. E reagia com o mesmo gênio para a adaptação ao reconstruir Mount Vernon, sua casa de fazenda à margem do rio Potomac, perto do atual Distrito de Colúmbia. (A proximidade não é coincidência. Washington foi incumbido de escolher o local da nova capital do país, e escolheu um próximo da sua fazenda, facilmente alcançável a cavalo.)

Em 1754, quando Washington se mudou para lá, depois da morte de seu meio-irmão Lawrence, Mount Vernon era uma modesta casa de fazenda com oito aposentos. Ele passou os trinta anos seguintes tratando de reconstruí-la e expandi-la, até se tornar uma espaçosa mansão de vinte aposentos — todos de proporções elegantes e belo acabamento (com muita inspiração de Palladio). Quando jovem, Washington fez uma breve e feliz viagem a Barbados; com essa exceção, nunca deixou seu país, a "Criança dos Bosques", como certa vez o chamou. No entanto, alguém que visitou Mount Vernon ficou impressionado com sua sofisticação, como se Washington já houvesse excursionado pelas grandes casas e jardins da Europa e selecionado os aspectos mais requintados de cada um.

Era exigente em cada detalhe. Durante os oito anos da Guerra da Independência, com todas as dificuldades e batalhas, ele escrevia para casa toda semana para saber como iam as coisas e dar instruções novas ou modificadas para algum elemento do projeto. O mestre de obras de Washington questionava, compreensivelmente, se aquele seria um bom momento para investir dinheiro e energia em uma casa que o inimigo poderia capturar e destruir a qualquer momento. Washington passou a maior parte da guerra atolado em combates no norte, deixando sua região natal cronicamente exposta a ataques. Felizmente, os britânicos nunca chegaram a Mount Vernon. Se tivessem, é quase certo que teriam tirado de lá a sra. Washington e ateado fogo na casa e em tudo ao redor.

Apesar dos riscos, Washington insistia. E de fato foi no ponto mais baixo da guerra, em 1777, que Mount Vernon adquiriu suas duas características arquitetônicas mais ousadas: a cúpula e a varanda ao ar livre, conhecida como *piazza*, com seus típicos pilares retangulares ao longo de toda a face leste da casa. A *piazza* foi um projeto do próprio Washington, e seu golpe de mestre. "Até hoje", escreve Stewart Brand, "é um dos melhores lugares que há na América para a gente simplesmente se sentar." A cúpula com janelas também foi ideia de Washington. Ela não só acrescenta um acabamento elegante à linha do teto, como serve como eficiente condicionador de ar, captando as brisas que passam e as direcionando para dentro de casa.

"A *piazza* é uma maneira engenhosa de deixar a casa sombreada e fresca, mantendo a fachada atraente", disse-me Dennis Pogue, diretor adjunto para a preservação de Mount Vernon, quando ali estive de visita. "Washington era um arquiteto muitíssimo melhor do que se costuma julgar."

Como estava sempre acrescentando coisas a uma estrutura já existente, Washington tinha de fazer muitas concessões. Por razões estruturais, teve que optar entre refazer grande parte do interior ou abandonar a simetria na parte traseira — ou seja, no lado da casa que os visitantes veem primeiro. Ele optou por abandonar a simetria. "Foi uma atitude muito corajosa e inusitada na época, mas Washington sempre foi pragmático", diz Pogue. "Ele preferiu uma distribuição sensata no interior a impor uma simetria do lado de fora. Sua esperança era que as pessoas não percebessem." Pela experiência de Pogue, cerca de metade dos visitantes não percebem. A ausência de simetria não é particularmente chocante, mas, para quem valoriza o equilíbrio, é difícil não notar que a cúpula e o frontão estão uns bons quarenta centímetros fora do alinhamento.

Com a falta de qualquer tipo de pedra para construção, Washington fez a parede dianteira da casa de tábuas, cuidadosamente chanfradas nas bordas para parecerem blocos de pedra, e pintadas de modo a disfarçar os nós e os veios da madeira. Enquanto a tinta secava, soprava-se delicadamente areia sobre as tábuas, para lhes dar uma textura áspera, semelhante à pedra. A imitação foi tão bem-sucedida que até hoje os guias mostram aos visitantes o verdadeiro material da casa batendo na parede com os nós dos dedos.

Washington não conseguiu passar muito tempo desfrutando de Mount Vernon; e, mesmo quando estava em casa, não tinha muita paz. Uma das convenções da época era receber e convidar para almoçar ou jantar qualquer pessoa de aparência respeitável que se apresentasse na porta. Washington sofria a praga dos hóspedes — recebeu 677 em um só ano — e muitos ficavam mais de uma noite.

Washington morreu em 1799, apenas dois anos depois de se aposentar, e Mount Vernon entrou em um longo declínio. Em meados do século seguinte estava praticamente abandonada. Os herdeiros de Washington a ofereceram ao país a um preço razoável, mas o Congresso ponderou que seu papel não incluía administrar as casas dos ex-presidentes, e não quis despender fundos. Em 1853, uma mulher chamada Louisa Dalton Bird Cunningham, ao cruzar o Potomac em um navio de passageiros, ficou tão chocada com as condições da casa que criou uma fundação de senhoras, a Mount Vernon Ladies Association, que adquiriu o local e iniciou um longo e heroico processo de restauração. Essa mesma organização continua cuidando da propriedade até hoje, com inteligência e afeto. Ainda mais milagrosa, à sua moda, é a sobrevivência da vista inigualável para o rio Potomac. Na década de 1950 foi divulgado um plano para construir uma grande refinaria de petróleo na margem oposta. Uma congressista de Ohio, Frances Payne Bolton, conseguiu intervir e salvar para a posteridade duzentos quilômetros quadrados de terras ribeirinhas de Maryland, de modo que hoje a vista continua tão agradável e satisfatória como era na época de Washington.

Monticello também sofreu depois da morte de Jefferson, embora, na verdade, já estivesse bastante decrépita. Em 1815 um visitante registrou, chocado, que quase todas as cadeiras estavam gastas pelo uso, com o enchimento saindo. Quando Jefferson morreu, aos 83 anos, em 4 de julho de 1826 — exatamente cinquenta anos depois da assinatura da Declaração de Independência —, tinha dívidas de mais de 100 mil dólares, na época uma soma colossal, e Monticello estava em condições precárias.

Sem poder pagar as consideráveis quantias para a manutenção da casa, a filha de Jefferson a colocou à venda por 70 mil dólares, mas não houve ofertas. No fim foi vendida por apenas 7 mil dólares a um homem chamado James Barclay, que tentou transformá-la em uma fazenda de seda. A iniciativa foi um fracasso total. Barclay fugiu para a Terra Santa para trabalhar como missionário, e a casa ficou abandonada. O mato crescia pelo assoalho. Portas caíram. Vacas vagavam pelos aposentos vazios. O famoso busto de Voltaire por Houdon foi encontrado jogado no campo. Em 1836, apenas dez anos depois da morte de Jefferson, Monticello foi comprada por 2500 dólares — uma quantia insignificante para uma casa assim, mesmo na época. O comprador foi uma figura surpreendente chamada Uriah Phillips Levy. Quase tudo sobre Levy o tornava insólito como dono de uma propriedade na Virgínia. Para começar, era oficial naval e judeu — o único na Marinha americana. Era um homem difícil e briguento — qualidades que os superiores não gostam de ver em nenhum oficial, mas que serviam perfeitamente para alimentar os preconceitos antissemitas latentes. Cinco vezes em sua carreira Levy foi levado à corte marcial, e cinco vezes foi exonerado. Igualmente importante para seus novos vizinhos era o fato de vir de Nova York. Um ianque judeu não podia ter muitos amigos em Virgínia. Com a eclosão da Guerra Civil, Monticello foi confiscada pelo governo Confederado e Levy fugiu para Washington, o refúgio mais próximo. Pediu ajuda ao presidente Lincoln, e este, com um belo senso de aptidão, nomeou-o para uma cadeira no conselho federal da corte marcial.

A família Levy foi proprietária de Monticello por noventa anos — muito mais tempo do que o próprio Jefferson. Sem eles, a casa nunca teria sobrevivido. Em 1923 os Levy venderam Monticello por 500 mil dólares para a recém-formada Thomas Jefferson Memorial Foundation, que embarcou em um longo programa de renovação. Só em 1954 o trabalho se completou. Quase duzentos anos depois que Jefferson a iniciou, Monticello finalmente se tornou a casa que ele tinha em mente.

Se Thomas Jefferson e George Washington fossem apenas fazendeiros que construíram casas interessantes, já seria uma boa realização; mas, naturalmente, os dois realizaram ao mesmo tempo uma revolução política, lideraram uma longa guerra, criaram uma nova nação e a serviram incansavelmente, passando anos longe de casa. Apesar desses desvios, sem ter formação profissional nem materiais adequados, conseguiram erigir duas das casas mais satisfatórias já construídas. É realmente uma proeza e tanto.

As célebres invenções de Monticello — seu elevadorzinho na lareira, as portas de dupla ação e coisas do gênero — por vezes são descartadas como meras engenhocas para chamar a atenção; mas, na verdade, elas anteciparam, em 150 anos, o amor dos americanos pelos aparelhos que economizam trabalho, e ajudaram a tornar Monticello não apenas a casa mais elegante já construída na América, mas também a primeira casa moderna do país. No entanto, Mount Vernon é a mais influente das duas. Ela se tornou o ideal de que derivam inúmeras outras casas, bem como restaurantes, motéis, bancos *drive-thru* e outros estabelecimentos. Provavelmente nenhuma outra construção na América foi tão copiada — quase sempre, infelizmente, com fortes pinceladas de *kitsch*, mas isso não é culpa de George Washington e seria uma mancha injusta na sua reputação. Não por acaso, ele também introduziu o primeiro "ha-ha"* do país, e pode-se fazer a afirmação razoável de que foi o pai dos gramados americanos. Entre todas as suas realizações, dedicou anos de esforços meticulosos tentando criar um gramado perfeito para o jogo de boliche na grama; e nesse processo se tornou a maior autoridade no Novo Mundo em grama e sementes de grama.

É notável pensar que bem menos de um século apenas separa Jefferson de Washington, e que ambos viveram em um lugar agreste, remoto, sem infraestrutura, da Era Dourada americana que acabou dominando o mundo. Nunca na história, provavelmente, a vida diária mudou de maneira mais radical e completa como nos 74 anos que se passaram entre a morte de Thomas Jefferson, em 1826, e o início do século seguinte — aliás, quase o mesmo período em que o nosso sr. Marsham viveu na Inglaterra, tranquila e sem sobressaltos.

Há um pequeno posfácio a tudo isso. No verão de 1814 os britânicos incendiaram o Capitólio em Washington (um ato de vandalismo que deixou

---

* Depressão do terreno feita para separar dos jardins da casa a área ocupada pelos animais. (N. E.)

Jefferson tão furioso que ele quis enviar agentes americanos a Londres para botar fogo em lugares famosos); e nas chamas do Capitólio se foi também a Biblioteca do Congresso. De imediato Jefferson ofereceu, generosamente, sua própria biblioteca para a nação, "em quaisquer termos que o Congresso julgar adequados". Jefferson acreditava possuir cerca de 10 mil livros, mas, quando veio uma delegação do governo federal para fazer o levantamento da coleção, computaram 6487. Pior ainda, quando examinaram os livros, não tinham certeza se iam querê-los. Muitos, acreditavam eles, não tinham nenhuma utilidade para o Congresso, pois tratavam de temas como arquitetura, vinicultura, culinária, filosofia e arte. Cerca de um quarto era escrito em línguas estrangeiras, "que não se podem ler", como observou a delegação com pessimismo, enquanto um bom número de outros era "de caráter imoral e irreligioso". Por fim, os congressistas deram a Jefferson 23 900 dólares pela biblioteca — bem menos da metade do que valia — e, um pouco a contragosto, a levaram embora. Jefferson, como se poderia esperar, imediatamente tratou de formar uma nova biblioteca, e já tinha acumulado cerca de mil novos livros por ocasião da sua morte, na década seguinte.

Embora o Congresso não ficasse muito grato por esse presente repentino, essa aquisição deu aos Estados Unidos, país ainda na infância, a biblioteca governamental mais sofisticada do mundo, e redefiniu por completo o papel de uma biblioteca do tipo. Antes disso, as bibliotecas governamentais serviam apenas para referência, e eram concebidas para fins estritamente utilitários; esta, porém, haveria de ser uma coleção abrangente, universal — um conceito totalmente novo.

Hoje, a Biblioteca do Congresso é a maior do mundo, com mais de 115 milhões de livros e artigos afins. Infelizmente, a participação de Jefferson não durou muito. Trinta e seis anos após a aquisição da biblioteca de Jefferson, em uma manhã na véspera de Natal, uma das chaminés da biblioteca do Capitólio pegou fogo. Como era de manhã cedo e feriado, não havia ninguém ali para perceber o incêndio, ou apagá-lo. Até que o fogo fosse descoberto e controlado, a maior parte da coleção tinha sido destruída, incluindo o precioso exemplar de Jefferson de *Os quatro livros da arquitetura*.

O ano desse incêndio — é quase desnecessário dizer — foi 1851.

"Perspectiva de uma escada" de Thomas Malton.

14. A escada

I

Chegamos agora à parte mais perigosa da casa — na verdade, um dos ambientes mais perigosos em qualquer lugar: a escada. Ninguém sabe ao certo o quanto as escadas são perigosas porque, curiosamente, não há registros suficientes. Quase todos os países têm registros das mortes e lesões decorrentes de quedas, mas não das causas das quedas. Nos Estados Unidos, por exemplo, sabe-se que cerca de 12 mil pessoas por ano caem no chão e nunca mais se levantam; mas, se elas caíram de uma árvore, de um telhado ou do alto de alguma estrutura, não se sabe. Na Grã-Bretanha, dados bastante precisos sobre quedas em escadas foram coletados até 2002. Mas, desde então, o Departamento de Comércio e Indústria chegou à conclusão de que continuar acompanhando esses dados era uma extravagância que já não podia pagar — o que parece uma economia bastante equivocada se considerarmos o alto custo para a sociedade das lesões por quedas. Os últimos registros indicavam que naquele ano de 2002 um número impressionante de britânicos — nada menos de 306 166 — sofreu lesões por queda em escadas, graves o suficiente para recorrer a um atendimento médico, mostrando que a questão não é tão trivial como se imagina.

John A. Templer, do MIT, autor do definitivo (e, devo dizer, quase único) texto acadêmico sobre o tema: *The staircase: studies of hazards, falls, and safer design* [A escada: estudos de riscos, quedas e designs mais seguros], sugere que todas as estatísticas de lesões por queda são, provavelmente, muito subestimadas. No entanto, mesmo nos cálculos mais moderados, a escada é considerada a segunda causa mais comum de morte acidental, ficando bem atrás dos acidentes de carro, mas bem à frente de afogamentos, queimaduras e outros desastres. Considerando o custo das quedas à sociedade, em horas de trabalho perdidas e danos à saúde, é estranho que não sejam estudadas com mais atenção. Uma quantidade enorme de dinheiro e tempo da burocracia é investida na prevenção e na investigação de incêndios, nos códigos de incêndio e nos seguros contra incêndio, mas não se gasta quase nada na compreensão e na prevenção das quedas.

Todos nós tropeçamos em escadas em algum momento. Calcula-se que a probabilidade de pisar em falso é de uma a cada 2222 vezes que utilizamos as escadas; a de sofrer um pequeno acidente, de uma a cada 63 mil vezes; a de sofrer um acidente doloroso, de uma a cada 734 mil vezes; e a de sermos hospitalizados, de uma a cada 3 616 667 vezes.

Dos indivíduos que morrem ao cair da escada em casa, 84% têm 65 anos ou mais. Não que os idosos sejam mais descuidados em escadas; acontece que não conseguem se levantar tão bem depois de uma queda. Já as crianças, felizmente, quase nunca morrem em quedas na escada. Ainda assim, as famílias com filhos pequenos são as que, de longe, apresentam os maiores índices de lesões, em parte por fazer muito uso das escadas, e também por causa dos objetos inusitados que as crianças largam espalhados pelos degraus. Os solteiros têm mais chance de cair do que os casados, e as pessoas que já foram casadas caem mais do que ambos. As pessoas em boa forma caem com mais frequência do que as que estão acima do peso, pois costumam descer aos saltos, são menos cautelosas e não param tanto para descansar quanto os gordinhos ou os debilitados.

O melhor indicativo de risco de um indivíduo é o número de vezes que ele caiu no passado. A propensão aos acidentes é um tema um pouco controverso entre os especialistas em lesões em escadas, mas tudo indica que é uma realidade. Cerca de quatro em cada dez pessoas que se machucaram ao cair da escada já haviam se machucado antes ao cair de uma escada.

As pessoas caem da escada em diferentes locais em diferentes países. No Japão, por exemplo, é muito mais provável alguém se machucar ao cair da escada em um escritório, shopping ou estação de trem do que qualquer pessoa nos Estados Unidos. Não que os japoneses sejam mais imprudentes ao utilizá-las, mas os americanos simplesmente não as utilizam tanto em locais públicos. Eles contam com a facilidade e a segurança de elevadores e escadas rolantes. Nos Estados Unidos, a maioria esmagadora das lesões em escadas acontece dentro de casa — praticamente o único lugar onde os americanos se submetem a usá-las com regularidade. Pelo mesmo motivo, as mulheres são muito mais propensas a cair da escada do que os homens: elas a utilizam muito mais, sobretudo em casa, onde ocorre a maioria das quedas.

Quando caímos da escada, tendemos a nos culpar e atribuir a queda ao descuido ou à desatenção. Na verdade, o design da escada exerce uma influência direta na probabilidade da queda e na intensidade da dor logo após a queda. Pouca luz, ausência de corrimão, degraus largos ou estreitos demais ou cobertos por desenhos confusos, degraus muito altos ou muito baixos e patamares que atrapalham o ritmo de subida e descida são as principais falhas de projeto que causam acidentes.

Segundo Templer, a segurança da escada não implica apenas um, mas dois problemas: "evitar circunstâncias que causem acidentes e projetar escadas que minimizem as lesões em caso de acidentes". Ele observou que em uma estação de trem de Nova York (não menciona qual) as bordas da escada foram revestidas por um antiderrapante todo desenhado, de modo que era difícil distinguir os degraus. Em seis semanas, mais de 1400 pessoas — um número impressionante — levaram tombos nessa escada, até o problema ser resolvido.

As escadas incorporam três elementos da geometria: o eretor, o piso e a inclinação da escada. O eretor é a altura, ou a distância entre dois pisos, e o piso é o degrau em si. O ser humano é pouco tolerante à variação do grau de inclinação da escada. Qualquer declive de mais de 45 graus é desconfortável para subir e de menos de 27 graus torna a descida tediosa e lenta. É muito difícil se locomover em escadas de pouco declive; assim, nossa zona de conforto é pequena. Um problema inescapável das escadas é que, embora tenham que levar as pessoas de maneira segura nos dois sentidos, em cada um deles a mecânica da locomoção requer uma postura diferente. (Na subida, inclinamos o corpo para a frente, mas na descida mantemos o centro de gravidade na parte posterior do corpo, como se estivéssemos freando.) Portanto, uma escada segura e confortável de subir pode não ser tão boa de descer, e vice-versa. O tamanho do bocel (a borda que arremata o degrau) pode influenciar muito a possibilidade de um acidente. Em um mundo perfeito, as escadas mudariam ligeiramente de forma caso o usuário estivesse subindo ou descendo. Na prática, todas acabam sendo um meio-termo.

Tente imaginar uma queda em câmera lenta. Descer uma escada é, de certo modo, uma queda controlada. Impulsiona-se o corpo para a frente e para baixo, de um jeito que sem dúvida seria perigoso se não estivéssemos controlando a situação. O problema para o cérebro é captar o momento em que uma descida deixa de ser controlada e passa a ser uma espécie de confusão infeliz. O cérebro humano responde muito rápido ao perigo e à desordem; mesmo assim, ainda leva uma fração de tempo — 190 milissegundos, para ser mais preciso — até que os reflexos entrem em ação, a mente assimile que algo está errado (que você acabou de pisar em um patim, por exemplo) e ele consiga nos preparar para um pouso difícil. Durante esse brevíssimo intervalo, o corpo desaba, em média, dezoito centímetros — o que costuma ser muito para uma aterrissagem graciosa. Se isso acontecer no degrau mais baixo, você terá um choque desagradável — mais uma afronta à sua dignidade do que qualquer outra coisa. Mas, se for numa altura mais elevada, seus pés simplesmente não serão capazes de se recuperar com elegância e é melhor você torcer para conseguir segurar no corrimão — isto é, *se* houver corrimão. Um estudo realizado em 1958 mostrou que em 75% de todas as quedas em escadas não havia corrimão no ponto de origem da queda.

Os dois momentos em que se deve tomar o máximo de cuidado quando se usa uma escada são o início e o final, quando ficamos mais propensos a nos distrair. Um terço de todos os acidentes ocorre no primeiro ou no último degrau, e dois terços ocorrem nos três primeiros ou nos três últimos. A circunstância mais perigosa de todas é a existência de um único degrau em um lugar inesperado. Igualmente perigosas são as escadas de quatro ou menos degraus — ao que parece, inspiram excesso de confiança.

Não é de espantar que descer uma escada seja muito mais perigoso do que subi-la. Mais de 90% das lesões ocorrem na descida. A probabilidade de sofrer uma queda "séria" é de 57% em escadas em linha reta e de apenas 37% em escadas com curvas acentuadas. O patamar também deve ser de um tamanho específico — a largura do degrau mais a largura de um passo é considerada ideal — de modo a não interromper o ritmo de quem usa a escada. A quebra do ritmo é o prenúncio da queda.

Sempre se reconheceu que as pessoas gostam de subir e descer escadas com um certo ritmo, e que para tanto é melhor fazer degraus amplos em escadas curtas e degraus mais estreitos em escadas mais íngremes. Os escritores clássicos de arquitetura, no entanto, tinham muito pouco a dizer sobre o design das escadas. Vitrúvio apenas sugeriu que elas fossem bem iluminadas. Sua preocupação não era reduzir o risco de queda, mas evitar colisões entre as pessoas que se deslocavam em direções opostas (outro indício de como era escuro o mundo pré-eletricidade). Foi só no final do século XVII que um francês chamado François Blondel chegou a uma fórmula matemática que estabelecia uma relação direta entre o piso e o eretor. Ele sugeriu que para cada unidade acrescida na altura era necessário subtrair duas unidades da profundidade do piso. A fórmula foi amplamente adotada e até hoje, mais de trezentos anos depois, continua presente em muitos códigos de construção, ainda que não funcione nada bem em escadas altas ou baixas demais.

Na Idade Moderna, a pessoa que levou mais a sério o design das escadas foi, por incrível que pareça, Frederick Law Olmsted. Embora seu trabalho não exigisse isso, Olmsted mediu pisos e eretores de forma meticulosa — por vezes obsessiva — durante nove anos, na tentativa de chegar a uma fórmula que assegurasse conforto e segurança à escada em ambas as direções. Seus resultados foram convertidos em um par de equações por um matemático chamado Ernest Freeze Irving. São elas, usando "P" para o piso e "E" para o eretor:

$$E = 9 - \sqrt{7(P-8)(P-2)}$$
$$e$$
$$P = 5 + \sqrt{1/7(9-E)^2} + 9$$

Segundo me explicaram, a primeira é para quando o piso tem tamanho fixo, e a segunda para quando não tem.

Já em nossa era, Templer sugeriu que o eretor deve medir entre 16 centímetros e 18,2 centímetros e que os pisos devem ter sempre mais do que 22,8 centímetros, e, de preferência, 28 centímetros — mas, se você olhar ao redor, verá que esses valores variam bastante. De acordo com a *Enciclopédia Bri-*

tânica, os degraus nos Estados Unidos tendem a ser, em geral, um pouco mais altos que os britânicos, e os europeus ainda mais altos que ambos. Os valores, porém, não são citados.

Com relação à história da escada, não há muito o que dizer. Ninguém sabe onde ou quando a escada se originou, nem mesmo por alto. A primeira escada, no entanto, pode não ter sido projetada para conduzir pessoas para o alto de um andar superior, como se imaginaria, mas, ao contrário, para *descer* às profundezas de uma mina. Em 2004, a escadaria de madeira mais antiga já encontrada, com cerca de 3 mil anos de idade, foi descoberta a cem metros de profundidade em uma mina de sal da Idade do Bronze em Hallstatt, na Áustria. É possível que tenha sido o primeiro ambiente onde a capacidade de subir e descer usando apenas os pés (em contraste com a escada de mão, que como o nome diz requer também o uso das mãos) significou uma vantagem positiva e necessária, já que deixava os braços livres para transportar cargas pesadas.

Como curiosidade linguística, vale mencionar que os substantivos ingleses *upstairs* [andar de cima] e *downstairs* [andar de baixo] só foram adicionados recentemente ao idioma. *Upstairs* foi cunhado em inglês somente em 1842 (no romance chamado *Handy Andy*, de um certo Samuel Lover), e *downstairs* foi visto pela primeira vez no ano seguinte em uma carta escrita por Jane Carlyle. Em ambos os casos, o contexto deixa claro que as palavras já existiam — Jane Carlyle não era de inventar termos novos —, mas registros anteriores ainda não foram encontrados. A conclusão é que, por pelo menos três séculos, as pessoas moravam em ambientes com vários andares sem ter palavras adequadas para descrevê-los.

II

Já que o assunto em pauta é como nossa casa pode nos ferir, sugiro fazermos um breve intervalo no patamar e refletirmos sobre outro elemento arquitetônico que ao longo da história provou ser mortal a um número alarmante de pessoas: as paredes, ou melhor, as coisas que vão sobre as paredes, como a tinta e o papel de parede. Por muito tempo, ambos foram muito nocivos, em vários sentidos.

Pense no papel de parede, um produto que começava a se popularizar nas casas comuns na época em que o sr. Marsham construiu sua casa paroquial. Durante muito tempo o papel de parede — ou "papel tingido", como também era chamado — tinha sido muito caro. Por mais de um século foi taxado com altos impostos; e exigia muita mão de obra para produzir. Não era feito de polpa de madeira, mas sim de trapos velhos. Selecionar os trapos era um trabalho sujo que expunha os trabalhadores a toda uma série de doenças infecciosas. Até 1802, quando foi inventada uma máquina capaz de produzir folhas de papel contínuas e extensas, o tamanho máximo de cada folha era de apenas sessenta centímetros, exigindo que o papel fosse emendado com muita habilidade e cuidado. A condessa de Suffolk pagou 42 libras para colar papel de parede em um único cômodo, numa época (os anos 1750) em que o aluguel de uma boa casa em Londres custava apenas doze libras por ano. O papel de parede feito de restos de lã tingida ficou muito na moda a partir de 1750, mas apresentava ainda mais riscos aos que o fabricavam, já que as colas usadas em geral eram tóxicas.

Quando, por fim, foi eliminado o imposto sobre o papel de parede, em 1830, ele decolou de vez (talvez eu devesse dizer "colou" de vez). O número de rolos vendidos na Grã-Bretanha saltou de 1 milhão em 1830 para 30 milhões em 1870, e foi nessa época que o papel começou a deixar muita gente doente. Desde o início, o papel era tingido com pigmentos contendo altas doses de arsênico, chumbo e antimônio. Mas, a partir de 1775, passou a ser quase sempre embebido em um composto ultranocivo chamado arsenito de cobre, inventado pelo grande mas infeliz químico sueco Karl Scheele.* Essa coloração fez tanto sucesso que passou a ser chamada "verde Scheele". Mais tarde, com a adição de acetato de cobre, refinou-se ainda mais o pigmento até alcançar uma cor intensa chamada verde-esmeralda. Era usada para colorir todo tipo de coisa: cartas de baralho, velas, roupas, tecido para cortinas e até mesmo alimentos. Mas o sucesso se deu sobretudo no papel de parede — o que era perigoso não só para as pessoas que o fabricavam e o aplicavam, mas também para os que conviviam com esse papel depois.

* Scheele descobriu de forma independente oito elementos químicos — cloro, flúor, manganês, bário, molibdênio, tungstênio, nitrogênio e oxigênio —, mas não recebeu crédito por nenhum deles em vida. Tinha o péssimo hábito de experimentar todas as substâncias com que trabalhava, para familiarizar-se com as suas características, e essa prática acabou lhe custando a vida. Em 1786, foi encontrado caído em sua bancada, morto de overdose acidental.

No fim do século XIX, 80% dos papéis de parede ingleses continham arsênico, quase sempre em quantidades significativas. Um entusiasta em particular foi o designer William Morris, que não só adorava os intensos verdes do arsênico, como era membro do conselho diretor de uma empresa em Devon (na qual tinha altos investimentos), que fabricava pigmentos derivados do arsênico. Sobretudo quando havia umidade — e nas casas inglesas era raro não haver —, o papel de parede exalava um cheiro peculiar de mofo semelhante ao do alho. As pessoas percebiam que os quartos com papel de parede verde em geral não tinham percevejos. Muitos já sugeriram que esse papel de parede venenoso explica por que trocar de ares era tão benéfico aos doentes crônicos. Em muitos casos, eles estavam simplesmente escapando do envenenamento gradual em seus quartos. Uma dessas vítimas foi Frederick Law Olmsted, o paisagista do Central Park, com quem deparamos neste livro com mais frequência do que imaginávamos. Tudo indica que em 1893 ele sofreu envenenamento por arsênico devido ao papel de parede do quarto — justamente quando a população, por fim, começava a perceber o que as deixava doente, de cama. Olmsted acabou precisando de um verão inteiro para se recuperar (em outro quarto).

As tintas também ofereciam um perigo espantoso. Já na fabricação exigiam a mistura de vários produtos tóxicos — principalmente, chumbo, arsênico e cinábrio (sulfeto de mercúrio). Os pintores sofriam muito de uma doença vaga, com diversos sintomas, chamada "cólica dos pintores" — no fundo, envenenamento por chumbo com um nome mais floreado.* Os pintores compravam chumbo branco em bloco e depois o pulverizavam, rolando uma bola de ferro sobre ele repetidas vezes. Com isso se acumulava muita poeira nos dedos e no ar, uma poeira altamente tóxica. Entre os muitos sintomas que os pintores costumavam apresentar estavam paralisia, tosse violenta, fadiga, melancolia, perda do apetite, alucinações e cegueira. Uma das peculiaridades do

---

* Embora já se saiba dos perigos do chumbo há muito tempo, ele continuou sendo usado em diversos produtos até o século XX. Muitos alimentos vinham em latas vedadas com soldas de chumbo. A água muitas vezes era armazenada em tanques revestidos de chumbo. Nas frutas, era pulverizado como pesticida. O chumbo foi usado até mesmo na fabricação de tubos de pasta de dentes. Nas tintas, persistiu até o século passado. Atualmente, apesar da proibição do uso em produtos de consumo, o chumbo continua a se acumular na atmosfera devido às aplicações industriais. O indivíduo médio hoje tem cerca de 625 vezes mais chumbo no organismo do que o de cinquenta anos atrás.

envenenamento por chumbo é que ele aumenta a retina, fazendo com que algumas vítimas enxerguem uma auréola em volta dos objetos — efeito que Vincent van Gogh explorou em seus quadros. É provável que sofresse de envenenamento por chumbo, como era frequente entre os pintores. Outro que ficou muito doente por causa do chumbo branco foi James McNeill Whistler, que usou uma quantidade enorme da substância para pintar o quadro em tamanho real *A menina branca*.

Atualmente, as tintas à base de chumbo estão proibidas em quase todo lugar, exceto para usos muito específicos; mas os restauradores lamentam muito a perda, pois elas proporcionavam uma intensidade de cor e um efeito aveludado que as tintas modernas não conseguem igualar. É na madeira, em especial, que se nota toda a beleza das tintas com chumbo.

A pintura também envolvia uma série de problemas de demarcação. Devido ao sistema de corporações de ofício, era muito complicado na Inglaterra definir os tipos de trabalho que cada profissional era autorizado a fazer — ou seja, alguns podiam aplicar tinta a óleo, outros podiam aplicar têmpera (tinta diluída) e outros não podiam fazer nenhuma das duas coisas. Os pintores se encarregavam da pintura, como é de esperar, mas os estucadores também tinham permissão de aplicar pintura a têmpera em paredes de gesso — mas em apenas algumas tonalidades. Os encanadores e os vidraceiros, por outro lado, podiam aplicar tintas a óleo, mas não têmpera. A razão disso é incerta, mas provavelmente porque as molduras das janelas eram feitas de chumbo — um material que tanto os encanadores quanto os vidraceiros conheciam bem.

A tinta têmpera era feita de uma mistura de giz e cola. Tinha um acabamento mais fino e suave, ideal para superfícies de gesso. Em meados do século XVIII, as paredes e os tetos em geral eram cobertos por tintas têmpera, enquanto a madeira trabalhada era pintada com tinta a óleo, mais espessa. A tinta a óleo era uma substância mais complexa. Consistia de uma base (em geral carbonato de chumbo, ou "chumbo branco"), um pigmento de cor, um aglutinante com propriedades aderentes (como óleo de linhaça) e agentes para dar consistência (como cera ou sabão) — o que é surpreendente, visto que as tintas a óleo do século XVIII já eram bastante viscosas e difíceis de aplicar ("É como espalhar breu com uma vassoura", nas palavras do escritor David Owen). Por fim alguém descobriu que acrescentar terebintina, um diluente natural mais fino, extraído da seiva do pinheiro, tornava a tinta mais fácil de aplicar; e assim a pintura passou a ser uma atividade muito mais suave em todos os sentidos. A terebintina também dava à tinta um acabamento fosco e essa estética acabou virando moda no final do século XVIII.

O óleo de linhaça era o ingrediente mágico da tinta, pois endurecia, formando uma película resistente — em suma, foi o que transformou a tinta em tinta. Ele é extraído das sementes do linho, a planta linácea de onde vem o tecido de linho. Sua única grande desvantagem era ser altamente inflamável — um pote de óleo de linhaça pode, nas condições adequadas, entrar em combustão espontânea —, sendo portanto a causa de inúmeros incêndios domésticos devastadores. Tinha de ser usado com extremo cuidado perto de chamas.

O acabamento mais rudimentar de todos era a caiação, ou aplicação de um revestimento de cal, em geral em áreas mais simples, como as áreas de serviço da casa e os quartos dos empregados. O revestimento era uma simples mistura de cal e água (por vezes acrescida de sebo para aumentar a aderência); não durava muito, mas tinha a vantagem prática de agir como desinfetante. Embora a cal seja branca, era comum tingi-la (ainda que de leve) com corantes.

Pintar exigia uma habilidade especial, uma vez que os pintores preparavam seus próprios pigmentos e misturavam suas próprias tintas — ou seja, criavam suas próprias cores —, e em geral faziam tudo em segredo para manter a vantagem comercial sobre seus rivais. (Acrescentando resinas ao óleo de linhaça, em vez de pigmento, se obtém o verniz. E os pintores também faziam isso em segredo.) A tinta tinha de ser misturada em porções pequenas e usada de imediato; logo, ser capaz de fazer a quantidade necessária para cada dia era uma habilidade e tanto. Também era preciso aplicar várias camadas de tinta, já que mesmo as de melhor qualidade tinham pouca opacidade. Em geral, era preciso dar ao menos cinco demãos para recobrir uma parede. Portanto, pintar era um empreendimento árduo, estressante e altamente técnico.

Havia muita variação no preço dos pigmentos. Cores mais sóbrias, como o gelo e o cinza-claro, custavam oito ou dez *pence* o quilo. Os azuis e os amarelos custavam o dobro ou o triplo, e por isso costumavam ser usados apenas pela classe média ou por classes mais altas. O azul-cobalto, um tom de azul cintilante feito de vidro moído, e a azurita, extraída de uma pedra semipreciosa, eram ainda mais caros. Mas o mais caro de todos era o tom verde-azulado do verdete, que se obtinha pendurando tiras de cobre sobre um barril de esterco de cavalo e vinagre e depois raspando o cobre oxidado resultante. É o mesmo processo que torna verdes as cúpulas e as estátuas de cobre — porém agora mais rápido e mais comercial — e que produzia "o verde-grama mais delicado do mundo", como descreveu um entusiasmado admirador setecentista. Um quarto pintado com verdete sempre arrancava um "Ah!" deslumbrado dos visitantes.

Quando as tintas caíram no gosto popular, as pessoas queriam que fossem as mais vivas possíveis. As cores sóbrias que associamos ao período georgiano na Inglaterra, ou ao período colonial na América, são consequência do desbotamento, e não de um espírito mais contido na decoração. Em 1979, quando Mount Vernon iniciou um programa de renovar a pintura dos interiores com cores fiéis às originais, "as pessoas chegavam e gritavam conosco", contou-me, com um largo sorriso, Dennis Pogue, curador de Mount Vernon, quando ali fui visitar. "Eles nos diziam que estávamos tornando Mount Vernon um lugar espalhafatoso. E tinham razão, mas apenas porque eram essas as cores originais. Foi difícil para muita gente aceitar que o que estávamos fazendo era uma restauração fiel.

"Mesmo hoje, os catálogos de tintas inspirados no estilo colonial quase sempre apresentam uma versão desbotada das cores do período. Na realidade, as cores eram em geral bastante intensas e às vezes até chocantes. Quanto mais viva a cor das paredes, mais o dono da casa era admirado. Primeiro, porque as cores vivas denotavam custos altos, já que sua produção exigia uma grande quantidade de pigmento. Também é importante lembrar que à noite essas cores eram vistas à luz de velas; por isso precisavam ser mais vivas, para causar algum impacto com essa luminosidade fraca."

Esse efeito agora se repete em Monticello, onde vários aposentos são de um amarelo ou verde vivos. De repente, George Washington e Thomas Jefferson mostram ter uma estética hippie para a decoração. Mas, em comparação com o que se seguiu, na verdade foram extremamente contidos.

Quando as primeiras tintas já preparadas chegaram ao mercado, na segunda metade do século xix, as pessoas as aplicavam nas paredes com um entusiasmo incontido. A última moda era não só ter uma casa com cores vivas, mas também ter sete ou oito cores diferentes em um único aposento.

Se examinássemos melhor, porém, ficaríamos surpresos ao notar que duas cores muito básicas não existiam nos dias do sr. Marsham: um bom branco e um bom preto. O branco mais vivo disponível era um gelo meio fosco; e, apesar de os brancos terem melhorado ao longo do século XIX, foi só na década de 1940, com a adição de dióxido de titânio às tintas, que um branco realmente forte e duradouro ficou disponível. A ausência de uma boa tinta branca teria sido duplamente notada nos primórdios da Nova Inglaterra, uma vez que os puritanos não só não tinham tinta branca, como também não eram a favor de pintar as casas, por princípio (julgavam a pintura uma manifestação de vaidade). Assim, todas aquelas igrejas de um branco reluzente que associamos às cidades da Nova Inglaterra são, na verdade, um fenômeno relativamente recente.

Outra cor que faltava na paleta do pintor era um preto forte e intenso. A tinta preta permanente, destilada do breu e do alcatrão, só ficou acessível à população no final do século XIX. Por isso, todas as estruturas pintadas de um negro espesso e brilhante, como portas de entrada, grades, portões, postes de iluminação, calhas e tubulações, tão características das ruas de Londres, são, na verdade, bastante recentes. Se voltássemos no tempo para a Londres de Charles Dickens, uma das diferenças mais surpreendentes que notaríamos seria a ausência de superfícies pintadas de preto. No tempo de Dickens, quase todas as estruturas de ferro eram pintadas de verde, azul-claro ou um cinza apagado.

Agora podemos prosseguir escada acima para um aposento que pode nunca ter matado ninguém, mas provavelmente já viu mais sofrimento e desespero do que todos os outros cômodos da casa juntos.

15. O quarto de dormir

I

O quarto de dormir é um lugar estranho. Não há nenhum espaço dentro da casa onde passemos mais tempo fazendo menos coisas, e, sobretudo, de maneira silenciosa e inconsciente, do que neste; e, contudo, é no quarto que experimentamos muitas das infelicidades mais profundas e persistentes da vida. Se você está morrendo ou se sentindo mal, se está exausto, com alguma disfunção sexual, vontade de chorar, atormentado pela ansiedade, deprimido demais para enfrentar o mundo, carente de serenidade e alegria, é no quarto de dormir que você provavelmente será encontrado. Isso já é assim há séculos; mas justo na época em que o reverendo sr. Marsham estava construindo sua casa, uma dimensão inteiramente nova foi acrescentada à vida que se passa atrás da porta do quarto: o pavor. Nunca antes as pessoas tinham encontrado tantas maneiras de se preocupar em um espaço pequeno e confinado como os vitorianos em seus quartos de dormir.

A própria cama se tornou motivo de preocupação. Parece que, quando as luzes se apagavam, até as pessoas mais limpas se tornavam uma massa de vapor e toxinas. "A água expelida na respiração", explicou Shirley Forster Murphy em *Our homes, and how to make them healthy* [Nossas casas, e como torná-las saudáveis], de 1883, "está carregada de impurezas animais; ela se condensa nas paredes internas dos edifícios, escorre em riachos fétidos, [...] e se infiltra nas paredes", causando danos graves, ainda que não especificados. Por que a respiração não causa esses danos quando está dentro do nosso corpo — isso nunca era explicado, nem levado em conta. Bastava saber que respirar durante a noite era uma prática degenerada.

Preconizava-se para os casais o uso de camas individuais, não só para evitar as emoções vergonhosas do contato acidental, mas também para reduzir a mistura das impurezas pessoais. Como explicou, em palavras sinistras, uma autoridade médica: "O ar que rodeia o corpo debaixo das roupas de cama é extremamente impuro, sendo impregnado com substâncias venenosas que escapam pelos poros da pele". Até 40% das mortes nos Estados Unidos, avaliou um médico, resultavam da exposição crônica ao ar insalubre durante o sono.

As camas também davam muito trabalho. Virar e afofar os colchões era uma tarefa pesada e constante. Um colchão de penas continha vinte quilos de penas. As almofadas e os travesseiros acrescentavam outro tanto; e tudo isso tinha de ser esvaziado de vez em quando para que as penas tomassem ar, pois do contrário começavam a cheirar mal. Muita gente criava bandos de gansos, e umas três vezes por ano lhes arrancavam as penas para fazer um novo enchimento para colchões e almofadas (trabalho que devia ser tão exaustivo para os criados como para os gansos). Um colchão de penas bem macio pode parecer divino, mas os ocupantes logo se viam afundando em um vale rígido e sem ar entre as fofas colinas onduladas. O estrado era apenas um trançado de cordas, que podiam ser apertadas girando-se uma chave quando começavam a afrouxar (daí a expressão "Sleep tight" [Durma bem apertado]); mas nem mesmo bem tensas elas ofereciam conforto. O colchão de molas foi inventado em 1865, mas no início era muito incômodo porque as molas às vezes saíam do lugar, sujeitando o ocupante ao perigo muito real de ser perfurado pela sua própria cama.

Um livro popular americano do século XIX, *Goodholme's cyclopedia*, dividia os tipos de colchão em dez níveis de conforto. Em ordem decrescente, eram:

Penas de papo de ganso
Penas
Lã

Estopa de lã
Cabelo
Algodão
Aparas de madeira
Musgo marinho
Serragem
Palha

Quando as aparas de madeira e a serragem figuram em uma lista dos dez melhores materiais para estofamento, percebe-se como as coisas eram rústicas na época. Os colchões ofereciam um paraíso não só para percevejos, pulgas e traças (que adoravam se aninhar nas penas velhas), mas também para ratos e camundongos. O som de seus passinhos furtivos debaixo das cobertas era um acompanhamento infeliz para muitas noites de sono.

As crianças, muitas vezes obrigadas a dormir em caminhas de rodízios bem junto ao chão, tinham contato ainda mais próximo com os ratos. Onde quer que as pessoas estivessem, ali estavam os ratos. Em 1867 uma americana chamada Eliza Ann Summers relatou que ela e a irmã levavam braçadas de sapatos para a cama todas as noites, a fim de atirar nos ratos que corriam pelo chão. Susana Augusta Fenimore Cooper, filha de James Fenimore Cooper, disse que jamais esqueceu, nem superou, a lembrança dos ratos correndo pela sua cama na infância.

Thomas Tryon, autor de um livro de 1683 sobre saúde e bem-estar, reclamou dos "excrementos imundos e repugnantes" das penas, que atraíam os insetos. Sugeriu que se usasse muita palha fresca, em seu lugar. Ele acreditava (com alguma razão) que as penas eram contaminadas com matéria fecal das infelizes aves, estressadas ao serem depenadas.

Historicamente o enchimento mais básico era a palha comum, que picava através do pano do colchão, causando um conhecido tormento; mas as pessoas usavam qualquer coisa que conseguissem obter. Na casa de infância de Abraham Lincoln se usava palha de milho seca, um material tão barulhento como desconfortável. Para quem não podia pagar pelas penas, a lã ou a crina de cavalo eram alternativas mais baratas, mas seu problema era o mau cheiro. A lã muitas vezes ficava infestada de traças. O único remédio era retirar a lã do colchão e fervê-la, um processo tedioso. Nas casas mais pobres por vezes se pendurava esterco de vaca nos pés da cama, acreditando que afastava as traças. No clima quente, os insetos de verão que entravam pelas janelas eram um incômodo e um perigo. Costumava-se colocar mosquiteiros ao redor das camas, mas sempre com certo receio, já que o tecido era extremamente inflamável. Um visitante que foi a Nova York na década de 1790 relatou que seus anfitriões, solícitos, fizeram uma fumigação antes da hora de dormir, enchendo o quarto de fumaça e obrigando-o a voltar para a cama tateando em meio a uma névoa sufocante. As telas de arame para impedir a entrada de insetos foram inventadas bem cedo — Jefferson as tinha em Monticello —, mas não eram muito usadas devido ao custo.

Durante grande parte da história a cama era, para a maioria dos proprietários, a coisa mais valiosa que possuíam. Nos tempos de William Shakespeare, por exemplo, uma boa cama com dossel custava cinco libras, a metade do salário anual de um professor primário. Por ser um objeto tão valioso, a melhor cama sempre ficava no andar de baixo, às vezes na sala, onde podia ser exibida aos visitantes, ou vista pelos transeuntes por uma janela aberta. Em geral essas camas melhores eram reservadas, teoricamente, para os hóspedes realmente importantes; mas na prática quase não eram usadas. Esse fato dá nova perspectiva à famosa cláusula do testamento de Shakespeare em que ele deixa a sua segunda melhor cama para a esposa, Anne. Isso já foi interpretado como um insulto, quando, na verdade, a segunda melhor cama era quase certamente o leito conjugal e, portanto, a que trazia mais associações afetivas. Por que Shakespeare destacou essa cama, em especial, é outro mistério, uma vez que Anne teria herdado, no curso normal das coisas, todas as camas da casa; mas decerto não demonstra descaso pela esposa, como querem algumas interpretações.

A privacidade era um conceito muito diferente nos tempos antigos. Nas pousadas, compartilhar a cama com outra pessoa era um costume comum no século XIX e muitos diários da época lamentam a decepção do autor ao ver um estranho chegar tarde da noite e vir se deitar na sua cama. Em 1776 Benjamin Franklin e John Adams foram obrigados a dividir uma cama em uma pousada em New Brunswick, Nova Jersey, e passaram a noite, mal-humorados e sem dormir, discutindo se deviam deixar a janela aberta ou fechada.

Mesmo em casa, era perfeitamente normal para um criado dormir nos pés da cama do seu amo, não importa o que este estivesse fazendo em seu leito. Os registros mostram que o mordomo e o camareiro do rei Henrique v permaneciam no aposento quando ele tinha relações com Catarina de Valois. Os diários de Samuel Pepys mostram que uma criada dormia no chão do quarto dele e da esposa, e que ele a considerava uma espécie de alarme vivo contra ladrões. Nessas circunstâncias os cortinados de cama davam um pouco de privacidade e também reduziam as correntes de ar, mas cada vez mais passaram a ser vistos como refúgios anti-higiênicos para poeira e insetos. Também apresentavam o perigo de incêndio — uma consideração grave quando tudo que havia no quarto, desde as esteiras no chão até o teto de palha, era altamente combustível. Todos os livros de administração doméstica advertiam contra ler na cama à luz de velas, mas muita gente fazia isso mesmo assim.

Em uma de suas obras, o historiador seiscentista John Aubrey conta uma anedota sobre o casamento de Margaret, filha de Thomas More, com um homem chamado William Roper. Segundo a história, Roper chega à porta certa manhã e diz a More que deseja se casar com uma de suas filhas — qualquer uma das duas serve. More então leva Roper para o seu quarto, onde as filhas estão dormindo em uma cama de rodinhas que pode ser guardada embaixo da cama dos pais. Inclinando-se, More habilmente "puxa o lençol pela ponta e de repente o arranca", relata Aubrey com evidente prazer, revelando que as duas jovens estavam quase nuas. Protestando, sonolentas, contra essa perturbação, elas rolam na cama e deitam de barriga para baixo; e, após um breve momento de admiração e reflexão, sir William anuncia que já viu os dois lados, e bate de leve com a bengala no traseiro de Margaret, de dezesseis anos de idade. "E nisso se resumiu todo o seu trabalho de lhe fazer a corte", escreve Aubrey com indisfarçada admiração.

Seja verdade ou não esse episódio — e vale notar que Aubrey escreveu mais de um século depois do fato —, fica claro que ninguém na época achava estranho que as filhas já crescidas de More dormissem ao lado da cama dos pais.

O verdadeiro problema das camas, com certeza no período vitoriano, era serem inseparáveis da mais problemática das atividades humanas, o sexo. Dentro do casamento, o sexo era, naturalmente, por vezes necessário. Mary Wood Allen, em seu livro popular e influente *What a young woman ought to know* [O que uma moça deve saber], assegurava suas jovens leitoras que era permitido participar de intimidades sexuais dentro do casamento, desde que isso fosse feito "sem nenhuma partícula de desejo sexual". Acreditava-se que o humor da mãe e seus pensamentos no momento da concepção e durante toda a gravidez afetavam o feto de maneira profunda e irremediável. Os casais eram aconselhados a só ter relações sexuais quando estivessem "em total sintonia" um com o outro, por medo de gerar uma criança defeituosa.

Para evitar a excitação, de modo geral, as mulheres eram orientadas a respirar ar fresco em abundância, evitar passatempos estimulantes como ler e jogar cartas e, acima de tudo, nunca usar o cérebro mais que o estritamente necessário. Educá-las não era simplesmente um desperdício de tempo e de recursos, mas algo perigoso e mau para a sua constituição delicada. Em 1865 o autor e crítico social John Ruskin opinou, em um ensaio, que as mulheres deveriam ser educadas apenas o suficiente para ter serventia prática para os cônjuges, e não mais que isso. Mesmo a americana Catherine Beecher, que pelos padrões da época era uma feminista radical, defendeu ardorosamente que as mulheres deviam ter plena igualdade de direitos quanto à educação, desde que se reconhecesse que elas precisariam de um tempo extra para arrumar o cabelo.

Para os homens, o principal problema e preocupação era não derramar nem uma gota de líquido seminal fora dos limites sagrados do matrimônio — e mesmo dentro deles, o mínimo, se fosse possível controlá-lo. Como explicou uma autoridade, o fluido seminal, quando nobremente retido no corpo, enriquece o sangue e revigora o cérebro. A consequência de descarregar ilicitamente esse elixir natural era deixar o homem enfraquecido, física e mentalmente. Assim, mesmo dentro do casamento era preciso ser frugal com os espermatozoides, pois a atividade sexual frequente produzia um esperma "lânguido", resultando em filhos apáticos. Uma relação por mês era o recomendado como o máximo para garantir a segurança.

A masturbação, ou "autoabuso", ficava fora de cogitação em todos os momentos, é claro. Suas consequências bem conhecidas abrangiam praticamente todas as condições indesejáveis conhecidas pela ciência médica, incluindo a loucura e a morte prematura. Os autopoluidores — "pobres criaturas infelizes, trêmulas, pálidas, contorcidas, que rastejam sobre a terra", como descreveu um cronista — eram dignos de pena. "Cada ato de autopoluição é um terremoto — uma explosão — um golpe mortal paralítico", declarou um especialista. Os estudos de caso demonstravam vividamente os riscos. Um médico chamado Samuel Tissot relatou que um paciente seu babava continuamente, pingava sangue aguado do nariz "e defecava na cama sem perceber". As duas últimas palavras eram particularmente terríveis.

Pior ainda: o vício do autoabuso seria automaticamente transmitido para a prole, de modo que cada incidente de prazer perverso não só amolecia o cérebro do próprio infrator, como minava a vitalidade das gerações ainda por nascer. A análise mais completa dos riscos sexuais, e também o título mais longo, foi fornecida por sir William Acton em *The functions and disorders of the reproductive organs, in childhood, youth, adult age, and advanced life, considered in their physiological, social and moral relations* [Funções e transtornos dos órgãos reprodutivos, na infância, na juventude, na idade adulta e na avançada, considerados em seus aspectos fisiológicos, sociais e morais], publicado pela primeira vez em 1857. Foi ele quem decidiu que a masturbação levava à cegueira. E também foi responsável pela afirmação tão citada: "Devo dizer que a maioria das mulheres não é muito afetada por sensações sexuais de qualquer tipo".

Tais crenças predominaram por um tempo incrivelmente longo. "Muitos pacientes me disseram que seu primeiro ato masturbatório ocorreu ao assistir a algum show musical", relatou severamente dr. William Robinson, em uma obra de 1916 sobre distúrbios sexuais.

Felizmente, a ciência estava por perto para ajudar. Um remédio descrito por Mary Roach em *Bonk: the curious coupling of sex and science* [Bonk: o curioso acoplamento do sexo com a ciência] foi o anel peniano, desenvolvido na década de 1850, que era deslizado sobre o pênis na hora de dormir (ou mesmo a qualquer momento). Por dentro, o aro tinha pontas de metal que davam agulhadas em qualquer pênis que tivesse o atrevimento de inchar, ultrapassando uma folga minúscula admissível. Em outros dispositivos havia uma corrente elétrica que sacudia o infeliz, obrigando-o a ficar acordado — assustado mas penitente.

Anel peniano com pontas aguçadas.

Note-se que nem todos concordavam com esses pontos de vista conservadores. Ainda em 1836, na França, uma autoridade médica chamada François Lallemand publicou um estudo em três volumes onde afirmava que o sexo frequente se correlacionava com boa saúde. Isso impressionou tanto um médico escocês chamado George Drysdale que ele acabou por formular uma filosofia que pregava o amor livre e a desinibição sexual. Seu livro, chamado *Physical, sexual and natural religion* [Religião física, sexual e natural], publicado em 1855, vendeu 90 mil exemplares e foi traduzido para onze idiomas "inclusive o húngaro", como revela o *Dictionary of national biography* com sua habitual e encantadora ênfase em detalhes inúteis. Sem dúvida havia *algum* desejo de maior liberdade sexual na sociedade. Infelizmente, a sociedade em geral ainda estava a um século de concedê-la.

Em uma atmosfera tão perpetuamente carregada e confusa, não surpreende que, para muitas pessoas, uma vida sexual de sucesso era uma aspiração irrealizável — e o exemplo supremo é o próprio John Ruskin. Em 1848, quando esse grande crítico de arte se casou com Euphemia Chalmers Gray, chamada "Effie", de dezenove anos de idade, as coisas começaram mal e só fizeram piorar. O casamento nunca foi consumado. Como ela relatou mais tarde, Ruskin lhe confessou que "tinha imaginado que as mulheres eram muito diferentes, e o motivo pelo qual não me fez sua esposa foi porque ficou repugnado com a minha pessoa na primeira noite...".

Por fim, sem aguentar mais (ou melhor, querendo aguentar mais, mas com outra pessoa), Effie entrou com um processo de anulação do casamento contra Ruskin, cujos detalhes proporcionaram prazerosa excitação entre os devotos da imprensa popular em muitos países; e em seguida fugiu com o artista John Everett Millais, com quem teve uma vida feliz e oito filhos. O momento da sua fuga com Millais não foi nada propício, pois na época Millais estava, justamente, pintando um retrato de Ruskin. Este, um homem honrado, continuou a posar para Millais, mas os dois nunca mais conversaram. Os simpatizantes de Ruskin, que eram numerosos, reagiram ao escândalo fingindo que não acontecera nada. Em 1900 o episódio todo já havia sido tão bem expurgado dos registros que W. G. Collingwood pôde, sem corar de vergonha, escrever *The life of John Ruskin* [A vida de John Ruskin] sem mencionar, em absoluto, que Ruskin certa vez se casara, e muito menos que fugiu correndo do quarto ao ver os pelos púbicos femininos.

Ruskin nunca escapou dos seus modos pudicos, nem deu indicação alguma de desejar fazê-lo. Após a morte de J. M. W. Turner, em 1851, recebeu a tarefa de examinar as obras legadas ao país pelo grande pintor, e encontrou várias aquarelas de natureza alegremente erótica. Horrorizado, Ruskin decidiu que só poderiam ter sido feitas "em determinada condição de insanidade", e para o bem da nação destruiu quase todas, roubando a posteridade de várias obras de valor inestimável.

O fato de Effie Ruskin ter escapado do seu casamento infeliz foi um golpe de sorte, algo muito incomum, pois no século XIX o divórcio, como tudo mais que tinha a ver com o casamento, era extremamente tendencioso em favor dos homens. Para obter o divórcio na Inglaterra vitoriana, um homem só precisava mostrar que a esposa havia dormido com outro homem. Uma mulher, porém, teria que provar que o esposo havia agravado a infidelidade cometendo incesto, bestialidade ou alguma outra transgressão sinistra e indesculpável, extraída de uma lista muito reduzida. Até 1857, uma mulher divorciada tinha que abrir mão de todos os seus bens, e em geral perdia também os filhos. De fato, perante a lei uma mulher não tinha direito algum — nem direito à propriedade, nem direito à expressão, nem liberdade de qualquer tipo além das que o marido houvesse por bem lhe conceder. Segundo William Blackstone, grande especialista em teoria jurídica, após o casamento a mulher abria mão "do seu próprio ser, ou existência legal". A condição de esposa não era uma figura jurídica, de espécie alguma.

Alguns países eram ligeiramente mais liberais do que outros. Na França, a título excepcional, uma mulher poderia se divorciar de um homem em razão apenas do adultério, mas só se a infidelidade tivesse ocorrido no domicílio conjugal. Na Inglaterra, porém, as normas eram de uma injustiça brutal. Em um caso bem conhecido, uma mulher chamada Martha Robinson passou anos sofrendo espancamentos e maus-tratos de um marido cruel e instável. Por fim ele lhe transmitiu gonorreia e depois a envenenou, quase conseguindo matá-la, colocando um pó antivenéreo na sua comida sem que ela soubesse. Alquebrada na saúde e no espírito, ela pediu divórcio. O juiz ouviu atentamente os argumentos e em seguida arquivou o caso e mandou a sra. Robinson para casa, com instruções para tentar ser mais paciente.

Mesmo quando as coisas corriam bem, era difícil ser mulher. Ser mulher era considerado, automaticamente, uma condição patológica. Havia uma crença, mais ou menos universal, de que as mulheres, após a puberdade, estavam sempre doentes, ou prestes a ficar doentes. O desenvolvimento dos seios, do útero e do restante do aparelho reprodutor "drena a energia da fonte finita que cada indivíduo possui", nas palavras de uma autoridade. A menstruação era descrita nos textos médicos como um ato mensal de negligência voluntária. "Sempre que há uma dor real, em qualquer fase do ciclo menstrual, é porque há algo de errado, ou nas roupas, ou na alimentação, ou nos hábitos pessoais e sociais do indivíduo", escreveu um observador (homem, é claro).

A ironia dolorosa é que as mulheres *de fato* adoeciam com frequência porque o respeito ao decoro lhes negava os cuidados médicos. Em 1856, uma jovem dona de casa de Boston, de família respeitável, confessou em lágrimas ao seu médico que por vezes se encontrava, involuntariamente, pensando em outros homens que não o marido. O médico lhe receitou uma série de rigorosas medidas de emergência, incluindo banhos frios e enemas, eliminação de todos os estímulos, inclusive alimentos condimentados e livros de ficção ligeira, e lavagem completa da vagina com bórax. Os livros de ficção leve eram sempre responsabilizados por estimular pensamentos mórbidos e tendência à histeria nervosa. Como um autor gravemente resumiu: "A leitura de romances por moças jovens, devido à excitação dos órgãos corporais, tende a tornar seu desenvolvimento precoce, e a criança se torna fisicamente mulher meses, ou mesmo anos, antes do que deveria".

No fim de 1892, relata Judith Flanders, disseram a um homem que levou a mulher a um exame de vista que o problema dela era o prolapso do útero, e que se não fizesse uma histerectomia sua visão não iria sarar.

As generalizações amplas eram o mais próximo que um médico podia permitir-se chegar dos aspectos reprodutivos das mulheres. Isso tinha graves consequências, já que nenhum médico podia fazer um exame ginecológico adequado. Em caso de vida ou morte, ele podia sondar suavemente, debaixo de um cobertor, em uma sala com pouca iluminação; mas isso era altamente excepcional. Como regra, a mulher que tinha alguma queixa médica localizada entre o pescoço e os joelhos era obrigada a apontar, corando de vergonha, para a área afetada em um manequim.

Em 1852 um médico norte-americano citou como motivo de orgulho que "as mulheres preferem sofrer os extremos do perigo e da dor, em vez de dispensar os escrúpulos de delicadeza que impedem que suas enfermidades sejam plenamente examinadas". Alguns médicos se opunham ao parto a fórceps, alegando que este permitia que as mulheres com a pélvis pequena tivessem filhos, transferindo assim para as filhas suas características de inferioridade.

A consequência inevitável de tudo isso é que a ignorância da anatomia e da fisiologia feminina entre os médicos era quase medieval. Os anais da medicina não têm melhor exemplo de ingenuidade do que o célebre caso de Mary Toft, uma mulher analfabeta, criadora de coelhos de Godalming, Surrey, que por várias semanas em 1726 conseguiu convencer as autoridades médicas, inclusive dois médicos que atendiam a família real, que estava dando à luz uma série de coelhos. O assunto se tornou sensação nacional. Vários médicos acompanharam os nascimentos, e professaram surpresa total. Apenas quando outro médico do rei, um alemão chamado Cyriacus Ahlers, investigou mais de perto e afirmou que a coisa toda era uma farsa, Toft por fim reconheceu o embuste. Foi presa por fraude, mas logo mandada para casa em Godalming, e nunca mais se ouviu falar dela.

A compreensão da anatomia e da fisiologia do sexo feminino ainda estava muito longe de ocorrer. Em 1878, o *British Medical Journal* ainda era capaz de publicar uma animada e copiosa correspondência sobre a seguinte questão: se uma mulher menstruada tocar um presunto, pode estragá-lo? Judith Flanders observa que um médico britânico foi expulso da profissão por anotar, em um texto impresso, que uma mudança na coloração ao redor da vagina logo após a concepção é um indicador útil da gravidez. A conclusão era inteiramente válida; mas o problema é que isso só poderia ser discernido pelo olhar. O médico foi proibido para sempre de exercer a profissão. Enquanto isso, nos Estados Unidos, James Platt White, respeitado ginecologista, foi expulso da Associação Médica Americana por permitir que seus alunos observassem uma mulher dar à luz — com a permissão dela.

Em contraste, as ações de um cirurgião chamado Isaac Baker Brown se tornaram ainda mais extraordinárias. Em uma época em que os médicos não chegavam nem a um braço de distância da zona de reprodução de uma mulher, e nem fariam ideia do que ali se encontra, se por acaso ali chegassem, o dr. Baker Brown se tornou um pioneiro cirurgião ginecológico. Infelizmente, era motivado por noções seriamente perturbadas. Em particular, estava convicto de que quase todas as doenças femininas eram resultado da "excitação periférica do nervo pudico centralizado no clitóris". Ou, explicitando melhor, julgava que as mulheres estavam se masturbando e que essa era a causa de loucura, epilepsia, catalepsia, histeria, insônia e incontáveis outros distúrbios nervosos. A solução era remover cirurgicamente o clitóris, eliminando assim qualquer possibilidade de excitação rebelde. Ele também tinha a convicção de que os ovários eram maus e seriam mais inofensivos se fossem removidos. Uma vez que ninguém antes havia tentado remover os ovários, era uma operação extremamente delicada e arriscada. As primeiras três pacientes de Baker Brown morreram na mesa de operação. Sem se dar por vencido, realizou sua quarta operação experimental em uma paciente que era nada menos que sua irmã. Ela sobreviveu.

Quando se descobriu que havia anos ele praticava a remoção do clitóris das mulheres sem lhes avisar de antemão que tencionava fazê-lo, a reação da comunidade médica foi rápida e furiosa. Baker Brown foi expulso da Sociedade Obstétrica de Londres e proibido de exercer a medicina. Como resultado positivo, o incidente obrigou os médicos a aceitarem, enfim, que já era hora de dar atenção científica às partes íntimas do sexo feminino. Assim, ironicamente, por ser um péssimo médico e um ser humano terrível, Baker Brown contribuiu mais que qualquer outra pessoa para elevar o estudo e a prática do atendimento médico à mulher até os padrões modernos.

11

Havia, é preciso dizer, uma razão fortíssima para ter medo do sexo na era pré-moderna: a sífilis. Nunca houve uma doença mais terrível, pelo menos para os infelizes que contraem a chamada sífilis terciária, seu terceiro e último estágio. Pobres dos que atingiam essa triste etapa! A sífilis gerava um verdadeiro pavor do sexo. Para muitos, parecia uma mensagem bem clara de Deus de que o sexo fora dos limites do casamento era um convite ao castigo divino.

A sífilis, como vimos, já existia muito tempo antes. Em 1495, apenas três anos depois da viagem de Cristóvão Colombo que introduziu a doença na Europa, alguns soldados na Itália criaram pústulas "como pequenos grãos de milho" no rosto e no corpo; essa é considerada a primeira referência médica à sífilis na Europa. A doença espalhou-se com tal rapidez que não havia consenso sobre a sua origem. O primeiro registro em inglês é de 1503, como "French pox", ou "varíola francesa". Em outras partes era conhecida como doença espanhola, humores celtas, varíola napolitana ou, talvez o mais revelador, "doença cristã". A palavra "sífilis" foi cunhada em um poema do italiano Hieronymous Fracastorious em 1530 (no poema, Sífilis é o nome de um pastor que contrai a doença); mas só aparece em inglês em 1718. O termo vulgar "*clap*" para a doença é de origem incerta, mas é também vetusto, usado em inglês desde 1587.

A sífilis era particularmente torturante devido à maneira como ia e vinha em três etapas, uma pior que a anterior. A primeira fase geralmente se apresentava como um cancro genital, feio, mas indolor. Algum tempo depois vinha a segunda fase, que trazia um pouco de tudo, desde dores até queda de cabelo. Tal como a sífilis da primeira fase, essa também sumia depois de cerca de um mês, fosse tratada ou não. Para dois terços dos portadores de sífilis, esse era o final; a doença tinha se acabado. Para o restante um terço, porém, o terror ainda estava por vir. A infecção podia ficar latente por até vinte anos até explodir na forma da terrível sífilis terciária. Esta corrói o organismo, destruindo ossos e tecidos sem trégua nem compaixão. Era frequente o nariz se deteriorar, cair e desaparecer. (Londres chegou a ter o "Clube dos Sem-Nariz".) A boca podia perder o palato. A morte de células nervosas causava sofrimentos terríveis na vítima. Os sintomas variam, mas são todos horríveis. Apesar dos perigos, era incrível até que ponto as pessoas se arriscavam. James Boswell contraiu doenças venéreas dezenove vezes em trinta anos.

Os tratamentos para sífilis eram tenebrosos. Nos tempos antigos injetava-se uma solução de chumbo na bexiga, através da uretra. Depois o mercúrio se tornou a droga favorita e assim permaneceu até o século XX e a invenção dos primeiros antibióticos. O mercúrio produzia todos os tipos de sintomas tóxicos — os ossos ficavam esponjosos, os dentes caíam —, mas não havia alternativa. "Uma noite com Vênus e uma vida com Mercúrio" era o axioma da época. Mas na verdade o mercúrio não curava a doença; apenas moderava os piores sintomas, enquanto infligia outros.

Nada nos separa tanto do passado, talvez, como os tratamentos médicos de outrora, incrivelmente ineficientes e terrivelmente desagradáveis. Os médicos ficavam perdidos diante de todas as doenças, com exceção de algumas poucas. Muitas vezes o tratamento só piorava as coisas. Os pacientes que tinham mais sorte sofriam sozinhos e se recuperavam sem intervenção médica.

O pior de tudo, obviamente, era ter de se submeter a uma cirurgia. Nos séculos antes da anestesia foram tentadas muitas formas de amenizar a dor. Um método era sangrar o paciente até que desmaiasse. Outro era injetar uma infusão de tabaco no reto (o que, pelo menos, devia dar ao paciente algo mais em que pensar). O tratamento mais comum era administrar opiáceos, sobretudo láudano, mas nem mesmo as doses mais abundantes conseguiam mascarar uma dor forte.

Em uma amputação normalmente se retirava a perna ou braço em menos de um minuto; assim, a pior agonia acabava logo, mas como ainda era preciso amarrar os vasos sanguíneos e costurar a ferida, havia muito espaço para a dor. O segredo era trabalhar depressa. Em 1658, quando Samuel Pepys sofreu uma litotomia, isto é, remoção de uma pedra nos rins, o cirurgião levou apenas cinquenta segundos para cortar, localizar e extrair uma pedra pouco menor que uma bola de tênis (isto é, uma bola de tênis do século XVII, que era um pouco menor que uma atual, mas mesmo assim de tamanho considerável). Pepys teve grande sorte, como nota Liza Picard, pois sua operação foi a primeira daquele dia e os instrumentos ainda estavam razoavelmente limpos. Apesar da rapidez da operação, Pepys precisou de mais de um mês para se recuperar.

Os procedimentos mais complicados eram incrivelmente torturantes. Já nos causam dor apenas de ler os relatos; passar por eles é quase inconcebível. Em 1806, a romancista Fanny Burney, quando morava em Paris, sofreu uma dor no seio direito que se agravou tanto que ela não conseguia mais levantar o braço. Foi diagnosticado um câncer de mama e recomendada uma mastectomia. O trabalho foi entregue a um célebre cirurgião chamado Baron Larrey, cuja fama não provinha da habilidade para salvar vidas, mas sim da sua velocidade-relâmpago. Mais tarde ficou famoso por fazer duas centenas de amputações em 24 horas após a batalha de Borodino, em 1812.

O relato de Fanny Burney é quase insuportável por causa da calma com que ela relata os horrores. Quase tão ruim quanto a própria cirurgia era o tormento de esperá-la. Com o passar dos dias a ansiedade ficou esmagadora, e piorou quando ela soube, na manhã do dia marcado, que os cirurgiões atrasariam várias horas. Em seu diário ela escreveu: "Fiquei andando para lá e para cá até acalmar todas as emoções, e me tornar, aos poucos, quase idiota — embotada, sem sentimento ou consciência —, e assim fiquei até que o relógio marcou três horas".

Nesse momento ela ouviu quatro carruagens chegarem em rápida sucessão. Logo depois, sete homens graves, de preto, entraram no quarto. Deram-lhe uma bebida para acalmar os nervos — ela não registrou qual foi, mas de costume dava-se vinho misturado com láudano. Sobre uma cama posta no meio da sala, foi colocada uma cama velha para não estragar um bom colchão e os lençóis.

"Agora comecei a tremer violentamente", escreveu Burney, "mais pelo desgosto e pelo horror dos preparativos do que pela dor. [...] Assim, subi na cama, sem convite, e o sr. Dubois me colocou em cima do colchão, e abriu um lenço de cambraia sobre meu rosto. Mas era transparente, e vi através dele que a cama foi rodeada por sete homens e minha enfermeira. Não deixei que me segurassem; mas, quando, brilhando através da cambraia, vi o brilho do aço polido, fechei os olhos." Ao saber que pretendiam remover toda a mama, ela se entregou "a um terror que supera qualquer descrição". Quando a faca a cortou, ela soltou "um grito que durou todo o tempo da incisão — e é estranho que ele não continue ressoando nos meus ouvidos, tão torturante foi a agonia. Quando o corte foi feito e o instrumento retirado, a dor não diminuiu [...] mas quando senti novamente o instrumento, descrevendo uma curva, cortando contra a direção da carne, se assim posso dizer, quando a carne resistiu com tanta força a ponto de se opor e cansar a mão do operador, que foi obrigado a mudar da direita para a esquerda — então pensei que devia ter expirado. Não tentei mais abrir os olhos".

Mesmo assim a operação prosseguiu. Enquanto os cirurgiões escavavam o tecido doente, ela sentia e ouvia o arranhar da lâmina nos ossos do peito. Todo o processo durou dezessete minutos e meio. Burney demorou meses para se recuperar, mas a operação lhe salvou a vida. Ela viveu mais 29 anos e o câncer nunca mais voltou.

Não surpreende que muita gente era impelida, pela dor e pelo temor natural dos médicos, a tentar remédios caseiros extremos. Gouvernor Morris, um dos signatários da Declaração de Independência, se matou ao introduzir uma barbatana de baleia no pênis, para tentar limpar uma obstrução urinária.

O advento da anestesia cirúrgica na década de 1840 muitas vezes não eliminava o sofrimento dos tratamentos médicos; apenas o adiava. Os cirurgiões ainda não lavavam as mãos nem limpavam seus instrumentos, e muitos pacientes sobreviviam à operação só para morrer de uma agonia mais prolongada e requintada com a infecção que se seguia — esta geralmente atribuída ao "envenenamento do sangue". Quando o presidente americano James A. Garfield foi assassinado em 1881, não foi a bala que o matou, mas sim os médicos que enfiaram os dedos sujos no ferimento. E, como os anestésicos incentivavam a realização de mais cirurgias, deve ter havido, na verdade, um aumento considerável na soma líquida de dor e sofrimento *após* o advento da anestesia.

Mesmo sem a intervenção enervante dos cirurgiões, havia muitas maneiras de morrer no mundo pré-moderno. Em 1758 na cidade de Londres, o registro dos óbitos, ou "Bills of Mortality", como era chamado, listava 17 576 mortes, devido a mais de oitenta causas. A maioria, como seria de esperar, se devia a varíola, febre, tuberculose ou velhice; mas, entre outras causas diversas, são mencionadas estas:

Engasgado por gordura	1
Coceira	2
Congelados	2
Fogo de Santo Antônio	4
Letargia	4
Dor de garganta	5
Vermes	6
Suicídio	30
Varíola francesa	46

Lunáticos	72
Afogados	109
Mortificação	154
Dentes	644

Como exatamente os "dentes" matavam tanta gente parece um mistério insolúvel. Mas qualquer que fosse a causa da morte é claro que expirar era um ato banal e que as pessoas estavam preparadas para a sua chegada, vindo de qualquer direção. No registro de óbitos de Boston do mesmo período constam pessoas que morreram por causas inesperadas como "beber água fria", "estagnação dos fluidos", "febre nervosa" e "susto". É interessante também que muitas das formas mais esperadas de morte só figuram marginalmente. Das cerca de 17 600 mortes registradas em Londres em 1758, apenas catorze pessoas foram executadas, cinco assassinadas e quatro morreram de fome.

Com tantas vidas cortadas prematuramente, os casamentos no mundo pré-industrial tendiam a ser breves. Nos séculos XV e XVI, o casamento durava em média apenas dez anos até a morte de um dos parceiros. Costuma-se pensar que já que as pessoas morriam jovens também deviam se casar jovens, para aproveitar ao máximo a curta vida que tinham pela frente. Na verdade, parece que não era assim. Para começar, as pessoas ainda consideravam a duração normal da vida — teoricamente, um direito de cada um — como os setenta anos ("três vintenas e dez") de que fala a Bíblia. Apenas acontecia que muitos não chegavam a essa idade. Muito citada em apoio à tese de que as pessoas se casavam cedo é a idade dos protagonistas de *Romeu e Julieta*, de Shakespeare — Julieta com apenas treze anos, Romeu um pouco mais velho. Deixando de lado o fato de que os personagens eram fictícios e dificilmente podem provar alguma coisa, o que sempre se ignora no caso é que, no poema de Arthur Brooke em que Shakespeare baseou a história, os personagens tinham dezesseis anos. Por que Shakespeare os fez mais jovens? Assim como a maior parte do que Shakespeare fez, é impossível de saber. Em todo caso, essas idades shakespearianas tão juvenis não têm respaldo nas provas documentais do mundo real.

Na década de 1960 o historiador Stanford Pater Laslett fez um estudo cuidadoso dos registros de casamentos britânicos e concluiu que em nenhum momento, nos registros do passado, as pessoas se casavam regularmente muito jovens. Entre 1619 e 1660, por exemplo, 85% das mulheres tinham 19 anos ou mais ao se casar; apenas uma em mil tinha treze anos ou menos. A idade mediana do casamento para as moças era de 23 anos e sete meses, e para os homens quase 28 anos — não muito diferente de hoje. O próprio William Shakespeare foi uma exceção à regra, casando-se aos dezoito anos, enquanto sua esposa, Anne, era excepcionalmente velha, com 26. A maioria dos casamentos de gente muito jovem eram formalidades conhecidas como *espousals de futuro*, consistindo de uma declaração de intenções futuras e não de uma licença para pular na cama.

Na verdade, havia antigamente muito mais viúvas e viúvos, e eles se casavam com mais frequência e mais rapidamente após o luto. Para as mulheres isso provinha da necessidade econômica; para os homens, do desejo de serem cuidados. Em suma, um arranjo tanto prático quanto emocional. Uma das aldeias pesquisadas por Haslett tinha, em 1688, 72 homens casados, dos quais treze tinham se casado duas vezes, três tinham se casado três vezes, outros três quatro vezes, e um cinco vezes, sempre em resultado da viuvez. De modo geral, cerca de um quarto de todos os casamentos eram novos casamentos após a morte do cônjuge, e essas proporções se mantiveram inalteradas até os primeiros anos do século xx.

Com tanta gente morrendo, o luto se tornou uma parte central da vida da maioria das pessoas. Os mestres do luto foram, é claro, os vitorianos. Nunca um povo foi tão mórbido em relação à morte, nem encontrou formas tão complicadas para marcá-la; e ninguém o fez com tanta mestria como a rainha Vitória. Quando morreu seu amado príncipe Albert, em dezembro de 1861, os relógios no quarto dele ficaram parados no minuto da sua morte, 10h50; e a mando da rainha seu quarto continuou a ser cuidado como se ele estivesse apenas temporariamente ausente, e não enterrado em um mausoléu próximo ao palácio. Todos os dias um valete escolhia as roupas do príncipe; sabão, toalhas e água quente eram trazidos para o quarto no momento oportuno, e depois levados embora novamente.

Em todos os níveis sociais, as regras relativas ao luto eram rigorosas e exaustivas. Todas as possíveis permutações das relações de parentesco eram consideradas e governadas. Se, por exemplo, o saudoso falecido era tio por parte de casamento, seria pranteado por dois meses, caso a esposa lhe sobrevivesse; mas por apenas um mês se fosse viúvo, ou não casado. E assim por diante, com regras abrangendo todo o cânone dos relacionamentos. Nem sequer era preciso ter conhecido pessoalmente o falecido para pranteá-lo. Se um homem enviuvava e casava de novo — situação bastante comum — e um parente próximo da sua primeira esposa morria, a segunda esposa devia ficar de "luto complementar", uma espécie de luto por procuração, em nome da primeira esposa já falecida.

Por quanto tempo e que tipo de roupa de luto devia ser usada também era algo definido com exatidão meticulosa pelo grau do luto. As viúvas, já envoltas em quilos de panos sufocantes, ainda tinham que se envolver em crepe negro, uma seda frisada que arranhava, era barulhenta, irritante e difícil de conservar. Os pingos de chuva caindo no crepe deixavam manchas esbranquiçadas, fazendo a tintura do crepe escorrer para o tecido ou para a pele. Uma mancha feita pelo crepe estragava qualquer tecido que tocasse, e era quase impossível de tirá-la lavando a pele. A quantidade de crepe usada era ditada estritamente pela passagem do tempo. Podia-se dizer à primeira vista havia quanto tempo uma mulher tinha ficado viúva pela quantidade de crepe em cada manga. Após dois anos, a viúva passava para uma fase conhecida como "meio luto", quando podia começar a usar cinza ou lilás-claro, contanto que não introduzisse as cores abruptamente.

Os criados eram obrigados a ficar de luto quando seus patrões morriam, e um período de luto nacional era decretado quando um monarca morria. Muita consternação se seguiu à morte da rainha Vitória, em 1901, pois já se tinham passado mais de sessenta anos desde o último adeus na família real, e ninguém concordava sobre o nível de luto apropriado para uma monarca de reinado tão longo, em uma época tão nova.

Como se os vitorianos já não tivessem tantos motivos de preocupação, criavam temores peculiares quanto à morte. O medo do enterro prematuro generalizou-se — medo que Edgar Allan Poe explorou, com efeitos vívidos, em sua história de mesmo nome, de 1844. A catalepsia, uma paralisia em que a vítima só *parecia* estar morta, enquanto estava, na verdade, plenamente consciente, tornou-se a terrível doença da época. Em jornais e revistas populares abundavam histórias de pessoas que sofreram com essa imobilização forçada. Um caso famoso foi o de Eleanor Markham, de Nova York, que estava prestes a ser enterrada, em julho de 1894, quando foram ouvidos barulhos ansiosos do seu caixão. A tampa foi levantada e a sra. Markham gritou: "Meu Deus, vocês estão me enterrando viva!".

Ela disse então aos salvadores: "Eu estava consciente o tempo todo, enquanto vocês faziam os preparativos para me enterrar. O horror da minha situação é totalmente indescritível. Eu ouvia tudo o que estava acontecendo, até mesmo os sussurros do outro lado da porta". Mas por mais que tentasse gritar, disse ela, não conseguia pronunciar um som. De acordo com um relatório, de 1200 corpos exumados em Nova York por um motivo ou outro, entre 1860 e 1880, seis apresentavam sinais de golpes ou outros sofrimentos pós-sepultamento. Em Londres, quando o naturalista Frank Buckland foi procurar o caixão do anatomista John Hunter, na igreja de St. Martin-in-the-Fields, relatou que viu três caixões com mostras claras de agitação interna (ou, pelo menos, ele assim julgou). Histórias sobre enterros prematuros abundavam. Um correspondente do jornal popular *Notes and Queries* deu esta contribuição em 1858:

> Um rico fabricante chamado Oppelt morreu há cerca de quinze anos, em Reichenberg, na Áustria, e sua viúva e seus filhos mandaram construir uma cripta no cemitério para guardar o corpo. A viúva morreu há cerca de um mês, e foi levada para o mesmo túmulo; mas, quando este foi aberto para esse fim, o caixão do marido foi encontrado aberto e vazio, e o esqueleto descoberto em um canto da cripta, em posição sentada.

Para pelo menos uma geração essas histórias se tornaram rotina, mesmo em periódicos sérios. Tanta gente ficou morbidamente obcecada pelo medo de ser enterrada antes do tempo que uma palavra foi inventada para isso: *tafofobia*. O romancista Wilkie Collins colocava todas as noites em sua mesa de cabeceira uma carta com instruções para os testes que ele desejava que fossem realizados, para garantir que ele de fato havia morrido durante o sono, caso fosse encontrado em um estado aparentemente cadavérico. Outros mandavam que a cabeça fosse cortada ou o coração retirado antes do enterro, para deixar o assunto fora de qualquer dúvida. Um autor propôs a construção de "Necrotérios de espera", onde o morto pudesse permanecer alguns dias, para garantir que realmente estava bem morto, e não apenas estranhamente imóvel. Outro inventor mais empreendedor projetou um dispositivo que permitia a alguém que acordasse dentro de um caixão puxar um cordão, o qual abria um tubo de respiração para a entrada do ar, tocava um sino e fazia uma bandeira tremular no nível do solo. Em 1899 foi criada na Grã-Bretanha a Associação para a Prevenção do Enterro Prematuro, e no ano seguinte uma congênere nos Estados Unidos. Ambas sugeriam uma série de rigorosos testes a serem feitos pelos médicos presentes, até que pudessem declarar com certeza que a pessoa estava morta — por exemplo, encostar um ferro quente na pele do falecido para ver se formava bolhas. Vários desses testes foram incorporados, por algum tempo, ao currículo das escolas médicas.

O roubo de sepulturas era outra grande preocupação — e não sem razão, pois no século xix a demanda por cadáveres recentes era considerável. Só em Londres havia 23 escolas de medicina ou de anatomia, e cada uma exigia um suprimento constante de cadáveres. Até a aprovação da Lei da Anatomia, em 1832, apenas os criminosos executados podiam ser usados para experiências e dissecação, e as execuções na Inglaterra eram muito mais raras do que geralmente se supõe. Em 1831, um ano típico, 1600 pessoas foram condenadas à morte na Inglaterra, mas apenas 52 foram executadas. Assim, a procura de corpos era muito superior à oferta por meios legais; e em consequência violar túmulos tornou-se uma tentação irresistível, em especial porque roubar cadáveres era, graças a uma curiosa singularidade legal, apenas uma contravenção e não um crime. Numa época em que um homem bem pago poderia ganhar uma libra por semana, um cadáver recente poderia lhe render oito ou dez libras, chegando até vinte; e, pelo menos de início, sem muito risco, desde que o culpado tivesse o cuidado de retirar apenas o cadáver e não a mortalha, o caixão ou as lembranças ali colocadas — pois nesse caso, sim, estaria cometendo um crime.

Não era apenas um interesse mórbido pela dissecação que alimentava esse mercado. Na época anterior à anestesia os cirurgiões precisavam estar muito bem familiarizados com o corpo humano. Não se pode enfiar a mão com toda a calma no meio das artérias e dos órgãos quando o paciente está gritando em agonia e jorrando sangue. A velocidade era essencial, e o essencial da velocidade era a familiaridade, que só poderia vir com uma longa e dedicada prática com cadáveres. Além disso, a inexistência de refrigeração significava que a carne começava a estragar depressa; assim, a necessidade de novos suprimentos era constante.

Para impedir a ação dos ladrões, as famílias pobres, em especial, muitas vezes guardavam o corpo do ente querido até que começasse a apodrecer, e assim perdesse o valor. O *Report on the sanitary condition of the labouring classes of Great Britain* [Relatório sobre as condições sanitárias das classes trabalhadoras na Grã-Bretanha], de Edwin Chadwick, estava cheio de detalhes horríveis e chocantes sobre essa prática. Em alguns distritos, observou ele, era comum as famílias guardarem o corpo na sala da frente da casa por uma semana ou mais, à espera da putrefação completa. Não era incomum, disse ele, ver larvas caindo sobre o tapete e crianças brincando entre elas. O mau cheiro, é claro, era terrível.

Os cemitérios também melhoraram a segurança, passando a empregar vigias armados. Como isso aumentava muito o risco de o ladrão ser preso e espancado, alguns se voltaram para o homicídio, como um meio mais seguro. Os mais notórios e dedicados a essa prática foram William Burke e William Hare, imigrantes irlandeses em Edimburgo, que mataram pelo menos quinze pessoas em um período de menos de um ano, a partir de novembro de 1827. Seu método era cruelmente eficaz. Eles faziam amizade com pobres vagabundos, conseguiam embebedá-los e os sufocavam, com o gordo Burke sentando sobre o tórax da vítima e Hare tapando-lhe a boca. Os corpos eram levados de imediato ao professor Robert Knox, que pagava de sete a catorze libras por cadáver fresco e rosado. Knox devia saber que algo extremamente dúbio estava acontecendo — dois alcoólatras irlandeses aparecendo com uma série de cadáveres bem recentes, todos mortos de maneira aparentemente tranquila —, mas sustentava que não era sua obrigação fazer perguntas. Foi amplamente condenado por sua participação no caso, mas nunca foi acusado nem punido. Hare escapou da forca oferecendo-se para testemunhar contra seu amigo e parceiro. Isso acabou sendo desnecessário, pois Burke fez uma confissão completa e foi prontamente enforcado. Seu corpo foi entregue a outra escola de anatomia para dissecação, e pedaços de sua pele foram colocados em conserva e durante anos dados como lembranças a visitantes especiais.

Hare só passou alguns meses na prisão e foi solto, mas seu destino não foi feliz. Aceitou um emprego em um forno de cal, onde seus colegas o reconheceram e enfiaram seu rosto em um monte de cal virgem, deixando-o cego. Pensa-se que passou seus últimos anos como mendigo errante. Alguns relatos dizem que voltou à Irlanda, outros o colocam na América; mas por quanto tempo viveu ali e onde foi enterrado são fatos desconhecidos.

Tudo isso deu um grande estímulo para outra forma de dar fim aos corpos, que gerou surpreendente controvérsia no século XIX: a cremação. O movimento em prol da cremação não tinha nada a ver com religião ou espiritualidade. Destinava-se apenas a criar uma forma prática de se livrar de uma quantidade de corpos de forma limpa, eficiente e não poluente. Em 1874 sir Henry Thompson, fundador da Sociedade Inglesa da Cremação, demonstrou a eficácia dos seus fornos ao cremar um cavalo, em Woking. A demonstração funcionou perfeitamente, mas causou revolta entre os que eram emocionalmente contra a ideia de queimar um cavalo ou qualquer outro animal. Em Dorset, um certo capitão Hanham construiu seu próprio crematório e o usou de forma muito eficiente para se desfazer da esposa e da mãe, desafiando as leis. Outros, temendo a prisão, enviavam seus entes queridos para países onde a cremação era legal. Em 1874 Charles Wentworth Dilke, escritor e político que foi um dos cofundadores da revista *Gardener's Chronicle*, com Joseph Paxton, enviou sua falecida esposa a Dresden para ser cremada, quando ela morreu de parto. Outro expoente inicial foi Augustus Pitt Rivers, um dos arqueólogos mais importantes do século XIX, que não só desejava ser cremado, mas insistia em que sua esposa também o fosse, embora ela objetasse continuamente. "Que diabos, mulher, você tem que *queimar*", declarava ele sempre que ela levantava a questão. Pitt Rivers morreu em 1900 e foi cremado, embora a prática ainda não fosse legal. Mas sua mulher sobreviveu a ele, e recebeu o enterro pacífico que sempre desejou.

Na Grã-Bretanha, em geral, a oposição à cremação se manteve firme por longo tempo. Muitos julgavam imoral a destruição intencional de um cadáver. Outros citavam considerações práticas; um argumento comum era que a cremação destruiria provas, em casos de assassinato. O movimento também não foi ajudado pelo fato de que um dos seus principais proponentes era, basicamente, louco. Seu nome era William Price, um médico do interior do País de Gales conhecido por suas numerosas excentricidades. Era druida, vegetariano e cartista militante, e se recusava a usar meias ou tocar em moedas. Com mais de oitenta anos, teve um filho com sua governanta e o chamou de Jesus Christ. Quando o bebê morreu, no início de 1884, Price decidiu cremá-lo em uma pira no seu terreno. Quando os vizinhos viram as chamas e vieram investigar, encontraram Price, vestido de druida, dançando ao redor da fogueira e entoando cânticos estranhos. Indignados, entraram em cena para impedi-lo; na confusão Price pegou o bebê meio queimado pelo fogo e levou-o para casa, onde o guardou em uma caixa debaixo da cama até ser preso, alguns dias depois. Price foi levado a julgamento, mas liberado quando o juiz decidiu que nada que ele tinha feito era um ato criminoso, uma vez que o bebê não foi realmente cremado. Esse caso, porém, prejudicou muito a causa da cremação.

Enquanto a cremação se tornou rotina em outros países, na Grã-Bretanha só foi formalmente legalizada em 1902 — bem a tempo para que o nosso sr. Marsham pudesse escolher essa opção para si, se desejasse; mas não escolheu.

16. O banheiro

I

Seria difícil encontrar uma afirmação sobre a higiene mais errada, ou mais incompleta, do que esta feita pelo célebre crítico de arquitetura Lewis Mumford, em sua obra clássica *A cidade na história*, publicada em 1961:

> Durante milhares de anos os moradores da cidade tiveram que suportar instalações sanitárias defeituosas e por vezes repugnantes. As pessoas chafurdavam no lixo, na sujeira que elas decerto poderiam retirar, pois essa tarefa ocasional de remoção não seria mais repugnante do que andar e respirar na presença constante de tal imundície. Se tivéssemos uma boa explicação para essa indiferença à sujeira e aos odores que são repulsivos para muitos animais, até para os porcos, que cuidam de manter limpos seus covis, também poderíamos explicar o passo lento e irregular do avanço tecnológico, nos cinco milênios que se seguiram ao nascimento da cidade.

Na verdade, como já vimos no capítulo 2 no caso de Skara Brae, em Orkney, há muitíssimo tempo a humanidade lida com a sujeira, o lixo e os detritos, por vezes com métodos de uma eficácia surpreendente. E Skara Brae não é o único exemplo. Uma casa de 4500 anos atrás no Vale do Indo, em um lugar chamado Mahenjo-Daro, tinha um ótimo sistema de condutos para o lixo, que levavam os resíduos da área habitada para um monturo externo. Na antiga Babilônia havia drenos e um sistema de esgotos. Em Creta, há mais de 3500 anos, os minoicos tinham água corrente, banheiras e outros confortos da civilização. Em suma, a limpeza e os cuidados com o corpo, de modo geral, são importantes para tantas culturas há tanto tempo que é difícil saber por onde começar.

Os antigos gregos eram devotos do banho. Gostavam de ficar nus — "*gymnasium*" significa "lugar nu" — e suar diariamente fazendo exercícios saudáveis, finalizando com um banho coletivo. Mas esses mergulhos eram apenas higiênicos, algo prático e rápido. O banho tipo balneário, vagaroso e lânguido, começa em Roma. Na dedicação aos banhos, ninguém se iguala aos romanos.

Os romanos amavam a água — uma residência encontrada em Pompeia tinha trinta torneiras. Sua rede de aquedutos abastecia as cidades principais com superabundância de água potável. A taxa de abastecimento de Roma era intensa, luxuosa: 1100 litros per capita por dia, ou seja, sete ou oito vezes mais do que o romano médio necessita hoje.

Para os romanos, os banhos eram mais do que um lugar para a limpeza corporal; eram um refúgio diário, um passatempo, um estilo de vida. As termas romanas tinham bibliotecas, lojas, salas de ginástica, barbeiros, esteticistas, quadras de tênis, lanchonetes e bordéis. Eram usadas por pessoas de todas as classes sociais. "Era comum, ao se conhecer um homem, perguntar onde ele costumava se banhar", escreve Katherine Ashenburg em sua cintilante história da limpeza, *The dirt on clean* [O lado sujo da limpeza]. Algumas termas romanas foram construídas em uma escala realmente palaciana. As grandiosas termas de Caracalla podiam receber 1600 banhistas de uma só vez; as de Diocleciano, 3 mil.

Um banhista romano podia passar por várias piscinas com diversos graus de aquecimento — desde o *frigidarium*, a mais fria, até a *calidarium*, a mais quente. No caminho, ele ou ela pararia no *unctorium* (ou *unctuarium*) para receber óleos e perfumes, e em seguida no *laconium*, ou banho de vapor. Ali, depois de um bom suor, os óleos eram raspados com um instrumento chamado *strigil*, para retirar a sujeira e outras impurezas. Tudo isso era feito em uma ordem ritualística, embora não haja acordo entre os historiadores sobre qual seria essa ordem, pois os detalhes variavam conforme o lugar e a época. Há muita coisa que não sabemos sobre os romanos e seus hábitos de banho — se os escravos se banhavam com os cidadãos livres, qual a frequência e a duração dos banhos, qual o entusiasmo das pessoas. Os romanos por vezes expressavam preocupação sobre o estado da água e o que nela encontravam flutuando; ou seja, nem todos eram tão amantes do banho como supomos.

Mas o que parece certo é que durante boa parte da era romana os banhos eram marcados por um decoro rígido, o que garantia uma atitude saudável e correta; mas, com o passar do tempo, a vida nas termas — como a vida em Roma em geral — tornou-se mais leviana e passou a ser comum que homens e mulheres se banhassem juntos e, talvez, que as mulheres se banhassem com escravos do sexo masculino. Ninguém sabe ao certo o que os romanos faziam por lá, mas o que quer que fosse, não era bem-aceito pelos primeiros cristãos. Eles viam os banhos romanos como lascivos e depravados — algo moralmente sujo, ainda que higienicamente não fosse assim.

É curioso como o cristianismo sempre esteve pouco à vontade em relação à limpeza, e desde o início criou uma estranha tradição de associar santidade com sujeira. Quando são Tomás Becket morreu, em 1170, os que o enterraram observaram, com aprovação, que suas roupas de baixo estavam "pululando de piolhos". Durante todo o período medieval, uma maneira quase certa de ganhar honras duradouras era fazer um voto de nunca se lavar. Muitas pessoas foram a pé da Inglaterra à Terra Santa, mas, quando um monge chamado Godric fez isso sem se molhar uma só vez, ele se tornou — pelo visto, inevitavelmente — são Godric.

Já na Idade Média, a propagação da peste fez as pessoas examinarem melhor sua atitude para com a higiene e o que poderiam fazer para modificar sua suscetibilidade às epidemias. Infelizmente, em toda parte as pessoas chegaram justamente à conclusão errada. Todas as mentes mais brilhantes concordavam que o banho abre os poros da epiderme, e assim abre as portas para vapores mortais, que invadem o corpo. A melhor política era tapar os poros com sujeira. Durante os seiscentos anos seguintes, a maioria das pessoas não se lavava, nem sequer se molhava, se pudesse evitar — e pagavam caro por isso. As infecções eram parte da vida cotidiana. Furúnculos, pústulas e erupções eram rotina. As pessoas se coçavam o tempo todo. O desconforto era constante, as doenças graves eram aceitas com resignação.

Surgiram epidemias devastadoras, que matavam milhões e, por vezes, desapareciam misteriosamente. A mais famigerada foi a peste negra — que era, na verdade, duas doenças: a peste bubônica, assim chamada devido aos bubos, ou gânglios inchados, que a vítima apresentava no pescoço, virilha ou axila, e a peste pneumônica, ainda mais mortal e infecciosa, que destruía o sistema respiratório. Mas houve muitas outras. A "doença inglesa do suor", sobre a qual ainda não sabemos quase nada, atacou com epidemias em 1485, 1508, 1517 e 1528, matando milhares de pessoas, até desaparecer para nunca mais voltar (pelo menos até agora). Foi seguida, na década de 1550, por outra estranha febre — "a nova doença" —, que "assolou horrivelmente todo o reino e matou um número enorme de homens de todos os tipos, mas especialmente os cavalheiros e homens de grande riqueza", como observou um contemporâneo. Entre uma e outra dessas epidemias, ou simultaneamente, havia surtos de ergotismo, causado por uma infecção fúngica dos grãos de centeio. Os que ingeriam o centeio venenoso sofriam delírios, convulsões, febre, perda da consciência, e, em muitos casos, morriam. Um aspecto curioso do ergotismo é que surgia com uma tosse parecida com o latido de cão — originando assim, segundo se pensa, a expressão inglesa "*barking mad*" [louco até latir].

A pior doença de todas, por ser tão prevalente e tão devastadora, era a varíola. Havia dois tipos principais: normal e hemorrágica. Ambas eram terríveis, mas a hemorrágica (com hemorragia interna e pústulas na pele) era a mais dolorosa e mais letal, matando 90% das vítimas, quase o dobro da mortalidade da varíola comum. Até o século XVIII, quando foi criada a vacina, a varíola matava 400 mil pessoas por ano na Europa, a oeste da Rússia. Nenhuma outra doença se igualava em total de vítimas.

Para os sobreviventes, a varíola era uma doença cruelmente imprevisível: deixava muitos sobreviventes cegos ou com marcas terríveis, porém outros ilesos. Embora já existisse havia milênios, só se tornou comum na Europa no início do século XVI; na Inglaterra, sua primeira aparição registrada só ocorre em 1518. O ataque da varíola começava com uma súbita febre alta, acompanhada por dores e sede extrema. Em geral no terceiro dia as pústulas começavam a surgir pelo corpo todo, em quantidades que variavam conforme a vítima. A pior notícia era saber que um ente querido estava "excessivamente cheio", como diziam. Nos piores casos, a vítima se tornava praticamente uma grande pústula. Essa fase era acompanhada por mais febres altas, e as pústulas estouravam, liberando um pus malcheiroso. Se a vítima resistisse nesse ponto, geralmente sobreviveria à doença; mas seus problemas ainda não tinham acabado. As pústulas agora criavam crostas e coçavam de maneira angustiante. Só quando as crostas caíam, a pessoa podia saber da gravidade das cicatrizes. Quando jovem, a rainha Elizabeth I quase morreu de varíola, mas se recuperou por completo e ficou sem cicatrizes. Já sua amiga lady Mary Sidney, que cuidou dela, não teve a mesma sorte. "Eu a deixei como uma dama inteira e bela", escreveu seu marido, "... e, quando voltei, encontrei a dama mais repugnante que a varíola é capaz de produzir." Um século depois a duquesa de Richmond, que foi modelo para a figura de Britannia na moeda inglesa de um *penny*, também ficou desfigurada.

A varíola também era culpada por gerar tratamentos dolorosos, também para outras doenças. A liberação de pus levava à convicção de que o corpo estava tentando livrar-se dos venenos; assim, as vítimas eram lancetadas, submetidas a vigorosas sangrias, suores e lavagens intestinais — remédios que logo foram aplicados a todo tipo de doença, e quase sempre só pioravam as coisas. Em inglês a varíola foi chamada de "*smallpox*", para distingui-la da "*great pox*" [sífilis].

Claro que nem todas essas doenças terríveis se relacionavam diretamente ao banho e à higiene; mas as pessoas não sabiam disso, nem se preocupavam. Embora todos soubessem que a sífilis se transmitia pelo contato sexual, que poderia, naturalmente, ocorrer em qualquer lugar, ficou indelevelmente associada às casas de banho. As prostitutas foram proibidas de se aproximar a menos de cem passos dessas casas; e, por fim, estas foram fechadas na Europa. Com isso, a maioria das pessoas perdeu o hábito de lavar-se (não que muitas tivessem esse hábito antes). Lavar-se não era um costume totalmente desconhecido, mas bastante seletivo. "Lave as mãos com frequência, os pés raramente, e a cabeça nunca", dizia um provérbio inglês. A rainha Elizabeth, em uma frase muito citada, banhava-se fielmente uma vez por mês, "quer precisasse ou não". Em 1653, John Evelyn, conhecido autor de diários, anotou uma decisão experimental de lavar o cabelo anualmente. O cientista Robert Hooke lavava os pés muitas vezes (porque achava o hábito calmante), mas parece que não passava muito tempo com água acima dos tornozelos. Samuel Pepys menciona apenas uma vez que sua esposa tomou banho, no diário que manteve durante nove anos e meio. Na França, o rei Luís XIII ficou sem banho até quase completar sete anos.

A água, nas poucas vezes em que era usada, em geral se destinava a fins medicinais. Na década de 1570 as cidades inglesas de Bath e Buxton já eram balneários populares; mesmo assim as pessoas tinham seus receios. "Parece-me que um lugar não pode ser limpo, com tantos corpos juntos na mesma água", observou Pepys, no verão de 1668, refletindo sobre a proposta do *spa*. Mesmo assim ele gostou, e passou duas horas na água em seu primeiro banho; depois pagou a alguém para levá-lo de volta para casa, envolto em um lençol.

Quando os europeus em grande número começaram a visitar o Novo Mundo, eram tão malcheirosos que esse fato sempre chamava a atenção dos índios. Nada, porém, deixava os índios tão perplexos como o hábito europeu de assoar o nariz em um fino lenço e depois dobrá-lo cuidadosamente e colocá-lo de volta no bolso, como se fosse um valioso suvenir.

Não há dúvida de que *algumas* normas de higiene eram esperadas. Um observador da corte de James I escreveu, com tom de repulsa, que o rei nunca chegava perto da água, exceto para esfregar de leve um guardanapo úmido na ponta dos dedos. E é notável que muitas das pessoas mais sujas eram famosas por isso; entre elas podemos incluir o 11º duque de Norfolk, que era tão violentamente contra a água e o sabão que seus criados tinham que esperar que ele ficasse completamente bêbado para lavá-lo e esfregá-lo. Thomas Paine, o panfletário, tinha na epiderme um acúmulo ininterrupto de sujeira; e até mesmo o refinado James Boswell tinha um mau cheiro que espantava muita gente, o que não é pouca coisa para a época. Mas até mesmo Boswell se espantou com seu contemporâneo, o marquês d'Argens, que usou a mesma camisa de baixo por tantos anos que, quando por fim o convenceram a tirá-la, tinha se colado a ele de tal maneira "que pedaços de sua pele saíram com a camisa". Para alguns, porém, a sujeira se tornou uma espécie de glória. A aristocrática lady Mary Wortley Montagu, uma das primeiras grandes viajantes do sexo feminino, vivia tão suja que uma pessoa, depois de lhe apertar as mãos, não conseguiu se conter e exclamou, espantada, que estavam imundas. "Ora, o que diria você se visse meus pés?", respondeu a vivaz lady Mary. Muitas pessoas estavam tão desacostumadas a se expor à água em abundância que essa perspectiva realmente lhes dava medo. Quando Henry Drinker, um proeminente cidadão da Filadélfia, instalou um chuveiro em seu jardim, já em 1798, sua esposa, Elizabeth, adiou a experiência do banho ainda por um ano, "já que nunca estive toda molhada de uma só vez nos últimos 28 anos", explicou ela.

No século XVIII, a maneira mais certa de conseguir tomar banho era ser louco. Para os casos de insanidade mental, usava-se o banho com frequência assustadora. Em 1701, sir John Floyer começou a defender a ideia de que o banho frio curava toda uma série de doenças. Sua teoria era que mergulhar o corpo na água fria dava uma sensação de "terror e surpresa" que revigorava os sentidos embotados e amortecidos.

Benjamin Franklin tentou outra tática. Nos anos em que morou em Londres, criou o hábito de tomar "banho de ar", aquecendo-se nu diante de uma janela aberta no andar de cima. Isso com certeza não o deixava mais limpo, mas parece não lhe ter feito mal algum, e deve ter dado aos vizinhos um bom assunto de conversa. Também era estranhamente popular o costume de "lavar a seco" — esfregar a pele com uma escova para abrir os poros e, talvez, desalojar os piolhos. Muita gente acreditava que o tecido de linho tinha qualidades especiais que absorviam a sujeira da pele. Como disse Katherine Ashenburg, "eles 'se lavavam' mudando de camisa". A maioria, porém, combatia a sujeira e o mau cheiro disfarçando com cosméticos e perfumes, ou simplesmente ignorando o fato. Onde todos fedem, ninguém fede.

Mas, de repente, a água virou moda, embora apenas no sentido medicinal. Em 1702 a rainha Anne foi a Bath para tratar da gota, o que aumentou muito a reputação curativa e o prestígio das águas dessa cidade — mesmo que os problemas da rainha não tivessem nada a ver com água mas com excesso de comida. Logo foram surgindo cidades-balneário por toda parte — Harrogate, Cheltenham, Llandidrodd Wells no País de Gales. Mas as comunidades costeiras afirmavam que a água realmente curativa era a do mar — embora, curiosamente, apenas nas suas imediações. Scarborough, na costa de Yorkshire, garantia que suas águas eram um bálsamo contra "Apoplexia, Epilepsia, Catalepsia, Vertigem, Icterícia, Melancolia Hipocondríaca e Flatulência".

O mais célebre pioneiro da cura pela água foi o dr. Richard Russell, que em 1750 escreveu, em latim, um livro sobre as propriedades curativas da água do mar, traduzido quatro anos depois como *A dissertation concerning the use of sea-water in diseases of the glands* [Dissertação relativa à utilização da água do mar nas doenças das glândulas]. O livro de Russell recomendava a água marinha como tratamento eficaz para uma quantidade de doenças, desde a gota e o reumatismo até a congestão cerebral. Os pacientes precisavam não só imergir na água do mar, como também bebê-la em quantidades copiosas. Russell abriu um consultório na aldeia pesqueira de Brighthelmstone, no litoral de Sussex, e teve tanto sucesso que a cidade cresceu até se transformar em Brighton, o balneário litorâneo mais elegante do mundo na época. Russell já foi chamado de "o inventor do mar".

Nos primeiros tempos, muitos se banhavam nus (com frequência causando indignação entre os mais inclinados a dar uma boa olhada, às vezes com o auxílio de um telescópio); já os mais recatados se enrolavam em pesados mantos, o que chegava a ser perigoso. Mas a verdadeira indignação surgiu quando pessoas mais pobres começaram a aparecer nesses locais. Tiravam a roupa na praia "em números promíscuos", e logo entravam na água para tomar um banho que era, para a maioria deles, o único do ano. Para atender ao recato, foram inventadas "máquinas de banho". Não passavam de vagões com rodas que eram empurrados para dentro do mar, com portas e degraus que permitiam ao cliente entrar na água com segurança e discrição. Os efeitos benéficos dos banhos de mar vinham não tanto da imersão como da posterior fricção vigorosa com uma flanela seca.

O futuro de Brighton ficou garantido quando, em setembro de 1783, assim que a Revolução Americana terminou, com a assinatura do Tratado de Paris, o príncipe de Gales visitou o balneário pela primeira vez. Esperava encontrar alívio para o inchaço das glândulas na garganta, e conseguiu. Gostou tanto que ali construiu seu imenso e exótico Pavilhão, em 1783, e instalou uma banheira privativa, com água do mar, para não precisar expor-se aos olhos dos cidadãos comuns ao fazer seus tratamentos.

O rei George III, também buscando privacidade, foi a Weymouth, sonolenta cidade portuária mais a oeste em Dorset, no litoral sul da Inglaterra, mas ficou consternado ao deparar com milhares de simpatizantes na praia, à espera de assistir ao seu primeiro mergulho. Quando entrou na água, envolto em um volumoso robe de sarja azul, uma banda de música escondida em uma máquina de banho ao lado irrompeu com o hino "God save the king" [Deus salve o rei]. Mesmo assim, o rei amava suas viagens a Weymouth e ali ia quase anualmente, até que sua insanidade se agravou e ficou impossível apresentar seu cérebro perturbado ao olhar público.

Tobias Smollett, romancista e médico, que sofria de problemas pulmonares, introduziu o costume dos banhos de mar no Mediterrâneo. Ia nadar diariamente em Nice, para espanto dos moradores. "Eles achavam muito estranho que um homem aparentemente tuberculoso mergulhasse no mar, especialmente em dias tão frios, e alguns médicos prognosticaram morte imediata." Mas a prática pegou, e o livro de Smollett, *Travels through France and Italy* [Viagens pela França e pela Itália] (1766) contribuiu muito para criar a Riviera.

Não demorou para os charlatões perceberem que podia haver um bom dinheiro no golpe do banho. Um dos mais bem-sucedidos foi James Graham (1745-94). Autointitulado médico, sem qualificação alguma além da sua desfaçatez, Graham fez enorme sucesso em Bath e em Londres na segunda metade do século xviii. Usava ímãs, baterias e outros aparelhos vibratórios para curar os pacientes de todo tipo de doenças, mas principalmente as responsáveis pela infelicidade sexual, como impotência e frigidez. Ele elevou os banhos medicinais a um nível superior, tornando-os atraentes e até eróticos: oferecia aos clientes banhos de leite, banhos com fricção e banhos de lama — ou "Banhos de Terra", como ele os chamava — realizados em um cenário teatral, com música, estatuária clássica, perfumes no ar e atendentes seminuas. Dizia-se que uma delas era Emma Lyon, futura lady Hamilton, amante de lorde Nelson. Para aqueles cujos problemas não respondiam bem a esses tratamentos sedutores, Graham oferecia uma enorme "cama celestial" eletrificada, a um custo de cinquenta libras por noite. O colchão era estofado com folhas de rosas e especiarias.

Infelizmente, Graham se empolgou demais com seu sucesso e começou a se gabar de proezas que até seus adeptos mais devotados achavam insustentáveis. Uma de suas palestras se intitulava: "Como viver muitas semanas, meses ou anos sem comer absolutamente nada"; em outra, garantia aos ouvintes uma vida saudável até os 150 anos de idade. Suas promessas ficaram cada vez mais absurdas, e seus negócios entraram em rápido declínio. Em 1782 seus bens foram confiscados para pagar as dívidas, e esse foi o fim de James Graham.

Hoje Graham é sempre retratado como um charlatão ridículo, e era mesmo; mas também é bom lembrar que muitas de suas convicções — banho frio, comida simples, cama dura, janelas abertas para encher o quarto de um saudável ar fresco e, sobretudo, horror duradouro à masturbação — se tornaram características estimadas da vida inglesa. Elas perduram muito além do breve período de importância "celestial" de seu criador.

Quando as pessoas se adaptaram à ideia de que podiam se molhar de vez em quando com segurança, as antigas teorias sobre higiene pessoal foram abruptamente eliminadas. Agora, em vez de ser ruim ter a pele rosada e os poros abertos, fixou-se a convicção de que a pele era, na verdade, um maravilhoso órgão para respiração, que *expelia* o dióxido de carbono e outras substâncias tóxicas; e, se os poros estivessem bloqueados pela poeira e por outros resíduos, as toxinas naturais ficariam presas no organismo, acumulando-se perigosamente. É por isso que as pessoas sujas — a "grande massa dos sem-banho", como disse Thackeray — ficavam tantas vezes doentes: seus poros entupidos as estavam matando. Em uma demonstração convincente, um médico mostrou como um cavalo, todo pintado com alcatrão, logo se enfraqueceu e expirou penosamente. (Na verdade, o problema do cavalo não tinha a ver com a respiração, mas sim com a regulagem da temperatura — embora para o cavalo essa diferença fosse, obviamente, acadêmica.)

Lavar-se apenas com a finalidade de ficar limpo e cheirando bem foi um hábito que demorou notavelmente a chegar. Quando John Wesley, fundador do metodismo, cunhou a frase "A limpeza fica próxima da divindade", em um sermão de 1778, ele se referia à limpeza da roupa, não do corpo. Com relação à limpeza corporal, ele recomendou apenas "barbear-se e lavar os pés com frequência". Quando o jovem Karl Marx foi para a universidade, em 1830, sua mãe, preocupada, lhe deu instruções rigorosas em matéria de higiene, e o intimou a "dar uma boa esfregada semanal com sabão e esponja". Em 1850, na época da Grande Exposição, as coisas já estavam em nítida mudança. A própria exposição mostrava mais de setecentos sabonetes e perfumes, o que deve refletir certo nível de demanda. Dois anos depois a limpeza recebeu um novo e oportuno impulso quando o governo aboliu, enfim, o imposto sobre o sabão, que vinha de longa data. E em 1861 um médico inglês ainda escreveu um livro chamado *Baths and how to take them* [Banhos e como tomá-los].

Mas o que realmente fez os vitorianos passarem a dar atenção ao banho foi constatar que este poderia ser um glorioso castigo. Os vitorianos tinham uma espécie de instinto para atormentar a si mesmos, e a água se tornou uma maneira perfeita de colocar isso em prática. Muitos diários relatam que as pessoas tinham de quebrar o gelo das bacias com que se lavavam para as abluções matinais. O reverendo Francis Kilvert notou, com prazer, que as pontas agudas de gelo coladas às paredes da banheira lhe picavam a pele, quando se banhou alegremente na manhã de Natal de 1870. Os chuveiros também ofereciam amplas possibilidades para o castigos; muitos eram projetados para lançar um jato de água poderoso. Um tipo primitivo era tão feroz que o usuário tinha que colocar um capacete de proteção antes de entrar, para não levar uma surra do próprio chuveiro.

II

Talvez nenhuma palavra em inglês tenha passado por mais transformações na vida do que "*toilet*". Originalmente, por volta de 1540, era um tipo de pano, diminutivo da palavra francesa "*toile*", "tela" ou "pano". Passou então a denominar um paninho para se usar na penteadeira. Em seguida, os objetos na penteadeira (de onde vem "*toiletries*", ou "artigos de beleza e higiene"). Daí se tornou a penteadeira em si; depois, o ato de vestir-se; depois, o ato de receber visitas ao se vestir; depois, o próprio quarto de vestir; depois, qualquer tipo de sala particular perto de um quarto; depois, um aposento usado como lavatório; e, finalmente, o próprio lavatório. Isso explica por que, em inglês, "*toilet water*" [água de toalete] pode significar tanto uma perfumada água de colônia como "a água que fica dentro do vaso sanitário".

"*Garderobe*", palavra agora extinta, passou por uma transformação semelhante, porém mais compacta. Combinação de "guarda" e "manto", em francês, primeiro denominava um aposento para guardar objetos; em seguida, qualquer quarto particular; depois (por pouco tempo), um urinol; e, enfim, a privada. No entanto, no início as privadas não eram nada privadas. Os romanos eram especialmente afeitos a combinar a evacuação com a conversação. Suas latrinas públicas podiam ter vinte assentos ou mais em íntima proximidade, e eles as utilizavam juntos, sem constrangimento, assim como hoje andamos de ônibus juntos. (Para responder a uma pergunta inevitável: havia uma canaleta de água correndo pelo chão diante de cada fileira de assentos, e os usuários molhavam ali uma esponja presa a uma vareta, para se limparem.) Ficar à vontade com estranhos durou até os tempos modernos. Hampton Court continha uma "Grande Casa do Alívio" ("Great House of Ease"), capaz de acomodar catorze usuários de uma vez. Charles II sempre levava dois atendentes quando entrava no banheiro. Mount Vernon, a casa de George Washington, tem um banheiro, carinhosamente preservado, com dois assentos lado a lado.

Os ingleses, em especial, por longo tempo foram famosos por sua despreocupação com a privacidade nos lavatórios. Giácomo Casanova, o aventureiro italiano, notou em uma visita a Londres que via com frequência alguém "soltar suas comportas" à vista do público, fosse na beira de uma rua ou encostado em alguma casa. Pepys nota em seu diário que sua esposa se agachou na rua "para fazer suas necessidades".

"*Water closet*", ou WC, data de 1755 e originalmente denominava o lugar onde se administravam lavagens intestinais aos reis. Por volta de 1770 os franceses chamavam uma privada dentro de casa de "*un lieu à l'anglaise*", ou seja, "lugar à moda inglesa". Em Monticello, Thomas Jefferson instalou três banheiros internos — provavelmente os primeiros do país —, que incorporavam saídas de ventilação para deixar sair os odores. Mas pelos padrões de Jefferson (aliás, por quaisquer padrões) esses banheiros não eram nada avançados tecnologicamente: os dejetos simplesmente caíam em um recipiente embaixo, que era esvaziado pelos escravos. Contudo, na Casa Branca — ou Casa do Presidente, como era chamada então — Jefferson inaugurou, em 1801, três banheiros com descarga de água, dos primeiros que houve no mundo. Eram movidos por cisternas de água da chuva instaladas no sótão.

Em meados do século XIX o reverendo Henry Moule, vigário em Dorset, inventou a privada seca, ou de terra. Era basicamente um vaso sanitário que incorporava um tanque de armazenamento cheio de terra seca; puxando-se uma alça, ele soltava certa quantidade de terra no receptáculo, mascarando assim o cheiro e a aparência dos dejetos. A privada de terra foi muito apreciada por algum tempo, em especial nas áreas rurais, mas foi logo ultrapassada pelo vaso sanitário com descarga de água, que não se limitava a cobrir os resíduos, mas os levava para longe em uma torrente de água. Ou, pelo menos, fazia isso quando funcionava bem, o que não era frequente nos primeiros tempos.

A maioria das pessoas continuava a usar o penico, que guardavam no armário do quarto, e que era chamado (por razões obscuras) de "*jordan*". Muitos visitantes estrangeiros ficavam abismados com o hábito dos ingleses de guardar penicos em armários ou aparadores na sala de jantar e de usá-los assim que as mulheres se retiravam. Alguns aposentos já vinham providos de uma "cadeira necessária" em um canto. Um francês em visita à Filadélfia, Moreau de Saint-Méry, notou com espanto que um homem retirou as flores de um vaso e ali urinou. Outro visitante francês, mais ou menos na mesma época, relatou que pediu um penico para levar para o seu quarto e recebeu a resposta que deveria fazer suas necessidades para fora da janela, como todo mundo. Quando ele insistiu que lhe dessem *alguma* coisa onde pudesse se aliviar, a dona da casa, confusa, lhe trouxe uma chaleira, mas o lembrou, com firmeza, que precisaria tê-la de volta logo cedo na manhã seguinte, para o desjejum.

A característica mais notável das anedotas sobre práticas higiênicas é que elas sempre — sempre mesmo — envolvem alguém de um país que fica chocado com os hábitos de outro país. As pessoas reclamavam tanto dos costumes higiênicos dos franceses quanto os franceses reclamavam dos costumes dos outros. Uma queixa secular é que na França "se mijava muito nas chaminés". Os franceses também eram acusados de aliviar-se nas escadas, "uma prática que ainda se encontrava em Versalhes no século XVIII", escreve Mark Girouard em *Life in the French country house* [A vida na casa de campo francesa]. Versalhes se gabava de ter cem banheiros e trezentas *commodes*, ou cadeiras higiênicas; mas eram estranhamente subutilizadas. Em 1715 um edital tranquilizou os moradores e os visitantes, afirmando que, dali em diante, as fezes nos corredores seriam recolhidas semanalmente.

A maior parte do esgoto ia para as fossas, mas estas eram muito negligenciadas, e muitas vezes o conteúdo vazava para os tanques de água vizinhos. No pior dos casos, a fossa transbordava. Samuel Pepys registrou uma dessas ocasiões em seu diário: "Descendo à minha adega... pisei em um grande monte de bosta... e descobri então que a fossa do sr. Turner está cheia e transbordando para a minha adega, o que me deixa assaz perturbado".

Os limpadores de fossas eram conhecidos como "homens dos excrementos", ou "homens da noite"; e, se já houve alguma forma menos invejável de ganhar a vida, creio que ainda não foi descrita. Trabalhavam em equipes de três ou quatro. Um deles — o mais jovem, podemos supor — era baixado na fossa para recolher os dejetos em baldes. Um segundo ficava ao lado da fossa para içar e baixar os baldes, e o terceiro e o quarto carregavam os baldes até uma carroça que ficava à espera. Era um trabalho perigoso, além de desagradável. Os trabalhadores corriam o risco de asfixia e até de explosões, já que trabalhavam à luz de um lampião, em ambientes com alto teor de gás. Em 1753 o *Gentleman's Magazine* relatou o caso de um desses "homens da noite" que entrou na fossa de uma taverna de Londres e foi vencido pelo cheiro repugnante. "Ele pediu socorro, e logo caiu com a cara no chão", relatou uma testemunha.

Um colega que correu para socorrê-lo foi igualmente derrubado. Outros dois homens tentaram entrar na fossa, mas não conseguiram, devido ao cheiro; só conseguiram abrir um pouco a porta, liberando a pior parte dos gases. Quando chegaram outros para tirar os dois homens de lá, um já estava morto e o outro sem salvação.

Como esses limpa-fossas cobravam caro pelo serviço, nos bairros mais pobres as fossas sépticas raramente eram esvaziadas, e com frequência transbordavam — o que não surpreende, dado o uso intenso de uma fossa no centro da cidade. A superpopulação em muitos bairros de Londres era quase inimaginável. Em St. Giles, o pior dos pardieiros de Londres — cenário da famosa gravura *Gin lane* [Rua do gim], de Hogarth, de 1751 —, 54 mil pessoas se apertavam em apenas algumas ruas. Segundo uma contagem, 1 100 pessoas moravam em 27 casas em um beco, ou seja, mais de quarenta pessoas por habitação. Em Spitalfields, mais a leste, os fiscais encontraram 63 pessoas morando na mesma casa. A casa tinha nove camas — uma para cada sete ocupantes. Uma palavra nova, de origem desconhecida, surgiu para descrever esses bairros: "*slum*" [favela]. Charles Dickens foi um dos primeiros a usá-la, numa carta de 1851.

Uma tal massa humana produzia, naturalmente, enormes volumes de dejetos — muito mais do que qualquer sistema de fossas sépticas poderia aguentar. Em um relato bastante típico, um fiscal registrou que visitou duas casas em St. Giles onde os porões estavam cheios de dejetos humanos a uma altura de quase um metro. Lá fora, continuava o fiscal, o quintal estava coberto de uma camada de excrementos de quase um palmo. Havia pilhas de tijolos colocadas como apoio para os pés, para que os moradores pudessem atravessar o pátio.

Em 1830, um levantamento dos bairros mais pobres de Leeds descobriu que muitas ruas tinham "esgoto flutuando"; certa rua, onde viviam 176 famílias, não era limpa havia quinze anos. Em Liverpool, até um sexto da população morava em porões escuros, onde os dejetos podiam facilmente se infiltrar. E, naturalmente, os excrementos eram apenas uma pequena parte da enorme quantidade de refugo gerada nessas cidades abarrotadas de gente, e em rápida industrialização. Em Londres, jogava-se no Tâmisa tudo que era indesejado: carne condenada, miúdos de animais, gatos e cães mortos, restos de comida, resíduos industriais, fezes humanas, e muito mais. Vacas e carneiros eram levados diariamente para o mercado de Smithfield para serem transformados em bifes e costeletas; no caminho, depositavam, anualmente, 40 mil toneladas de esterco. Isso se somava, naturalmente, a todos os dejetos de cães, cavalos, patos, gansos, galinhas e porcos criados pelos moradores. Havia fabricantes de cola, tinturas, velas de sebo, curtumes, empresas químicas de todos os tipos — e todos acrescentavam diariamente seus subprodutos ao mar de imundícies. Grande parte desses detritos em decomposição acabava no Tâmisa, onde a esperança era que a corrente levasse toda a podridão para o mar. Mas as correntes, é claro, fluem em ambas as direções, e, se uma levava os resíduos para o mar, outra voltava, devolvendo ao Tâmisa uma boa parte deles. O rio era uma perpétua "enchente de esterco líquido", como disse um observador. Smollet, escrevendo em *Humphry Clinker*, disse que "o excremento humano é a parte menos ofensiva", pois o rio também continha "todas as drogas, minerais e venenos utilizados na mecânica e na manufatura, enriquecidos com os cadáveres putrefatos de homens e animais; e misturados com os resíduos de todas as banheiras, canis e esgotos". O Tâmisa se tornou tão tóxico que, quando um túnel escavado em Rotherhithe apresentou um vazamento, a primeira coisa que penetrou pela brecha não foi água do rio, mas sim gases concentrados, que logo se inflamaram com as lâmpadas dos mineiros; estes ficaram, então, na situação absurda e desesperada de tentar fugir da água que invadia o túnel e também da nuvem de gases em combustão.

Os córregos que desaguavam no Tâmisa muitas vezes eram piores que o próprio Tâmisa. Em 1831 a Frota do Rio ficava "quase imóvel devido às imundícies sólidas". Até mesmo o lago Serpentine, no Hyde Park, se tornou tão pútrido que seus visitantes procuravam ficar a barlavento. Em 1860 foi dragada do fundo do lago uma camada de cinco metros de esgoto.

Nessa confusão toda surgiu uma novidade que acabou sendo, inesperadamente, um desastre: a descarga com água. A privada com uma espécie de descarga já existia havia algum tempo. A primeira foi construída por John Harington, afilhado da rainha Elizabeth. Em 1597, quando Harington lhe demonstrou sua invenção, ela expressou grande satisfação e logo mandou instalar no palácio de Richmond. Mas era uma novidade muito à frente de seu tempo, e quase duzentos anos se passaram até que Joseph Bramah, marceneiro e serralheiro, patenteasse a primeira descarga moderna, em 1778. Esta obteve uma popularidade modesta. Muitos outros modelos se seguiram, mas em geral não funcionavam bem. Às vezes o tiro saía pela culatra, enchendo o banheiro com uma quantidade ainda maior de tudo aquilo que o proprietário, horrorizado, queria jogar fora. Até o advento dos tubos em U e do coletor de água — aquele pequeno reservatório que permanece no fundo do vaso sanitário após cada descarga —, a privada agia como um conduto para os odores da fossa e do esgoto. Os cheiros que subiam, em especial nos dias quentes, chegavam a ser insuportáveis.

Esse problema foi resolvido por um dos grandes nomes da história (aliás, um nome incrivelmente adequado)* — Thomas Crapper (1837-1910). Nascido em uma família pobre de Yorkshire, consta que ao onze anos de idade foi a pé para Londres, onde se tornou aprendiz de encanador em Chelsea. Crapper inventou o vaso sanitário clássico, que até hoje é comum na Grã-Bretanha, com uma cisterna elevada que solta água quando se puxa uma corrente. Chamado "Marlboro Silent Water Waste Preventer" [aparelho silencioso Malboro para evitar o desperdício de água], era limpo, à prova de vazamentos, sem odores e maravilhosamente confiável. Sua fabricação tornou Crapper tão rico e famoso que muitos assumem que foi ele quem deu nome ao termo de gíria "*crap*" e seus muitos derivados. Na verdade, "*crap*" é uma palavra muito antiga, e a palavra "*crapper*" para denominar a privada é um americanismo que só foi registrado pelo *Oxford English dictionary* em 1922. Parece que o sobrenome Crapper foi apenas um feliz acaso.

A grande virada na história da descarga foi a Grande Exposição de 1850, onde ela se tornou uma das maiores atrações. Mais de 800 mil pessoas esperaram com paciência em longas filas para experimentar a novidade, e ficaram tão encantadas com o ruído e o redemoinho da água no vaso que se apressaram a instalar o aparelho em suas casas. Talvez nenhum outro objeto de consumo de alto preço tenha se popularizado com tanta rapidez, em toda a história humana. Em meados da década de 1850, cerca de 200 mil dessas privadas já estavam em uso em Londres.

Mas o problema é que os esgotos de Londres eram projetados apenas para escoar a água da chuva, e não davam conta de um dilúvio contínuo de resíduos sólidos. Eles se encheram então de uma lama densa que não fluía. Operários conhecidos como "homens das descargas" foram contratados para encontrar os pontos de entupimento e limpá-los. Outras profissões dedicadas aos esgotos incluíam os chamados "*toshers*" e "*mudlarks*", que remexiam a lama dos esgo-

---

* "*Crap*" em inglês é um termo vulgar para excrementos. (N. T.)

tos e as margens fétidas dos rios à procura de alguma eventual colher de prata ou joia perdida. Os *toshers* ganhavam relativamente bem, mas era um trabalho perigoso. O ar dos esgotos podia ser mortal. Como a rede de esgoto era vasta e não havia bons mapas nem registros, corriam histórias sobre *toshers* que se perdiam nos canais de esgotos e não conseguiam encontrar o caminho de volta. Segundo boatos, muitos eram atacados e devorados pelos ratos.

As epidemias assassinas eram rotina em um mundo com pouca higiene e sem antibióticos. A cólera de 1832 matou cerca de 60 mil britânicos. Foi seguida por uma devastadora epidemia de gripe em 1837-8 e mais surtos de cólera em 1848, 1854 e 1867. Em meio a todos esses ataques à tranquilidade da nação, ainda ocorriam surtos mortais de febre tifoide, febre reumática, escarlatina, difteria, varíola, entre muitas outras doenças. Só a febre tifoide matava anualmente 1500 pessoas ou mais, de 1850 a 1870. A tosse convulsa matava cerca de 10 mil crianças todos os anos, de 1840 a 1910. O sarampo matava mais ainda. Em suma, havia no século XIX uma quantidade enorme de maneiras de morrer.

A cólera não era muito temida a princípio, pela razão indigna de que se pensava que atingia principalmente os pobres. No século XIX era consenso, em quase todo lugar, que os pobres nasceram para ser pobres. Segundo a opinião geral, os pobres eram, por natureza, "imprevidentes, imprudentes, dados ao excesso de álcool e ávidos pelas gratificações sensuais", como resumiu um relatório do governo. Até mesmo Friederich Engels, um observador muito mais simpático do que a maioria, escreveu em *A situação da classe trabalhadora na Inglaterra*: "O caráter grosseiro do irlandês, sua crueza, que o coloca pouco acima do selvagem, seu desprezo por todos os prazeres humanos, que é incapaz de compartilhar devido a essa mesma crueza, sua sujeira, sua pobreza, tudo isso favorece a embriaguez".

Assim, quando em 1832 as pessoas nos bairros superpopulosos das cidades começaram a morrer em grande número por uma doença totalmente nova vinda da Índia, chamada cólera, isso foi visto como apenas mais uma daquelas desgraças que se abatem sobre os pobres de quando em quando. A cólera ficou conhecida como "a peste do pobre". Em Nova York, mais de 40% das vítimas eram imigrantes irlandeses pobres. Também os negros foram desproporcionalmente atingidos. A comissão médica do estado de Nova York chegou a declarar que a doença era confinada aos pobres de vida dissoluta, e que surgia "inteiramente dos seus hábitos de vida".

Mas a cólera começou então a ceifar vidas também em bairros elegantes, e rapidamente o terror se generalizou. Não havia tanto terror de uma doença desde a peste negra. A característica distintiva da cólera era a sua rapidez. Os sintomas — vômitos e diarreias violentas, cólicas torturantes, dor de cabeça esmagadora — chegavam em questão de instantes. A taxa de mortalidade era de 50%, e às vezes até maior, mas era a velocidade — a terrível e súbita transição do bem-estar completo para o súbito delírio, agonia e morte — que as pessoas achavam mais aterrorizante. Ver um ser querido perfeitamente bem ao despertar e morto na hora do jantar era uma experiência pavorosa.

Outras doenças, na verdade, arruinavam mais vidas. Os que sobreviviam à cólera em geral se recuperavam por completo, ao passo que a febre escarlate causava surdez ou danos cerebrais, e a varíola desfigurava terrivelmente a vítima. Contudo, foi a cólera que se tornou uma obsessão nacional. Entre 1845 e 1856, mais de setecentos livros sobre o assunto foram publicados em inglês. O que mais perturbava as pessoas era não saber o que causava a doença, nem como escapar dela. "O que é a cólera?", escreveu a revista médica *The Lancet*, em 1853. "Será um fungo, um inseto, um miasma, uma perturbação elétrica, uma deficiência de ozônio, uma corrosão mórbida do canal intestinal? Não sabemos nada."

A crença mais comum era que a cólera e outras doenças terríveis vinham do ar impuro. Todo tipo de dejetos ou matéria fétida — esgotos, cadáveres nos cemitérios, vegetais em decomposição, exalações humanas — era considerado causador de doenças, inclusive mortais. "Os arômatas da malária correm desenfreados, invisíveis, por todas as ruas", descreveu vividamente um cronista, em meados do século. E continuava: "Venenos atmosféricos, fatores pungentes e imundícies gasosas gritam alto, sem poupar ninguém, e o viajante inspira, a cada respiração, uma golfada de ar repleta de lama da sarjeta vaporizada e pútrida". Em 1844 a maior autoridade médica de Liverpool calculou exatamente, com toda a confiança, a dimensão real dos danos, em um relatório ao Parlamento: "Pela mera ação dos pulmões dos habitantes de Liverpool, uma camada de ar de três pés de altura, suficiente para recobrir toda a superfície da cidade, se torna, diariamente, imprópria para fins de respiração".

O maior e mais influente devoto da teoria dos miasmas era Edwin Chadwick, secretário da Comissão da Lei dos Pobres e autor de *A report on the sanitary condition of the labouring population of Great Britain*, que se tornou, surpreendentemente, um best-seller em 1842. A convicção fundamental de Chadwick era que bastava se livrar dos cheiros para ficar livre das doenças. "Todo cheiro é doença", explicou ele a um inquérito parlamentar. Seu desejo era limpar os bairros e as moradias pobres, não para criar condições mais agradáveis para os habitantes, mas simplesmente para se livrar dos cheiros.

Chadwick era um sujeito intenso, lúgubre, dado a ciúmes mesquinhos e brigas por cargos e posições. Formou-se advogado e passou a maior parte da vida trabalhando em várias comissões do governo encarregadas de fazer melhorias na Lei dos Pobres, ou nas condições nas fábricas, nos níveis de saneamento das cidades, na prevenção de mortes evitáveis, ou ainda na reorganização dos registros de nascimentos, casamentos e óbitos. Quase ninguém gostava dele. Seu trabalho sobre a Lei dos Pobres de 1834 introduziu um sistema nacional de casas de trabalho, que eram quase presídios e que o tornaram amplamente desprezado entre os trabalhadores — "o homem mais impopular de todo o Reino Unido", segundo um biógrafo. Parece que nem mesmo sua família lhe tinha qualquer afeição. A mãe de Chadwick morreu quando ele era pequeno, e o pai se casou e formou uma segunda família, no oeste da Inglaterra. Essa família acabou emigrando para o Brooklyn e não teve mais contato com ele. Um dos filhos do segundo casamento foi Henry Chadwick, cuja carreira seguiu uma direção totalmente diferente. Tornou-se jornalista esportivo e um dos primeiros a divulgar o beisebol organizado, chegando a ser considerado o pai do jogo moderno. Foi ele que concebeu o cartão para registro dos resultados, a tabela com o resumo do jogo, a média de rebatidas e muitas outras estatísticas que agradam aos entusiastas do beisebol. A razão pela qual a tabela do beisebol e o resumo do críquete são tão semelhantes é que Chadwick criou a primeira com base no último.*

A teoria do miasma tinha apenas um defeito grave: carecia de qualquer fundamento. Infelizmente, só um homem percebeu isso, e não conseguiu fazer os outros perceberem também. Seu nome era John Snow.

---

* Há algo mais em tudo isso. James Chadwick, pai desses dois homens, foi na juventude professor em Manchester, onde ensinou ciência a John Dalton, geralmente creditado como o descobridor do átomo. Em seguida, como jornalista radical, foi para Paris, onde morou por um tempo com Thomas Paine. Assim, embora ele próprio fosse um homem sem importância especial, serviu como ligação direta entre Thomas Paine e a Revolução Francesa, a descoberta do átomo, os esgotos de Londres e os primórdios do beisebol profissional.

Snow nasceu em York, em 1813, em circunstâncias modestas — seu pai era trabalhador braçal —, e, por mais que isso tenha prejudicado sua vida social, serviu muito bem para lhe dar perspicácia e compaixão. Só ele, quase exclusivamente entre as autoridades médicas, não culpava os pobres por suas doenças, mas via que suas condições de vida os deixavam vulneráveis a influências alheias à sua vontade. Ninguém antes tinha apresentado essa mentalidade aberta no estudo da epidemiologia.

Snow estudou medicina em Newcastle, mas se fixou em Londres. Ali se tornou um dos principais anestesistas da época, num momento em que a anestesia ainda era um campo com muito pouca comprovação. Raramente a palavra "prática" (como se chama em inglês o consultório) foi tão adequada aos esforços de um médico. Até hoje a anestesia é um procedimento delicado; mas em seus primeiros tempos, quando as doses se baseavam em pouco mais que palpites e suposições esperançosas, o coma, a morte e outras terríveis consequências eram muito comuns. Em 1853, Snow foi chamado para administrar clorofórmio à rainha Vitória que ia dar à luz, em sua oitava gravidez. Essa utilização do clorofórmio foi inesperada, não só por tratar-se de uma substância nova — descoberta por um médico de Edimburgo apenas seis anos antes — como também perigosa. Muitas pessoas já tinham morrido ao receber uma aplicação de clorofórmio. Usá-lo para ajudar a rainha a suportar a dor do parto seria, na opinião da maioria dos médicos, uma imprudência absurda. A revista *The Lancet* relatou o caso como um boato preocupante, e se mostrou surpresa ao ver que um médico qualificado se dispunha a assumir tais riscos com a personagem real, em qualquer circunstância exceto uma crise extrema. Contudo, parece que Snow não teve nenhuma hesitação em aplicar o clorofórmio, tanto nessa ocasião como mais tarde, embora fosse continuamente lembrado dos riscos dos anestésicos na sua clínica. Em abril de 1857, por exemplo, ele matou um paciente experimentando nele um novo tipo de anestésico, o amileno, e errando na suposição da dose tolerável. Exatamente uma semana depois, ele já estava aplicando clorofórmio à rainha outra vez.

Quando não estava ajudando as pessoas a perder a consciência antes de uma cirurgia, Snow passava muito tempo tentando entender de onde vinham as doenças. Em especial, queria saber por que a cólera devastava alguns bairros, poupando outros. Em Southwark, a taxa de mortes por cólera era seis vezes maior do que na vizinha Lambeth. Se a cólera era causada pelos miasmas e maus ares, então por que as pessoas em bairros contíguos, respirando o mesmo ar, tinham taxas de infecção tão discrepantes? Além disso, se a cólera se espalhava pelo cheiro, então os que lidavam mais diretamente com os maus cheiros — *toshers, flushermen*, os que levavam embora os dejetos e outros cujo sustento eram os refugos humanos — deveriam ser as vítimas mais frequentes. Mas não eram. Após o surto de 1848, Snow não conseguiu encontrar nem um único caso de morte de um *flusherman*.

A duradoura realização de Snow não foi só compreender a causa da cólera, mas coletar as provas com rigor científico. Teve a ideia de elaborar mapas detalhados, mostrando a distribuição exata das residências das vítimas de cólera. O resultado foi intrigante. Por exemplo, o famoso hospício de Bethlehem não tinha nem uma única vítima, enquanto os moradores das ruas vizinhas, em todas as direções, eram abatidos pela doença em números alarmantes. A diferença era que o hospício tinha seu próprio abastecimento de água, vinda de um poço no quintal, enquanto os de fora bebiam água dos poços públicos. Da mesma forma, em Lambeth a água era canalizada a partir de fontes limpas, fora da cidade, ao passo que na vizinha Southwark a população tomava água diretamente do rio Tâmisa, muito poluído.

Snow anunciou suas descobertas em um panfleto de 1849, *Sobre o modo de transmissão da cólera*, demonstrando que havia uma nítida conexão entre a cólera e a água contaminada com fezes humanas. É um dos documentos mais importantes na história das estatísticas, da saúde pública, da medicina, da demografia, da ciência forense — em suma, um dos documentos mais importantes do século xix. Entretanto, ninguém lhe deu ouvidos, e as epidemias continuaram a atacar.

Em 1854, um surto especialmente virulento atingiu o bairro londrino Soho. Em apenas uma pequena área em torno da Broad Street, mais de quinhentas pessoas morreram em dez dias. Como notou Snow, foi provavelmente o pior caso de mortalidade súbita ocorrido na história, pior ainda do que a peste negra. E o número de mortos só não foi maior porque muita gente fugiu do bairro.

As estatísticas das mortes apresentavam anomalias intrigantes. Uma das vítimas morreu em Hampstead e outra em Islington — a vários quilômetros de distância. Snow foi até onde as vítimas moravam e entrevistou parentes e vizinhos. Descobriu que a vítima de Hampstead era fã da água de Broad Street — gostava tanto que mandava entregá-la em casa — e tinha tomado um gole pouco antes de adoecer. A vítima de Islington era sua sobrinha, que tinha vindo visitá-la e também tinha bebido um pouco dessa água.

Snow conseguiu convencer a administração do bairro a retirar o cabo de uma bomba de água numa fonte pública em Broad Street; depois disso as mortes por cólera no bairro desapareceram — ou pelo menos é o que consta. Na verdade, a epidemia já estava amainando quando o cabo foi retirado, pois muita gente já havia fugido do bairro, julgando que ali o próprio ar era venenoso.

Apesar de todas as evidências acumuladas, as conclusões de Snow continuaram sendo rejeitadas. Quando ele apareceu diante de um comitê parlamentar, o presidente, sir Benjamin Hall, achou impossível dar crédito às suas convicções. Num tom estarrecido, Hall perguntou a Snow: "Será que o Comitê deve entender, tomando como exemplo as caldeiras de ferver ossos, que, por mais ofensivas que sejam para o sentido do olfato as emanações provenientes dos estabelecimentos que fervem ossos, o senhor considera que não são prejudiciais, de forma alguma, à saúde dos habitantes do bairro?".

"Essa é minha opinião", respondeu Snow; mas infelizmente seu modo de ser hesitante não era tão objetivo como suas conclusões, e as autoridades continuaram a rejeitá-las.

Hoje é difícil compreender até que ponto as ideias de Snow eram radicais e vistas com maus olhos. Muitas autoridades o detestavam devido a elas. A conclusão da *The Lancet* foi a de que ele se vendeu a interesses empresariais, que pretendiam continuar enchendo o ar de "vapores pestilentos, miasmas repugnantes e abominações de toda espécie", enriquecendo enquanto envenenavam os vizinhos. "Depois de cuidadosa investigação", concluía o inquérito parlamentar, "não vemos razão para adotar essa crença."

Finalmente, o inevitável aconteceu. No verão de 1858 Londres sofreu uma combinação de seca e forte calor, de modo que os resíduos se acumulavam e não eram levados embora pelo rio. A temperatura subiu a mais de 30ºC e permaneceu assim — uma condição excepcional para Londres. O resultado foi "O grande fedor", como o chamou o *Times*. O Tâmisa ficou tão malcheiroso que ninguém aguentava ficar nas proximidades. "Quem inala esse fedor uma vez jamais consegue esquecer", escreveu um jornal. As cortinas do novo Parlamento foram bem fechadas e mergulhadas em uma solução de cloreto de cal para atenuar os cheiros mortais que vinham do rio, mas o resultado foi algo semelhante ao pânico. O Parlamento teve que suspender as sessões. Alguns membros, segundo Stephen Halliday, tentaram aventurar-se na biblioteca, com vista para o rio, "mas foram instantaneamente obrigados a recuar, todos levando o lenço ao nariz".

Snow não chegou a ver a vitória de nenhuma de suas ideias. Morreu de repente, de derrame, em meio ao "grande fedor", sem saber que um dia seria considerado um herói. Tinha apenas 45 anos. Na época, sua morte mal foi notada.

Felizmente, outra figura heroica estava prestes a entrar em cena a passos decididos — Joseph Bazalgette. Por acaso, Bazalgette trabalhava em um escritório bem próximo a Snow, mas os dois nunca se encontraram, que se saiba. Bazalgette era um homenzinho pequeno, tipo peso-pena, mas compensava seu físico de jóquei com um bigode espetacular, que ia literalmente de orelha a orelha. Assim como o outro grande engenheiro vitoriano, Isambard Kingdom Brunel, seus antepassados eram franceses, mas a família já estava radicada na Inglaterra havia 35 anos quando Joseph nasceu, em 1819. Seu pai era comandante da Marinha, e Bazalgette cresceu em um ambiente privilegiado, educado por professores particulares e recebendo todas as vantagens na vida.

Desclassificado da carreira militar por sua pequena estatura, formou-se engenheiro ferroviário, mas em 1849, aos trinta anos, ingressou na Comissão Metropolitana de Esgotos, onde logo subiu à posição de engenheiro-chefe. O saneamento nunca teve um defensor tão ardoroso. Nada relativo aos esgotos e à eliminação de resíduos escapava ao seu escrutínio. Perturbado ao ver que quase não havia sanitários públicos em Londres, concebeu um plano para instalar banheiros públicos em pontos críticos por toda a cidade. Coletando urina e a vendendo como produto industrial (a urina amanhecida era vital para o processamento de alumínio, entre outras coisas), ele calculou que cada urinol poderia produzir 48 libras de renda em um ano, um belo rendimento. Esse plano não foi adotado, mas incutiu a convicção geral de que, quando o assunto eram esgotos, Joseph Bazalgette era o homem a quem recorrer.

Após o "grande fedor" ficou claro que o sistema de esgotos de Londres precisava ser reconstruído, e o trabalho ficou a cargo de Bazalgette. O desafio era formidável. Bazalgette teria de escavar, em uma cidade imensamente movimentada, quase 2 mil quilômetros de túneis — os quais deviam durar indefinidamente, levar embora cada partícula dos resíduos gerados por 3 milhões de pessoas e ainda ser capazes de atender a um crescimento futuro de dimensões desconhecidas. Ele teria de adquirir terras, negociar direitos de passagem, comprar e distribuir materiais e dirigir as hordas de trabalhadores. A escala de cada aspecto do trabalho era exaustiva. Os túneis exigiam 318 milhões de tijolos, além de escavar e redistribuir 2,5 milhões de metros cúbicos de terra. E tudo isso devia ser feito com um orçamento de apenas 3 milhões de libras.

Bazalgette excedeu com brilho todas as expectativas. Para construir o novo sistema de esgotos, ele aterrou e urbanizou uma faixa de 5600 metros às margens do Tâmisa, criando três aterros: o Chelsea Embankment, o Victoria Embankment e o Albert Embankment. Esses novos passeios recobriam não só um poderoso interceptor de esgotos — uma espécie de superestrada dos esgotos — como ainda deixavam amplo espaço para uma nova linha de metrô, os dutos de gás e outras instalações subterrâneas. Na parte superior foram criadas novas ruas e calçadas, aliviando a congestão do trânsito. Ao todo, Bazalgette criou 21 hectares de novas terras, onde espalhou parques e alamedas. Um resultado incidental desses aterros é que eles estreitaram o rio, fazendo-o fluir mais rápido e assim melhorando sua capacidade de limpeza. Seria difícil citar um projeto de engenharia, em qualquer lugar do mundo, que oferecesse tantas melhorias simultâneas — na saúde pública, transporte, organização do trânsito urbano, recreação, gestão hídrica. E é esse o sistema que ainda dá conta do escoamento das águas em Londres. Tal como os parques da cidade, os Embankments à beira-rio ainda são dos locais mais agradáveis de Londres.

Mas, devido às limitações de verbas, Bazalgette só conseguiu levar o esgoto até o limite leste da metrópole, a um lugar chamado Barking Reach. Ali, poderosos tubos emissários lançavam no Tâmisa, a cada dia, 570 milhões de litros de esgoto não tratado, terrivelmente malcheiroso. Barking Reach ainda ficava a 35 quilômetros do mar aberto — como a triste e infeliz população ao longo desses 35 quilômetros nunca deixava de apontar; mas a corrente era forte o bastante para levar a maior parte da carga para o mar (embora sem conseguir eliminar os cheiros). Com isso, nunca mais houve epidemias em Londres relacionadas aos esgotos.

Mas a nova canalização de esgotos teve um papel infeliz na maior tragédia já experimentada no Tâmisa. Em setembro de 1878, uma embarcação de recreio chamada *Princess Alice*, superlotada de excursionistas, estava voltando para Londres depois de um dia à beira-mar quando colidiu com outro navio em Barking, justamente no local e no momento em que os dois gigantescos

Construção de um túnel para canalização de esgotos perto de Old Ford, zona leste de Londres.

tubos do emissário de esgotos entraram em ação. O *Princess Alice* afundou em menos de cinco minutos. Cerca de oitocentas pessoas se afogaram e se asfixiaram em um espesso mar de esgoto. Mesmo para os que sabiam nadar foi quase impossível avançar por entre aquela massa gelatinosa. Nos dias seguintes muitos cadáveres subiram à superfície. Muitos, segundo o *Times*, estavam tão inchados com bactérias gasosas que não couberam em caixões normais.

Em 1876, Robert Koch, na época um desconhecido médico de aldeia na Alemanha, identificou o micróbio *Bacillus anthracis*, responsável por antraz. Sete anos depois, identificou *Vibrio cholerae*, outro bacilo, como o causador da cólera. Finalmente, havia a prova de que certos microrganismos causavam doenças específicas. É incrível pensar que a humanidade já estava chegando à energia elétrica e ao telefone quando descobriu que os micróbios matam. Edwin Chadwick nunca acreditou nisso, e continuou, pelo resto da vida, sugerindo formas de eliminar os odores como receita de saúde. Uma das suas últimas propostas, e das mais singulares, foi construir por toda a Londres uma série de torres, segundo o modelo da nova Torre Eiffel de Paris. Na visão de Chadwick, as torres agiriam como poderosos ventiladores, puxando ar fresco e saudável das alturas e o bombeando para a rua no nível do solo. Chadwick foi para o túmulo, no verão de 1890, implacavelmente convicto de que a causa de epidemias eram os vapores atmosféricos.

Enquanto isso, Bazalgette passou para outros projetos. Construiu uma das pontes mais belas de Londres, em Hammersmith, Battersea e Putney, e abriu pelo centro de Londres várias ousadas ruas novas, destinadas a aliviar os congestionamentos, incluindo Charing Cross Road e Shatesbury Avenue. Tarde na vida recebeu o título de sir, mas nunca teve a fama que merecia — como, aliás, é de praxe com os engenheiros sanitários. Em sua honra há uma modesta estátua no Victoria Embankment, junto ao Tâmisa. Morreu poucos meses depois de Chadwick.

III

Na América, a situação era mais complicada do que na Inglaterra. Quem viajava à América do Norte se surpreendia com o fato de que ali as epidemias eram mais raras e mais brandas. E com uma boa razão: havia mais limpeza nas comunidades americanas. Nem tanto porque os americanos fossem mais exigentes em seus hábitos higiênicos, mas porque suas comunidades eram mais abertas e espaçosas, criando menos chances de contaminação e infecções cruzadas. No entanto, os habitantes do Novo Mundo tinham de enfrentar várias outras doenças, algumas totalmente incompreensíveis, como a "doença do leite". Na América quem bebia leite por vezes tinha delírios e logo morria — a mãe de Abraham Lincoln foi uma dessas vítimas; mas o leite contaminado tinha o mesmo sabor e cheiro do leite comum, e ninguém sabia qual era o agente infeccioso. Só quando o século XIX já estava bem avançado alguém finalmente deduziu que vinha de vacas que comiam uma planta chamada serpentária (*Eupatorium urticaefolium*), inofensiva para as vacas, mas que torna seu leite tóxico para o ser humano.

Ainda mais letal e temida era a febre amarela, doença viral assim chamada porque a pele das vítimas adquiria um tom amarelado. Os verdadeiros sintomas, porém, eram febre alta e vômito negro. A febre amarela chegou às Américas a bordo dos navios negreiros vindos da África. O primeiro caso foi em Barbados em 1647. Era uma doença horrível. Um médico que a contraiu disse que se sentia "como se três ou quatro ganchos estivessem fixados em cada globo ocular e uma pessoa, em pé atrás de mim, os estivesse puxando com toda força de suas órbitas para dentro da minha cabeça". Ninguém sabia qual era a causa, mas havia um sentimento geral — mais por instinto do que por certeza intelectual — de que a água pútrida era a raiz de tudo isso.

Em 1790, um heroico imigrante inglês chamado Benjamin Latrobe começou uma longa campanha para limpar o abastecimento de água. Latrobe só estava nos Estados Unidos devido a um infortúnio pessoal. Era arquiteto e engenheiro de sucesso na Inglaterra, quando em 1793 sua esposa morreu durante o parto. Desconsolado, ele decidiu emigrar para a América, país natal de sua mãe, para tentar reconstruir a vida. Por algum tempo foi o único no país com instrução formal em engenharia e arquitetura, e assim conseguiu muitas encomendas importantes, desde o edifício do Banco de Pensilvânia, na Filadélfia, até o novo Capitólio em Washington.

Sua principal preocupação, no entanto, era a convicção de que a água suja estava matando milhares de pessoas desnecessariamente. Depois de um devastador surto de febre amarela na Filadélfia, ele persuadiu as autoridades a aterrar os pântanos da cidade e trazer água limpa e fresca de fora dos limites urbanos. As mudanças tiveram um efeito milagroso e a febre amarela nunca mais voltou ao local com a mesma força. Latrobe levou seus esforços para outros lugares; por ironia, trabalhando em Nova Orleans em 1820, contraiu febre amarela e ali morreu.

As cidades que não melhoravam seu abastecimento de água recebiam pesadas multas. Até cerca de 1800, toda a água fresca de Manhattan vinha de uma única lagoa suja — pouco mais que um "esgoto comum", nas palavras de um contemporâneo — no sul de Manhattan, conhecida como a Collect Pond. Mas as coisas pioraram ainda mais quando houve um grande aumento da população, após a construção do canal de Erie. Na década de 1830 estimou-se que, a cada dia, as fossas da cidade recebiam uma centena de toneladas de dejetos, que contaminavam os poços próximos. A água em Nova York era, de modo geral, poluída e imprópria para beber, o que aparecia a olhos vistos. Em 1832, Nova York não só teve uma epidemia de cólera, como também de febre amarela. Juntas, as duas doenças fizeram quatro vezes mais vítimas do que na Filadélfia, que tinha um abastecimento mais limpo. O duplo surto serviu como estímulo para Nova York, tal como o "grande fedor" motivou Londres a agir, e em 1837 iniciou-se a construção do aqueduto de Croton. Quando concluído, em 1842, finalmente passou a fornecer água limpa e segura para os nova-iorquinos.

Mas o aspecto em que a América estava realmente à frente do resto do mundo era na abundância de banheiros privados. Aqui os principais interessados não eram as residências, mas sim os hotéis. O primeiro hotel do mundo a oferecer um banheiro para cada quarto foi o Mount Vernon Hotel, na cidade-balneário Cape May, Nova Jersey. Isso ocorreu em 1853 e estava tão à frente de seu tempo que mais de meio século se passou até que outros hotéis oferecessem tal extravagância. Mas aos poucos os banheiros — mesmo que compartilhados e no corredor, e não particulares e dentro do quarto — se tornaram padrão nos hotéis, primeiro nos Estados Unidos e depois na Europa, e os hoteleiros que não seguiram essa tendência pagaram um alto preço.

Isso foi demonstrado de forma memorável no vasto e glorioso Midland Hotel, na estação de Saint Pancras, em Londres. Projetado pelo grande George Gilbert Scott, também responsável pelo Albert Memorial, o Midland foi concebido para ser o hotel mais magnífico do mundo quando foi inaugurado, em

1873. Custou o equivalente a 300 milhões de libras em dinheiro de hoje, e era uma maravilha em quase todos os sentidos. Infelizmente, Scott ofereceu apenas quatro banheiros para serem usados por seiscentos quartos. Desde o dia da inauguração, o hotel foi um fracasso.

Nas casas particulares a situação variava muito. Até quase no fim do século xix, muitas casas tinham encanamento de água na cozinha e talvez para uma privada no andar térreo; mas faltava um banheiro adequado, pois não havia pressão suficiente nos canos para levar a água para o segundo andar. Na Europa, mesmo quando a pressão da água permitia, os ricos mostravam uma relutância inesperada em adotar o banheiro em sua vida. "Os banheiros são para os criados", disse com desprezo um aristocrata inglês. Ou como o duque de Doudeauville, na França, respondeu com arrogância quando indagado se instalaria encanamentos em sua nova casa: "Não estou construindo um hotel". Os americanos, ao contrário, se mostraram muito mais apegados às alegrias da água quente e dos wcs com descarga. Quando William Randolph Hearst, magnata americano dos jornais, comprou Saint Donat's, um castelo no País de Gales, a primeira coisa que fez foi instalar 32 banheiros.

De início ninguém decorava um banheiro, assim como hoje não pensamos em decorar um porão ou a casa das máquinas; eram friamente utilitários. Nas casas já existentes, o banheiro tinha de ser colocado onde fosse possível. Normalmente tomavam o lugar de um quarto de dormir, mas às vezes eram enfiados em algum canto ou alcova. Na casa paroquial de Whatfield, em Suffolk, o banheiro foi simplesmente colocado atrás de um biombo no saguão de entrada. As banheiras, as pias e os vasos sanitários eram dos mais variados tamanhos. Em Lanhydrock House, na Cornualha, havia uma banheira tão grande que para entrar era preciso subir numa escadinha. Outras, com chuveiros, pareciam projetadas para dar banho em cavalos.

Os problemas tecnológicos também retardaram a generalização dos banheiros. Fundir uma banheira em uma só peça, de modo que não fosse muito grossa nem muito pesada, era uma tarefa dificílima. Era mais fácil, de certa forma, construir uma ponte de ferro fundido do que uma banheira de ferro fundido. Havia também o problema de dar à banheira um acabamento que resistisse bem, sem lascar, manchar, criar mil finas rachaduras ou simplesmente desgastar-se. A água quente mostrou ser altamente corrosiva. As banheiras de cobre, zinco e ferro fundido eram esplêndidas quando novas, mas não conservavam o acabamento. Foi apenas com a invenção da porcelana esmaltada, por volta de 1910, que as banheiras se tornaram duráveis e bonitas. O processo envolvia espargir uma mistura em pó no ferro fundido e colocar no forno repetidas vezes até adquirir um brilho semelhante ao da porcelana. Na verdade, a porcelana esmaltada não é feita de porcelana, nem de esmalte, mas sim de um revestimento vítreo — em essência, um tipo de vidro. A superfície esmaltada da banheira seria transparente, se não fosse acrescentado ao composto vítreo um branqueador ou outro corante.

Por fim, o mundo tinha banheiras bonitas e que assim se conservavam por longo tempo. Mas ainda eram extremamente caras. Só a banheira podia facilmente custar duzentos dólares em 1910 — muito além do alcance da maioria das famílias. Mas, à medida que os fabricantes melhoraram os processos de produção em massa, os preços caíram e em 1940 um americano poderia comprar um conjunto completo para o banheiro — pia, vaso sanitário e banheira — por setenta dólares, um preço acessível para a maioria.

Em outras partes do mundo, porém, a banheira continuou sendo um luxo. Na Europa, grande parte do problema era a falta de espaço para colocá-la. Na França, em 1954 apenas uma em cada dez residências tinha chuveiro ou banheira. Na Inglaterra, a jornalista Katharine Whitehorn recordou que, já em fins dos anos 1950, ela e suas colegas da revista feminina *Women's Own* não tinham permissão para publicar matérias sobre banheiros, pois eles existiam em poucos lares britânicos e esses artigos só serviriam para despertar inveja.

Quanto à nossa antiga casa paroquial, não tinha banheiro em 1851, o que, naturalmente, não é surpresa. Mas o arquiteto, o sempre fascinante Edward Tull, incluiu na planta um pequeno WC — uma grande novidade em 1851. Maior novidade ainda foi o lugar onde ele decidiu colocá-lo: no patamar da escada principal, atrás de uma fina divisória. Além de ser um lugar estranho e inconveniente, a partição teria o efeito de tapar a janela da escada, deixando-a em permanente escuridão.

A ausência de qualquer encanamento de saída nos desenhos do exterior da casa sugere que Tull não pensou muito bem em todas essas questões. De qualquer forma, pouco importa, pois esse WC nunca foi construído.

17. O quarto de vestir

I

No fim de setembro de 1991, dois alpinistas alemães, Helmut e Erika Simon, de Nuremberg, passavam por uma geleira no alto dos Alpes, na parte sul do Tirol, em um lugar chamado Passe de Tisenjoch, na fronteira entre a Áustria e a Itália, quando depararam com um corpo humano que se projetava do gelo na borda da geleira. O corpo estava coriáceo e emaciado, mas intacto.

Não querendo interromper seu feriado, os Simon pensaram brevemente na hipótese de não contar a ninguém; mas depois a consciência falou mais alto e decidiram fazer um desvio de três quilômetros até um abrigo de apoio aos excursionistas em Similaun, nas montanhas, para relatar sua descoberta. Quando a polícia chegou, logo viu que o assunto não cabia a ela, mas sim a arqueólogos e especialistas em pré-história. Junto ao corpo foram encontrados objetos de uso pessoal — um machado de cobre, uma faca de pedra, flechas e aljava — que remontavam a um passado muito mais remoto e primitivo.

A posterior datação por radiocarbono mostrou que o homem havia morrido mais de 5 mil anos antes. Foi logo apelidado de Ötzi, nome do grande vale mais próximo, o Ötztal; outros o chamaram de Homem do Gelo. Ötzi tinha não apenas um conjunto completo de ferramentas, mas também todas as suas roupas. Nenhum espécime tão completo e antigo já tinha sido encontrado.

Ao contrário do que muitos pensam, quando um corpo cai em uma geleira, quase nunca sai do outro lado impecavelmente preservado. As geleiras se agitam e trituram lentamente, mas com força brutal; os corpos que estão dentro delas em geral são esmagados até se reduzirem a moléculas. Ocasionalmente são esticados a comprimentos bizarros, como personagens achatados por um rolo compressor em um desenho animado. Se o oxigênio não chegar ao corpo, este pode sofrer um processo chamado saponificação, em que a carne se transforma em uma substância cerosa e fétida, chamada adipocera. Esses corpos têm uma aparência estranhíssima, como se tivessem sido esculpidos em sabão, perdendo quase toda a definição de seus contornos.

O corpo de Ötzi só foi preservado de maneira assim tão extraordinária por uma combinação de circunstâncias excepcionalmente favoráveis. Em primeiro lugar, morreu em campo aberto num dia seco, e, com a temperatura caindo rapidamente, foi preservado no gelo. Foi em seguida recoberto por uma série de nevascas leves e secas e, provavelmente, continuou nesse estado frígido durante anos, até ser lentamente engolido pela geleira. Mesmo assim, ficou em um redemoinho na margem da geleira, que o preservou — e, não menos importante, a seus bens — impedindo que fossem dispersos e esmagados. Se Ötzi tivesse morrido alguns passos mais perto da geleira, ou um pouco mais abaixo no declive, ou na garoa, ou ao sol, ou em qualquer outra circunstância, ele não estaria conosco hoje. Mesmo que em vida Ötzi tenha sido um indivíduo comum, na morte se tornou o mais raro dos cadáveres.

O que fez a descoberta de Ötzi tão emocionante foi que não se tratava de um enterro, com objetos pessoais cuidadosamente dispostos ao redor, mas de uma pessoa que morrera daquele modo, com os objetos que ainda levava consigo. Nada semelhante havia sido encontrado antes, e quase tudo foi desfeito por quatro dias de manipulações entusiasmadas para livrar o corpo do gelo. Para ser justo, as autoridades estavam sob pressão para retirar o corpo, já que o inverno se aproximava; mesmo assim, as normas de preservação durante a recuperação foram totalmente ignoradas. Curiosos e turistas tinham autorização para dar machadadas, tentando quebrar o gelo que abrigava o corpo. Um ajudante bem-intencionado apoderou-se de um pedaço de pau e tentou escavar com ele, mas a vareta se partiu em duas. "A vareta", relatou a revista

National Geographic, "era, na verdade, parte da moldura de aveleira e lariço da mochila do Homem de Gelo". Os voluntários, em suma, estavam tentando retirar o cadáver usando seus próprios antigos e inestimáveis artefatos.

O caso foi tratado pela polícia austríaca, e o corpo, liberto do gelo, foi logo levado para um frigorífico em Innsbruck. Mas uma investigação posterior com GPS comprovou que Ötzi fora encontrado, na verdade, em território italiano; depois de algumas disputas judiciais, os austríacos foram obrigados a entregar o precioso corpo, e Ötzi foi levado para a Itália, pela Passagem de Brenner.

Hoje, Ötzi jaz sobre uma placa de vidro em uma sala refrigerada do Museu Arqueológico de Bolzano, cidade de língua alemã no norte da Itália. Sua pele tem a cor e a textura do couro fino e está bem esticada sobre seus ossos. Em seu rosto há uma expressão semelhante a resignação e cansaço. Desde que foi retirado da montanha, há quase vinte anos, Ötzi se tornou o ser humano mais estudado pela ciência forense em toda a história. Os cientistas conseguiram determinar muitos detalhes da sua vida com uma precisão surpreendente. Usando microscópios eletrônicos, concluíram que no dia da sua morte ele havia consumido carne de íbex e de veado, pão feito de um tipo de trigo chamado espelta e alguns vegetais não identificados. A partir de grãos de pólen recuperados do cólon e do pulmão, deduziram que ele tinha morrido na primavera e havia começado o dia no vale abaixo. Estudando vestígios de isótopos em seus dentes, conseguiram descobrir até mesmo o que ele comia quando criança e, portanto, onde ele tinha sido criado. Concluíram que ele havia crescido no Vale Isarco, na atual Itália, e depois se mudara para um vale chamado Vinschgau, mais a oeste, próximo da atual fronteira com a Suíça. A maior surpresa foi a sua idade: pelo menos quarenta anos, mas possivelmente 53, tornando-o excepcionalmente velho para o período. Mas também havia muita coisa que não conseguiram explicar — como ele morreu e o que estava fazendo nessa ocasião a quase três quilômetros acima do nível do mar. Seu arco não tinha corda e estava incompleto, e a maioria das flechas não tinha penas, sendo assim inúteis, mas, por alguma razão, ele as levou consigo.

Normalmente, pouca gente para em pequenos museus arqueológicos em cidades remotas do interior, mas o museu de Bolzano fica repleto de visitantes durante todo o ano, e sua loja vende muitos suvenires do Ötzi. Os visitantes fazem fila para dar uma espiadinha nele por uma pequena janela. Ele jaz nu, de costas sobre uma placa de vidro. Sua pele escura brilha em meio ao vapor de água continuamente borrifado sobre ele como conservante. Na verdade, não há nada intrinsecamente especial no Ötzi. É um ser humano completamente normal, ainda que muito antigo e bem preservado. O que é extraordinário são as suas muitas posses. Como objetos materiais, equivalem a uma viagem no tempo.

Ötzi levava consigo um monte de coisas — sapatos, roupas, duas caixas de casca de bétula, uma bainha para faca, um machado, uma aljava, arco e flechas, diversas pequenas ferramentas, algumas frutinhas, um pedaço de carne de íbex e dois pedaços redondos de fungo de bétula, cada um do tamanho de uma noz grande, cuidadosamente presos com um tendão animal. Uma das caixas continha, originalmente, brasas vivas, envoltas em folhas de bordo, para acender fogo. Esse agrupamento de objetos pessoais é extraordinário. Alguns artefatos eram de fato únicos, pois nunca tinham sido imaginados e muito menos vistos. O fungo de bétula já é um mistério, pois sem dúvida era preservado como algo de grande valor, embora não possua nenhuma utilidade conhecida hoje.

Seu equipamento era feito de dezoito diferentes tipos de madeira — uma variedade notável. A ferramenta mais surpreendente era o machado. Tinha lâminas de cobre e era de um tipo conhecido como "machado de Remedello", nome de um sítio arqueológico na Itália onde foi encontrado pela primeira vez. Mas o machado de Ötzi era centenas de anos mais velho que o mais antigo machado de Remedello. Nas palavras de um observador, "foi como se encontrassem um rifle moderno no túmulo de um guerreiro medieval". O machado de Ötzi alterou o período da Idade do Cobre na Europa em nada menos de mil anos.

Mas a revelação mais interessante foram as roupas. Antes de Ötzi, não tínhamos ideia — ou melhor, tínhamos apenas ideias — de como as pessoas da Idade da Pedra se vestiam. Os poucos materiais que sobreviveram eram apenas fragmentos. Agora, nas mãos dos pesquisadores, havia um traje completo e cheio de surpresas. Suas roupas eram feitas de peles e couros de uma impressionante variedade de animais — veado-vermelho, urso, camurça, cabra e boi. Ele também tinha consigo um retângulo de grama trançada de quase um metro de comprimento. Pode ter sido uma espécie de capa de chuva, ou talvez um colchonete. De novo, nada parecido com isso já fora visto ou imaginado.

Ötzi usava calça de pele, sustentada por tiras de couro ligadas a uma cinta que a faziam parecer estranhamente — quase comicamente — com aquele tipo de meia-calça de náilon e cinta-liga que as beldades de Hollywood usavam na Segunda Guerra Mundial. Ninguém tinha previsto esses trajes, nem remotamente. Ele usava ainda uma tanga de pele de cabra e um chapéu de pele de urso-pardo — provavelmente uma espécie de troféu de caça. Devia ser muito quente e invejavelmente elegante. O resto de sua roupa era feita, na maior parte, de couro e pele de veado-vermelho. Quase nada disso vinha de animais domesticados — o oposto do que era esperado.

As botas foram a maior surpresa de todas. Pareciam um par de ninhos de pássaros em cima de uma sola de pele de urso enrijecida, muito mal concebidas e frágeis. Intrigado, um perito em pés e sapatos tcheco, chamado Vaclev Patek, montou cuidadosamente um par de réplicas, usando exatamente o mesmo desenho e os mesmos materiais, e experimentou-os numa caminhada pelas montanhas. As botas eram, relatou ele com certo espanto, "mais confortáveis e eficientes" do que qualquer bota moderna que ele já tinha usado. Sua aderência às rochas escorregadias era melhor que a da borracha moderna, e era praticamente impossível ficar com bolhas. E, sobretudo, eram extremamente eficazes contra o frio.

Apesar de todas as investigações forenses, dez anos se passaram antes que alguém notasse que, inserida no ombro esquerdo de Ötzi, havia uma ponta de flecha. Uma inspeção mais detalhada revelou ainda que suas roupas e armas estavam salpicadas com o sangue de quatro outras pessoas. A conclusão foi que Ötzi fora morto em algum confronto violento. Por que seus assassinos o perseguiram até uma passagem no alto de uma montanha não é uma pergunta fácil de responder, mesmo com meras suposições. Ainda mais misterioso é o motivo pelo qual os assassinos não tomaram seus pertences. Os objetos pessoais de Ötzi, especialmente o machado, tinham grande valor. Contudo, depois de persegui-lo por uma boa distância e atacá-lo em uma luta sangrenta — sem dúvida é necessário um embate brutal para tirar sangue de quatro pessoas —, deixaram-no onde ele caiu, com as suas posses intocadas. Sorte nossa, pois esses objetos podem esclarecer questões até agora sem resposta, exceto aquela que parece fadada a nos atormentar para sempre — a saber, o que aconteceu lá em cima?

Estamos no quarto de vestir — ou, pelo menos, no cômodo assim chamado nos planos originais de Edward Tull. Uma das muitas curiosidades arquitetônicas de Tull foi que o projeto não oferecia acesso direto entre o quarto de vestir e o quarto do sr. Marsham logo ao lado; cada um, em separado, dava para o corredor no andar de cima. Portanto, para vestir-se ou despir-se, o sr. Marsham teria de deixar o seu quarto e dar alguns passos pelo corredor até o vestiário — algo estranho, tendo em conta que bem em frente ficava o "Quarto da criada" —, ou seja, o da srta. Worm, a fiel solteirona que o atendia. Tal arranjo provavelmente criava encontros ocasionais embaraçosos; ou talvez não. Outra coisa estranha é que esses dois quartos estão próximos demais, considerando como era rigorosa a separação entre seus domínios durante o dia. É certamente uma casa difícil de compreender.

De toda forma, o sr. Marsham deve ter mudado de ideia, pois, na casa tal como foi construída, o vestiário e o quarto estão, na verdade, conectados. O vestiário é agora, e provavelmente foi durante meio século, um banheiro. Entretanto, nós ainda nos vestimos ali, o que também é bom, porque viemos a esse quarto para falar sobre a longa e misteriosa história das roupas.

Há quanto tempo as pessoas se vestem? Não é uma pergunta fácil de responder. Tudo o que se pode dizer é que, cerca de 40 mil anos atrás, após um período imensamente longo em que o ser humano não fazia muita coisa além de procriar e sobreviver, surgiu das sombras uma espécie com cérebro grande e comportamento moderno, chamada Cro-Magnon (nome de uma caverna francesa de Dordogne onde foi encontrada pela primeira vez); e alguém dessa nova espécie criou uma das maiores e mais subestimadas invenções da história: o barbante. O barbante é maravilhosamente elementar. Ele consiste de apenas dois pedaços de fibra colocados lado a lado e torcidos. Isso possibilita duas coisas: cria uma corda forte, e permite fazer uma corda longa a partir de fibras curtas. Tente imaginar onde estaríamos sem o barbante. Não haveria tecidos nem roupas, nem linhas de pesca, redes, armadilhas, cordas, correias, tipoias, os arcos do arco e flecha e mil outras coisas úteis. Elizabeth Wayland Barber, historiadora têxtil, não exagerou quando o chamou de a "arma que permitiu à raça humana conquistar a terra".

Historicamente, as duas fibras mais comuns eram o linho e o cânhamo. O linho, extraído de uma planta do mesmo nome, era popular por crescer rápido e alcançar 1,20 metro de altura. O linho pode ser plantado em um mês e colhido no mês seguinte. A desvantagem é que o linho exige muito esforço de preparação. Cerca de vinte procedimentos diferentes são necessários para separar as fibras do linho do seu caule lenhoso e amaciá-las o suficiente para a fiação. Essas ações têm nomes misteriosos em inglês como *braking*, *retting*, *swingling* e *heckling*, mas, basicamente, consistiam em bater a planta, descascar, esmagar, mergulhar em líquidos, e assim separar do caule a maleável fibra interna. É notável pensar que o verbo inglês *to heckle* [interromper ou importunar um orador] lembra a preparação do linho na alta Idade Média.

O resultado de todo esse esforço era um tecido resistente e adaptável: o linho. Costumamos pensar que o linho é branco como a neve, mas a sua cor natural é marrom. Para que se torne branco é preciso alvejar ao sol, um processo lento que pode levar meses. O material inferior não era branqueado, e servia para fazer lona ou sacos de aniagem. A principal desvantagem do linho é que ele não absorve bem as tinturas, e portanto não há muito o que fazer para torná-lo interessante.

O cânhamo é mais ou menos semelhante ao linho, porém mais áspero e não tão confortável, por isso costumava ser usado para velas e cordames dos navios veleiros. Sua evidente e considerável vantagem é que se pode fumá-lo para ficar "alto", o que Barber acredita ser o fator responsável pela sua rápida disseminação e prevalência na Antiguidade. Para ser franco, as pessoas em toda a Antiguidade gostavam muito do cânhamo, e cultivavam mais do que o necessário para suas cordas e velas.

Mas o material básico usado nas roupas da Idade Média era a lã. A lã era muito mais quente e resistente do que o linho, mas as fibras de lã são curtas e difíceis de trabalhar, ainda mais porque as ovelhas primitivas eram criaturas que davam muito pouca lã. Originalmente não passava de uma camada interna, junto ao corpo, debaixo de uma maçaroca de chumaços emaranhados. Para transformar as ovelhas nos montinhos de lã macia que conhecemos e valorizamos hoje, gastaram-se séculos de dedicado aperfeiçoamento genético. Além disso, no início a lã não era tosada, mas dolorosamente arrancada. Não é de admirar que as ovelhas sejam animais tão ariscos perto dos seres humanos.

Na Idade Média, mesmo quando as pessoas já tinham diante de si um monte de lã, ainda havia um árduo trabalho pela frente. Para obter o pano, era necessário lavar a lã, pentear, cardar, urdir, engomar, entre muitos outros processos. Era preciso bater e encolher o tecido, e depois lhe dar um revestimento.

Pentear as fibras cria um tecido resistente, mas relativamente rígido, chamado *worsted* em inglês. Para obter um pano mais macio é preciso cardar ou amaciar as fibras com um pente próprio. Por vezes se incluía na mistura o pelo de doninhas, arminhos e outros animais, para tornar o pano mais lustroso.

O quarto tecido principal era a seda — um raro luxo que valia, literalmente, seu peso em ouro. Os relatos de crimes nos séculos XVIII e XIX quase sempre falam de criminosos que eram presos ou deportados para a Austrália por roubar um lenço, ou um pacotinho de rendas, ou alguma outra coisa que pode parecer uma bagatela, mas na verdade era um artigo de grande valor. Um par de meias de seda podia custar cinco libras, e um pacote de rendas podia ser vendido por vinte libras — o suficiente para viver uns dois anos e uma perda muito grave para qualquer lojista. Um manto de seda custava cinquenta libras — além do alcance de qualquer um que não pertencesse à alta nobreza. Quando as pessoas em geral tinham alguma peça de seda, esta seria apenas uma fita ou outro acabamento. Os chineses guardavam ferozmente os segredos da produção de seda; a punição para quem exportasse uma única semente de amoreira era a execução. Pelo menos não precisavam se preocupar com o norte da Europa, pois as amoreiras são muito sensíveis à geada para crescer ali. A Grã-Bretanha tentou durante um século produzir seda, às vezes conseguindo bons resultados, mas no final não superou o problema dos invernos rigorosos.

Contando com esses poucos materiais, e alguns enfeites como arminho e penas de aves, as pessoas conseguiam fazer roupas maravilhosas — tanto assim que, no século XIV, os governantes sentiram a necessidade de introduzir as leis conhecidas como "suntuárias", para restringir o que o povo podia vestir. As leis suntuárias previam com uma precisão fanática quais materiais e cores de tecidos era permitido usar. Na época de Shakespeare, uma pessoa com uma renda de vinte libras anuais podia usar um casaco de cetim, mas não um manto de cetim, enquanto outro que ganhasse cem libras por ano não tinha restrições para usar cetim, mas só poderia usar veludo no casaco, e apenas se não fosse veludo carmesim ou azul — as cores reservadas para pessoas de status ainda mais elevado. Também havia restrições sobre a quantidade de tecido que se podia empregar em determinado artigo de vestuário, e se ele podia ser usado com pregas, ou apenas liso, e assim por diante. Em 1603, quando Shakespeare e seus colegas atores conseguiram o patrocínio do rei Jaime I, uma das vantagens foi receberem, e serem autorizados a usar, cerca de quatro metros de tecido escarlate — uma honra considerável para alguém com uma profissão tão imoral como a de ator.

As leis suntuárias foram promulgadas em parte para manter as pessoas em suas respectivas classes sociais, mas também para o bem da indústria nacional, já que muitas vezes eram destinadas a reduzir a importação de tecidos estrangeiros. Pelo mesmo motivo, por um tempo houve um "Estatuto dos gorros", destinado a ajudar os fabricantes de gorros que passavam por dificuldades. O estatuto obrigava a população a usar gorros em vez de chapéus. Por razões obscuras, os puritanos se revoltavam com essa lei e muitas vezes eram multados por desrespeitá-la. Mas de modo geral as leis suntuárias não eram aplicadas com fervor. Várias restrições sobre o vestuário foram consagradas nos estatutos de 1337, 1363, 1463, 1483, 1510, 1533 e 1554; mas os registros mostram que elas nunca foram muito cumpridas. Todas foram revogadas por completo em 1604.

Para quem tem uma inclinação racional, a moda pode ser quase impossível de entender. Ao longo de vários períodos da história — talvez a maior parte — pode parecer que todo o esforço da moda se destina a maximizar o ridículo. E, se o desconforto da pessoa também fosse maximizado, o triunfo é ainda maior.

Vestir-se de maneira pouco prática é uma forma de mostrar que a pessoa não precisa fazer trabalho físico. Ao longo da história, e em muitas culturas, isso em geral tem sido muito mais importante do que o conforto. No século XVI, para dar apenas um exemplo, a renda engomada entrou na moda. O resultado foi a magnífica gola de tufos engomados conhecida como *piccadill*. Essas golas enormes tornavam tarefas como comer quase impossíveis, e exigiam colheres especiais de cabo comprido, para que a pessoa pudesse levar a comida à boca. Mas devia haver muita gente salivando tristemente e uma sensação geral de fome na hora das refeições.

Mesmo as coisas mais simples eram de uma gloriosa inutilidade. Quando os botões se difundiram, por volta de 1650, as pessoas não se fartavam deles e os usavam em profusão, decorando as costas, a gola e as mangas dos casacos, onde realmente de nada serviam. Uma relíquia dessa época é a pequena fileira de botões inúteis que ainda são costurados na parte inferior das mangas do paletó, perto do punho. Eles sempre foram puramente decorativos e nunca tiveram finalidade alguma; e ainda assim, 350 anos depois, continuamos a citá--los como se fossem uma séria necessidade.

Talvez a moda mais irracional de todas tenha sido o hábito masculino, que perdurou por 150 anos, de usar perucas. Samuel Pepys, como em tantas outras coisas, estava na vanguarda e registrou com certa apreensão a compra de uma peruca em 1663, quando ainda não eram comuns. Era uma tamanha novidade que ele temia ser caçoado na igreja, e foi com muito alívio, e um pouco de orgulho, que constatou que isso não ocorreu. Ele também se preocupava, não sem razão, que o cabelo das perucas pudesse vir de vítimas de peste. Talvez nada diga mais sobre o poder da moda do que o fato de ele ter continuado a usar perucas, mesmo suspeitando que elas poderiam matá-lo.

As perucas podem ser feitas de quase tudo — seda, cabelo humano, pelo de cavalo, fios de algodão, pelo de cabra. Um fabricante anunciou um modelo feito de arame fino. Elas tinham diversos estilos — *bag, bob, riding bob, grizzle, Ramillies,* campanha, couve-flor, laço marrom e muitas mais, cada uma com alguma diferença crucial no comprimento ou na elasticidade dos cachos. Uma peruca completa podia custar cinquenta libras, e elas eram tão valiosas que eram deixadas como herança em testamentos. Quanto mais imponente a peruca, mais elevada era a pessoa na hierarquia social — quase como uma coroa. Criou-se a gíria inglesa *"bigwig"* [peruca grande], denominando uma pessoa muito importante. As perucas também eram uma das primeiras coisas que os ladrões procuravam roubar. O ridículo dos apliques exagerados não escapou das garras da comédia. Vanbrugh, em *The relapse*, fez um de seus personagens, um peruqueiro, gabar-se de que era capaz de fabricar uma peruca "tão longa e cheia de cabelo que pode lhe servir de chapéu e capa no mau tempo".

As perucas em geral eram ásperas, desconfortáveis e quentes, sobretudo no verão. Para torná-las mais suportáveis, muitos homens raspavam a cabeça, por isso ficaríamos muito surpresos se víssemos figurões famosos dos séculos XVII e XVIII no estado em que suas esposas os viam ao acordar pela manhã. Era uma situação inusitada: durante um século e meio, os homens se livravam do seu próprio cabelo, que era perfeitamente confortável, e no seu lugar cobriam a cabeça com um objeto estranho e desconfortável. Muitas vezes a peruca era feita com o cabelo da própria pessoa. Quem não podia comprar esse objeto indispensável tentava pentear o cabelo de modo que *parecesse* uma peruca.

* * *

As perucas exigiam muita manutenção. Uma vez por semana tinham que ser mandadas a um especialista para que os *bucles* (do francês *boucles*, cachos) fossem remodelados, usando rolinhos térmicos e, possivelmente, aquecidos no forno; um processo conhecido como *fluxing*. Por volta de 1700, por razões que nada tinham a ver com o bom senso ou a praticidade, tornou-se necessário, para seguir a moda, despejar diariamente sobre a cabeça uma nevasca de algum pó branco. Para isso a substância mais usada era a farinha comum. Na década de 1770, quando as colheitas de trigo na França quebraram, houve tumultos por toda parte quando os famintos perceberam que as diminutas reservas de farinha não estavam sendo usadas para fazer pão, mas sim para empoar a cabeça privilegiada dos aristocratas. Ao final do século XVIII, vendia-se um pó perfumado para o cabelo, de várias cores — azul e rosa eram as mais populares.

Podia-se empoar a peruca colocada em um suporte de madeira, mas conseguia-se a máxima elegância aplicando o pó com ela já na cabeça. O procedimento exigia que o proprietário colocasse sua peruca, cobrisse os ombros e a parte superior do corpo com um pano e enfiasse o rosto em um funil de papel (para evitar asfixiar-se), enquanto um criado ou cabeleireiro, equipado com um fole, espalhava nuvens de pó sobre sua cabeça. Algumas pessoas mais exigentes levavam as coisas ao extremo. Certo príncipe Raunitz empregava quatro pajens, que sopravam com os foles quatro nuvens de pó, cada uma de uma cor, através das quais o príncipe caminhava rapidamente, a fim de obter o exato efeito desejado. Ao saber disso, lorde Effingham passou a empregar cinco cabeleireiros franceses apenas para cuidar do seu cabelo; lorde Scarborough contratou seis.

E então, abruptamente, a peruca saiu de moda. Os peruqueiros, em desespero, pediram ao rei George III que tornasse a peruca obrigatória para os homens, mas o rei se recusou. No início dos anos 1800 ninguém mais queria perucas, e as antigas eram usadas como espanadores de pó. Hoje elas ainda sobrevivem em certos tribunais da Grã-Bretanha e da Comunidade Britânica. Nos nossos dias as perucas usadas no judiciário são feitas de crina de cavalo e custam cerca de seiscentas libras, pelo que me disseram. Para evitar que pareçam muito novas, sugerindo inexperiência, muitos advogados mandam mergulhá-las em chá, para lhes dar uma aparência mais antiga e venerável.

Já as mulheres levaram o cabelo e a peruca, literalmente, a outro nível — erguendo-os sobre uma armação de arame conhecida como *pallisade* ou *commode*. Misturando o próprio cabelo com lã e crina de cavalo untadas com sebo, o penteado poderia alcançar alturas monumentais. As perucas femininas chegavam a atingir 75 centímetros, fazendo com que a usuária média atingisse 2,20 metros de altura. Quando viajava para um compromisso, a mulher muitas vezes tinha que se sentar no chão da carruagem, ou manter a cabeça para fora da janela. Foram registradas pelo menos duas mortes de mulheres quando seu cabelo pegou fogo ao encostar num candelabro.

O cabelo das mulheres tornou-se tão complicado que todo um novo vocabulário surgiu para descrevê-lo, e tão ornamentado que os cachos, ou parte deles, ganharam nomes especiais — *frivolité, des migraines, l'insurgente, monte la haut, sorti, frelange, flandon, burgoigne, choux, crouche, berger, confident* e muitos outros. (O *chignon*, ou coque, nome dado ao cabelo preso na nuca, é a única palavra que ainda sobrevive desse extenso vocabulário.) Arrumar o cabelo dava tanto trabalho que não era incomum que as mulheres o deixassem intocado durante meses, exceto para acrescentar um pouco de cola de vez em quando, para manter tudo bem cimentado no lugar. Muitas dormiam com o pescoço em blocos de madeira especiais para manter seus penteados elevados e imperturbados. Uma das consequências da falta de lavagem era que o cabelo muitas vezes ficava repleto de insetos, especialmente carunchos. Segundo consta, uma mulher abortou quando descobriu que havia um ninho de camundongos no seu segundo andar.

O apogeu dos penteados enormes para mulheres foi a década de 1790, quando os homens já estavam desistindo das perucas. Em geral as perucas eram enfeitadas com fitas e penas, ou mesmo com artifícios mais elaborados. John Woodforde, em sua história da vaidade, menciona uma mulher que tinha um navio em miniatura completo, com velas e canhões, velejando sobre ondas de penteado, como que o protegendo de uma invasão.

Nessa mesma época, tornou-se moda usar pintas ou verrugas artificiais, conhecidas como *mouches* [moscas, em francês]. Gradualmente, elas tomaram formas, como estrela ou lua crescente, e eram usadas no rosto, no pescoço e nos ombros. Foi dito que certa dama tinha uma carruagem com seis cavalos galopando pelas faces. No auge da moda, as pessoas usavam tantas *moscas* que devia parecer que estavam cobertas de moscas verdadeiras. As pintas eram usa-

Penteados extremos: Miss Prattle consultando o dr. Double Fee sobre seu penteado "Panteão".

das tanto pelos homens como pelas mulheres, e dizia-se que refletiam a orientação política da pessoa, conforme eram usadas na bochecha direita (*whigs*) ou na esquerda (tories). Da mesma forma, um coração na bochecha direita sinalizava que a dona era casada, e na bochecha esquerda, que estava noiva. As pintas tornaram-se tão complicadas e variadas que também geraram todo um vocabulário; assim, uma *mosca* no queixo era conhecida como *silencieuse*, no nariz era chamada de *l'impudente* ou *l'effrontée*, no meio da testa era a *majesteuse*, e assim por diante na cabeça toda. Nos anos 1780 — só para mostrar que o ridículo criativo não conhecia limites — houve uma breve moda de usar sobrancelhas falsas, feitas de pele de rato.

As pintas, ao menos, não eram tóxicas — ou seja, praticamente o único acessório de beleza que não fazia mal à saúde em todos aqueles séculos. Havia na Inglaterra uma longa tradição de envenenar a si próprio em nome da beleza. As pupilas podiam ser atrativamente dilatadas com gotas de beladona. A mais perigosa de todas as substâncias era o alvaiade, uma pasta feita com carbonato de chumbo branco, e vulgarmente conhecida como "tinta branca". O alvaiade era muito popular. As mulheres com cicatrizes de varíola o aplicavam como uma espécie de massa corrida para preencher as cavidades; mas também mulheres livres de manchas o usavam para conseguir uma linda palidez fantasmagórica. O alvaiade permaneceu popular por longo tempo. A primeira referência a ele como cosmético data de 1519, quando foi registrado que as mulheres da moda "embranquecem o rosto, o pescoço e os seios com alvaiade". Em 1754 o periódico *Connoisseur* ainda se espantava ao ver que "todas as mulheres que você encontra estão lambuzadas de unguento de alvaiade e gesso". O alvaiade tinha três problemas principais: rachava quando a usuária sorria ou fazia caretas; ficava cinza depois de algumas horas; e, se usado por longos períodos, podia até matar. No mínimo, poderia fazer os olhos incharem dolorosamente e os dentes se soltarem e caírem. Pelo menos duas divas bem conhecidas, a cortesã Kitty Fisher e a *socialite* Maria Gunning, condessa de Coventry, teriam morrido de envenenamento por alvaiade, ambas na casa dos vinte anos; mas não se pode nem imaginar quantas outras tiveram a vida abreviada ou a constituição abalada devido ao seu apego ao alvaiade.

Também as poções tóxicas eram muito populares. Até o século XIX, muitas mulheres bebiam uma mistura chamada "solução de Fowler", que era, na verdade, nada mais que arsênico diluído, para melhorar a tez. A esposa de

Dante Gabriel Rossetti, Elizabeth Siddal (mais lembrada por ter sido o modelo para o quadro *Ofélia*, de John Everett Millais), era adepta dessa solução, o que, quase com certeza, contribuiu para sua morte prematura em 1862.*

Os homens também usavam maquiagem, e, durante um século ou mais, se inclinavam a mostrar-se incrivelmente afeminados, às vezes nas circunstâncias mais surpreendentes. O irmão de Luís XIV, o duque de Orléans, "apesar de ser um dos sodomitas mais famosos da história", nas palavras extremamente diretas de Nancy Mitford, foi um soldado corajoso, mas pouco ortodoxo. Chegava ao campo de batalha "pintado, empoado, com os cílios colados um no outro, coberto de fitas e diamantes", escreve ela em *O Rei Sol*. "Jamais usava chapéu, para não achatar a peruca. Uma vez em ação, era valente como um leão, com medo apenas do que o sol e a poeira poderiam fazer à sua pele." Tanto homens como mulheres enfeitavam o cabelo com plumas e penas, e atavam fitas às suas madeixas. Alguns homens passaram a usar sapatos de salto alto — e não eram desajeitados sapatos plataforma, mas sim finos saltos agulha de até quinze centímetros de altura. Também usavam regalos de veludo para manter as mãos quentes. Alguns andavam com sombrinhas no verão. Quase todos se encharcavam de perfume. Ficaram conhecidos como os *macaroni*, nome de um prato que conheceram em suas viagens à Itália.

Logo, é curioso que as pessoas que conseguiram impor um pouco de moderação nessa área — ou seja, a tribo rival da vestimenta, os dândis — ficaram associadas, no pensamento popular, ao exagero no vestir. Nada, no que diz respeito ao vestuário masculino, poderia estar mais longe da verdade, e a quintessência daquele suave esplendor foi George "Beau" Brummell, que viveu de 1778 a 1840. Brummell não era rico, nem talentoso ou abençoado com uma inteligência superior. Ele apenas se vestia melhor do que ninguém jamais tinha se vestido antes. Não de maneira pitoresca ou extravagante, mas simplesmente com maior esmero.

Brummel nasceu em circunstâncias razoavelmente privilegiadas, na Downing Street; seu pai era um conselheiro de confiança do primeiro-ministro, lorde North. Brummell estudou em Eton e, brevemente, em Oxford, antes de assumir um cargo militar no décimo regimento dos Hussardos, do prínci-

---

* Tomado pela dor, seu marido a enterrou com um maço de poemas dos quais não tinha feito cópias. Sete anos depois, ele repensou o gesto, mandou cavar o túmulo e recuperou os poemas, que foram publicados no ano seguinte.

pe de Gales. Se tinha alguma aptidão para o comando no campo de batalha, ela nunca foi testada; sua função era, basicamente, apresentar uma bela figura de uniforme e ser uma espécie de companheiro e assistente do príncipe em reuniões formais. Como resultado, ele e o príncipe se tornaram amigos íntimos.

Brummell viveu em Mayfair, e durante alguns anos sua casa foi o epicentro de um dos rituais mais surpreendentes da história de Londres — que consistia em uma procissão de homens adultos de grande proeminência que chegavam todas as tardes para vê-lo se vestir. Entre os frequentadores habituais estavam o príncipe de Gales, três duques, um marquês, dois condes, e o dramaturgo Thomas Sheridan. Eles se sentavam e assistiam em respeitoso silêncio, enquanto Brummell executava sua toalete diária, começando com um banho. Era com espanto geral que observavam que ele se banhava todos os dias — "em todas as partes do seu corpo", como acrescentou uma testemunha, com especial assombro. Além disso, ele se banhava na água *quente*. Às vezes acrescentava leite, o que acabou criando moda, embora uma moda não muito feliz. Quando se espalhou a notícia de que o velho marquês de Queensberry, murcho e avarento, que morava ali perto, também tinha o hábito de banhar-se com leite, as vendas de leite no distrito despencaram, pois surgiram rumores de que ele devolvia o leite para ser revendido depois de ter mergulhado nele sua decrépita pele, coberta de crostas.

A vestimenta dos dândis era cuidadosamente moderada. O vestuário de Brummell se limitava praticamente a três cores simples: branco, camurça e azul-escuro. O que distinguia os dândis não era a riqueza da plumagem, mas o cuidado com que se aprontavam. O objetivo era conseguir que tudo ficasse perfeitamente alinhado. Eles passavam horas certificando-se de que cada vinco e cada dobra estivessem perfeitos. Certa vez um visitante, chegando à casa de Brummell, encontrou o chão repleto de gravatas, e perguntou a Robinson, o paciente criado de Brummell, o que estava acontecendo. "Aquelas", suspirou Robinson, "são os nossos fracassos." Os dândis vestiam-se e despiam-se interminavelmente. Em um dia, normalmente vestiam pelo menos três camisas e dois pares de calças, quatro ou cinco gravatas, dois coletes, vários pares de meias e uma pequena pilha de lenços.

A moda era ditada em parte pela corpulência cada vez maior do príncipe de Gales — ou "Prince of Whales" [príncipe das Baleias], como era chamado pelas costas. Quando chegou à casa dos trinta anos, o príncipe estava tão gordo que tinha de ser preso à força em um espartilho — uma "Bastilha de barbatanas", como disse alguém que teve licença para vê-lo assim — que seus assistentes diplomaticamente chamavam de "cinto". Isso empurrava a gordura da parte superior do corpo através do buraco para o pescoço, como o creme dental saindo do tubo. A gola muito alta, em moda na época, funcionava como mais um pequeno espartilho, ocultando a abundância de queixos e a papada no pescoço.

A especialidade dos dândis eram as calças. Era comum que as calças fossem extremamente apertadas e não menos reveladoras, em especial porque eram usadas sem roupa de baixo. Certa noite, depois de ver o conde d'Orsay, Jane Carlyle anotou em seu diário, talvez um pouquinho esbaforida, que a calça do conde "era cor da pele e justa como uma luva". O estilo se baseava nas calças de equitação do regimento de Brummell. Os casacos tinham abas nas costas, mas eram bem curtos na frente, para enquadrar perfeitamente a virilha. Foi a primeira vez na história que os trajes masculinos eram concebidos, conscientemente, para ser mais sensuais do que os femininos.

Ao que parece, Brummell poderia ter possuído qualquer dama que desejasse, e muitos homens também, mas se ele tinha algum relacionamento ou não é curiosamente incerto. Ao que tudo indica, parece que Brummell era assexuado; não sabemos de qualquer relacionamento seu, com homem ou mulher, que envolvesse outros órgãos além dos ouvidos. É curioso que, para um homem renomado por sua aparência, não sabemos como ele era. Existem quatro retratos famosos dele, mas todos notavelmente diferentes uns dos outros, e não há como dizer se algum deles é fiel.

A queda de Brummell em desgraça foi abrupta e irreversível. Ele e o príncipe de Gales tiveram um desentendimento e pararam de se falar. Em uma ocasião social, o príncipe ignorou Brummell ostensivamente e, em vez de falar com ele, dirigiu-se ao seu companheiro. Quando o príncipe se afastou, Brummell virou-se para o companheiro e fez uma das observações mais famosas e infelizes da história social. "Quem é esse seu amigo gordo?", perguntou ele.

Tal insulto foi um suicídio social. Pouco depois, os credores de Brummell vieram cobrar as dívidas e ele fugiu para a França. Passou as últimas duas décadas e meia da vida na pobreza, a maior parte em Calais, tornando-se, lentamente, insano, mas sempre mantendo, à sua maneira contida e cuidadosa, uma aparência sensacional.

11

Na mesma época em que o elegante Beau Brummell dominava a cena da moda masculina em Londres e mais além, outro tecido começava a transformar o mundo e, em especial, o mundo industrial. Refiro-me ao algodão. O lugar que ele ocupa na história é imensurável.

Hoje o algodão é um material tão comum que nos esquecemos do quanto já foi precioso no passado — até mais valioso que a seda. Mas no século XVII a Companhia Britânica das Índias Orientais começou a importar tecidos rústicos de algodão da Índia (da cidade de Calicute, que deu origem ao nome *calico*); o algodão, de repente, se tornou acessível. Naquela época, *calico* era o termo genérico para designar chita, musselina, percal e outros tecidos leves e coloridos que encantavam os consumidores ocidentais, pois eram leves e laváveis, e as cores não desbotavam. Apesar de que se plantava um pouco de algodão no Egito, a Índia dominava seu comércio — como nos lembra o número infinito de palavras que entraram na língua por meio do comércio de algodão com a Índia: *cáqui, pijama, xale, musselina*; e ainda, em inglês, *dungarees, gingham, seersucker* e outras.

O aumento súbito da oferta de algodão indiano agradou aos consumidores, mas não aos produtores. Incapazes de competir com esse tecido mágico, os europeus que produziam tecidos, em quase toda parte, pediram medidas protecionistas, quase sempre com sucesso. A importação de tecidos de algodão foi proibida na maior parte da Europa em todo o século XVIII.

O algodão bruto podia ser importado, o que deu à indústria têxtil britânica um grande incentivo à exploração desse produto. O problema era a grande dificuldade de fiar e tecer o algodão. No século XVIII, muita gente concentrou esforços para tentar resolver esses dois problemas. A solução que encontraram foi a chamada Revolução Industrial.

Transformar flocos de algodão macio em produtos úteis, como lençóis e calças jeans, implica duas operações fundamentais: fiar e tecer. A fiação é o processo de transformar as fibras curtas do algodão em longos carretéis de linha, acrescentando e torcendo as fibras, um pouco de cada vez — o mesmo processo já mencionado para fazer barbante. A tecelagem é o entrelaçamento de dois conjuntos de fios ou fibras em ângulo reto, formando a trama. A máquina que fazia isso era o tear. Tudo o que o tear faz é manter um conjunto de fios bem esticado, de modo que um segundo conjunto seja entrelaçado, formando o tecido. O conjunto de fios verticais esticados é a urdidura, e os fios horizontais constituem a trama. Cruzando-se fios horizontais e verticais, forma-se o tecido. A maioria dos tecidos de uso doméstico diário — lençóis, lenços e similares — até hoje é fabricada por esse tipo simples de tecelagem.

A fiação e a tecelagem eram indústrias caseiras e empregavam um número imenso de pessoas. Conforme a tradição, a fiação era trabalho das mulheres, e a tecelagem, dos homens. A fiação, no entanto, demandava muito mais tempo que a tecelagem e essa disparidade cresceu ainda mais depois de 1733, quando John Kay, um jovem de Lancashire, inventou a lançadeira volante — a primeira das inovações revolucionárias que a nova indústria exigia. A lançadeira móvel de Kay dobrou a velocidade da tecelagem. As fiandeiras, incapazes de acompanhar tal avanço, foram ficando cada vez mais para trás, o que acabou gerando problemas ao longo de toda a cadeia de suprimento, com enorme prejuízo financeiro para todos os envolvidos.

Segundo a história tradicional, tanto os tecelões como as fiandeiras ficaram tão furiosos com Kay que atacaram sua casa e ele teve de fugir para a França, onde morreu na miséria. Até hoje o fato é narrado nos livros de história com "fervor dogmático", nas palavras de Peter Willis, historiador do período industrial. Mas Willis insiste que não há verdade alguma nisso. Kay realmente morreu pobre, mas apenas porque não administrava sua vida muito bem. Ele se propôs a produzir as máquinas e alugá-las aos donos das fábricas de tecidos, mas cobrava um aluguel tão alto que ninguém queria pagar. Ao contrário, seu invento foi amplamente pirateado, e ele gastou tudo o que tinha nos tribunais, em lutas frustradas para exigir indenizações. Mais tarde acabou indo para a França, na vã esperança de obter mais sucesso lá. Ainda viveu quase cinquenta anos após a sua invenção, sem nunca ser atacado nem obrigado a fugir.

Uma geração inteira passou até que se conseguisse resolver o problema da fiação, e a solução partiu de alguém totalmente inesperado. Em 1764, James Hargreaves, um tecelão analfabeto de Lancashire, inventou um dispositivo simples, mas engenhoso, chamado "Spinning Jenny" [Jenny Fiandeira], que fazia o trabalho de dez fiandeiras, ao incorporar bobinas múltiplas. Não se sabe muito sobre Hargreaves: nasceu e cresceu em Lancashire, casou-se jovem e teve doze filhos. Retratos, não há. Das grandes figuras do início da Revolução Industrial, foi o mais pobre e sem sorte de todos. Ao contrário de Kay, Hargreaves teve problemas *de verdade*. Uma multidão de furiosos moradores locais foi até a sua casa e queimou vinte *jennies* semiacabadas e quase todas as suas ferramentas — uma perda cruel e desesperadora para um homem pobre. Assim, por precaução, parou de produzir a máquina por um tempo e passou a trabalhar com contabilidade. O nome *jenny*, aliás, não foi uma homenagem à filha, como se costuma afirmar; *jenny* era uma palavra da região norte para "*engine*" [motor].

Embora o invento de Hargreaves não pareça ser grande coisa nas ilustrações — uma estrutura com dez bobinas para os fios e uma roda para fazê-las girar —, ele transformou o panorama e o futuro industrial da Grã-Bretanha. O lado triste é que também acabou introduzindo o trabalho infantil, pois as crianças eram menores e mais ágeis que os adultos e, portanto, mais capazes de consertar linhas arrebentadas e fazer outros reparos nas extremidades mais inacessíveis da *jenny*.

Antes dessa invenção, as fiandeiras, trabalhando em casa, fiavam manualmente quase 230 toneladas de algodão por ano da Inglaterra. Em 1785, graças à máquina de Hargreaves e às versões aperfeiçoadas que se seguiram, esse número saltou para mais de 7 mil toneladas. Mas Hargreaves não desfrutou da prosperidade criada por suas máquinas. O maior culpado foram as maquinações de Richard Arkwright, o personagem menos atraente, menos inventivo, porém mais bem-sucedido do início da Revolução Industrial.

Assim como Kay e Hargreaves, Arkwright era de Lancashire — o que seria da Revolução Industrial sem os homens de Lancashire? Nascido em Preston, em 1732, era onze anos mais jovem que Hargreaves e quase trinta anos mais jovem que Kay. (É bom lembrar que a Revolução Industrial não foi um evento explosivo e repentino, mas um desdobramento gradual de avanços conquistados ao longo de várias gerações e em muitas áreas diferentes.) Antes de entrar para o setor da indústria, Arkwright foi dono de um bar, fabricante de perucas e cirurgião-barbeiro, especializado em arrancar dentes e fazer sangrias em doentes. Ao que parece, interessou-se pela produção de tecido através da amizade com outro John Kay — este um relojoeiro sem relação com o John Kay da lançadeira volante —, e com sua ajuda começou a reunir todas as máquinas e componentes necessários para integrar a produção têxtil mecânica debaixo do mesmo teto. Arkwright não era homem de muitos escrúpulos. Roubou os rudimentos da máquina de fiar de Hargreaves sem hesitação ou remorso (nem indenização, é claro), safou-se de contratos de negócio e abandonava amigos e sócios sempre que fosse mais seguro ou lucrativo para ele.

Arkwright tinha, de fato, um talento genuíno para fazer melhorias mecânicas, mas sua verdadeira genialidade era transformar uma possibilidade em uma realização. Era um organizador — um trapaceiro, na verdade —, mas um ótimo organizador. Unindo trabalho duro, sorte, oportunismo e férrea inclemência, ele praticamente monopolizou, por um tempo breve, mas extremamente lucrativo, o negócio do algodão na Inglaterra.

Aqueles que foram substituídos pelas máquinas de Arkwright não ficaram apenas incomodados; muitos foram levados ao mais cruel desespero. Era evidente que Arkwright previu isso, pois construiu sua primeira fábrica nos moldes de uma fortaleza, em uma região afastada de Derbyshire — que já era um condado remoto —, e fortificou-a com canhões e até mesmo quinhentas lanças. Conseguiu dominar o mercado da produção mecânica de tecidos e, assim, tornou-se riquíssimo, ainda que não fosse amado nem muito feliz. Na ocasião de sua morte, em 1792, Arkwright empregava 5 mil trabalhadores e sua fortuna valia meio milhão de libras — uma quantia fabulosa para qualquer um, e mais ainda para quem passou boa parte da vida fazendo perucas e trabalhando como cirurgião-barbeiro.

Na verdade, a Revolução Industrial ainda não havia se tornado industrial. O homem que mudou isso foi o personagem mais importante da sua época (ou talvez de qualquer outra época): o reverendo Edmund Cartwright (1743-1823). Cartwright vinha de uma família abastada e de grande influência local em Nottinghamshire e aspirava ser poeta, mas entrou para a Igreja e recebeu uma paróquia em Leicestershire. Uma conversa casual com um fabricante de tecidos o levou a inventar, em 1785 — partindo do zero —, o tear mecânico movido a vapor. O tear de Cartwright transformou a economia mundial e fez da Grã-Bretanha um país realmente rico. Na época da Grande Exposição de 1851, havia 250 mil teares mecânicos operando na Inglaterra, e esse número cresceu numa média de 100 mil teares por década até alcançar o pico de 805 mil em 1913 — período no qual já existiam quase 3 milhões de teares espalhados pelo mundo.

Se Cartwright tivesse sido recompensado num nível minimamente correspondente ao mérito das suas invenções, teria sido o homem mais rico do seu tempo — tanto quanto John D. Rockefeller ou Bill Gates em suas respectivas épocas. Mas de fato não obteve nenhum ganho direto da sua invenção, e ainda ficou endividado ao tentar proteger e fazer cumprir suas patentes. Em 1809, o Parlamento britânico concedeu-lhe um prêmio de 10 mil libras; quase nada comparado às 500 mil libras recebidas por Arkwright, mas lhe bastou para viver com conforto até o fim da vida. Enquanto isso, passou a explorar seu apetite pelas invenções, e produziu uma máquina de fabricar corda e outra de desfiar lã, ambas de grande sucesso, assim como novos tipos de máquinas de impressão, motores a vapor, telhas e tijolos. Sua última invenção, patenteada pouco antes da sua morte, em 1823, foi uma espécie de "carruagem sem cavalos", movida a manivela, que, em suas palavras confiantes no pedido de patente, permitia que dois homens, girando uma manivela com regularidade, mas sem esforço excessivo, percorressem uma distância de até 43 quilômetros em um dia, mesmo nos terrenos mais íngremes.

Com os teares mecânicos zumbindo todo o tempo, a indústria do algodão estava pronta para decolar, mas as fábricas precisavam de muito mais algodão do que os fornecedores da época podiam suprir. O lugar óbvio para cultivá-lo era o sul dos Estados Unidos. O clima, demasiado quente e seco para muitas culturas, era perfeito para o algodão. Infelizmente, a única variedade que se adaptaria bem na maioria dos solos do sul era um tipo difícil, conhecido como algodão de fibra curta. Mas era impossível cultivá-lo com lucro, pois cada capulho vinha abarrotado de sementes pegajosas — 2,5 quilos de sementes para cada quilo de fibra de algodão —, que tinham de ser arrancadas manualmente, uma por uma. Separar as sementes da fibra era uma operação que exigia tanta mão de obra, que mesmo com o trabalho escravo não era viável economicamente. Alimentar e vestir os escravos custava muito mais do que a quantidade de algodão aproveitável que o mais aplicado e ágil dos escravos poderia produzir.

O homem que solucionou esse problema cresceu bem longe de qualquer plantação. Seu nome era Eli Whitney, vinha de Westborough, Massachusetts, e, se todos os elementos da história forem verídicos (e, como já veremos, podem muito bem não ser), foi por uma grande sorte que conseguiu imortalizar seu nome.

A história que geralmente se conta é a seguinte: depois de formar-se pela Universidade de Yale, em 1793, Whitney aceitou o emprego de professor particular de uma família da Carolina do Sul, mas ao chegar lá descobriu que o salário prometido seria reduzido à metade. Ofendido, recusou o posto, o que satisfez à sua honra, mas o deixou sem dinheiro e muito longe de casa.

Em uma viagem para o sul, conheceu uma jovem viúva cheia de vida chamada Catharine Greene, esposa do falecido Nathanael Greene, general e herói da Revolução Americana. A nação premiou Greene com uma plantação na Geórgia, em agradecimento pelo seu apoio a George Washington nos momentos mais sombrios da guerra. Infelizmente, Greene, morador da Nova Inglaterra, não estava habituado ao calor da Geórgia e no primeiro verão acabou morrendo de insolação. Whitney decidiu recorrer à viúva de Greene, nova dona da plantação.

Nessa época, a sra. Greene coabitava, de maneira entusiasmada e bastante aberta, com outro ex-aluno de Yale chamado Phineas Miller, que administrava sua fazenda, e os dois acolheram Whitney em seu lar. Foi ali que Whitney tomou conhecimento, pela primeira vez, do problema da semente de algodão. E, ao examinar um capulho, vislumbrou de imediato uma solução; enfurnou-se na oficina da fazenda e concebeu um tambor rotativo bem simples, com pregos que capturavam a fibra do algodão ao girar, deixando as sementes para trás. Seu novo invento era tão eficiente que fazia o trabalho de cinquenta escravos. Whitney patenteou seu descaroçador de algodão, ou "*cotton gin*" (outra redução de "*engine*"), e preparou-se para ganhar uma fortuna estupenda.

Essa é a história que tradicionalmente se conta; mas parece que nem tudo é verdade. É possível que Whitney já conhecesse Miller, talvez pela conexão de Yale. É possível, também, que já conhecesse os problemas da cultura do algodão em solo americano, e tivesse viajado para o sul a pedido de Miller, já tencionando inventar um descaroçador. Além disso, a invenção pode não ter sido criada em umas poucas horas na fazenda, mas ao longo de semanas ou meses em uma oficina de Westborough. Seja qual for a verdadeira história, a invenção era mesmo uma maravilha. Whitney e Miller formaram a sociedade na grande esperança de ficar ricos, mas como homens de negócios eram um desastre. Pelo direito de usar suas máquinas, exigiam uma participação de um terço de qualquer safra — uma proporção que os proprietários das terras e também os legisladores sulistas consideravam de uma ganância descarada. O fato de Whitney e Miller serem ianques do norte também não ajudava em nada a despertar simpatias. Teimosos, se recusaram a mudar suas exigências, convencidos de que os produtores do sul não resistiriam diante de uma nova tecnologia tão revolucionária. Eles tinham razão quanto ao engenho ser irresistível, mas não perceberam como seu invento era fácil de ser pirateado. Qualquer carpinteiro decente podia copiá-lo em poucas horas. Não tardou e os donos das plantações em todo o sul já estavam descaroçando algodão com máquinas feitas em casa. Whitney e Miller entraram com sessenta ações judiciais apenas na Geórgia e muitas outras nos demais estados, mas não contaram com simpatia alguma nos tribunais do sul. Por volta de 1800 — apenas sete anos após a invenção da máquina —, Miller e Catharine Greene estavam passando tanta dificuldade que tiveram que vender a plantação.

O sul, no entanto, ficava cada vez mais rico. O algodão logo se tornaria o produto mais comercializado do mundo e dois terços de todo o algodão vinha do sul dos Estados Unidos. As exportações do algodão americano, que eram praticamente zero antes da invenção do descaroçador, saltaram para impressionantes 900 mil toneladas na época da eclosão da Guerra Civil. No auge da exportação, 84% se destinavam à Grã-Bretanha.

Antes do algodão a escravidão estava em declínio, mas agora o quadro era outro, pois colher algodão — ao contrário de processá-lo — exigia muita mão de obra. Na época da invenção de Whitney, a escravidão existia em apenas seis estados do país; quando começou a Guerra Civil ela já era legal em quinze estados. Para piorar, os estados do norte onde havia escravidão mas que eram inférteis para o cultivo do algodão, como Virgínia e Maryland, passaram a exportar escravos para os seus vizinhos do sul, assim desintegrando as famílias e intensificando o sofrimento de dezenas de milhares de escravos. Entre 1793 e a eclosão da Guerra Civil, mais de 800 mil escravos foram enviados para o sul.

Ao mesmo tempo, as prósperas tecelagens da Inglaterra precisavam de uma quantidade enorme de trabalhadores — mais do que o aumento da população podia proporcionar —, de modo que cada vez mais recorriam ao trabalho infantil. As crianças eram uma mão de obra barata, maleáveis e mais ágeis para se movimentar por entre as máquinas e lidar com fios arrebentados, peças enganchadas e problemas afins. Mesmo os donos de fábrica mais esclarecidos contratavam crianças aos montes. Seria inviável dispensá-las.

Portanto, o descaroçador de Whitney não só ajudou muita gente a enriquecer nos dois lados do Atlântico, como também revigorou a escravidão, fez do trabalho infantil uma necessidade e abriu caminho para a Guerra Civil americana. É possível que nunca alguém com uma invenção tão simples e bem-intencionada tenha gerado tanta prosperidade generalizada, tanta decepção pessoal e tanto sofrimento não planejado como Eli Whitney e seu *cotton gin*. São consequências extraordinárias para um simples tambor rotativo.

Por fim alguns estados do sul acabaram cedendo a Whitney. No total, ele conseguiu cerca de 90 mil dólares com seu descaroçador — apenas o suficiente para cobrir seus custos. Voltou para o norte, estabeleceu-se em New Haven, Connecticut, e ali teve a ideia que finalmente o tornaria rico. Em 1798, conseguiu um contrato para fabricar 10 mil espingardas para o governo federal. As armas seriam fabricadas por um novo método, mais tarde conhecido como "sistema Whitney" ou "sistema americano". A ideia era construir máquinas que produzissem um estoque infinito de peças de encaixe, que depois seriam montadas formando produtos acabados. Nenhum operário precisaria ter habilidades especiais; estas se concentrariam nas máquinas. Era um conceito brilhante. Segundo Daniel J. Boorstin, foi essa inovação que fez da América um país rico.

Os quinhentos mosquetões eram necessários com urgência, pois na ocasião os Estados Unidos pareciam prestes a entrar em guerra com a França. O contrato era de 134 mil dólares — o maior já assinado pelo governo do país até aquele momento — e foi concedido a Whitney embora este não tivesse máquinas nem experiência alguma na produção de armas. Mas, em 1801, em um momento considerado valioso por várias gerações de livros de história, Whitney demonstrou ao presidente John Adams e ao presidente eleito Thomas Jefferson de que forma uma série de partes disparatadas, colocadas em cima de uma mesa, podiam ser montadas até formar uma arma acabada. A verdade é que, nos bastidores, Whitney estava tendo todo tipo de problema para fazer o sistema funcionar. As armas foram entregues com mais de oito anos de atraso — muito depois de ter passado a crise com a França que motivou sua fabricação. Além disso, uma análise das armas sobreviventes, realizada no século XX, mostrou que, na realidade, não foram produzidas pelo sistema Whitney, mas apenas incorporavam partes feitas manualmente na fábrica. A famosa demonstração para os presidentes foi feita com peças falsas. Whitney, como se revelou mais tarde, não passou aqueles oito anos trabalhando na encomenda dos mosquetões, mas sim usando o dinheiro do contrato para prosseguir tentando receber compensações pelo descaroçador de algodão.

III

Em comparação com tudo o que já se tinha visto antes, o algodão era um material leve e fresco como nenhum outro; no entanto, não contribuiu em nada para reprimir o impulso — sobretudo das mulheres — de se vestir de maneira ridícula. À medida que o século XIX avançava, elas se viam cada vez mais cobertas por camadas e camadas de roupas. Por volta de 1840, uma mulher poderia usar, por baixo do vestido, uma combinação sem mangas, uma camisola até os joelhos, meia dúzia de anáguas, um espartilho e uma calçola longa. A ideia, como um historiador observou, era "eliminar, tanto quanto possível, qualquer percepção da silhueta". Toda essa infraestrutura podia ter um peso assombroso. Era comum uma mulher sair para os seus compromissos diários debaixo de vinte quilos de roupas. Como elas conseguiam lidar com a necessidade urinária é uma questão que parece ter escapado à investigação histórica. A crinolina, ou saia-balão, uma armação de aros feitos de osso de baleia ou de aço, foi introduzida para dar forma à mulher sem exigir tantas roupas de baixo; mas, se isso diminuiu um pouco o peso, só aumentou as possibilidades de arranjos desengonçados. Como disse Liza Picard: "É de perguntar se, ou como, as damas vitorianas conseguiam atravessar uma sala de estar toda mobiliada, usando uma crinolina, sem derrubar tudo que havia em várias mesinhas". Entrar numa carruagem exigia análise prévia e destreza, como relatou uma fascinada correspondente em uma carta para casa: "A srta. Clara ficou andando em círculos, como um pavão, indecisa quanto a fazer esse esforço. De repente, resolveu avançar com um movimento lateral ousado, e entrou amassando a anágua, que logo voltou ao seu tamanho original. Mas, quando suas irmãs também entraram, não havia mais espaço para o major" (e, aliás, para mais ninguém).

A crinolina levantava ligeiramente quando a mulher se inclinava para a frente — ao se curvar para bater em uma bola de críquete, por exemplo —, oferecendo um rápido vislumbre eletrizante das meias cheias de babados para qualquer homem esperto o suficiente para dizer "*Ladies first!*". As crinolinas muito apertadas tinham a tendência inconveniente de se inverter e virar-se para cima, como acontece com um guarda-chuva. Havia inúmeros relatos de mulheres que ficaram presas, tentando se equilibrar dentro daqueles aros rebeldes. Lady Eleanor Stanley registrou em seu diário que a duquesa de Manchester tropeçou ao passar por um portão no campo — por que ela resolveu passar por ali vestindo uma saia com armação de aros é um mistério à parte — e acabou expondo sua calçola xadrez "aos olhares do mundo inteiro e, em particular, do duque de Malakoff". Os ventos fortes causavam grande transtorno, e as escadas eram um perigo certeiro. O maior risco de todos, porém, eram os incêndios. "Muitas mulheres que usavam crinolinas acabaram morrendo queimadas sem perceber o risco que corriam ao se aproximar de uma lareira acesa", observam C. Willett e Phillis Cunnington em seu livro solene *History of underclothes* [A história da roupa íntima]. Um fabricante anunciava, orgulhoso, se bem que enervante, que suas crinolinas "não causavam acidentes, não apareciam em inquéritos policiais".

A era de ouro das crinolinas foi de 1857 a 1866, quando começaram a ser abandonadas; não por serem perigosas e ridículas, mas por serem usadas, cada vez mais, pelas classes baixas, acabando com a sua exclusividade. "Hoje a criada de uma dama já deve ter sua crinolina", dizia uma revista, com desaprovação, "e já se tornou essencial até mesmo para as operárias das fábricas." É fácil imaginar o perigo das crinolinas no meio de engrenagens e correias das máquinas industriais em pleno funcionamento.

O abandono das crinolinas não significou que a idade do desconforto insensato estava finalmente chegando ao fim. Longe disso, as crinolinas deram lugar aos espartilhos, e estes se transformaram na vestimenta mais torturante que já aparecera nos últimos séculos. Era estranho que algumas autoridades aprovavam com entusiasmo o seu uso, julgando indicar sacrifício e castidade. Em 1866, a popular revista do casal Beeton, *The Englishwoman's Domestic Magazine*, relatou com aprovação que as alunas de um internato feminino eram atadas aos seus espartilhos na segunda-feira de manhã e assim ficavam até sábado, quando podiam, finalmente, afrouxá-los por uma hora "para fazer suas abluções". Esse sistema, ressaltava a revista, possibilitava que uma menina normal reduzisse o tamanho de sua cintura de 58 centímetros para 33 centímetros em apenas dois anos.

O esforço de reduzir a circunferência a qualquer custo em detrimento do conforto era uma realidade, mas a crença persistente de que algumas mulheres mandavam retirar algumas costelas por meio de cirurgia para afinar ainda mais a cintura é, felizmente, um mito. Valerie Steele, em sua obra acadêmica cativante e precisa *The corset: a cultural history* [O espartilho: uma história cultural], não encontrou nem uma prova sequer de que tal operação tenha sido realizada. Até porque as técnicas cirúrgicas do século XIX não seriam capazes de fazer esse procedimento.

Para os médicos, os espartilhos apertados viraram uma obsessão na segunda metade do século XIX. Parece que não havia nem um só órgão do corpo que não ficasse gravemente suscetível ao sofrimento e ao colapso devido à constrição dos cadarços e das barbatanas de baleia. Os espartilhos freavam os batimentos cardíacos, o que provocava congestão sanguínea. O fluxo sanguíneo lento, por sua vez, levava a quase uma centena de males registrados — incontinência, dispepsia, insuficiência hepática, "hipertrofia congestiva do útero" e perda das faculdades mentais, para citar os mais conhecidos. O periódico *The Lancet*, da Associação Médica Britânica, fazia análises regulares sobre os perigos do espartilho e constatou que, em pelo menos um caso, o batimento cardíaco da vítima ficou tão lento que ela acabou morrendo. Alguns médicos também acreditavam que as roupas íntimas extremamente apertadas tornavam as mulheres mais suscetíveis à tuberculose.

Inevitavelmente, o uso do espartilho acabou tomando uma dimensão sexual. O tom dos textos antiespartilho para as mulheres era notavelmente semelhante ao tom dos textos antimasturbação para os homens. Ao restringir o fluxo de sangue e comprimir os órgãos próximos à zona reprodutiva, temia-se que o espartilho levasse a um aumento trágico dos "desejos amatórios" e, possivelmente, até induzisse "espasmos voluptuosos" involuntários. Aos poucos os temores em relação ao vestuário foram se estendendo a todas as partes do corpo onde se usavam roupas apertadas. Sugeriu-se que mesmo os sapatos apertados podiam provocar formigamentos perigosos, ou até um espasmo violento. Nos piores casos, as mulheres podiam enlouquecer por causa das suas roupas. Orson Fowler escreveu um ataque cujo título por si só já é uma provocação: *Tight-lacing, founded on physiology and phrenology; or, the evils inflicted on the mind and body by compressing the organs of animal life, thereby retarding and enfeebling the vital functions* [O traje apertado, baseado na fisiologia e na frenologia; ou os males infligidos à mente e ao corpo pela compressão dos órgãos da vida animal, retardando e debilitando as funções vitais]. Sua teoria era que a distorção antinatural da circulação sanguínea impulsionava muito sangue para o cérebro da mulher, causando, assim, uma permanente e perturbadora mudança de personalidade.

Uma área em que os espartilhos apertados representavam perigo real era na gestação. Muitas mulheres usavam espartilhos justos até já bem adiantada a gravidez, apertando-os mais ainda para esconder pelo máximo de tempo possível a demonstração embaraçosa de que tinham participado de uma explosão indecorosa de espasmos voluptuosos.

A rigidez vitoriana era tanta que as damas não tinham permissão nem para soprar velas na presença de homens, já que para isso precisariam franzir os lábios de maneira sugestiva. Elas também não podiam dizer que iam "para a cama" — isso incitaria uma imagem por demais estimulante —, mas apenas que iam "se retirar". Ficou impossível conversar sobre o vestuário, até mesmo no sentido clínico, sem recorrer a eufemismos. Para se referir às calças, dizia-se "invólucros inferiores" ou, simplesmente, "as inexprimíveis"; a roupa de baixo era simplesmente "o linho". Só entre mulheres elas podiam mencionar as anáguas ou, em voz baixa, a meia-calça, mas quase mais nada que tivesse contato com a pele.

Nos bastidores, porém, as coisas eram um pouco mais apimentadas do que às vezes somos levados a acreditar. Os corantes químicos — alguns bem coloridos — ficaram disponíveis em meados do século e um dos primeiros lugares onde apareceram foi nas roupas íntimas. Isso escandalizou muita gente, pois levantava a pergunta óbvia: para o deleite de quem se destinavam todas aquelas cores? Também o bordado nas roupas de baixo se tornou popular, provocando a mesma reação escandalizada. No mesmo ano em que a *Englishwoman's Domestic Magazine* elogiou um internato feminino da Inglaterra por manter suas jovens criminosamente amarradas em seus espartilhos por uma semana inteira, a publicação também se queixava de que "a quantidade de bordados que hoje se aplica às roupas íntimas é um pecado; uma jovem passou um mês inteiro costurando a bainha e bordando uma peça de roupa que provavelmente nunca será vista por qualquer outro ser humano exceto a sua lavadeira".

Algo que ainda não existia na época era o sutiã. O espartilho pressionava de baixo para cima, e era isso que mantinha os seios no lugar. Mas, quanto ao conforto (segundo me informaram), o que melhor sustenta os seios são tiras amarradas. A primeira pessoa que enxergou isso foi um fabricante de lingerie chamado Luman Chapman, de Camden, Nova Jersey, que em 1863 patenteou seus "pompons para os seios" — uma espécie de precursor do sutiã amarrado atrás do pescoço. Entre 1863 e 1969, foram registradas nos Estados Unidos exatamente 1230 patentes de sutiãs. A palavra inglesa moderna para sutiã, *bra*, é uma abreviação de *brassière*, que significa, em francês, "a parte de cima do braço", e foi usada pela primeira vez em 1904 pela fábrica de Charles R. DeBevoise.

Neste momento gostaria de desfazer um pequeno — mas muito difundido — mito. Já foi dito que o sutiã foi inventado por um certo Otto Titzling. Mas, se essa pessoa de fato existiu, não teve participação alguma na invenção da roupa íntima feminina. E, com essa nota ligeiramente decepcionante, podemos prosseguir para o quarto das crianças.

18. O quarto das crianças

I

No início da década de 1960, o autor francês Philippe Ariès fez uma declaração surpreendente em uma obra de enorme influência, *Centuries of childhood* [Séculos de infância]. Ele afirmou que antes do século XVI, no mínimo, não havia infância. Existiam pequenos seres humanos, é claro, mas nada em suas vidas os distinguia significativamente dos adultos. "O conceito de infância não existia", declarou ele com firmeza. A infância seria, basicamente, uma invenção vitoriana.

Ariès não era especialista na área e suas teorias se baseavam, quase por completo, em evidências indiretas, muitas das quais hoje suscitam dúvidas. No entanto, suas opiniões obtiveram boa receptividade com o público e foram amplamente assimiladas. Não tardou para que outros historiadores declarassem que as crianças, antes do período moderno, não eram apenas ignoradas, como, na verdade, nem eram muito queridas. Segundo Edward Shorter, em *The making of the modern family* [A formação da família moderna], de 1976, "na sociedade tradicional, as mães viam com indiferença o desenvolvimento e a felicidade das crianças menores de dois anos". A razão da indiferença era a alta taxa de mortalidade infantil. "A mãe não podia se permitir ficar apegada a um bebê, sabendo que a morte poderia raptá-lo a qualquer momento", explicou ele. Dois anos depois, Barbara Tuchman repetiu quase exatamente esse ponto de vista no famoso livro *Um espelho distante*. "De todas as características que separam a idade medieval da moderna", escreveu ela, "nenhuma é tão impressionante quanto a relativa falta de interesse pelas crianças." Investir amor nas crianças pequenas era muito arriscado — "algo tão sem recompensas", em sua curiosa expressão, que por toda parte essa atitude era suprimida como um inútil desperdício de energia. As emoções não entravam na situação, em absoluto. Na visão fria da autora, as crianças eram apenas "um produto". "Uma criança nascia, morria, e outra vinha tomar o seu lugar." Em outras palavras, como Ariès mesmo explicou, "a crença geral era, e durante muito tempo assim permaneceu, que se devia ter vários filhos para conservar apenas alguns". Essas concepções se tornaram tão comuns entre os historiadores da infância que vinte anos se passaram até que alguém as questionasse, considerando-as uma grave má interpretação da natureza humana e de fatos históricos bem conhecidos.

Não há dúvida de que antigamente as crianças morriam em grande número e os pais tinham que ajustar suas expectativas de acordo. Antes da Era Moderna, o mundo era um lugar repleto de pequeninos caixões. Segundo as estatísticas mais citadas, um terço das crianças morria no primeiro ano de vida e metade não conseguia completar cinco anos. Até mesmo nos melhores lares, a morte era uma visita frequente. Stephen Inwood nota que o futuro historiador Edward Gibbon, mesmo crescendo numa família rica, no próspero distrito de Putney, perdeu os seis irmãos na primeira infância. Mas isso não quer dizer que os pais daquele tempo ficavam menos arrasados com a perda de um filho do que nós ficamos hoje. O escritor John Evelyn e sua esposa tiveram oito filhos e perderam seis deles na infância, sofrendo muito a cada perda. "Aqui acaba a alegria da minha vida", foram as palavras simples de Evelyn logo após a morte de seu filho mais velho, três dias depois de completar cinco anos, em 1658. O escritor William Brownlow perdeu um filho por ano durante quatro anos, numa cadeia de infortúnios que "me arrebentou, me deixou estraçalhado", em suas palavras. Na verdade, ele e a esposa tiveram que suportar muito mais: a regra trágica de uma morte por ano continuou por mais três anos, até não restar mais nenhum filho.

Ninguém expressou melhor a dor pela perda de um filho do que William Shakespeare, um especialista em descrever a complexidade dos sentimentos humanos. O trecho a seguir é da peça *King John* [Rei João], escrita logo após a morte de seu filho, Hamnet, aos onze anos, em 1596:

A dor preenche o quarto do meu filho,
Deita-se na sua cama, anda junto comigo,
Assume seu lindo rosto, repete suas palavras,
Traz-me à memória sua figura, sua graça,
Enche as roupinhas vazias com a sua forma.

Essas não são palavras de uma pessoa que considera as crianças um mero produto, e não há razão para supor — e nenhuma prova, inclusive a do bom senso — que os pais eram, em qualquer momento do passado, indiferentes à felicidade e ao bem-estar dos filhos. Uma pista é o nome do quarto no qual estamos agora.* A palavra *nursery* [quarto das crianças] foi registrada em inglês pela primeira vez em 1330 e vem sendo usada desde então. A existência de um quarto dedicado exclusivamente às necessidades e ao conforto das crianças não condiz com a ideia de que elas não tinham nenhuma importância na família. Não menos significativa é a própria palavra *infância*. Ela já existe em inglês há mais de mil anos (o primeiro registro aparece nos *Evangelhos de Lindisfarne*, por volta de 950 d.C.). Assim, qualquer significado emocional que tenha tido para as pessoas, como uma fase da vida, uma condição especial da existência, sem dúvida é uma palavra antiga. Portanto, sugerir que as crianças eram objetos de indiferença ou mal existiam como seres distintos seria simplificar demais as coisas.

Isso não quer dizer que a infância, no passado, era apenas uma longa fase de brincadeiras despreocupadas como gostamos de pensar hoje. Não era assim, em absoluto. A vida era repleta de perigos, desde o momento da concepção. Tanto para a mãe quanto para o filho, o momento mais importante e perigoso era o nascimento. Quando acontecia algo de errado, a parteira ou o

---

* Não temos certeza se este era, realmente, o quarto das crianças. É mais um dos quartos concebidos depois e não incluídos nos planos originais de Edward Tull; portanto, não há indicações na planta para nos guiar. Mas suas dimensões modestas e sua localização ao lado do quarto principal são uma forte indicação de que foi planejado para ser um quarto de crianças e não apenas um quarto extra — o que levanta mais uma questão intrigante, e sem resposta, sobre as esperanças e as intenções do celibatário sr. Marsham.

Mulher dando à luz no século XVIII. (Note como o recato é preservado pelo lençol em torno do pescoço do médico.)

médico não tinham muito o que fazer. Os médicos, se eram chamados, muitas vezes recorriam a tratamentos que só aumentavam a dor e o perigo, drenando o sangue da mãe exausta (com a justificativa de que assim ela relaxaria, e vendo o desmaio como prova de sucesso). Podiam ainda aplicar cataplasmas ferventes na mulher, ou tentar outros tratamentos que esgotavam o restante de suas reservas de energia e esperança.

Com frequência os bebês ficavam presos. Em casos assim o trabalho de parto poderia durar três semanas ou mais, até que o bebê ou a mãe, ou mesmo ambos, não suportassem mais. Se um bebê morria no útero, os procedimentos para retirá-lo eram terríveis demais para descrever. Basta dizer que envolviam ganchos que retiravam o bebê em pedaços. Tais procedimentos não só causavam sofrimentos atrozes à mãe, mas também grandes danos ao útero e riscos ainda mais graves de infecção. Considerando as condições, é surpreendente informar que, de cada cem mães, apenas uma ou duas morriam no parto. Contudo, como a maioria das mulheres tinha filhos com frequência (sete a nove vezes, em média), a probabilidade de morrer em algum momento da gravidez ou do parto aumentava assustadoramente: cerca de uma em cada oito mulheres.

Para as crianças, o nascimento era apenas o começo. Ao que parece, os primeiros anos de vida eram uma fase de desgraças, mais do que de aventuras. Além dos intermináveis surtos de doenças e epidemias que marcavam cada existência, a morte acidental era muito mais comum — realmente de causar espanto. Constavam nos registros policiais ingleses, nos séculos XIII e XIV, relatos de mortes infantis abruptas, como "afogou-se em um poço", "foi mordida por uma porca", "caiu em uma panela de água fervendo", "foi atropelada por uma carroça", "caiu em uma lata de mosto quente", "pisoteada pela multidão" e muitos outros relatos igualmente perturbadores. A escritora Emily Cockayne narra o triste caso de um menino que deitou na estrada e se cobriu com palha, para divertir os amigos. Uma carroça que passava o esmagou.

Ariès e seus seguidores entendiam que essas mortes eram prova do descaso dos pais e da falta de interesse no bem-estar das crianças; mas isso equivale a impor padrões modernos a um comportamento de outra época histórica. Uma leitura mais generosa revelaria que cada momento da vida de uma mãe medieval era repleta de perturbações. Seria possível encontrá-la cuidando de uma criança doente ou prestes a morrer, ou ela mesma acometida por febre alta, esforçando-se para acender a lareira ou apagar o fogo, dentre milhares de outras tarefas. Se hoje em dia as crianças não são mordidas por porcas, não é porque a supervisão melhorou, mas sim porque não criamos mais porcos na cozinha.

Muitas conclusões modernas se baseiam em taxas de mortalidade do passado que, na verdade, não são tão confiáveis assim. A primeira pessoa a investigar o assunto em detalhe foi, curiosamente, o astrônomo Edmond Halley, hoje lembrado pelo cometa que leva seu nome (embora, na verdade, Halley não o tenha descoberto, apenas o reconheceu como o mesmo cometa já observado por outros astrônomos em três visitas anteriores; só ficou conhecido como cometa de Halley em 1758, muito depois da sua morte). Halley foi um investigador incansável de fenômenos científicos de todo tipo, e produziu textos sobre tudo, desde o magnetismo até os efeitos soníferos do ópio. Em 1693, descobriu registros anuais de nascimentos e óbitos em Breslau, na Silésia (hoje Wroclaw, na Polônia), que o fascinaram por serem excepcionalmente completos. Halley percebeu que, com base nesses números, poderia construir gráficos com os quais seria possível determinar a expectativa de vida de qualquer pessoa, em qualquer momento da sua existência. Por exemplo, ele poderia dizer que, para uma pessoa de 25 anos, a probabilidade de morrer no ano seguinte era de um para oitenta; alguém que completasse trinta anos poderia, razoavelmente, esperar viver mais 27 anos; as chances de um homem de quarenta anos viver mais sete anos eram de 5,5 para 1, e assim por diante. Além de outros usos, essas foram as primeiras tabelas atuariais e possibilitaram o surgimento da indústria dos seguros de vida.

As descobertas de Halley foram relatadas em *Philosophical Transactions of the Royal Society*, uma revista científica, e por isso escaparam à atenção dos historiadores sociais, o que é uma pena, pois contêm muita coisa interessante. Os dados de Halley revelaram, por exemplo, que em Breslau havia 7 mil mulheres em idade fértil, mas apenas 1200 crianças nasciam a cada ano — "pouco mais de uma sexta parte", como ele nota. É evidente que a grande maioria das mulheres usava medidas para evitar a gravidez. Assim, ter filhos, pelo menos em Breslau, não era um fardo inescapável ao qual as mulheres tinham que se submeter, mas um ato bastante voluntário.

Os números de Halley também mostraram que a mortalidade infantil não era tão ruim quanto os números geralmente citados nos levam a supor. Em Breslau, pouco mais de um quarto dos bebês morria no primeiro ano de vida e 44% morriam antes de completar sete anos. São números ruins, é claro, mas bem melhores do que os números comparáveis, de um terço e metade, normalmente citados. Do nascimento aos dezessete anos, a proporção de mortes em Breslau chegava a 50%. Isso foi realmente pior do que Halley esperava, e em seu relatório ele argumentou que as pessoas não deveriam esperar viver muito, mas, pelo contrário, deveriam se preparar para a possibilidade de morrer antes do tempo. "Como lamentamos injustamente a brevidade da nossa vida", escreveu ele, "e nos sentimos prejudicados se não alcançamos a velhice; quando vemos que a metade dos que nascem morrem dentro de dezessete anos... [Portanto] em vez de reclamar contra o que chamamos de morte prematura, devemos, com paciência e tranquilidade, nos submeter a essa dissolução que é a condição necessária da nossa matéria perecível..." É evidente que as expectativas com relação à morte eram muito mais complicadas do que uma simples estimativa dos números poderia sugerir.

Um elemento complicador adicional nos dados — e uma boa razão para as mulheres evitarem a gravidez — é que, nessa época, mulheres em toda a Europa estavam morrendo em massa de uma nova doença misteriosa que os médicos eram incapazes de derrotar ou entender. Chamada de "febre puerperal" (do termo latino *puer*, criança), a doença teve seu primeiro registro em Leipzig em 1652. Durante os 250 anos seguintes os médicos ficaram impotentes diante dela. A febre puerperal era especialmente temida porque surgia de forma repentina — por vezes, vários dias depois de um parto bem-sucedido, quando a mãe já estava recuperada e quase pronta para voltar para casa. Em poucas horas a vítima apresentava febre alta e delírios, e assim permanecia por cerca de uma semana, até se recuperar ou expirar. O mais comum era a morte. Nos piores surtos da doença, 90% das vítimas morriam. Até o final do século XIX, a maioria dos médicos atribuía a febre puerperal aos maus ares ou a hábitos desregrados, quando, de fato, eram os dedos sujos dos próprios médicos que transferiam os micróbios de uma mulher para outra. Já em 1847 um médico em Viena, Ignaz Semmelweis, percebeu que, se os médicos do hospital lavassem as mãos em água levemente clorada, todos os tipos de mortes diminuiriam drasticamente; mas quase ninguém lhe deu atenção, e ainda se passariam décadas até que as práticas antissépticas fossem adotadas.

Para algumas mulheres de sorte, havia pelo menos alguma perspectiva de maior segurança com a chegada do fórceps obstétrico, que permitia reposicionar os bebês. Infelizmente o seu inventor, Peter Chamberlen, optou por não compartilhar sua invenção com o mundo, e a manteve em segredo na sua clínica; pior, seus herdeiros conservaram essa lamentável tradição por mais cem anos, até que o fórceps foi novamente inventado, de forma independente, por outros. Enquanto isso, as mulheres morriam aos milhares, em uma agonia desnecessária. Há que lembrar que o fórceps também tinha seus riscos. Por ser um instrumento invasivo, e não esterilizado, poderia causar danos ao bebê e à mãe se não fosse manipulado com a maior delicadeza. Por essa razão, muitos médicos tinham relutância em usá-lo. No caso mais célebre a princesa Charlotte, herdeira presuntiva do trono britânico, morreu em 1817, ao dar à luz seu primeiro filho, porque o chefe da equipe médica, sir Richard Croft, não permitiu que os colegas usassem o fórceps para tentar aliviar o sofrimento da princesa. Em consequência, depois de mais de cinquenta horas de contrações exaustivas e sem efeito, o bebê e a mãe morreram. A morte de Charlotte mudou o curso da história britânica. Se ela tivesse sobrevivido, não teria havido o período vitoriano, pois não teria existido a rainha Vitória. Charlotte tinha apenas 21 anos de idade e era muito amada pelo povo — uma situação rara naquela época de monarcas mimadas e obesas —, razão pela qual sua morte foi sentida com muita raiva e consternação. Ao constatar, desolado, que era o homem mais desprezado na Grã-Bretanha, Croft recolheu-se aos seus aposentos e se suicidou com um tiro na cabeça.

Para a maioria das pessoas, tanto para crianças quanto adultos, o fator predominante na vida, até os tempos modernos, era pura e simplesmente o econômico. Nos lares mais pobres — e era esse o retrato da maioria das casas, é claro —, cada pessoa era, desde o mais cedo possível, uma unidade de produção. John Locke, em um documento para a Câmara de Comércio, em 1697, sugeriu que os filhos dos pobres deveriam começar a trabalhar a partir dos três anos, e ninguém achou essa ideia não realista ou cruel. É improvável que na canção de ninar "The little boy blue" aquele que não conseguiu manter as ovelhas longe do pasto e as vacas longe do milharal tivesse mais que quatro anos de idade; as mãos dos mais velhos eram necessárias para fazer os trabalhos mais pesados.

Mas, nos piores casos, as crianças tinham que fazer os trabalhos mais braçais. Crianças de seis anos de idade, de ambos os sexos, eram postas para trabalhar nas minas, por ser pequenas e poder entrar em lugares apertados. Por causa do calor e para poupar as roupas, muitas vezes trabalhavam nuas. (Era normal os homens também trabalharem nus; as mulheres geralmente trabalhavam nuas da cintura para cima.) Durante a maior parte do ano, os que trabalhavam nas minas não viam a luz do sol, o que os deixava fracos e com retardo no crescimento devido à falta de vitamina D. Até os trabalhos relativamente leves muitas vezes eram perigosos. As crianças nas fábricas de cerâmica do distrito chamado Potteries, em Midlands, limpavam potes contendo resíduos de chumbo e arsênico, causando um lento envenenamento que condenava muitas delas à futura paralisia, convulsões e tremores generalizados.

De todos os trabalhadores infantis, os menos invejados eram os limpadores de chaminés, ou "meninos escaladores". Começavam mais cedo, trabalhavam mais duro e morriam mais cedo do que qualquer outro grupo. A maioria começava sua breve carreira por volta dos cinco anos, embora os registros incluam um menino de três anos e meio, idade na qual mesmo as tarefas mais simples devem ter sido confusas e assustadoras. Era necessário usar meninos porque os condutos das chaminés eram apertados e, muitas vezes, loucamente enroscados. "Alguns", escreve Robert Waller, "viravam em ângulo reto, seguiam na horizontal ou na diagonal, até mesmo em zigue-zague, ou desciam bruscamente, antes de subir para a chaminé no telhado. Havia em Londres uma chaminé que mudava de direção nada menos de catorze vezes." Era um trabalho brutal. Uma maneira de incentivar os meninos a trabalhar depressa era atear fogo em um monte de palha na grelha da lareira, enviando assim uma rajada de calor atrás do garoto, chaminé acima. Muitos terminavam sua curta carreira corcundas e com a saúde deteriorada aos onze ou doze anos de idade. Parece que o câncer dos testículos era um risco especial dessa ocupação.

Em um mundo tão cruel e sem esperança, o caso de Isaac Ware se destaca como um milagre. O nome de Ware aparece com frequência nos livros de história da arquitetura setecentista, pois ele foi o maior crítico da arquitetura da época e suas opiniões eram muito consideradas. (Foi ele, como o leitor talvez se lembre da nossa visita ao porão no capítulo 9, quem ajudou a tornar o tijolo vermelho fora de moda, em meados do século XVIII, ao declarar que tinha "uma cor de fogo desagradável aos olhos".) Mas Ware não tinha nascido para a fama. Na verdade, começou a vida como menino de rua e limpador de chaminés, e deveu sua educação refinada e seu sucesso a um único e extraordinário ato de bondade, ocorrido por volta de 1712. Um cavalheiro anônimo — nunca oficialmente identificado, mas em geral apontado como sendo o terceiro conde de Burlington, construtor da Chiswick House e um dos formadores de opinião da época — estava passando pela rua Whitehall, em Londres, quando viu um jovem limpador de chaminés fazendo um esboço da Banqueting House na calçada, com um pedaço de carvão. O desenho revelava um talento tão extraordinário que Burlington sentiu o impulso de examiná-lo; mas o menino, pensando estar em apuros, debulhou-se em lágrimas e tentou apagar o desenho. O cavalheiro o acalmou, conversou com ele e ficou tão impressionado com o talento natural do menino que comprou sua liberdade, pagando ao empregador, levou-o para sua casa e iniciou o longo processo de transformá-lo em um cavalheiro. Mandou-o fazer uma turnê completa pela Europa e o fez aprender todos os requintes da vida.

Sob essa tutela, Ware tornou-se um arquiteto talentoso, ainda que não brilhante, mas seu verdadeiro dom era de crítico e pensador. Dentre vários livros importantes, incluem-se uma tradução respeitada de *Os quatro livros da arquitetura* de Palladio e seu *The complete body of architecture*, que se tornou uma espécie de bíblia do bom gosto e do discernimento para profissionais e amadores. No entanto, Ware nunca se livrou por completo de suas origens humildes. Quando morreu, em 1766, diziam que sua pele ainda trazia as manchas indeléveis de fuligem do limpador de chaminés.

Ware foi, desnecessário dizer, uma exceção. A maioria das crianças estava totalmente à mercê de seus empregadores, e por vezes eram tratadas da forma mais chocante. Em um caso que obteve breve notoriedade, um fazendeiro de Malmesbury, em Wiltshire, teve a ideia de castrar dois dos seus jovens aprendizes e vendê-los a uma companhia de ópera como cantores. Foi impedido de concretizar a segunda parte de sua ambição, mas, infelizmente, já tinha executado a primeira.

Até meados do século xix, as crianças não tinham quase nenhuma proteção jurídica. Por exemplo, antes de 1814 nenhuma lei proibia que se roubasse uma criança. Em Middlesex, em 1802, uma mulher chamada Elizabeth Salmon, após sequestrar a menina Elizabeth Impey, foi acusada pelo roubo da touca e do vestido da criança, porque essa era a única parte do delito que era ilegal. Como era possível sequestrar com tão pouco risco, acreditava-se que os ciganos roubavam crianças e as vendiam, o que pode ter um fundo de verdade.

Um caso célebre foi o de Mary Davis, uma mulher de alta classe que, em 1812, encontrou seu filho desaparecido limpando uma chaminé em uma pousada na qual ela se hospedou por acaso.

A Revolução Industrial só piorou a situação, pelo menos no início. Antes da Lei das Fábricas, de 1844, que reduziu a jornada de trabalho das crianças, a maioria das fábricas funcionava de doze a catorze horas por dia, seis dias por semana. Algumas trabalhavam ainda mais, principalmente durante os períodos de maior produção, quando era necessário atender grandes pedidos. Em 1810 foram descobertos aprendizes de uma fábrica trabalhando nas máquinas desde as cinco e cinquenta da manhã até depois das nove da noite, com um único intervalo de trinta a 45 minutos para o almoço, e por vezes comiam em pé, trabalhando nas máquinas. Em quase todas as fábricas as refeições mal davam para a sobrevivência. "Eles tomam mingau com água no desjejum e no jantar, e, em geral, bolo de aveia com melado, ou bolo de aveia e sopa rala, no almoço", relatou um fiscal. Em algumas fábricas, o desconforto era crônico e considerável. Alguns materiais, como a fibra de linho, tinham que ser mantidos úmidos enquanto eram manuseados, de modo que alguns dos trabalhadores ficavam sempre encharcados pelo borrifo das máquinas. No inverno devia ser insuportável. Quase todas as máquinas industriais eram de fato perigosas, mas especialmente quando os operários estavam famintos e exaustos. Segundo os relatos, algumas crianças ficavam tão cansadas que não tinham energia nem para comer, e adormeciam com a comida na boca.

Pelo menos tinham emprego fixo. Para os que dependiam do trabalho informal, a sobrevivência era uma eterna loteria. Estima-se que, em 1750, um terço dos habitantes de Londres ia dormir todas as noites "quase sem nenhum vintém", e a proporção só piorou com o passar do tempo. Os trabalhadores informais nem sabiam, ao acordar, se ganhariam o suficiente para comer naquele dia. Tão terríveis eram as condições para muitos, que Henry Mayhew dedicou um volume inteiro da sua obra em quatro volumes, *London labour and the London poor*, para a classe mais miserável, os catadores, cujo desespero os levava a dar valor a praticamente tudo que encontravam à beira da estrada. Como ele escreveu:

> Muita coisa que em uma cidade do interior um pobre chuta para fora do caminho... será agarrada em Londres como um prêmio, pois vale dinheiro. Um gorro

amassado e rasgado, por exemplo, ou, melhor ainda, um chapéu velho, gasto pelo uso, sem forma, sem copa, e sem aba, será apanhado na rua e cuidadosamente guardado em uma sacola.

As condições nas quais essas pessoas viviam chegavam a ser tão miseráveis que chocavam até mesmo os pesquisadores mais endurecidos. Em 1830 um fiscal de moradias relatou: "Encontrei [um cômodo] ocupado por um homem, duas mulheres e duas crianças, e ainda estava o cadáver de uma pobre moça que havia morrido no parto alguns dias antes". Os pais pobres normalmente tinham uma prole grande, como uma espécie de política de aposentadoria, esperando que um número suficiente de filhos sobrevivesse para ampará-los na velhice. Na segunda metade do século XIX, um terço das famílias na Inglaterra tinha oito ou mais filhos, outro terço tinha de cinco a sete filhos, e o último terço (de longe o mais rico) tinha quatro ou menos. Nos bairros mais pobres era raro encontrar um lar que conseguisse alimentar a todos adequadamente; assim, certo nível de desnutrição era mais ou menos endêmico. Acredita-se que pelo menos 15% das crianças tinham as pernas arqueadas e deformidades pélvicas devido ao raquitismo; tais infortúnios aconteciam maciçamente entre os mais miseráveis. Um médico de Londres, em meados da era vitoriana, publicou uma lista das coisas que já tinha visto as pessoas darem como alimento a crianças pequenas: geleia de mocotó, bolinhos duros embebidos em óleo, carne dura que elas não conseguiam mastigar. Os pequenos por vezes sobreviviam com o que caía no chão, ou com as sobras que catavam em qualquer lugar. Aos sete ou oito anos, muitas crianças eram mandadas para a rua, para sobreviver por conta própria. Por volta da década de 1860, Londres tinha cerca de 100 mil "árabes de rua" — crianças sem educação, sem qualificação, sem objetivo de vida e sem futuro. "Esse número é de deixar qualquer um perplexo", registrou um cidadão da época.

Contudo, a ideia de educá-las era tratada com aversão quase universal. Havia o medo de que educar os pobres despertaria neles aspirações para as quais não estavam preparados e, francamente, às quais nem sequer tinham direito. Sir Charles Adderley, responsável pela política de educação do governo, no fim dos anos 1850, afirmou categoricamente: "É evidente que está errado manter as crianças da classe operária na escola após alcançarem a idade de trabalhar". Esse ato "seria tão arbitrário e descabido como mandar os alunos de Eton e Harrow pegarem na enxada".

Ninguém representou melhor o lado cruel das opiniões do que o reverendo Thomas Robert Malthus (1766-1834), cujo *Essay on the principle of population as it affects the future improvements of society* [Ensaio sobre o princípio da população e seus efeitos no aperfeiçoamento futuro da sociedade] foi publicado anonimamente em 1798, adquirindo uma influência imediata e retumbante. Malthus culpava os pobres pelas suas próprias dificuldades, e se opunha à ideia de auxílio às massas alegando que isso só aumentava a tendência deles para o ócio. "Mesmo quando têm oportunidade de economizar", escreveu, "raramente eles a põem em prática, pois tudo que sobra de suas necessidades momentâneas é gasto bebendo no bar. Portanto, pode-se dizer que as leis para os pobres da Inglaterra diminuíram tanto a capacidade quanto a vontade de economizar entre as pessoas comuns e, assim, enfraqueceram um dos mais poderosos incentivos à sobriedade e à diligência e, consequentemente, à felicidade." Ele se incomodava especialmente com os irlandeses, e acreditava, como escreveu a um amigo em 1817, que "grande parte da população deveria ser varrida da terra". Esse não era lá um homem com muita caridade cristã no coração.

Em consequência das péssimas e inexoráveis condições de vida, a taxa de mortalidade subia onde quer que a população pobre se congregasse. Em Dudley, na região de Midlands, a expectativa média de vida ao nascer em meados do século caiu para apenas 18,5 anos, algo nunca visto na Grã-Bretanha desde a Era do Bronze. Mesmo nas cidades mais saudáveis, a expectativa média de vida era de 26 a 28 anos e em nenhum lugar na área urbana da Grã-Bretanha excedia os trinta anos.

Como sempre, quem mais sofria eram os mais jovens e, contudo, seu bem-estar e sua segurança despertavam pouquíssima atenção. Nada é tão revelador acerca da vida na Grã-Bretanha no século XIX como o fato de que a Sociedade Protetora dos Animais foi criada sessenta anos antes de uma organização semelhante para a proteção às crianças. Não menos notável é o fato de que em 1840 a primeira se tornou a *Real* Sociedade Protetora dos Animais, cerca de uma década e meia após a sua fundação. Já a Sociedade Nacional Protetora das Crianças permanece, até hoje, sem as bênçãos da realeza.

II

Bem quando parecia que a vida para os pobres da Inglaterra não tinha como ficar pior, a vida piorou. A causa do infortúnio foi a introdução e a aplicação rigorosa das novas leis de auxílio aos pobres, a partir de 1834. A assistência aos pobres sempre foi um assunto delicado na Grã-Bretanha. O que irritava, em especial, muitos vitorianos mais ricos não era a triste situação dos pobres, mas o custo. As leis relativas aos pobres estavam em vigor desde o período elisabetano, mas ficava a cargo de cada paróquia decidir como aplicá-las. Algumas eram relativamente generosas; outras eram tão mesquinhas que chegavam a encaminhar pessoas doentes ou mulheres em trabalho de parto para outra paróquia, para que ficassem sob responsabilidade de outra jurisdição. Os nascimentos ilegítimos eram motivo especial de indignação oficial, e garantir que os malfeitores fossem devidamente punidos e obrigados a assumir a responsabilidade pelo que tinham feito era uma preocupação quase obsessiva das autoridades locais. Num decreto típico de um tribunal de Lancashire, do fim do século XVII, se lê:

> Jane Sotworth de Wrightington, solteira, jura que Richard Garstange de Fazerkerley, lavrador, é o pai de Alice, sua filha bastarda. Ela ficará com a guarda da criança por dois anos, desde que não mendigue, e Richard, então, cuidará da criança até que ela complete doze anos de idade. Ele dará a Jane uma vaca e seis xelins em dinheiro. Tanto ele como ela serão chicoteados hoje em Ormeskirke.

No início do século XIX, o problema da assistência aos pobres tornou-se uma crise nacional. O custo das guerras napoleônicas abalou profundamente o Tesouro nacional, e as coisas só pioraram com a chegada da paz, pois cerca de 300 mil soldados e marinheiros voltaram à vida civil e começaram a procurar emprego em uma economia já deprimida.

A solução, como quase todos concordavam, foi criar uma rede nacional de casas de trabalho, onde as regras seriam aplicadas segundo um único padrão nacional. Uma comissão, cujo secretário era o incansável Edwin Chadwick, considerou o assunto com a meticulosidade típica da época (e de Chadwick) e, por fim, produziu um relatório de treze volumes. O único ponto em que praticamente todos concordavam é o de que essas casas de trabalho deveriam ser tão desagradáveis quanto possível para que não se tornassem atraentes para os pobres. Um dos que deram depoimentos apresentou, a título de advertência, uma narrativa tão reveladora do pensamento predominante da época que vale a pena citá-la na íntegra:

> Lembro-me do caso de uma família chamada Wintle, que consistia de um homem, sua esposa e cinco filhos. Cerca de dois anos atrás, o pai, a mãe e dois filhos ficaram muito doentes, e passaram por grandes dificuldades, sendo obrigados a vender os poucos móveis que tinham para poder sobreviver; eles residiam na nossa área; e, como ouvimos falar de seu sofrimento extremo, fui até eles para oferecer ajuda; eles, porém, recusaram tenazmente o auxílio. Relatei isso ao sacristão, que resolveu me acompanhar, e juntos insistimos de novo com a família sobre a necessidade de receber ajuda; mas ainda assim eles recusaram, e não conseguimos convencê-los a aceitar nossa oferta. Ficamos tão interessados no caso, que mesmo com a recusa lhes enviamos quatro xelins em um pacote com uma carta, esperando que eles pedissem mais, se continuassem doentes; o que de fato aconteceu e desde aquele tempo até hoje (agora mais de dois anos) creio que não ficaram de fora dos nossos registros por mais de três semanas, embora tenha havido pouca ou nenhuma doença na família. Assim, nós realmente estragamos os hábitos adquiridos pela sua diligência anterior; e não hesito em dizer que, de nove casos em dez, esse é o resultado de ter provado da generosidade da paróquia.

O relatório da comissão bradava, com santimônia, contra "os que valorizam o auxílio da paróquia como se fosse seu privilégio, e o exigem como seu direito". A ajuda aos pobres tinha se tornado tão generosa e acessível, segundo os comissários, que "o pobre pensa que o governo se comprometeu a revogar, a seu favor, as leis comuns da natureza; a decretar que as crianças não devem sofrer pela má conduta dos pais — a mulher pela conduta do marido, ou vice-versa; que ninguém deve perder os meios de uma subsistência confortável, qualquer que seja sua indolência, prodigalidade ou vício". Com um entusiasmo arriscado que chegava à beira da paranoia, o relatório continuava sugerindo que um trabalhador pobre poderia, de propósito, decidir "vingar-se da paróquia", casando e gerando filhos "para aumentar a superpopulação local, que vai aos poucos roendo os recursos com os quais ele e todos os outros trabalhadores da paróquia devem ser sustentados". Afinal, tal homem não tinha nada a perder com essa estratégia, pois seus filhos podiam ser postos para trabalhar em casa e "se tornarem uma fonte de lucro para os pais se o negócio for bom; e, caso não dê certo, elas serão mantidas pela paróquia".

Para garantir que os pobres nunca fossem recompensados por sua ociosidade, as novas casas de trabalho foram feitas de modo a serem rigorosas e tristes ao máximo. Os maridos eram separados das esposas, os filhos dos pais. Em algumas casas de trabalho os internos eram obrigados a usar uniformes no estilo de presidiários. A comida era programada para ser terrível. ("De modo algum a comida deve ser superior ou igual ao meio comum de subsistência das classes trabalhadoras do bairro", decretou a comissão.) Conversar nas salas de jantar e durante o horário de trabalho era proibido. Qualquer esperança de felicidade era banida sem piedade.

Os internos tinham que cumprir horas de trabalho diário para ter direito às refeições e ao abrigo. Uma tarefa comum era catar estopa. A estopa era feita de cordas velhas, revestidas de uma forte camada de alcatrão para ser utilizada na calafetagem dos navios. Catar era simplesmente desembaraçar os fios para que pudessem ser reutilizados. Era um trabalho difícil e sofrido — as fibras duras podiam causar cortes dolorosos — e de uma lentidão aflitiva. Em uma dessas casas de trabalho, a Poplar Workhouse, na zona leste de Londres, os homens eram obrigados a catar 2,5 quilos de estopa por dia — quase o dobro da cota imposta aos presidiários. Aqueles que não conseguiam atingir as metas ficavam a pão e água. Em 1873, dois terços dos internos da Poplar sofriam esse racionamento de comida. Na Andover Workhouse, em Hampshire, onde os internos tinham que esmagar ossos para fazer adubo, dizia-se que eles viviam tão esfomeados que sugavam os ossos para comer a medula.

A assistência médica, em quase todos os lugares, era escassa e concedida com relutância. Os pacientes das casas de trabalho eram normalmente submetidos a cirurgias sem anestesia, por vinte anos depois que esta foi inventada, para conter os custos. As doenças eram endêmicas. A tuberculose de dois tipos — tísica (ou pulmonar) e linfática, que afetava os ossos, músculos e a pele — corria solta, e o tifo era um medo constante. Como as crianças, em geral, viviam bastante enfraquecidas, doenças que hoje causam apenas pequenos incômodos na época eram devastadoras. O sarampo matou mais crianças no século XIX do que qualquer outra doença. A coqueluche e o crupe mataram dezenas de milhares, e não havia lugar melhor para contraí-las do que em uma casa de trabalho abafada e superlotada.

Algumas casas de trabalho eram tão ruins que geravam suas próprias doenças. Uma doença crônica e incerta — que hoje se acredita ser uma combinação de infecções da pele — era chamada apenas de "coceira". Decerto surgia devido à falta de higiene, embora a má alimentação também contribuísse. As insuficiências alimentares e a falta de higiene favoreciam a proliferação de vermes, solitárias, lombrigas e outros invasores sinuosos. Uma fábrica de remédios em Manchester produziu um purgante que garantia expulsar, com certeza e de maneira um tanto explosiva, cada último parasita indesejado no trato intestinal. Um usuário com orgulho testemunhou que tinha expelido trezentos vermes, "alguns deles de espessura incomum". Mas os que viviam nas casas de trabalho só podiam sonhar com tal salvação.

O lúpus e outras infecções fúngicas também eram endêmicos. Os piolhos eram um problema constante. Um tratamento adotado era molhar a roupa de cama em uma solução de cloreto de mercúrio e cloreto de cal, envenenando os lençóis não só para os piolhos como também para os infelizes que neles dormiam. Também se costumava desinfetar os internos vigorosamente na chegada. Em uma casa de trabalho na região de Midlands, um menino chamado Henry Cartwright foi considerado tão fétido que a diretora da casa mandou mergulhá-lo numa solução de sulfureto de potássio para tentar eliminar o odor corporal; mas em vez disso ela eliminou o pobre rapaz. Quando foi retirado, já tinha sufocado. As autoridades não eram totalmente indiferentes a esses abusos. Em Brentwood, Essex, quando uma enfermeira chamada Elizabeth Gillespie jogou uma menina escada abaixo, provocando sua morte, foi levada a julgamento e condenada a cinco anos de prisão. Mesmo assim, o abuso físico e sexual, especialmente dos jovens, era generalizado.

Na prática, as casas de trabalho só podiam abrigar um número limitado de pessoas — não mais que cerca de um quinto dos pobres da Inglaterra ao mesmo tempo. O resto dos indigentes do país sobrevivia com "auxílio de fora" — pequenas quantias doadas para ajudar com o aluguel e a comida. Coletar esse dinheiro era, às vezes, quase impossível. C. S. Peel nota o caso de um pastor desempregado em Kent — "um homem honesto e trabalhador, desempregado mas não por culpa sua" — que era obrigado a fazer uma viagem de 42 quilômetros a pé todos os dias para recolher a insignificante ajuda de um xelim e seis *pence* para ele, sua esposa e cinco filhos. O pastor fez essa marcha diária durante nove semanas até, por fim, cair e morrer no caminho por fraqueza e fome. Em Londres, disseram a uma mulher chamada Annie Kaplan, com seis filhos para criar após a morte do marido, que ela não conseguiria sustentar os seis com a exígua quantia que tinha para receber e devia escolher dois filhos para mandar a um orfanato. Kaplan se recusou. "Se quatro vão morrer de fome, seis também vão morrer", declarou ela. "Se eu tenho um pedaço de pão para quatro, vou ter um pedaço de pão para seis... Não vou dar ninguém." As autoridades pediram que ela reconsiderasse, mas ela se recusou; assim, eles decidiram não lhe dar nada. O que foi feito dela e dos filhos ninguém sabe.

Uma das poucas figuras que simpatizava ativamente com a situação dos pobres foi também uma das mais interessantes e surpreendentes. Friedrich Engels veio para a Inglaterra com apenas 21 anos de idade, em 1842, para ajudar a dirigir a fábrica de tecidos do pai, em Manchester. A firma, Ermen & Engels, fabricava fios para costura. Apesar de jovem, Engels era um filho respeitoso e homem de negócios razoavelmente consciencioso — acabou virando sócio da firma. Também passava boa parte do tempo desviando fundos da empresa, de forma modesta mas persistente, para sustentar seu amigo e colaborador Karl Marx, em Londres.

Seria difícil imaginar dois fundadores mais improváveis para um movimento tão asceta como o comunismo. Embora desejando sinceramente a derrocada do capitalismo, Engels aproveitava todos os benefícios do capitalista para se tornar um homem realmente abastado. Criava cavalos de raça, praticava caça à raposa com cães nos fins de semana, apreciava os melhores vinhos, sustentava uma amante, socializava com a elite de Manchester no elegante Albert Club — em suma, fazia tudo o que se pode esperar de um cavalheiro bem-sucedido da classe alta. Marx, por sua vez, denunciava constantemente o modo de vida da burguesia, mas a sua era a mais burguesa possível; mandou as filhas para escolas particulares e aproveitava qualquer oportunidade para gabar-se da origem aristocrática da esposa.

O apoio que Engels pacientemente deu a Marx foi algo realmente admirável. Naquele memorável ano de 1851, Marx aceitou um emprego como correspondente estrangeiro para o *New York Daily Tribune*, mas sem a intenção de realmente escrever artigos. Para começar, seu inglês não era suficiente para isso. Sua ideia era que Engels escrevesse os artigos em seu lugar e ele recebesse o pagamento; e foi exatamente o que aconteceu. Mesmo assim, como a renda não bastava para sustentar seu estilo de vida extravagante e despreocupado, convenceu Engels a desviar dinheiro da firma do pai para sustentá-lo. Engels fez isso durante anos, com considerável risco para si mesmo.

Entre administrar a fábrica e ajudar Marx, Engels também criou um interesse genuíno pela situação dos pobres de Manchester. Nem sempre suas ideias eram muito liberais. Como vimos no capítulo anterior, ele não tinha muita consideração pelos irlandeses e estava sempre disposto a acreditar que os pobres eram responsáveis pelo seu triste destino. E, contudo, ninguém escreveu com mais sentimento sobre a vida nas favelas da era vitoriana. Em *A situação da classe trabalhadora na Inglaterra*, ele descreve pessoas que vivem "na imundície, em meio a fedores horríveis, [...] montes de lixo, vísceras de animais e uma sujeira repugnante". Relata o caso de uma mulher cujos dois filhos pequenos, à beira de morrer de frio e fome, tinham sido pegos roubando comida. Quando um policial os levou para casa, encontrou a mãe com seis outros filhos, "literalmente amontoados em um quartinho dos fundos sem mobília, exceto duas velhas cadeiras sem os assentos, uma mesinha com duas pernas quebradas, uma xícara quebrada e um pratinho. Na lareira mal havia uma centelha de fogo, e em um canto havia uma pequena pilha de trapos velhos, que se poderia levar num avental de mulher e que servia de cama para toda a família".

As descrições de Engels eram tocantes, sem dúvida, e são muito citadas hoje; mas há que lembrar que seu livro foi publicado apenas em alemão, em 1845, e só foi traduzido para o inglês 32 anos depois. Como reformador das instituições britânicas, Engels não teve influência alguma; isso só ocorreu muito depois que as reformas já tinham começado.

Em outros lugares, porém, as condições de vida dos pobres começavam a chamar a atenção. Na década de 1860 surgiu uma moda entre os jornalistas de se disfarçar de mendigos e entrar em uma casa de trabalho — o que hoje chamaríamos de abrigo — para investigar e relatar as condições internas. Permitiam assim que os leitores sentissem fortes emoções, de forma indireta e segura, experimentando aquelas terríveis condições sem sair do conforto do lar. Dessa forma, os leitores ficaram sabendo que os internos na Lambeth

Workhouse eram obrigados a se despir e entrar em uma banheira com uma água turva, "cor de caldo de carneiro", cheia dos resquícios repelentes dos que haviam se banhado antes. Passando o corredor havia dormitórios escuros onde homens e meninos, "todos completamente nus", se amontoavam juntos em camas que eram pouco mais que tábuas de madeira. "Os jovens dormiam nos braços dos homens, os homens se aninhavam uns nos outros; não havia nem fogo, nem luz, nem fiscalização, e os mais fracos e débeis ficavam totalmente à mercê dos mais fortes e mais violentos. O ar estava carregado de um cheiro pestilento."

Tocada por esses relatórios, uma nova geração de benfeitores começou a fundar uma extraordinária variedade de organizações — o Comitê para Promover o Estabelecimento de Banheiros e Casas de Banhos para as Classes Trabalhadoras, a Sociedade para a Supressão da Vadiagem Juvenil, a Sociedade para a Promoção de Floreiras nas Janelas entre as Classes Trabalhadoras de Westminster, e até mesmo a Sociedade para o Resgate de Meninos Ainda Não Condenados por Qualquer Delito Criminal — quase sempre com a esperança de ajudar os pobres a se afastarem do álcool, a permanecerem ou se tornarem cristãos, trabalhadores, higiênicos, cumpridores da lei, pais responsáveis e donos de várias outras virtudes. Algumas organizações se esforçavam para melhorar as condições de moradia dos pobres. Um dos mais generosos foi George Peabody, empresário americano que se fixou na Inglaterra em 1837 (foi ele, como você talvez se lembre do capítulo 1, quem doou os fundos de emergência que permitiram instalar o pavilhão americano na Grande Exposição). Peabody gastou muito da sua vasta fortuna construindo prédios de apartamentos para os pobres por toda a Londres. Os conjuntos residenciais de Peabody alojavam cerca de 15 mil pessoas em apartamentos limpos e relativamente espaçosos, embora a mão pesada do paternalismo ainda estivesse dolorosamente presente. Os inquilinos não tinham permissão de pintar ou aplicar papel de parede, colocar cortinas ou personalizar suas casas de qualquer outra maneira significativa. Em consequência, elas eram pouco mais alegres do que celas de prisão.

Mas a verdadeira mudança foi o súbito crescimento do trabalho missionário no âmbito nacional, refletido em especial nos esforços de um homem que fez mais para ajudar as crianças pobres (muitas vezes contra a vontade delas) do que qualquer outro antes. Seu nome era Thomas Barnardo, um jovem irlandês que veio a Londres na década de 1860 e ficou tão horrorizado com as condições dos jovens desamparados que fundou uma organização formalmente chamada de The National Incorporated Association for the Reclamation of Destitute Waif Children [Associação Nacional Unificada para a Recuperação de Crianças Desamparadas], embora todos a chamassem de "Dr. Barnardo's".

Barnardo vinha de uma origem exótica. Sua família, originária de judeus sefarditas espanhóis, mudou-se primeiro para a Alemanha e depois para a Irlanda. Quando Thomas nasceu, em 1845, a afiliação religiosa da família tinha passado para o extremo mais feroz do protestantismo. O próprio Barnardo veio a se submeter à influência de uma entidade fundamentalista, os Irmãos de Plymouth, e foi isso que o levou a Londres, no início dos anos 1860, com a intenção de estudar medicina e ser missionário religioso na China. Mas, na verdade, ele nunca foi à China, nem se formou médico. Em vez disso, seu lado missionário começou a se interessar pelos meninos de rua (e, mais tarde, também pelas meninas). Com dinheiro emprestado, abriu seu primeiro abrigo em Stepney, zona leste de Londres.

Barnardo era um publicitário brilhante, e fez uma campanha de imenso sucesso baseada em fotografias contundentes, do tipo "antes e depois", das crianças que tirava das ruas. As fotos de "antes" mostravam crianças de rua sujas (e por vezes com um mínimo de roupas), de semblante taciturno, enquanto nas fotos de "depois" estavam bem limpas e escovadas, alertas e radiantes com a alegria da salvação cristã. As campanhas tiveram tanto sucesso que logo Barnardo começou a expandir seus interesses em outras direções, abrindo enfermarias, lares para crianças surdas-mudas, engraxates desabrigados e muito mais. O slogan estampado na fachada da casa de Stepney era "Nenhuma criança desamparada jamais será impedida de entrar". Esse nobre sentimento era bastante inusitado, e fazia com que muita gente odiasse Barnardo. O problema era que abrigar meninos incondicionalmente era uma afronta aos princípios da Nova Lei dos Pobres, de 1834.

A ambição ilimitada de Barnardo o colocou em conflito com um colega missionário, Frederick Charrington. Herdeiro de uma família riquíssima de fabricantes de cerveja do East End, Charrington entrou no trabalho missionário abruptamente quando viu, certo dia, um bêbado batendo na mulher, na porta de um bar de onde acabava de sair, quando a esposa lhe implorou dinheiro para alimentar os filhos famintos. A partir desse momento Charrington abraçou a temperança, renunciou à sua herança e começou a trabalhar com os pobres. Considerava a Mile End Road seu território pessoal, e quando Barnardo anunciou sua intenção de abrir ali um "café da temperança", onde não se serviria álcool, Charrington se ofendeu e embarcou em uma campanha implacável para manchar seu caráter. Ajudado por um pregador itinerante chamado George Reynolds (que até pouco antes era carregador na estação ferroviária), começou a espalhar rumores de que Barnardo havia mentido sobre seu passado, administrava mal seus abrigos, dormia com sua senhoria e ludibriava o público com propaganda enganosa. As casas fundadas por Barnardo, sugeria ele ainda, eram lugares onde grassava a sodomia, a embriaguez, a chantagem e outros vícios dos mais depravados.

Infelizmente para Barnardo, uma grande e incômoda proporção de tudo isso era verdade. Barnardo era um pouco mentiroso e piorou as coisas respondendo às acusações com outras mentiras desajeitadas. Quando foi acusado de alegar ser médico sem ser — uma ofensa bastante grave segundo a Lei da Medicina de 1858 —, Barnardo apresentou um diploma de uma universidade alemã, mas logo ficou claro que era uma falsificação grosseira. Também foi provado que ele tinha falsificado muitas fotos do tipo "antes e depois" das crianças que havia resgatado, fazendo-as parecer muito mais miseráveis do que realmente eram. Muitas dessas fotos encenadas mostravam crianças com roupas artisticamente rasgadas, expondo quantidades sedutoras de carne, que muitos agora interpretavam como um vil apelo aos interesses lascivos. Até os adeptos mais fiéis de Barnardo vacilaram em sua lealdade. Além das dúvidas sobre seu caráter e sua honestidade, muitos se preocupavam com seu endividamento. Um dos princípios fundamentais dos Irmãos de Plymouth era a devoção à economia; contudo, Barnardo continuava tomando emprestado grandes quantias para abrir mais abrigos.

Por fim Barnardo foi considerado culpado de falsificar fotografias e alegar falsamente ser médico; mas foi inocentado das acusações mais graves. Por ironia, a vida nos abrigos de Barnardo era pouco mais atraente do que nos temidos asilos ou casas de trabalho. Os internos eram tirados da cama às cinco e meia da manhã e obrigados a trabalhar até as seis e meia da tarde, com pequenos intervalos para as refeições, as orações e algumas aulas escolares. As noites eram dedicadas a exercícios militares, mais aulas e mais orações. Qualquer garoto apanhado tentando fugir era colocado em confinamento solitário. Barnardo não se limitava a recrutar crianças, mas as agarrava nas ruas, em um espírito de "sequestro filantrópico". Todos os anos cerca de 1500 desses meninos eram sumariamente enviados para o Canadá, para dar lugar nos abrigos para outros garotos.

Na época da sua morte, em 1905, Barnardo já havia abrigado 250 mil crianças. E deixou a organização com uma dívida de 250 mil libras — uma quantia colossal.

III

Até agora falamos só de crianças pobres, mas as crianças de famílias mais ricas também tinham que aguentar seus próprios tormentos. Eram tormentos que muitas crianças pobres e famélicas ficariam felizes em suportar, sem dúvida; mas, mesmo assim, tormentos. Consistiam, de modo geral, no ajustamento emocional e em aprender a viver em um mundo sem afeto. Nas classes média e alta da Inglaterra se esperava das crianças, quase desde o momento em que saíam do ventre materno, que fossem obedientes, cumpridoras de seus deveres, honestas, diligentes e laboriosas, que aguentassem os sofrimentos estoicamente e fossem emocionalmente contidas. Após a primeira infância, um aperto de mão ocasional era tudo que se poderia esperar em matéria de proximidade física. O lar típico das classes prósperas na Inglaterra vitoriana era, nas palavras de um contemporâneo, um posto avançado da "reserva, fria, dura e enfaticamente desumana, que acaba com qualquer comunicação feita com a amizade, a consideração e a simpatia que deveria pautar todas as relações familiares".

Muitas crianças de famílias abastadas tinham que suportar as agruras da formação do caráter. O cunhado de Isabella Beeton, Willy Smiles, tinha onze filhos, mas só punha a mesa do café da manhã para dez, para desencorajar a demora em sentar-se à mesa. Gwen Raverat, filha de um acadêmico de Cambridge, recordou, mais tarde na vida, que era obrigada a colocar sal no seu mingau diário, em vez dos reluzentes montes de açúcar de que seus pais desfrutavam; também era proibida de passar geleia no pão, com a justificativa de que algo tão saboroso decerto iria destruir sua fibra moral. Uma escritora contemporânea de formação semelhante lembrou-se com tristeza da comida servida a ela e sua irmã na infância: "Comíamos laranjas no Natal. Geleia nós nunca víamos".

Com essa guerra total às papilas gustativas, havia um curioso respeito pelo medo e pelo pavor e seus poderes de formação do caráter. Eram extremamente populares os livros que preparavam os jovens leitores para a possibilidade de que a morte os levaria a qualquer momento; e, se não os levasse, quase com certeza levaria sua mamãe, seu papai ou seu irmãozinho favorito. Esses livros sempre insistiam que o céu era um lugar maravilhoso (embora também sem geleia, ao que parece). A intenção alegada era ajudar as crianças a não ter medo de morrer, embora o efeito fosse quase sempre o oposto.

Outras obras literárias se destinavam a garantir que elas compreendessem que desobedecer a um adulto era uma ofensa tola e imperdoável. Um poema popular, "A terrível história de Pauline e os fósforos", contava a história de uma menininha que não ouviu o gentil conselho da mãe para não brincar com fósforos. Como diz o poema:

Mas Paulina não ouviu o conselho,
E acendeu um fósforo, era tão bom!
Ele estalava, radioso a brilhar
Como aqui nesta figura —
Ela pulava e corria, de tanta alegria
E nem quis saber de apagar

Agora, veja! Ah, veja! Que coisa terrível
O fogo pegou na tira do avental;
Tudo em chamas — avental, braços, cabelos;
Pauline está queimando inteira.

Para garantir que não houvesse falha na compreensão, o poema trazia uma vívida ilustração mostrando uma menina envolta em uma bola de fogo, no rosto uma expressão de profunda consternação. O poema conclui:

Ela se queimou toda, com toda a sua roupa
Braços e mãos, nariz e olhos;
Até que não tinha mais nada a queimar

Exceto seus sapatinhos vermelhos;
E só eles foram encontrados
Em meio às suas cinzas no chão.

"A terrível história de Pauline e os fósforos" era um dos poemas de uma série escrita por um médico alemão chamado Heinrich Hoffmann, que tencionava, originalmente, que fosse um incentivo a seus próprios filhos para seguir uma vida de rígida prudência e seriedade. Os livros de Hoffmann eram muito populares e tiveram várias traduções (inclusive uma de Mark Twain). Todos seguiam o mesmo padrão: apresentar às crianças uma tentação difícil de recusar, e logo mostrar como eram dolorosas e irreversíveis as consequências por sucumbir a ela. Quase nenhuma atividade infantil escapava à possibilidade de ser brutalmente castigada nas mãos de Hoffmann. Em outro poema, "A história do menino chupa-dedo", alerta-se um menino chamado Conrad para que não chupe o dedo, pois isso vai atrair a atenção de uma figura demoníaca chamada "o Grande Alfaiate", que sempre vem

Para os meninos que chupam o dedo.
Antes de dormir, ele aparece
Com sua grande tesoura afiada
E corta os dedinhos fora —
E depois, sabe, eles não crescem mais.

Infelizmente, o menino ignora o conselho e descobre que o castigo, no mundo de Hoffmann, é rápido e irreversível:

A porta se abriu e ele entrou
De pernas vermelhas, tesoura na mão
Oh, crianças, vejam! Chegou o alfaiate
E apanhou o nosso Chupa-Dedo!

Snip! Snap! Snip! faz a tesoura;
E Conrad grita — Oh! Oh! Oh!
Snip! Snap! Snip! Ela trabalha rápido;
E os dois polegares já saltam fora.

Mamãe chega em casa, lá está Conrad,
Parece tão triste, e mostra as mãos.
"Ah!", diz mamãe, "eu sabia que ele viria
pegar esse menino desobediente."

Para crianças mais velhas esses poemas talvez fossem divertidos, mas para as menores devem ter sido terríveis — como era, mesmo, a intenção deles; e mais ainda por virem sempre acompanhados por ilustrações explícitas mostrando crianças consternadas, irreversivelmente envoltas em chamas, ou com o corpo jorrando sangue onde antes ficavam partes úteis do seu corpo.

As crianças mais ricas também eram, com frequência, deixadas à mercê dos criados e de seus caprichos particulares. O futuro lorde Curzon, filho de um pároco de Derbyshire, foi aterrorizado durante anos por uma governanta semipsicótica que o amarrava a uma cadeira ou o trancava dentro do armário durante horas a fio, comia a sobremesa da sua bandeja do jantar, o obrigava a escrever cartas confessando crimes que ele não tinha cometido, e o fazia desfilar pela aldeia local usando um vestido ridículo e um cartaz ao pescoço com a palavra "MENTIROSO", "LADRÃO" ou alguma outra condição vergonhosa e que ele nada fizera para merecer. Essas experiências o deixaram tão traumatizado que ele não conseguiu contá-las a ninguém até a idade adulta. Um pouco menos dura, mas também contrangedora, foi a experiência do futuro sexto conde de Beauchamp, deixado nas garras de uma governanta que era uma fanática religiosa; ela o obrigava a assistir a sete missas todos os domingos, e preencher o tempo entre elas escrevendo ensaios sobre a bondade de Deus.

Para muitos, as provações da primeira infância eram apenas um modesto aquecimento para as agonias da adolescência nos internatos ingleses, as *public schools*.* Poucas vezes a doutrina da vida dura foi adotada com tanto entusiasmo como nos internatos ingleses oitocentistas. Desde a chegada os alunos eram tratados com a máxima severidade: banhos frios, frequentes surras com bengala ou vara de vidoeiro, eliminação na dieta de qualquer coisa que pudesse ser remotamente apetitosa. Os garotos do Radley College, perto de Oxford, passa-

---

* Embora chamadas *public schools*, eram escolas particulares, pagas. (N. T.)

vam fome tão sistematicamente que chegavam a desenterrar bulbos de flores dos jardins da escola para tostar nas velas do dormitório. Em outras escolas, onde não havia bulbos de flores, os meninos simplesmente comiam as velas. O escritor Alec Waugh, irmão de Evelyn Waugh, frequentou uma escola preparatória chamada Fernden que parecia ser singularmente dedicada aos ideais do sadismo. Em seu primeiro dia de aula, enfiaram seus dedos em um pote com ácido sulfúrico, para evitar que roesse as unhas; logo depois foi obrigado a comer o conteúdo de uma tigela de pudim de semolina onde acabara de vomitar — uma experiência que, compreensivelmente, reduziu seu entusiasmo pela semolina para o resto da vida.

As condições de vida nessas escolas eram penosas, lúgubres. As ilustrações dos dormitórios escolares a partir do século xix os mostram como indistinguíveis dos equivalentes nas prisões e nos asilos para pobres. Muitos dormitórios eram tão frios que a água congelava à noite em jarros e tigelas. As camas eram pouco mais que plataformas de madeira, sem nada mais do que um par de cobertores ásperos. Todas as noites, em escolas como Westminster e Eton, cerca de cinquenta meninos ficavam trancados juntos em vastos dormitórios e deixados sem vigilância até de manhã, de modo que os mais fracos ficavam à mercê dos mais fortes. Os meninos mais novos por vezes tinham que levantar de madrugada para engraxar botas, tirar água e fazer todas as suas tarefas obrigatórias antes do desjejum. Não é de admirar que Lewis Carroll disse, mais tarde na vida, falando de seus tempos de escola, que nada neste mundo o convenceria a repetir a experiência.

Muitos meninos eram surrados diariamente, ou duas vezes por dia. Não levar uma surra era motivo de comemoração. "Esta semana fui muito melhor em aritmética e não levei surra de vara nem uma vez", escreveu um aluno de Winchester, feliz, em carta para a casa no início dos anos 1800. A surra em geral consistia de três a seis golpes no traseiro com uma vara de bétula semelhante a um chicote; mas por vezes a violência era maior. Em 1682, um professor de Eton teve que renunciar ao cargo por matar um aluno. Um número notável de jovens criou gosto pelo silvo das varadas e a ardência das chicotadas — tanto que ser chicoteado por prazer ficou conhecido como "le vice anglais". Pelo menos dois primeiros-ministros do século xix, Melbourne e Gladstone, eram devotos do chicote, e uma certa sra. Collet, de Covent Garden, mantinha um bordel especializado em oferecer sexo aplicado com surras e tapas.

Acima de tudo, esperava-se dos filhos que obedecessem às ordens, e continuassem a fazê-lo muito depois de atingir a maioridade. Os pais se reservavam o direito de escolher o cônjuge do filho, sua carreira, seu modo de vida, filiação política, estilo de vestir e praticamente todos os outros aspectos que pudessem ser ditados; e com frequência reagiam com violência financeira quando suas ordens não eram cumpridas. O reformador social Henry Mayhew foi deserdado quando se recusou a seguir as instruções do pai para estudar advocacia. O mesmo aconteceu com seis de seus sete irmãos, um após o outro. Apenas o sétimo se interessou em ser advogado (ou talvez apenas em herdar a propriedade); ele obedeceu e assim herdou a terra. A poeta Elizabeth Barrett foi deserdada por se casar com Robert Browning, que não só era um poeta sem tostão, como também — oh, horror — neto de um dono de taverna. Da mesma forma, os pais horrorizados de Alice Roberts a deserdaram quando não conseguiram dissuadi-la de casar com um indigente, filho de um afinador de pianos e ainda por cima católico. Felizmente, o homem era o futuro compositor Edward Elgar, que fez dela uma mulher rica.

Às vezes se deserdava um filho por motivos mais triviais. O segundo lorde Townshend, depois de passar anos incomodado pelos modos afeminados do filho, de repente eliminou o infeliz jovem do testamento quando este entrou na sala, certo dia, com fitas cor-de-rosa nos sapatos. Também muito falado foi o caso do sexto duque de Somerset, conhecido como o "Duque Orgulhoso", que exigia que suas filhas sempre ficassem em pé na sua presença; segundo consta, deserdou uma delas quando acordou de um cochilo e pegou em flagrante a filha ingrata sentada numa cadeira.

O que é mais notável — e, de fato, deprimente — não é a facilidade com que os pais retiravam seus fundos, mas sim seu afeto. Elizabeth Barrett e o pai tinham uma relação intensa e próxima; mas, quando ela declarou sua intenção de se casar com Robert Browning, o sr. Barrett de imediato rompeu qualquer contato com ela. Nunca mais falou com a filha nem lhe escreveu, embora Robert Browning fosse um homem talentoso e respeitável, e o casamento dos dois baseado em profundos laços de amor. Nesse mundo incompreensível que era a paternidade na era vitoriana, a obediência tinha precedência sobre todas as considerações de afeto e felicidade; e essa estranha e dolorosa convicção vigorava na maioria dos lares mais abastados, até, pelo menos, a época da Primeira Guerra Mundial.

Diante disso tudo, parece que os vitorianos não inventaram a infância, mas sim a "*des*inventaram". Na verdade, as coisas eram mais complicadas. Ao negar afeto aos filhos quando pequenos, e depois tentar controlar seu comportamento na idade adulta, os vitorianos ficavam na estranha posição de tentar suprimir a infância *e*, ao mesmo tempo, fazê-la durar para sempre. Não surpreende que o fim da era vitoriana coincidiu, quase exatamente, com a invenção da psicanálise.

Desafiar o pai ou a mãe era tão profundamente inaceitável que a maioria dos filhos, mesmo na idade adulta, simplesmente não se atreviam. Um exemplo perfeito é o caso de Charles Darwin. Quando Darwin, ainda bem jovem, foi convidado a participar da viagem do *HMS Beagle*, escreveu uma carta comovente para o pai, explicando exatamente por que queria ir, e como era intenso e desesperado seu desejo; mas garantia enfaticamente que desistiria de imediato se a ideia fosse, ainda que brevemente, "desconfortável" para o pai. O sr. Darwin considerou o assunto e declarou que a ideia, de fato, lhe era desconfortável. Charles, sem dar um pio de protesto, retirou sua proposta. Hoje, a ideia de que Charles Darwin poderia não ter feito a viagem do *Beagle* é inimaginável para nós. Para Darwin, o inimaginável era desobedecer ao pai.

Claro que Darwin acabou indo, e uma grande razão que fez seu pai ceder foi um fator estranho mas crucial na vida de muita gente de classe alta: o casamento dentro da família. Casar entre primos era muito comum até o século XIX, e um ótimo exemplo é o da família Darwin e seus primos, os Wedgwood (criadores da famosa cerâmica de mesmo nome). Charles casou com sua prima em primeiro grau Emma Wedgwood, filha do seu querido tio Josiah. A irmã de Darwin, Caroline, casou-se com Josiah Wedgwood III, irmão de Emma e seu primo em primeiro grau. Outro irmão de Emma, Henry, não se casou com uma Darwin, mas com uma prima em primeiro grau de outro ramo da família Wedgwood, acrescentando assim mais uma vertente nessa genética familiar maravilhosamente complicada. Por fim, Charles Langton, que não era parente de nenhuma das duas famílias, casou-se primeiro com Charlotte Wedgwood, outra filha de Josiah e prima de Charles, e depois, com a morte de Charlotte, casou com Emily, irmã de Darwin, tornando-se assim, ao que parece, marido da cunhada de sua cunhada, e levantando a possibilidade de que os filhos dessa união fossem seus próprios primos em primeiro grau. O que tudo isso significa quanto às relações entre sobrinhos, sobrinhas e a próxima geração de primos é quase impossível de computar.

E o que isso produziu, inesperadamente, é um dos grupos familiares mais felizes do século xix. Ao que parece, praticamente todos os Darwin e os Wedgwood gostavam genuinamente uns dos outros — o que é ótimo para nós, porque, quando o pai de Darwin expressou dúvidas sobre a viagem do *Beagle*, o tio Josiah ficou feliz em interceder pelo rapaz e dar uma palavra com o pai, seu primo Robert. E o melhor: Robert se dispôs a ouvir e mudar de ideia por causa de seu respeito e carinho por seu cunhado Josiah.

Assim, graças ao seu tio materno e à tradição de manter os genes dentro da família, Charles Darwin fez-se ao mar e navegou cinco anos, reunindo os fatos que lhe permitiram mudar o mundo. E isso nos leva, convenientemente, se bem que de modo um tanto inesperado, para o topo da casa e o último espaço que atravessaremos.

19. O sótão

I

Naquele ano tão agitado e memorável de 1851, enquanto as multidões acorriam à Grande Exposição de Londres e Thomas Marsham se instalava em sua nova propriedade em Norfolk, Charles Darwin entregava a seus editores um volumoso manuscrito, resultado de oito anos de dedicadas pesquisas sobre a natureza e os hábitos das cracas marinhas. Pelo título, *Uma monografia sobre os Lepadidae fósseis, ou Cirrípedes pedunculados da Grã-Bretanha*, não parece ser uma obra das mais fascinantes, e de fato não era; mas garantiu a reputação de Darwin como naturalista e lhe deu, nas palavras de um biógrafo, "autoridade para falar, quando chegasse o tempo certo, sobre variabilidade e transmutação" — ou seja, sobre a evolução. É notável que Darwin ainda não tenha se dado por satisfeito com suas cracas. Três anos mais tarde, produziu um estudo de 684 páginas sobre os cirrípedes sésseis, e uma obra companheira daquela, mais modesta, sobre os fósseis de cracas não mencionados na primeira obra. "Odeio as cracas, odeio-as como nenhum homem jamais as odiou", declarou ele ao concluir esse trabalho, e é difícil não simpatizar com esse sentimento.

Lepadidae fósseis não foi um best-seller, mas vendeu mais que outro livro também de 1851 — uma estranha parábola sobre a caça às baleias, um tanto mística em suas divagações, intitulada simplesmente *A baleia*. Foi um livro oportuno, já que na época, por toda parte, as baleias eram caçadas até a extinção; mas os críticos e o público leitor não se afeiçoaram ao livro, nem sequer o compreenderam. Era demasiado denso e enigmático, repleto de passagens introspectivas e também de fatos objetivos. Um mês depois o livro saiu nos Estados Unidos com um título diferente: *Moby Dick*. Ali também não vendeu muito. O fracasso foi uma surpresa, pois o autor, Herman Melville, de 32 anos, tinha granjeado grande sucesso com duas histórias já publicadas, também sobre aventuras no mar: *Typee* e *Omoo*. Contudo, *Moby Dick* nunca deslanchou durante a vida de Melville, nem tampouco outras obras que escreveu. Morreu quase esquecido em 1891. Seu último livro, *Billy Budd*, só veio a encontrar editor mais de trinta anos após a sua morte.

Não é provável que o sr. Marsham conhecesse *Moby Dick* nem *Lepadidae fósseis*, mas ambos os livros refletiam uma mudança fundamental que havia pouco começara a dominar o mundo do pensamento: o impulso quase obsessivo de capturar cada mínimo fato discernível e lhe dar reconhecimento permanente num registro escrito. O trabalho de campo se tornara a última moda entre os cavalheiros com inclinação científica. Alguns se envolviam com a geologia e as ciências naturais; outros se tornavam "antiquários" — profissão que veio a convergir com a arqueologia. Os mais aventureiros sacrificavam o conforto do lar, e com frequência anos de vida, para explorar rincões distantes do planeta. Eles se tornaram — uma nova palavra, cunhada em 1834 — *cientistas*.

Sua curiosidade e dedicação eram inexauríveis. Nenhum lugar era demasiado remoto ou inconveniente; nenhum objeto indigno de consideração. Foi nessa época que o caçador de plantas Robert Fortune viajou pela China disfarçado de chinês, obtendo informações sobre o cultivo e o processamento do chá; foi quando David Livingstone subiu o Zambezi, penetrando nos lugares mais recônditos da África; quando botânicos aventureiros vasculhavam o interior das Américas, a do Norte e a do Sul, em busca de novos espécimes interessantes; e quando Charles Darwin, com apenas 22 anos de idade, embarcou como naturalista na viagem épica que haveria de mudar a sua vida, e também a nossa, de muitas maneiras que ninguém na época poderia nem sequer imaginar.

Quase tudo que Darwin encontrou em seus cinco anos de viagem despertou sua atenção. Ele registrou tantos fatos, e adquiriu tamanha quantidade de espécimes, que depois levou uma década e meia apenas para dar conta das cracas. Entre muitas outras coisas, coletou centenas de novas espécies de plantas, fez várias descobertas importantes sobre fósseis e fatos geológicos, elaborou uma hipótese universalmente admirada para explicar a formação dos atóis de coral e obteve os materiais e os insights necessários para criar uma teoria revolucionária sobre a vida. Nada mal para um rapaz que, se o pai conseguisse impor a sua vontade, teria se tornado um pároco de aldeia, como nosso velho sr. Marsham — perspectiva que Darwin temia e odiava.

Uma das ironias da viagem do *Beagle* é que Darwin foi contratado pelo capitão Robert FitzRoy devido a sua formação em teologia; esperava-se que o jovem encontrasse provas para respaldar uma interpretação bíblica da história. Ao persuadir Robert Darwin a deixar seu filho Charles partir, Josiah Wedgwood ressaltou que "o estudo da história natural [...] é muito adequado para um clérigo". Mas o que aconteceu foi que, quanto mais Darwin via o mundo, mais convencido ficava de que a história da Terra e sua dinâmica eram vastamente mais longas e complexas do que diziam as ideias convencionais da época. Sua teoria sobre os atóis de coral, por exemplo, pressupunha uma passagem de tempo muito mais prolongada do que permitiam as escalas cronológicas da Bíblia — fato que deixou furioso o devoto e irascível capitão FitzRoy.

Por fim, como sabemos, Darwin concebeu uma teoria — a sobrevivência do mais apto, como é comumente conhecida, ou descendência com modificação, como ele a chamou — que explicava a maravilhosa complexidade das coisas vivas de maneira que não exigia, em absoluto, a intervenção de uma divindade. Em 1842, seis anos após o fim da sua viagem, ele esboçou um sumário de 230 páginas com os elementos principais de sua teoria. Fez então algo extraordinário: trancou esse manuscrito em uma gaveta, e ali o guardou por dezesseis anos. O assunto lhe parecia "quente" demais para a discussão pública.

Muito antes do aparecimento de Darwin, porém, as pessoas já haviam encontrado coisas que não combinavam com as crenças ortodoxas. Aliás, um dos primeiros achados desse tipo estava a poucos quilômetros da nossa velha casa paroquial, na aldeia de Hoxne. Foi ali que, no fim da década de 1790, John Frere, um rico proprietário rural e "antiquário", ou arqueólogo, como diríamos hoje, descobriu um conjunto de ferramentas de sílex ao lado de ossos de animais havia muito tempo extintos — o que sugeria uma coexistência que, segundo a Bíblia, não deveria ocorrer. Em uma carta à Sociedade dos Antiquários de Londres, Frere relatou que as ferramentas foram fabricadas por pessoas que "não faziam uso dos metais... o que pode nos tentar a situar a sua existência em um período muitíssimo remoto". Essa dedução era excepcionalmente perspicaz para a época — até demais, na verdade, e foi quase completamente ignorada. O secretário da Sociedade lhe agradeceu por sua "comunicação curiosa e muito interessante", e durante os quarenta anos seguintes foi esse o fim da história.*

Mas depois disso várias outras pessoas começaram a fazer descobertas desconcertantes, encontrando ferramentas junto a ossos muito antigos. Em uma caverna perto de Torquay, em Devon, o padre católico John MacEnery, arqueólogo amador, escavou e descobriu provas mais ou menos incontroversas de que seres humanos haviam caçado mamutes e outras criaturas já extintas. MacEnery achou essa ideia tão desconfortável e conflitante com os preceitos bíblicos que guardou suas descobertas só para si. Depois disso um agente alfandegário francês chamado Jacques Boucher de Perthes, escavando a planície de Somme, encontrou ossos junto a ferramentas, e escreveu uma obra longa e influente, *Celtic and antediluvian antiquities* [Antiguidades celtas e antediluvianas], que atraiu atenção internacional. Na mesma época, o inglês William Pengelly, um diretor de escola, examinou de novo a caverna do padre MacEnery e outra nas proximidades, em Brixham, e anunciou ao mundo as descobertas que MacEnery achou tão perturbadoras e guardou só para si. Assim, em meados do século XIX ficava cada vez mais evidente que a Terra tem não apenas uma longa história, mas também o que viria a ser chamado de "pré-história", embora essa palavra só fosse cunhada em 1871. É significativo que essas ideias eram tão radicais que ainda não havia nem sequer palavras para denominá-las.

Foi então que, no início do verão de 1858, em um famoso episódio, Alfred Russel Wallace, que se encontrava no Oriente, deixou cair uma verdadeira bomba no colo de Darwin. Enviou-lhe a primeira versão de um ensaio, "Sobre a tendência das variedades de se afastarem indefinidamente do tipo original".

---

* Cem anos depois, quando a importância do achado finalmente foi reconhecida, um período geológico recebeu o nome de "Hoxniano", segundo a aldeia onde Frere fez sua descoberta.

Era nada menos que a teoria do próprio Darwin, a que Russel Wallace havia chegado de maneira inocente e com total independência. "Nunca vi uma coincidência tão marcante", escreveu Darwin. "Se Wallace tivesse em mãos o esboço do meu manuscrito de 1842, não poderia ter feito um resumo melhor."

O protocolo exigia que Darwin cedesse o lugar e permitisse a Wallace assumir todo o crédito pela teoria, mas Darwin não conseguiu fazer esse gesto tão nobre. A teoria significava demais para ele. Um fator que veio a complicar as coisas nesse momento foi que seu filho Charles, de um ano e meio, estava gravemente doente, com escarlatina. Apesar disso Darwin encontrou tempo para disparar cartas para seus amigos cientistas mais eminentes, que o ajudaram a conceber uma solução. Ficou acertado que Joseph Hooker e Charles Lyell apresentariam resumos dos dois ensaios em uma reunião da Sociedade Linneana de Londres, dando a Darwin e a Wallace, conjuntamente, o crédito pela nova teoria. Isso foi feito, zelosamente, em 1º de julho de 1858. Wallace, que se encontrava no distante Oriente, nada sabia dessas maquinações; e Darwin tampouco compareceu à apresentação, pois nesse mesmo dia ele e a esposa estavam no cemitério enterrando o filho.

Darwin de imediato se lançou a trabalhar, expandindo seu esboço e elaborando um livro completo, que em novembro de 1859 foi publicado com o título *Sobre a origem das espécies por meio da seleção natural, ou a preservação das raças mais favorecidas na luta pela vida*. De imediato se tornou um best-seller. Hoje nos é quase impossível imaginar o quanto a teoria de Darwin abalou o mundo intelectual, deixando muita gente desejando desesperadamente que ela não estivesse correta. O próprio Darwin observou para um amigo que escrever seu livro lhe dava a sensação de "confessar um assassinato".

Muitos religiosos devotos simplesmente não podiam aceitar que a Terra fosse tão antiga, e que tivesse se povoado de vida de maneira tão aleatória, como indicavam todas as novas ideias. Um naturalista de renome, Philip Henry Gosse, apresentou uma teoria alternativa um tanto desesperada, chamada "procronismo", segundo a qual Deus apenas tinha feito a terra *parecer* muito antiga, para dar às pessoas de mente inquisitiva mais coisas interessantes em que pensar. Até mesmo os fósseis, insistia Gosse, tinham sido colocados entre as rochas por Deus, durante sua ocupadíssima semana da Criação.

Gradualmente, porém, as pessoas mais instruídas passaram a aceitar que o mundo era não só mais antigo do que supunha a Bíblia, mas também muito mais complicado, imperfeito e confuso. Naturalmente, tudo isso minava a base da confiança sobre a qual atuavam os clérigos como o sr. Marsham. Do ponto de vista da preeminência dos eclesiásticos, essa época foi o início do fim.

Em seu afã de desenterrar tesouros, muitos pesquisadores dessa nova cepa causaram danos estarrecedores. Artefatos eram desenterrados do solo "como batatas", nas palavras de um observador alarmado. Em Norfolk, membros da nova Sociedade Arqueológica de Norfolk e Norwich — fundada pouco antes de o sr. Marsham assumir seu posto na nossa paróquia — arrancaram tudo que havia em mais de cem montes funerários, boa parte do total do condado, sem deixar registro algum dos artefatos encontrados ou de que modo estavam dispostos, para desespero das futuras gerações de estudiosos.

Há nisso certa ironia óbvia e dolorosa: ao mesmo tempo que os britânicos descobriam seu passado, destruíam boa parte dele. Um bom exemplo desse tipo de colecionador de rapina foi William Greenwell (1820-1918), cônego da catedral de Durham, que já encontramos antes neste livro como inventor da "Glória de Greenwell", isca para trutas das mais célebres (entre os que celebram tais coisas). Durante sua longa carreira, Greenwell acumulou um conjunto extraordinário de artefatos "por doação, por aquisição e por meios ilícitos", nas palavras de um historiador. Sozinho, ele escavou — ou talvez uma palavra melhor seria "devorou" — 443 montes funerários em toda a Inglaterra. Seus métodos denotam intenso interesse, mas total descuido. E, como não deixou praticamente nenhuma anotação nem registro, é quase impossível saber qual artefato provém de onde.

A única virtude de Greenwell foi ter mostrado a mágica da arqueologia a um cavalheiro com o esplêndido nome de Augustus Henry Lane Fox Pitt Rivers. Hoje é lembrado por duas coisas — como uma das mais importantes figuras dos primeiros tempos da arqueologia e também como um dos homens mais desagradáveis da época. Já o encontramos de passagem neste volume: foi a figura temível que insistia em que a esposa fosse cremada. ("Que diabos, mulher, você tem que queimar!", era seu alegre bordão.) Provinha de uma família interessante — e também já encontramos alguns de seus membros, em especial duas tias-avós que poderíamos chamar de mulheres muito animadas. A primeira, Penélope, casou-se com o visconde Ligonier de Clonmell. Foi ela, como o leitor talvez se lembre, que teve um caso com um conde italiano e depois fugiu com o lacaio. A segunda foi a jovem que se casou com Peter Beckford, mas se apaixonou, desastrosamente, por seu primo William, o construtor da abadia de Fonthill. Ambas eram filhas de George Pitt, primeiro barão Rivers, de quem nosso Pitt Rivers herdou seu duplo sobrenome.

Augustus Pitt Rivers era um homem grandalhão, uma figura intimidante com temperamento feroz e pavio curtíssimo, que presidia, imperiosamente, sobre uma propriedade de 11 mil hectares chamada Rushmore, perto de Salisbury. Era famoso pela mesquinharia. Certa vez sua esposa convidou os moradores da aldeia local para uma festa de Natal em Rushmore, e ficou muito sentida quando ninguém apareceu. Do que ela não suspeitava é que o marido, sabedor de seus planos, mandara um criado trancar a cadeado os portões da propriedade.

Era capaz de atos de violência súbitos e desproporcionais. Depois de expulsar um de seus filhos da propriedade devido a uma infração qualquer, proibiu os outros filhos de terem qualquer contato com ele. Uma filha, porém, Alice, teve pena do irmão e foi encontrá-lo nas divisas da propriedade para lhe dar algum dinheiro. Pitt Rivers ficou sabendo disso, interceptou Alice quando ela voltava para casa e derrubou-a no chão, dando-lhe uma tremenda surra com seu chicote de montaria.

A especialidade de Pitt Rivers — uma espécie de hobby, ao que parece — era despejar inquilinos idosos. Certa vez mandou um aviso de despejo a um homem e sua esposa aleijada, ambos com mais de oitenta anos. Quando eles lhe imploraram que reconsiderasse, já que não tinham parentes vivos nem lugar algum para onde ir, ele respondeu brevemente: "Lamento muito saber, pela sua carta, o quanto desagrada aos senhores mudar-se de Hinton. Resumindo, penso que meus deveres para com a propriedade me obrigam a ocupar a casa o quanto antes". O casal foi despejado em seguida, apesar de, na verdade, Pitt Rivers nunca ter se mudado para lá e, segundo seu biógrafo, Mark Bowden, quase com certeza jamais ter tido a intenção de ocupar a casa.*

* Parece que o filho mais velho de Pitt Rivers, Alexander, herdou a inclinação do pai para atormentar inquilinos. Um deles, homem de caráter antes calmo, foi levado ao desespero pelo jovem Alexander, a tal ponto que escreveu "Blackguard Landlord" [senhorio vilão] com herbicida, formando grandes letras no gramado de Rushmore. Alexander o processou por calúnia e ganhou o direito a uma indenização simbólica de um xelim; mas se alegrou ao ver que os custos

Apesar de todos os seus defeitos pessoais, Pitt Rivers foi um notável arqueólogo — de fato, um dos pais da arqueologia moderna. Ele trouxe método e rigor à área. Rotulava cuidadosamente os cacos de cerâmica e outros fragmentos, em uma época em que não se fazia isso de rotina. A ideia de organizar os achados arqueológicos em uma sequência sistemática — processo conhecido como tipologia — foi sua invenção. Uma característica sua nada comum na época: estava menos interessado em tesouros resplandecentes do que em objetos da vida diária — canecas, pentes, contas decorativas e coisas assim, que até então em geral não eram valorizadas. Trouxe também à arqueologia uma devoção à exatidão. Inventou um instrumento chamado craniômetro, que fazia medições exatas de crânios humanos. Após a sua morte, sua coleção de artefatos constituiu a base do grande Museu Pitt Rivers, em Oxford.

Graças, em grande parte, à metodologia exigente de Pitt Rivers, na segunda metade do século XIX a arqueologia foi ficando mais parecida com uma ciência e não tanto com uma caça ao tesouro, e os piores excessos e descuidos dos primeiros "antiquários" iam se tornando coisas do passado. Em outros lugares, porém, a destruição só fazia piorar. Praticamente todos os antigos monumentos da Grã-Bretanha estavam nas mãos de particulares e não havia lei alguma que obrigasse os donos a cuidar deles. Abundavam histórias sobre gente que destruía os artefatos, ou por achar que eram um estorvo, ou por não compreender como eram raros e preciosos. Nas ilhas Orkney, no norte da Escócia, um fazendeiro de Stennes, não longe de Skara Brae, demoliu um megálito pré-histórico conhecido como Pedra de Odin, porque ficava no meio do caminho quando ele passava o arado; e já ia começar a demolir as Pedras de Stennes, hoje famosas, quando outros moradores da ilha, horrorizados, o convenceram a desistir.

Mesmo um local tão único e sem paralelos como Stonehenge era incrivelmente inseguro. Era comum que os visitantes entalhassem seus nomes ou levassem embora pedaços de pedra como suvenir. Um homem foi encontrado martelando um dos megálitos com uma grande marreta. No início dos anos

---

do processo jogaram o inquilino na miséria. Os outros oito filhos de Pitt Rivers parecem ter sido gente bastante decente. George — o que foi expulso da propriedade e assim, sem querer, fez a irmã levar uma surra de chicote — tornou-se um inventor bem-sucedido, com especial interesse na iluminação elétrica. Na Exposição de Paris de 1881, ele expôs uma lâmpada incandescente que foi considerada tão boa como qualquer uma das produzidas por Edison ou Joseph Swan.

1870, a estrada de ferro London and South-Western anunciou planos de passar uma ferrovia bem no meio de Stonehenge. Quando houve reclamações, uma autoridade da ferrovia respondeu que Stonehenge estava "em péssimas condições e atualmente sem a menor utilidade para ninguém".

Sem dúvida o legado pré-histórico da Grã-Bretanha precisava de um salvador. Entra na história um dos homens mais extraordinários daquela época extraordinária. Seu nome era John Lubbock e é notável que não seja mais conhecido. Seria difícil citar qualquer figura histórica que tenha feito mais coisas úteis, em mais áreas diversas, e conquistado tão pouca fama em troca de seus esforços.

Filho de um rico banqueiro, Lubbock foi na infância vizinho de Charles Darwin em Kent. Brincava com os filhos de Darwin e estava sempre entrando e saindo da casa do cientista. Tinha talento para história natural, o que o tornava querido ao grande homem. Os dois passavam muitas horas juntos no estúdio de Darwin, observando espécimes em um par de microscópios iguais. Numa época que Darwin estava deprimido, o jovem Lubbock era a única visita que ele concordava em receber.

Ao chegar à idade adulta, Lubbock seguiu a profissão do pai e foi trabalhar em um banco, mas seu coração estava na ciência. Como experimentador era incansável, embora um tanto excêntrico. Certa vez passou três meses tentando ensinar seu cão a ler. Quando criou interesse pela arqueologia tratou de aprender dinamarquês, pois a Dinamarca era então a líder mundial da área. Tinha especial curiosidade pelos insetos, e criou uma colônia de abelhas na sala de sua casa para estudar seus hábitos. Em 1886 descobriu os paurópodes — artrópodes pertencentes à família dos minúsculos ácaros, já mencionados em nossa discussão sobre criaturas domésticas. Como já vimos, muitos ácaros eram totalmente desconhecidos pela ciência até meados do século XX; assim, identificar uma família deles em 1886 foi uma notável realização, em especial para um banqueiro que só se dedicava à ciência à noite e nos fins de semana. Não menos importante foi seu estudo sobre a variabilidade do sistema nervoso nos insetos, que deu um importante apoio a Darwin e à sua ideia de descendência com modificação, bem em uma época em que Darwin realmente precisava desse respaldo.

Além de banqueiro e dedicado entomologista, Lubbock era um notável arqueólogo, um dos curadores do Museu Britânico, membro do Parlamento,

SIR JOHN LUBBOCK, M.P., F.R.S.

How doth the Banking Busy Bee
Improve his shining Hours
By studying on Bank Holidays
Strange Insects and Wild Flowers!

Caricatura da revista Punch mostrando John Lubbock, autor da Lei do Feriado Bancário e da Lei de Proteção aos Monumentos Antigos.

vice-diretor da Universidade de Londres e autor de livros populares, praticando ainda muitas outras atividades. Como arqueólogo, foi ele quem cunhou os termos "paleolítico", "mesolítico" e "neolítico"; foi também um dos primeiros a usar uma nova palavra de grande utilidade: "pré-histórico". Como político e membro do Parlamento pelo Partido Liberal, Lubbock tornou-se defensor dos trabalhadores. Introduziu leis que limitava o trabalho nas lojas a dez horas por dia, e em 1871 conseguiu impor, praticamente sozinho, a lei do Feriado Bancário, introduzindo a ideia radical e espantosa de que os trabalhadores deveriam desfrutar de um dia de folga pago, em um feriado laico.* Hoje em dia é quase impossível imaginar a excitação que isso causou. Antes da nova lei de Lubbock, a maioria dos empregados tinha folga do trabalho apenas aos domingos, na Sexta-Feira Santa e no Natal ou no dia 26 de dezembro, o chamado *Boxing Day* (mas não em ambos os dias, em geral), e nada mais. A ideia de ter um dia de folga como bônus — e ainda mais no verão — era eletrizante. Segundo o consenso geral, Lubbock era o homem mais popular da Inglaterra, e por muito tempo o feriado bancário foi chamado, afetuosamente, de "Dia de São Lubbock". Ninguém na época poderia imaginar que seu nome futuramente seria esquecido.

Mas é por outra inovação que Lubbock tem importância para nós aqui: pela preservação dos monumentos antigos. Em 1872 Lubbock ficou sabendo, por meio de um pároco rural de Wilthsire, que uma grande parte de Avebury, um antigo círculo de megálitos bem maior que Stonehenge (embora sua disposição não seja tão pitoresca), estava prestes a ser derrubado para dar lugar a um conjunto residencial. Lubbock comprou as terras ameaçadas, com dois outros antigos monumentos próximos, West Kennet Long Barrow e Silbury Hill (uma enorme colina feita pela mão do homem — a maior da Europa). No entanto, obviamente ele não conseguiria proteger cada local de valor que fosse ameaçado; assim, começou a fazer pressão para introduzir leis de proteção aos tesouros históricos. Realizar essa ambição não era algo tão simples e direto como o bom senso indicaria, pois o partido governante, os tories, sob a liderança de Benjamin Disraeli, via essas leis como um chocante ataque aos direitos da propriedade privada. A ideia de conceder a um funcionário do governo

---

* O nome "feriado bancário" [*Bank Holiday*] era estranho, e Lubbock nunca explicou muito bem por que decidiu lhe dar esse nome, em vez de "feriado nacional", "dia do trabalhador" ou algum outro nome descritivo. Já se sugeriu que sua intenção era fazer um feriado só para os bancários, mas isso não é correto. Ele sempre tencionou criar um feriado que beneficiasse a todos.

o direito de vir até as terras de uma pessoa de casta superior e lhe dizer como deveria administrar sua propriedade era ridícula, até revoltante. Mas Lubbock perseverou, e em 1882, sob o novo governo liberal de William Ewart Gldstone, conseguiu a aprovação do Parlamento para a Lei de Proteção aos Monumentos Antigos — um marco na legislação dessa área.

Como a proteção aos monumentos era assunto delicado, foi acordado que o primeiro inspetor dos Monumentos Antigos seria alguém que os proprietários de terras pudessem respeitar; idealmente que fosse também um grande proprietário. Por acaso Lubbock conhecia o homem certo — alguém que estava prestes a se tornar seu sogro, ninguém menos que Augustus Henry Lane Fox Pitt Rivers.

O relacionamento dos dois homens por meio do casamento deve ter sido tão surpreendente para eles como hoje é para nós. Para começar, os dois eram mais ou menos da mesma idade. Aconteceu que Lubbock, recém-viúvo, conheceu Alice, filha de Pitt Rivers, em um fim de semana no castelo Howard no início dos anos 1880. Lubbock tinha quase cinquenta, Alice apenas dezoito. É impossível saber o que acendeu a faísca entre eles, mas logo depois os dois se casaram. Não foi um casamento feliz. Ela era mais jovem do que alguns dos filhos dele, o que causava constrangimento nas relações. Parece que Alice tinha pouco interesse no trabalho do marido; mas com certeza sua vida com Lubbock era melhor do que levar surras de chicote do pai.

Não sabemos se Lubbock desconhecia a brutalidade de Pitt Rivers para com Alice ou apenas estava disposto a tolerá-la — e o fato de que ambas as coisas eram possíveis revela bem a mentalidade da época. De toda forma, Lubbock e Pitt Rivers tiveram uma ótima relação de trabalho, com muitos interesses em comum. Como inspetor dos monumentos antigos, os poderes de Pitt Rivers não eram espetaculares — sua função era identificar monumentos importantes que pudessem estar em perigo, e propor que passassem aos cuidados do governo, se o dono assim o desejasse. Isso viria aliviar o proprietário dos custos de manutenção; mas a maioria recusava, pois era uma atitude sem precedentes ceder a alguém o controle de qualquer parte de uma propriedade. Até o próprio Lubbock hesitou antes de abrir mão de Silbury Hill. A lei excluía cuidadosamente casas, castelos e edifícios eclesiásticos; restavam apenas os monumentos pré-históricos. A verba destinada a Pitt Rivers pela Secretaria de Obras era quase nula — em certo ano, metade do seu orçamento foi gasto em uma cerca baixa ao redor de um único monte funerário. Em 1890 esse órgão cancelou seu salário por completo e passou a cobrir apenas suas despesas. Mesmo assim, pediu-lhe que parasse de "pressionar" pela conservação de mais monumentos.

Pitt Rivers morreu em 1900. Em dezoito anos, ele conseguiu registrar apenas 43 monumentos, pouco mais que dois por ano. (Hoje o número de monumentos antigos registrados na Grã-Bretanha excede 19 mil.) Mas Pitt Rivers ajudou a estabelecer dois precedentes de imensa importância — primeiro que as antiguidades são preciosas e devem ser protegidas; e segundo que os proprietários de terras onde há monumentos antigos têm o dever de cuidar deles. Essas normas nem sempre foram seguidas na sua época, mas os princípios ali contidos foram cruciais, e inspiraram outras pessoas a tomar mais medidas de proteção. A Sociedade de Proteção às Construções Antigas, chefiada pelo designer William Morris, foi fundada em 1877; seguiu-se o National Trust, em 1895. Por fim os monumentos britânicos começaram a contar com alguma proteção formal.

Os riscos porém continuavam. Stonehenge continuava nas mãos de particulares, e o proprietário, sir Edmund Antrobus, se recusava a ouvir os conselhos do governo ou mesmo receber inspetores em suas terras. Na virada do século surgiu a notícia de que um comprador anônimo estava interessado em enviar os megálitos para os Estados Unidos e erigir novamente Stoneherge como atração turística em algum lugar do Velho Oeste. Se Antrobus tivesse aceitado essa oferta, não haveria lei alguma que tentasse impedi-lo. E, aliás, por muitos anos ninguém nem tentaria fazer nada disso — durante dez anos após a morte de Pitt Rivers, o cargo de inspetor dos Monumentos Antigos ficou vago, por motivos de economia de verbas.

II

Enquanto tudo isso se desenrolava, a vida no interior britânico ia sofrendo profundas modificações devido a um evento que hoje é pouco lembrado, mas foi uma das piores catástrofes econômicas da moderna história britânica — a depressão agrícola da década de 1870, quando as colheitas foram péssimas em sete anos de cada dez. Dessa vez, porém, os fazendeiros e os proprietários não podiam compensar o prejuízo subindo o preço dos alimentos, como sempre haviam feito, pois agora enfrentavam vigorosa competição de produtos estrangeiros. Os Estados Unidos, em especial, tinham se tornado uma vasta máquina agrícola. Graças à colheitadeira de McCormick e outros novos implementos, as pradarias americanas ganharam uma produtividade espantosa. Entre 1872 e 1902, a produção de trigo americano aumentou 700% — enquanto no mesmo período a produção de trigo na Grã-Bretanha caiu mais de 40%.

Os preços também despencaram: trigo, cevada, aveia, bacon, carne de porco, de carneiro e de cordeiro — tudo isso perdeu cerca de metade do valor nos últimos 25 anos do século XIX. A lã caiu de 28 xelins por um fardo de seis quilos para apenas doze xelins. Milhares de sitiantes e meeiros faliram. Mais de 100 mil fazendeiros e trabalhadores rurais deixaram a terra. Os campos ficaram ociosos. Os aluguéis não eram pagos. Não havia perspectiva de alívio em parte alguma. As igrejas do interior se tornaram notavelmente vazias com a redução da população local, e os paroquianos restantes estavam mais pobres do que nunca. Não foi uma boa época para ser um pároco de aldeia, e jamais voltaria a ser.

No auge dessa crise agrícola o governo britânico, dominado pelos liberais, fez algo muito estranho. Criou um imposto destinado a castigar uma classe que já sofria muito, e não tinha feito nada de especial para causar os problemas da época: a classe dos grandes proprietários de terra. Tratava-se dos "*death duties*" [imposto sucessório], sobre a herança de um falecido. Isso mudaria completamente a vida de milhares de pessoas, inclusive a do nosso sr. Marsham.

O criador do novo imposto foi sir William George Granville Venables Vernon Harcourt, o ministro do Tesouro, um homem que nunca foi muito benquisto por ninguém, inclusive, parece, por sua própria família. Conhecido pelo apelido de "Jumbo" devido ao seu magnífico volume esférico, é de surpreender que Harcourt perseguisse a classe dos proprietários rurais, já que ele próprio era um deles. A residência da família Harcourt era Nuneham Park, em Oxfordshire, que já visitamos neste livro. Nuneham, como você talvez se lembre, foi onde outro Harcourt, mais antigo, reformou a propriedade, mas se esqueceu de onde ficava o velho poço da aldeia e caiu lá dentro, morrendo afogado. Desde que existiam os tories, os Harcourt eram tories; assim, o fato de que William foi se unir aos liberais foi visto em sua família como a mais negra traição. Até mesmo os liberais se espantaram com seu imposto. Lorde Rosebery, o primeiro-ministro (e também latifundiário), aventou que se deveria conceder pelo menos algum alívio nos casos em que dois herdeiros morressem em rápida sucessão. Seria muito pesado, pensou Rosebery, taxar uma propriedade pela segunda vez antes que o herdeiro tivesse chance de recolocar em pé as finanças da família. Harcourt, porém, se recusou a ceder.

Seus princípios se deviam, sem dúvida, ao fato de que ele próprio não tinha chance quase nenhuma de herdar as terras da sua família. No entanto, para sua surpresa, ele as herdou em 1904, quando o filho de seu irmão mais velho morreu de repente, sem deixar herdeiros. Mas Harcourt não desfrutou por muito tempo da sua boa fortuna. Expirou seis meses depois — ou seja, seus herdeiros foram as primeiras pessoas obrigadas a pagar dois impostos sobre a herança em rápida sucessão — exatamente como Rosebery temia, sem que Harcourt lhe desse ouvidos. É raro que a vida apresente um caso em que as coisas se encaixam tão perfeitamente.

Na época, o imposto sobre a herança era relativamente modesto: 8% sobre as propriedades avaliadas em 1 milhão de libras ou mais. No entanto, passou a ser uma fonte de renda estável para o governo, e era tão popular entre os milhões que não precisavam pagá-lo que foi aumentado repetidas vezes, até que, às vésperas da Segunda Guerra Mundial, chegava a 60% do valor da propriedade — uma taxa que faria chorar até o maior dos milionários. Ao mesmo tempo, o imposto de renda subiu repetidas vezes e outros novos impostos foram criados: o Imposto sobre as Terras Ociosas, o Imposto sobre o Incremento de Valor, o Superimposto — todos eles recaindo, desproporcionalmente, sobre os que tinham muita terra e um sotaque afetado. Para as classes superiores o século XX se tornou, nas palavras de David Cannadine, uma época em que sentiam se apertar à sua volta "um círculo de escuridão".

A maioria vivia em um estado de crise semipermanente. E quando as coisas ficavam realmente ruins — quando era preciso trocar um telhado, ou chegava a cobrança de mais um imposto —, era possível evitar o desastre vendendo os legados de família. Quadros, tapeçarias, joias, livros, porcelanas, travessas de prata, selos raros — qualquer coisa que conseguisse um preço razoável foi escapando das imponentes mansões inglesas e caindo nos museus ou em mãos estrangeiras, em especial americanas. Foi essa a época em que Henry Clay Folger comprou todos os primeiros fólios de Shakespeare em que conseguiu pôr as mãos e George Washington Vanderbilt comprou uma quantidade de tesouros suficiente para decorar sua mansão de Biltmore com 250 aposentos. Foi a época em que americanos como Andrew Mellon, Henry Clay Fricke e J. P. Morgan compraram lotes inteiros de pinturas dos Velhos Mestres e William Randolph Hearst comprou quase tudo o mais que estivesse à venda.

Praticamente todas as grandes mansões da Grã-Bretanha venderam alguma coisa em algum momento. Os Howard, donos do castelo Howard, abriram mão de 110 quadros de Velhos Mestres e mais de mil livros raros. No palácio de Blenheim, os duques de Marlborough venderam pilhas de quadros, inclusive dezoito obras de Rubens e mais de dez Van Dyck — até descobrirem, tardiamente, os atrativos financeiros de se casar com americanas ricas. Em 1882 o duque de Hamilton, com sua riqueza fabulosa, vendeu todo tipo de ornamentos preciosos, no valor de 400 mil libras; alguns anos depois voltou ao lar e vendeu mais umas 250 mil libras. Para muitos proprietários, as grandes casas de leilões de Londres se tornaram algo semelhante a casas de penhores.

Quando o proprietário já tinha vendido tudo de valor que havia nas paredes e nos assoalhos, por vezes vendia também as próprias paredes e assoalhos. Um aposento inteiro, com tudo que nele havia, foi extraído de Wingerworth Hall, em Derbyshire, e instalado no museu de arte de St. Louis. Uma escadaria entalhada por Grinling Gibbons foi retirada de Cassiobury Park, em Hertfordshire, e reerguida no Metropolitan Museum of Art em Nova York. Às vezes uma casa inteira ia embora, como aconteceu com Agecroft Hall, uma bela mansão senhorial de Lancashire em estilo Tudor, que foi desmontada, colocada em caixotes numerados e despachada para Richmond, Virgínia, onde foi novamente montada e ali se ergue, orgulhosamente, até hoje.

Uma vez ou outra alguma coisa boa surgia em meio a tantas dificuldades. Os herdeiros de sir Edmund Antrobus, incapazes de manter sua propriedade, a puseram à venda em 1915. E um comerciante e criador de cavalos chamado sir Cecil Chubb comprou Stonehenge por 6600 libras esterlinas — cerca de 300 mil libras em dinheiro de hoje, uma soma nada modesta — e generosamente doou o local para a nação, garantindo assim, finalmente, a preservação desse sítio.

Mas os desfechos assim felizes eram a exceção, e não a regra. Para muitas centenas de casas de campo não havia salvação; seu triste destino foi o declínio e, por fim, a demolição. Quase todas essas perdas foram lamentáveis, e algumas chegaram a ser escandalosas. O castelo de Streatlam, outrora uma das mais belas casas em County Durham, foi doado ao Exército, que a utilizou — pasmem — para a prática de tiro ao alvo. Aston Clinton, uma residência oitocentista encantadora e exuberante, outrora pertencente à família Rothschild, foi comprada pela prefeitura do condado de Buckinghamshire e demolida para dar lugar a um centro de treinamento profissional, um edifício totalmente sem alma. E assim decaíram as fortunas das mansões, a tal ponto que uma delas, em Lincolnshire, foi comprada por um estúdio de cinema, ao que consta, apenas para arder em chamas em uma cena climática de uma filmagem.

Parece que nenhuma construção estava inteiramente a salvo. Até mesmo a Chiswick House, que era um marco em vários aspectos, quase se perdeu. Durante algum tempo foi um asilo de loucos, mas nos anos 1950 estava vazia e destinada à demolição. Felizmente o bom senso prevaleceu; a casa foi salva e está agora em segurança, aos cuidados da English Heritage, ou Patrimônio Inglês, um órgão público. O National Trust salvou cerca de duzentas outras casas ao longo do século xx, e algumas sobreviveram transformando-se em atrações turísticas — nem sempre sem dificuldades. Uma avó que morava em uma mansão, como relata Simon Jenkins, se recusava a sair de qualquer aposento se ali houvesse uma tevê ligada mostrando corridas de cavalo. "Ela foi eleita a melhor atração da casa", acrescenta Jenkins. Muitas outras grandes mansões começaram vida nova como escolas, clínicas ou outras instituições. O Nuneham Park de sir William Harcourt passou boa parte do século xx como centro de treinamento para a Força Aérea. (Hoje está transformado em retiro religioso.)

Centenas de outras, porém, foram eliminadas sem cerimônia. Nos anos 1950, o auge do período da destruição, as mansões desapareciam à taxa de duas por semana. Quantas grandiosas residências se foram dessa forma? É impossível saber com exatidão. Em 1974 o Victoria & Albert Museum de Londres apresentou uma célebre exposição, "A Destruição da Casa de Campo", mostrando a enorme perda de mansões senhoriais no século anterior. Os curadores, Marcus Binney e John Harris, listaram 1116 grandes residências perdidas; mas outras pesquisas elevaram o número para 1600 ainda antes do fim da exposição. Hoje se assume que desapareceram, grosso modo, 2 mil casas — um número substancial e lamentável, considerando que eram residências das mais belas, elegantes, notáveis, ambiciosas e influentes jamais construídas no planeta, e evidentemente merecedoras de carinhosa preservação.

III

Essa era portanto a situação para o sr. Marsham e seu século, enquanto caminhavam juntos para seus anos finais. Do ponto de vista da vida doméstica, nunca houve época mais interessante e movimentada. No século XIX, a vida privada foi totalmente transformada — do ponto de vista social, intelectual, tecnológico, higiênico, sexual, das vestimentas, e em praticamente todos os outros aspectos. Marsham nasceu (em 1822) em um mundo que ainda era basicamente medieval — um lugar onde imperava a luz de velas, as sangrias feitas com sanguessugas, as viagens a pé, as notícias de longe que chegavam com semanas ou meses de atraso. No entanto, essas mesmas pessoas viveram para ver a introdução de uma maravilha após a outra — navios a vapor, trens velozes, telégrafo, fotografia, anestesia, encanamentos domésticos, iluminação a gás, medicina com assepsia, refrigeração, telefones, luz elétrica, música gravada, automóveis, aviões, arranha-céus, cinema, rádio, e literalmente dezenas de milhares de pequenas coisas, desde o sabão em barra produzido em massa até o cortador de grama de empurrar.

Hoje é quase impossível conceber a quantidade de mudanças radicais que as pessoas viram no século XIX, em especial na segunda metade. Até mesmo algo tão elementar como o fim de semana era uma novidade. O termo "*weekend*" só aparece registrado em inglês em 1879, na revista *Notes & Queries*, na sentença: "Em Staffordshire, se uma pessoa sai de casa no final de seu dia de trabalho, sábado à tarde, para passar a noite de sábado e o domingo seguinte com amigos que moram longe, diz-se que ele vai passar seu *weekend* com fulano de tal". Mesmo assim, a palavra só significava o sábado à noite e o domingo, e só para certas pessoas. Foi apenas nos anos 1890 que o termo passou a ser aplicado universalmente, se bem que não desfrutado universalmente; mas o direito ao descanso e ao relaxamento estava a caminho, sem dúvida.

A ironia de tudo isso é que justamente quando o mundo ia ficando mais agradável para a maioria das pessoas — com boa iluminação, encanamentos confiáveis, mais lazer, mais mimos e divertimentos alegres —, ele também se desmoronava, em silêncio, para pessoas do tipo de Marsham. A crise agrícola iniciada nos anos 1870 e que se prolongou quase indefinidamente era um problema tão concreto para os párocos de aldeia como para os ricos proprietários de terra de quem eles dependiam. E atingia duplamente os clérigos cujas posses de família vinham da terra, como era o caso do sr. Marsham.

Em 1900 a renda de um pároco caíra para bem menos que a metade, em termos reais, do que fora cinquenta anos antes. O *Crockford's clerical directory* [Diretório Clerical de Crockford] de 1903 registra, soturno, que "uma parte considerável" dos clérigos vivia agora no nível da "mera subsistência". Notava ainda que certo reverendo F. J. Bleasby enviara 470 pedidos para obter um cargo de pároco, sem sucesso, e por fim, em uma humilhante derrota, entrara numa casa de trabalho para indigentes. O pároco de vida folgada era agora, patente e irremediavelmente, uma figura do passado.

As vastas terras paroquiais que outrora tornavam a vida de um clérigo de aldeia tão cômoda e agradável se tornaram, para muitos, apenas um pesado fardo. Muitos párocos do século xx, vindos de origens mais modestas e lutando para sobreviver com uma renda muito reduzida, não tinham como manter propriedades tão extensas. Vejamos o que disse, em 1933, certa sra. Lucy Burnett, esposa de um vigário do interior em Yorkshire, ao explicar, chorosa, para uma comissão da igreja como era grande a área que precisava administrar: "Se uma banda de música tocasse na minha cozinha, não daria para ouvir na sala". A responsabilidade pelas melhorias no interior da casa ficava a cargo dos moradores; mas era patente que esses empobrecidos clérigos não podiam fazer melhoria alguma. "Muitas casas paroquiais passaram vinte, trinta, até cinquenta anos sem nenhuma mudança na decoração", escreveu Alan Savidge em sua história das casas paroquiais, em 1964.

A solução mais simples para a Igreja era vender essas casas paroquiais problemáticas e construir algo menor nas proximidades. Mas é preciso dizer que os comissários da Igreja Anglicana, que eram as autoridades encarregadas dessas medidas, nem sempre eram tão astutos como comerciantes. Anthony Jennings em *The old rectory* (2009) nota que em 1983 os comissários venderam apenas cerca de trezentas casas paroquiais, ao preço médio de 64 mil libras, mas gastaram uma média de 76 mil libras construindo moradias muito inferiores para substituí-las.

Das 13 mil casas paroquiais que existiam em 1900, apenas novecentas continuam pertencendo à Igreja Anglicana. Nossa casa paroquial foi vendida para particulares em 1978. (Não sei qual foi o preço.) Em seus 127 anos de história como casa paroquial, ali residiram oito clérigos. É curioso notar que os sete posteriores ficaram mais tempo na casa do que Thomas Marsham, a figura obscura que a construiu. Marsham deixou a casa em 1861, depois de apenas dez anos de residência, para assumir um novo cargo de pároco em Saxlingham — uma posição identicamente obscura, em uma aldeia trinta quilômetros mais ao norte, próximo ao mar.

Por que Marsham mandou construir uma casa tão substancial para si mesmo é uma pergunta que agora já não poderá ser respondida. Talvez ele esperasse impressionar alguma bela jovem de suas relações, que declinou o pedido e casou-se com outro. Ou quem sabe ela o escolheu, mas morreu antes do casamento. Ambos os desfechos eram bem comuns em meados do século XIX, e qualquer um deles explicaria alguns mistérios da casa, como a presença de um quarto de crianças e a vaga feminilidade da sala cor de ameixa; mas agora qualquer sugestão seria mera suposição. Tudo que se pode dizer é que, se ele encontrou felicidade na vida, não foi nos domínios do casamento.

Podemos pelo menos esperar que suas relações com sua dedicada governante, a srta. Worm, tivessem algum calor e afeto, mesmo que expressos de maneira canhestra. Quase com certeza foi a mais longa relação da vida de ambos. Quando a srta. Worm morreu, em 1899, aos 76 anos, tinha sido sua governanta por mais de meio século. Naquele mesmo ano a propriedade da família Marsham em Stratton Strawless foi vendida em quinze lotes, presumivelmente porque não se encontrou quem a comprasse inteira. A venda marcou o fim de quatrocentos anos de proeminência para os Marsham no condado. Hoje a única lembrança que resta por lá é um pub chamado The Marsham Arms, na aldeia próxima de Hevingham.

Marsham viveu mais cinco anos apenas — morreu em 1905, em uma casa de repouso em uma aldeia próxima. Tinha 83 anos, e excluindo seus tempos de escola passou a vida toda pisando nas terras de Norfolk, em uma área de não mais que trinta quilômetros de diâmetro.

IV

Começamos aqui no sótão — há muito tempo, parece — quando subi com dificuldade pela abertura no teto, procurando a origem de um vazamento. (Era uma telha fora de lugar que deixava entrar a chuva.) Ali, como você talvez se lembre, descobri uma porta que levava a um espaço no telhado com vista para a paisagem ao redor. Outro dia decidi subir ali de novo, pela primeira vez desde que comecei a trabalhar neste livro. Perguntei-me, vagamente, se ao subir veria o mundo de um modo diferente, agora que já sei alguma coisa sobre o sr. Marsham e as circunstâncias em que ele viveu.

Mas o que sucedeu não foi isso. O que me surpreendeu não foi o quanto o mundo lá embaixo tinha mudado, mas sim como era pequena a mudança desde a época de Marsham. Se ele ressuscitasse, claro que ficaria impressionado com algumas novidades — carros zunindo em uma estrada à distância, um barulhento helicóptero lá em cima —, mas, de modo geral, contemplaria uma paisagem que parece eterna e totalmente familiar.

Esse ar de permanência é, sem dúvida, um engano. O fato é que a paisagem muda; mas a mudança é lenta demais para ser notada, mesmo ao longo de 160 anos. Voltando bem mais atrás no tempo, veríamos muitas mudanças. Se voltarmos quinhentos anos atrás não haveria quase nada familiar, exceto a igreja, algumas fileiras de buxos e campos plantados, e a linha sinuosa de algumas estradas. Voltando ainda mais para trás, poderemos ver aquele romano que deixou cair no chão um pendente em formato fálico, com o qual começamos este livro. E voltando bem mais atrás — há 400 mil anos, digamos — encontraremos leões, elefantes e outros animais exóticos percorrendo as planícies áridas. Foram essas criaturas que deixaram os ossos que tanto fascinaram os "antiquários" dos primeiros tempos, como John Frere em suas pesquisas em Hoxne, aqui nas proximidades. O local desse achado é muito distante para ser visto do nosso telhado, mas os ossos que ele escavou poderiam, facilmente, ter vindo de animais que outrora apascentavam nas nossas terras.

É notável que o fator que atraiu esses animais para esta parte do mundo foi um clima apenas 3ºC mais quente do que o atual. Hoje há jovens na Grã-Bretanha que viverão em um clima igualmente quente. Será essa terra, futuramente, um Serengueti árido ou um paraíso verdejante, com vinhedos nativos e árvores que dão frutos o ano todo? Essa é uma especulação que foge ao escopo deste livro. O certo é que será um lugar muito diferente, e o ser humano terá que adaptar-se a um ritmo muito mais rápido do que os velhos ritmos geológicos.

Uma das coisas não visíveis do alto do nosso telhado é quanta energia e outros insumos são necessários hoje para nos dar as facilidades e as conveniências que todos nós já passamos a esperar da vida. É muita coisa — uma quantidade chocante. Do total de energia produzida na Terra desde o início da Revolução Industrial, a metade foi consumida nos últimos vinte anos. E desproporcionalmente foi consumida por nós, habitantes do mundo rico; somos uma fração excessivamente privilegiada.

Hoje um cidadão médio da Tanzânia leva quase um ano para produzir o mesmo volume de emissões de carbono que é gerado, sem esforço, a cada dois dias e meio por um europeu, ou a cada 28 horas por um americano. Em suma, nós conseguimos viver da maneira como vivemos porque usamos recursos a uma taxa centenas de vezes maior que a maioria dos outros cidadãos do planeta. Um dia — e não espere que seja um dia muito distante — muitos desses 6 bilhões de pessoas menos ricas com certeza vão exigir ter tudo o que nós temos, e também conseguir tudo isso tão facilmente como nós conseguimos; e isso vai exigir mais recursos do que este planeta pode, concebivelmente, produzir.

A maior de todas as ironias seria, na nossa eterna corrida para encher nossas vidas de conforto e felicidade, criarmos um mundo que não tem nem uma coisa nem outra. Mas isso, é claro, ficaria para outro livro.

Bibliografia

ABSE, Joan. *John Ruskin: the passionate moralist.* Londres: Quartet Books, 1980.
ACKROYD, Peter. *Albion: the origins of the English imagination.* Londres: Chatto & Windus, 2002.
ACTON, Liza. *Modern cookery for private families.* Londres: Longman, Brown, Green and Longmans, 1858.
ADAMS, William Howard (org.). *The eye of Thomas Jefferson.* Washington: National Gallery of Art, 1976.
ADDISON, sir William. *Farmhouses in the English landscape.* Londres: Robert Hale, 1986.
ALCABES, Philip. *Dread: how fear and fantasy have fueled epidemics from the black death to avian flu.* Nova York: Public Affairs, 2009.
ALLEN, Edward. *How buildings work: the natural order of architecture.* Nova York: Oxford University Press, 1980.
AMATO, Ivan. *Stuff: the materials the world is made of.* Nova York: Basic Books, 1997.
ANDRADE, E. N. da C. *A brief history of the Royal Society.* Londres: Royal Society, 1960.
ARIÈS, Philippe. *Centuries of childhood: a social history of family life.* Londres: Jonathan Cape, 1962.
ARNSTEIN, Walter L. *Britain yesterday and today: 1830 to the present.* Lexington, Mass.: D. C. Heath and Co., 1971.
ASHENBURG, Katherine. *The dirt on clean: an unsanitized history.* Nova York: North Point Press/ Farrar, Straus and Giroux, 2007.
ASHTON, Rosemary. *Thomas and Jane Carlyle: portrait of a marriage.* Londres: Chatto & Windus, 2001.
ASLET, Clive. *The American country house.* New Haven: Yale University Press, 1990.

AYRES, James. *Domestic interiors: the British tradition 1500-1850*. New Haven: Yale University Press, 2003.

BAER, N. S. & SNETHLAGE, R. (orgs.). *Saving our architectural heritage: the conservation of historic stone structures*. Chichester: John Wiley and Sons, 1997.

BAIRD, Rosemary. *Mistress of the house: great ladies and grand houses 1670-1830*. Londres: Weidenfeld & Nicolson, 2003.

BAKALAR, Nicholas. *Where the germs are: a scientific safari*. Nova York: John Wiley & Sons, 2003.

BAKER, Hollis S. *Furniture in the ancient world: origins and evolution 3100-475BC*. Nova York: Macmillan, 1966.

BALDON, Cleo & MELCHOIR, I. B. *Steps and stairways*. Nova York: Rizzoli International, 1989.

BALL, Philip. *Bright Earth: the invention of colour*. Londres: Viking, 2001.

BALTER, Michael. *The goddess and the bull: Çatalhöyük: an archaeological journey to the dawn of civilization*. Nova York: Free Press, 2005.

BARBER, E. J. W. *Prehistoric textiles: the development of cloth in the Neolithic and Bronze Ages, with special reference to the Aegean*. Princeton, NJ: Princeton University Press, 1991.

_____. *Women's work: the first 20,000 years; women, cloth and society in early times*. Nova York: W. W. Norton, 1994.

BARKER, Graeme. *The agricultural revolution in Prehistory: why did foragers become farmers?* Oxford: Oxford University Press, 2006.

BASCOMB, Neal. *Higher: a historic race to the sky and the making of a city*. Nova York: Broadway Books, 2003.

BATES, Elizabeth Bidwell & FAIRBANKS, Jonathan L. *American furniture 1620 to the present*. Nova York: Richard Marek Publishers, 1981.

BAUGH, Albert C. & CABLE, Thomas. *A history of the English language*. 5. ed. Upper Saddle River, NJ: Prentice Hall, 2002.

BAX, B. Anthony. *The English parsonage*. Londres: John Murray, 1964.

BEARD, Geoffrey. *The work of Robert Adam*. Edimburgo: John Bartholomew & Son, 1978.

BEAUCHAMP, K. G. *Exhibiting electricity*. Londres: The Institution of Electrical Engineers, 1997.

BEEBE, Lucius. *The big spenders*. Garden City, Nova York: Doubleday, 1966.

BEETON, Mrs Isabella. *The book of household management*. Londres: S. O. Beeton, 1861.

BELANGER, Terry. *Lunacy and the arrangement of books*. New Castle, Delaware: Oak Knoll Press, 2003.

BENTLEY, Peter J. *The undercover scientist: investigating the mishaps of everyday life*. Londres: Random House, 2008.

BERENBAUM, May R. *Bugs in the system: insects and their impact on human affairs*. Reading, Mass.: Helix Books, 1995.

BERNSTEIN, William. *A splendid exchange: how trade shaped the world*. Londres: Atlantic Books, 2008.

BERRESFORD, John (org.). *The diary of a Country Parson: the reverend James Woodforde*. 5 vols. Oxford: Clarendon Press, 1924.

BERRY, R. J. (org.). *Biology of the house mouse*. Londres: Zoological Society of Londres, 1981.

BEST, Gary Dean. *The dollar decade: mammon and the machine in 1920s America*. Westport, Conn.: Praeger Publishers, 2003.

BINNEY, Marcus. *SAVE Britain's Heritage, 1975-2005: thirty years of campaigning*. Londres: Scala Publishers, 2005.

BOARDMAN, Barrington. *From Harding to Hiroshima*. Nova York: Dembner Books, 1985.

BODANIS, David. *The secret garden*. Nova York: Simon & Schuster, 1992.

_____. *Electric universe: the shocking true story of electricity*. Nova York: Crown Publishers, 2005.

BOORSTIN, Daniel J. *The Americans: the national experience*. Nova York: Random House, 1965.

_____. *The discoverers*. Londres: Penguin, 1983.

BOUCHER, Bruce. *Palladio: The architect in his time*. Nova York: Abbeville Press, 1994.

BOURKE, Joanna. *Fear: a cultural history*. Londres: Virago Press, 2005.

BOURNE, Jonathan & BRETT, Vanessa. *Lighting in the domestic interior: Renaissance to Art Nouveau*. Londres: Sotheby's, 1991.

BOURNE, Russell. *Cradle of violence: how Boston's waterfront mobs ignited the American Revolution*. Hoboken, NJ: John Wiley & Sons, 2006.

BOWERS, Brian. *A history of electric light and power*. Londres: Science Museum, 1982.

BRAND, Stewart. *How buildings learn: what happens after they're built*. Nova York: Viking, 1994.

BRADY, Patricia. *Martha Washington: an American life*. Nova York: Viking, 2005.

BRANDS, H. W. *The first American: the life and times of Benjamin Franklin*. Londres: Doubleday, 2000.

BREEN, T. H. *The marketplace of revolution: how consumer politics shaped American Independence*. Oxford: Oxford University Press, 2004.

BRETT, Gerard. *Dinner is served: a history of dining in England, 1400-1900*. Londres: Rupert Hart-Davis, 1968.

BRIDENBAUGH, Carl. *Early Americans*. Nova York: Oxford University Press, 1981.

BRIGGS, Asa. *Victorian people: some reassessments of people, institutions, ideas and events, 1851-1867*. Londres: Oldhams Press, 1954.

BRIMBLECOMBE, Peter. *The big smoke: a history of air pollution in London since medieval times*. Londres: Methuen, 1987.

BRITTAIN-CATLIN, Timothy. *The English parsonage in the early nineteenth century*. Reading: Spire Books, 2008.

BRODIE, Fawn M. *Thomas Jefferson: an intimate history*. Nova York: W. W. Norton, 1974.

BROOKE, Iris. *English costume of the seventeenth century*. Londres: Adam & Charles Black, 1934.

BROOKS, John. *Once in Golconda: a true drama of Wall Street 1920-1938*. Nova York: Harper & Row, 1969.

BROTHWELL, Don & Patricia. *Food in antiquity: a survey of the diet of early peoples*. Baltimore: Johns Hopkins University Press, 1969.

BROWN, Kevin. *The pox: the life and near death of a very social disease*. Stroud, Gloucestershire: Sutton Publishing, 2006.

BRUNSKILL, Ian & SANDERS, Andrew. *Great victorian lives: an era in obituaries*. Londres: Times Books, 2007.

BRUNSKILL, Ronald. *Brick building in Britain.* Londres: Victor Gollancz, 1990.

_____ & CLIFTON-TAYLOR, Alec. *English brickwork.* Londres: Hyperion/Ward Lock, 1977.

BURCHARD, John & BUSH-BROWN, Albert. *The architecture of America: a social and cultural history.* Boston: Little, Brown, 1961.

BURKHARDT, Frederick & SMITH, Sydney (orgs.). *The correspondence of Charles Darwin, 1821--1836.* Cambridge: Cambridge University Press, 1985.

BURNS, Ric & SANDERS, James. *New York: an illustrated history.* Nova York: Knopf, 1999.

BUSHMAN, Richard L. *The refinement of America: persons, houses, cities.* Nova York: Vintage Books, 1992.

BUSVINE, James R. *Insects and hygiene: the biology and control of insect pests of medical and domestic importance in Britain.* Londres: Methuen, 1951.

BYLES, Jeff. *Rubble: unearthing the history of demolition.* Nova York: Harmony Books, 2005.

CADBURY, Deborah. *Seven wonders of the industrial world.* Londres: Harper Perennial, 2004.

CALMAN, Kenneth C. *Medical education: past, present and future.* Edimburgo: Churchill Livingstone, 2007.

CANNADINE, David. *The pleasures of the past.* Londres: Collins, 1989.

_____. *Aspects of aristocracy: grandeur and decline in Modern Britain.* New Haven: Yale University Press, 1994.

_____. *The decline and fall of the British aristocracy.* Londres: Penguin, 2005.

CARPENTER, Kenneth J. *The history of scurvy and vitamin C.* Cambridge: Cambridge University Press, 1986.

CARSON, Gerald. *The polite americans.* Nova York: William Morrow, 1966.

CARTER, Gwendolen M. *The government of the United Kingdom.* Nova York: Harcourt Brace Jovanovich, 1972.

CARTER, W. Hodding. *Flushed: how the plumber saved civilization.* Nova York: Atria Books, 2006.

CARVER, Martin. *Sutton Hoo: burial ground of kings.* Londres: British Museum Press, 1998.

CASPALL, John. *Fire and light in the home pre-1820.* Woodbridge, Suffolk: Antique Collectors Club, 1987.

CASSIDY, Tina. *Birth: a history.* Londres: Chatto & Windus, 2007.

CATCHPOLE, Antonia; CLARK, David & PEBERDY, Robert. *Burford: buildings and people in a Cotswold Town.* Londres: Phillimore, 2008.

CATLING, Harold. *The spinning mule.* Newton Abbot: David & Charles, 1970.

CHADWICK, Edwin. *Report from his majesty's commissioners for inquiring into the administration and practical operation of the poor laws.* Londres: B. Fellowes, 1834.

CHADWICK, George F. *The works of sir Joseph Paxton.* Londres: Architectural Press, 1961.

CHADWICK, Owen. *The victorian church.* Londres: Adam & Charles Black, 1970.

CHANDOS, John. *Boys together: English public schools 1800-1864.* Londres: Hutchinson, 1984.

CHISHOLM, Kate. *Fanny Burney: her life, 1752-1840.* Londres: Chatto & Windus, 1998.

CHURCHILL, Allen. *The splendor seekers.* Nova York: Grosset & Dunlap, 1974.

CIERAAD, Irene. *At home: an anthropology of domestic space.* Syracuse, Nova York: Syracuse University Press, 1999.

CLARK, H. F. *The English landscape garden*. Londres: Pleiades Books, 1948.

CLELAND, Liza; HARLOW, Mary & LLEWELLYN-JONES, Lloyd (orgs.). *The clothed body in the ancient world*. Londres: Oxbow Books, 2005.

CLIFTON-TAYLOR, Alec. *The pattern of English building*. Londres: Faber and Faber, 1987.

CLOUDSLEY-THOMPSON, J. L. *Spiders, scorpions, centipedes and mites*. Londres: Pergamon Press, 1968.

COCKAYNE, Emily. *Hubbub: filth, noise & stench in England 1600-1770*. New Haven: Yale University Press, 2007.

COHEN, Deborah. *Household gods: the British and their possessions*. New Haven: Yale University Press, 2006.

COLERIDGE, Arthur. *Chippendale furniture, Circa 1745-1765*. Nova York: Clarkson N. Potter, 1968.

COLLEY, Linda. *Britons: forging the nation 1707-1837*. Londres: Pimlico, 1992.

COLLINGWOOD, W. G. *The life of John Ruskin*. Londres: Methuen and Co., 1900.

COLLINS, Irene. *Jane Austen: the Parson's daughter*. Londres: Hambledon Press, 1998.

COLQUHOUN, Kate. *A thing in disguise: the visionary life of Joseph Paxton*. Londres: Harper Perennial, 2004.

_____. *Taste: the story of Britain through its cooking*. Londres: Bloomsbury, 2007.

CORSON, Richard. *Fashions in hair: the first five thousand years*. Londres: Peter Owen, 1965.

_____. *Fashions in makeup from ancient to modern times*. Londres: Peter Owen, 2003.

COSSONS, Neil (org.). *Making of the modern world: milestone of science and technology*. Londres: John Murray, 1992.

COWAN, Henry J. *The master builders: a history of structural and environmental design from Ancient Egypt to the nineteenth century*. Nova York: John Wiley & Sons, 1977.

COWAN, Ruth Schwartz. *More work for mother: the ironies of household technology from the open hearth to the microwave*. Nova York: Basic Books, 1983.

COWARD, Barry. *The Stuart age: England, 1603-1714*. 2. ed. Londres: Longman, 1980.

COX, Margaret, *Life and death in Spitalfields, 1700 to 1850*. York: Council for British Archaeology, 1996.

CRINSON, Mark & LUBBOCK, Jules. *Architecture, art or profession? Three hundred years of architectural education in Britain*. Manchester: Prince of Wales Institute of Architecture, 1994.

CROMPTON, Frank. *Workhouse children*. Londres: Sutton Publishing, 1997.

CROSSLEY, Fred H. *Timber building in England: from early times to the end of the seventeenth century*. Londres: B. T. Batsford, 1951.

CROWFOOT, Elisabeth; PRITCHARD, Frances & STANILAND, Kay. *Textiles and clothing c. 1150-c. 1450*. Londres: HMSO, 1992.

CRUICKSHANK, Dan. *The story of Britain's best buildings*. Londres: BBC, 2002.

CRYSTAL, David. *The stories of English*. Londres: Allen Lane, 2004.

CULLWICK, Hannah. *The diaries of Hannah Cullwick, victorian maidservant*. Londres: Virago, 1984.

CUMMINGS, Richard Osborn. *The American and his food: a history of food habits in the United States*. Chicago: University of Chicago Press, 1970.

CUNNINGHAM, Hugh. *The children of the poor: representations of childhood since the seventeenth century*. Oxford: Blackwell, 1991.

CUNNINGTON, C. Willett & CUNNINGTON, Phillis. *The history of underclothes*. Londres: Faber and Faber, 1951.

CURL, James Stevens. *The victorian celebration of death*. Londres: Sutton Publishing, 2000.

DALE, Antony. *James Wyatt: architect, 1746-1813*. Oxford: Basil Blackwell, 1936.

DALZELL, Robert F. & DALZELL, Lee Baldwin. *George Washington's Mount Vernon: at home in revolutionary America*. Oxford: Oxford University Press, 1998.

DANIELS, Jonathan. *The time between the wars: armistice to Pearl Harbor*. Nova York: Doubleday, 1966.

DAUMAS, Maurice (org.). *A history of technology and invention: progress through the ages*. 3 vols. Nova York: Crown Publishing, 1979.

DAVID, Saul. *The Indian mutiny: 1857*. Londres: Viking, 2002.

DAVIDSON, Marshall B. *The American heritage history of colonial America*. Boston: American Heritage, 1967.

DAVIES, Norman. *The isles: a history*. Londres: Macmillan, 1999.

DAVIES, Stevie. *A century of troubles: England 1600-1700*. Londres: Pan Macmillan/Channel 4, 2001.

DAVIN, Anna. *Growing up poor: home, school and street life in London, 1870-1914*. Londres: Rivers Oram Press, 1996.

DAVIS, Dorothy. *A history of shopping*. Londres: Routledge & Kegan Paul, 1966.

DAVIS, Pearce. *The development of the American glass industry*. Cambridge, Mass.: Harvard University Press, 1949.

DE BOTTON, Alain, *The architecture of happiness*. Nova York: Pantheon, 2006. [*A arquitetura da felicidade*. Rio de Janeiro: Rocco, 2007.]

DEETZ, James. *In small things forgotten: the archaeology of early American life*. Nova York: Doubleday, 1977.

DELAINE, J. & JOHNSTON, D. E. (orgs.). *Roman baths and bathing*. Portsmouth, Rhode Island: Journal of Roman Archaeology, 1999.

DESMOND, Adrian & MOORE, James. *Darwin*. Londres: Michael Joseph, 1991.

DE SOLA POOL, Ithiel. *Forecasting the telephone: a retrospective technological assessment*. Norwood, NJ: Ablex Publishing, 1983.

DÍAZ-ANDREU, Margarita. *A world history of nineteenth-century archaeology: nationalism, colonialism, and the past*. Oxford: Oxford University Press, 2007.

DILLON, Francis. *The pilgrims*. Garden City, NY: Doubleday, 1975.

DIRKS, Nicholas B. *The scandal of Empire: Indian and the creation of Imperial Britain*. Cambridge, Massachusetts: Belknap Press, 2006.

DOLAN, Eric J. *Leviathan: the history of whaling in America*. Nova York: W. W. Norton, 2007.

DOUGLAS, Ann. *Terrible honesty: Mongrel Manhattan in the 1920s*. Nova York: Noonday Press/Farrar, Straus and Giroux, 1995.

DOWNES, Kerry. *Sir Jan Vanbrugh: a biography*. Londres: Sidgwick & Jackson, 1987.

DUTTON, Ralph. *The English country house*. Londres: B. T. Batsford, 1935.
DYER, Christopher. *Making a living in the Middle Ages: the people of Britain 850-1520*. New Haven: Yale University Press, 2002.

EDE, Janet & VIRGOE, Norma. *Religious worship in Norfolk: the 1851 census of accommodation and attendance at worship*. Norwich: Norfolk Record Society, 1998.
EDEN, Mary & CARRINGTON, Richard. *The philosophy of the bed*. Londres: Hutchinson, 1961.
EKIRCH, A. Roger. *At day's close: a history of nighttime*. Londres: Phoenix, 2006.
ELLIOTT, Charles. *The transplanted gardener*. Nova York: Lyons & Burford, 1995.
EMSLEY, John. *The elements of murder: a history of poison*. Oxford: Oxford University Press, 2005.
EVANS, G. Blakemore (org.). *The riverside Shakespeare*. Boston: Houghton Mifflin Co., 1974.
EVENSON, A. Edward. *The telephone patent conspiracy of 1876: the Elisha Gray-Alexander Bell controversy and its many players*. Jefferson, NC: McFarland and Co., 2000.

FAGAN, Brian. *The long summer: how climate changed civilization*. Londres: Granta, 2004.
FARRELL-BECK, Jane & GAU, Colleen. *Uplift: the bra in America*. Filadélfia: University of Pennsylvania Press, 2002.
FELSTEAD, Alison; FRANKLIN, Jonathan & PINFIELD, L. *Directory of British architects, 1834-1900*. Londres: Mansell, 1993.
FERNÁNDEZ-ARMESTO, Felipe. *Food: a history*. Londres: Pan, 2001.
FILBY, Frederick A. *A history of food adulteration and analysis*. Londres: George Allen & Unwin, 1934.
FLANDERS, Judith. *The victorian house: domestic life from childbirth to deathbed*. Londres: HarperCollins, 2003.
_____. *Consuming passions: leisure and pleasure in victorian Britain*. Londres: Harper Perennial, 2007.
FLANNERY, Tim. *The weather makers: the history and future impact of climate change*. Melbourne: Text Publishing, 2005.
FLETCHER, Anthony. *Growing up in England: the experience of childhood, 1600-1914*. New Haven: Yale University Press, 2008.
FOWLER, Brenda. *Iceman: uncovering the life and times of a Prehistoric man found in an Alpine glacier*. Londres: Macmillan, 2001.
FORBES, Esther. *Paul Revere and the world he lived in*. Boston: Houghton Mifflin, 1942.
FORT, Tom. *The grass is greener: our love affair with the lawn*. Londres: HarperCollins, 2000.
FORTEY, Adrian. *Objects of desire: design and society since 1750*. Londres: Thames & Hudson, 1995.
FOSS, Michael. *The age of patronage: the arts in society 1660-1750*. Londres: Hamish Hamilton, 1971.
FRASER, Antonia. *King Charles II*. Londres: Weidenfeld & Nicolson, 1979.
_____. *The weaker vessel: woman's lot in seventeenth-century England*. Londres: Phoenix Press, 1984.

FREEDMAN, Paul. *Out of the east: spices and the medieval imagination*. New Haven: Yale University Press, 2008.

GARDINER, Juliet. *Wartime: Britain 1939-1945*. Londres: Headline, 2004.

GARRETT, Elisabeth Donaghy. *At home: the American family 1750-1870*. Nova York: Henry N. Abrams, 1990.

GARRETT, Laurie. *The coming plague: newly emerging diseases in a world out of balance*. Nova York: Farrar, Straus and Giroux, 1994.

GASCOIGNE, John. *Joseph Banks and the English enlightenment: useful knowledge and polite culture*. Cambridge: Cambridge University Press, 1994.

GAYLE, Margot & GAYLE, Carol. *Cast-iron architecture in America: the significance of James Bogardos*. Nova York: W. W. Norton & Co., 1998.

GELIS, Jacques. *History of childbirth: fertility, pregnancy and birth in early modern Europe*. Boston: Northeastern University Press, 1991.

GEORGE, Wilma. *Biologist philosopher: a study of the life and writings of Alfred Russel Wallace*. Londres: Abelard-Schuman, 1964.

GERIN, Winifred. *Charlotte Brontë: the evolution of genius*. Oxford: Clarendon Press, 1967.

GILBERT, Christopher. *The life and works of Thomas Chippendale*. Londres: Christie's 1978.

GIROUARD, Mark. *Life in the English country house: a social and architectural history*. New Haven: Yale University Press, 1978.

_____. *Life in the French country house*. Nova York: Alfred A. Knopf, 2000.

GLOAG, John & BRIDGWATER, Derek. *A history of Cast Iron in architecture*. Londres: George Allen & Unwin, 1948.

GLYNN, Ian & GLYNN, Jennifer. *The life and death of Smallpox*. Londres: Profile Books, 2004.

GODFREY, Eleanor S. *The development of English Glassmaking 1560-1640*. Oxford: Clarendon Press, 1975.

GOODWIN, Lorine Swainston. *The pure food, drink, and drug crusaders, 1879-1914*. Jefferson, NC: McFarland & Co., 1999.

GOSNELL, Mariana. *Ice: The nature, the history, and the uses of an astonishing science*. Nova York: Alfred A. Knopf, 2005.

GOTCH, J. Aflred. *The growth of the English house: from early feudal times to the close of the eighteenth century*. 2. ed. Londres: Batsford, 1909.

GRAY, Charlotte. *Reluctant genius: Alexander Graham Bell and the passion for invention*. Nova York: Arcade Publishing, 2006.

GREEN, Charles. *Sutton Hoo: the excavation of a Royal Ship-Burial*. Londres: Merlin Press, 1963.

GREEN, Harvey. *The light of the home: an intimate view of the lives of women in victorian America*. Nova York: Pantheon, 1983.

GREEN, Sally. *Prehistorian: a biography of Vere Gordon Childe*. Bradford-on-Avon, Wiltshire: Moonraker Press, 1981.

GRENVILLE, Jane. *Medieval housing*. Londres: Leicester University Press, 1997.

GROHSKKOPF, Bernice. *The treasure of Sutton Hoo: ship-burial for an Anglo-Saxon King*. Londres: Robert Hale, 1971.

GROSVENOR, Edwin S. & WESSON, Morgan. *Alexander Graham Bell: the life and times of the man who invented the telephone.* Nova York: Harry N. Abrams, 1997.

GUINNESS, Desmond & SADLER JR., Julius Trousdale. *The Palladian style in England, Ireland and America.* Londres: Thames & Hudson, 1976.

HALPERIN, John. *The life of Jane Austen.* Baltimore: Johns Hopkins University Press, 1984.

HANSON, Neil. *The confident hope of a miracle: the true history of the Spanish armada.* Londres: Doubleday, 2003.

_____. *The dreadful judgement: the true story of the Great Fire of London, 1666.* Londres: Doubleday, 2001.

HARDYMENT, Christina. *From mangle to microwave: the mechanization of household work.* Cambridge: Polity Press, 1985.

_____. *Home comfort: a history of domestic arrangements.* Londres: Viking, 1992.

HARRIS, Eileen. *Going to bed.* Londres: HMSO, 1981.

_____. *Keeping warm.* Londres: Victoria & Albert Museum, 1982.

_____. *The genius of Robert Adam: his interiors.* New Haven: Yale University Press, 2001.

HART-DAVIS, Adam. *What the Tudors and Stuarts did for us.* Londres: Boxtree/Pan Macmillan, 2002.

HARTLEY, Harold. *The Royal Society: its origins and founders.* Londres: Royal Society, 1960.

HARVEY, John. *English medieval architects: a biographical dictionary down to 1550.* Londres: B. T. Batsford, 1954.

HEADLEY, Gwyn & MEULENKAMP, Wim. *Follies: a national trust guide.* Londres: Jonathan Cape, 1986.

HEFFER, Simon. *Moral desperado: a life of Thomas Carlyle.* Londres: Weidenfeld e Nicolson, 1995.

HENDERSON, W. O. *The life of Friedrich Engels.* Londres: Frank Cass, 1976.

HERBERT, Victor. *Nutrition cultism: facts and fictions.* Filadélfia: George F. Sticley Co., 1980.

HIBBERT, Christopher. *London: the biography of a city.* Nova York: William Morrow & Co., 1969.

_____. *The court at Windsor: a domestic history.* Londres: Penguin, 1982.

_____. *Redcoats and rebels: the war for America, 1770-1781.* Londres: Grafton Books, 1990.

_____. *Elizabeth I: a personal history of the virgin queen.* Londres: Penguin, 2001.

_____. *Queen Victoria: a personal history.* Londres: Harper Collins, 2000.

HILL, Rosemary. *Stonehenge.* Londres: Profile Books, 2008.

_____. *God's architect: pugin and the building of romantic britain.* Londres: Penguin, 2008.

HIRST, Francis W. *Life and letters of Thomas Jefferson.* Londres: Macmillan, 1926.

HIX, John. *The glass house.* Londres: Phaidon, 1974.

HOBSBAWM, E. J. *Industry and empire.* Londres: Penguin, 1968.

HODDER, Ian. *The Leopard's tale: revealing the mysteries of Çatalhöyük.* Londres: Thames & Hudson, 2006.

HOLME, Thea. *The Carlyles at home.* Londres: Persephone, 2002.

HOLDERNESS, B. A. *Pre-industrial England: economy and society from 1500 to 1750.* Londres: J. M. Dent & Sons, 1976.

HORN, Pamela. *The rise and fall of the victorian servant.* Dublin: Gill and Macmillan, 1975.

HORN, Pamela. *Pleasures and pastimes in victorian Britain*. Stroud, Gloucestershire: Sutton Publishing, 1999.
HOWARTH, Patrick. *The year is 1851*. Londres: William Collins Publishers, 1951.
HOYT, William G. & LANGBEIN, Walter B. *Floods*. Princeton, NJ: Princeton University Press, 1955.
HUGHES, Kathryn. *The short life and long times of Mrs Beeton*. Londres: Fourth Estate, 2005.
HUNT, Tristram. *Building Jerusalem: the rise and fall of the victorian city*. Londres: Phoenix, 2005.
HUTCHINSON, Horace G. *Life of sir John Lubbock, lord Averbury*. Londres: Macmillan, 1914.
HYAM, Ronald. *Britain's Imperial century, 1815-1914: a study of empire and expansion*. Basingstoke: Palgrave/Macmillan, 2002.

INWOOD, Stephen. *A history of London*. Londres: Macmillan, 1998.
_____. *City of cities: the birth of modern London*. Londres: Macmillan, 2005.
ISRAEL, Paul. *Edison: a life of invention*. Nova York: John Wilsey and Son, 1998.

JACKSON-STOPS, Gervase. *The country house in perspective*. Londres: Pavilion, 1990.
JACOBS, Jane. *The economy of cities*. Londres: Jonathan Cape, 1970.
JENKINS, David (org.). *The Cambridge history of western textiles*. 2 vols. Cambridge: Cambridge University Press, 2003.
JENKINS, Simon. *England's thousand best houses*. Londres: Penguin, 2004.
JENNINGS, Anthony. *The Old Rectory: the story of the English parsonage*. Londres: Continuum, 2009.
JESPERSEN, Otto. *Growth and structure of the English language*. 9. ed. Garden City, NY: Doubleday, 1956.
JOHN, Eric. *Reassessing anglo-saxon England*. Manchester: Manchester University Press, 1996.
JOHNSON, Malcolm. *St Martin-in-the-Fields*. Chichester, West Sussex: Phillimore & Co., 2005.
JOHNSON, Matthew. *Housing culture: traditional architecture in an English landscape*. Londres: UCL, 1993.
JOHNSTON, Shirley. *Palm beach houses*. Nova York: Rizzoli International, 1991.
JOKILEHTO, Jukka. *A history of architectural conservation*. Oxford: Butterworth- Heinemann, 1999.
JONES, Maldwyn Allen. *American immigration*. Chicago: University of Chicago Press, 1960.
JUPP, Peter C. & GITTINGS, Clare. *Death in England*. Manchester: Manchester University Press, 1999.

KAY, Jane Holtz. *Lost Boston*. Boston: Houghton-Mifflin, 1980.
KEAY, John. *The spice route: a history*. Londres: John Murray, 2005.
KELLY, Alison. *The book of English fireplaces*. Londres: Country Life Books, 1968.
_____. *Mrs Coade's Stone*. Upton-upon-Severn: Self-Publishing Association/Georgian Group, 1999.
KELLY, Ian. *Beau Brummell: the ultimate dandy*. Londres: Hodder & Stoughton, 2005.
KENEALLY, Thomas. *The great shame and the triumph of the Irish in the English-speaking world*. Nova York: Nan Talese/Doubleday, 1999.

KING, Ross. *The judgment of Paris: the revolutionary decade that gave the world impressionism.* Nova York: Walker & Co., 2006.

KIPPLE, Kenneth F. & ORNELAS, K. C. (orgs.). *The Cambridge world history of food.* Cambridge: Cambridge University Press, 2000.

KISSELOFF, Jeff. *You must remember this: an oral history of Manhattan from the 1890s to World War II.* Nova York: Harcourt Brace Jovanovich, 1989.

KOSTOF, Sprio. *America by design.* Nova York: Oxford University Press, 1987.

KOVEN, Seth. *Slumming: sexual and social politics in victorian London.* Princeton, NJ: Princeton University Press, 2004.

KRONENBERGER, Louis (org.). *Atlantic brief lives: a biographical companion to the arts.* Boston: Atlantic Monthly Press, 1965.

KURLANSKY, Mark. *Salt: a world history.* Londres: Vintage, 2003.

_____. *The big Oyster: New York in the world, a molluscular history.* Londres: Jonathan Cape, 2006.

KYVIG, David E. *Daily life in the United States, 1920-1939.* Westport, Conn.: Greenwood Press, 2002.

LACEY, Robert. *Sir Walter Ralegh.* Londres: History Book Club, 1973.

_____ & DANZIGER, Danny. *The year 1000: what life was like at the turn of the first millennium.* Londres: Abacus, 2003.

LAING, Alastair. *Lighting: the arts and living.* Londres: Victoria & Albert Museum, 1982.

LAING, Lloyd. *The archaeology of late celtic Britain and Ireland, c. 400-1200 AD.* Londres: Methuen, 1975.

LAMB, H. H. *Historic storms of the North Sea, British Isles and Northwest Europe.* Cambridge: Cambridge University Press, 1991.

LAMBTON, Lucinda. *Vanishing victoriana.* Londres: Elsevier/Phaidon, 1976.

_____. *Lucinda Lambton's A to A of Britain.* Londres: Harper Collins, 1996.

LANCASTER, John. *Engineering catastrophes: causes and effects of major accidents.* Cambridge: Abington Publishing, 1997.

LARWOOD, Jacob. *The story of London's parks.* Londres: Chatto & Windus, 1881.

LASDUN, Susan. *The English park: royal, private and public.* Londres: Andre Deutsch, 1991.

LASLETT, Peter. *The world we have lost: England before the industrial age.* 2. ed. Nova York: Charles Scribner's Sons, 1993.

LEAHY, Kevin. *Anglo-Saxon crafts.* Londres: Tempus, 2003.

LEAPMAN, Michael. *The world for a shilling: how the Great Exhibition of 1851 shaped a nation.* Londres: Headline, 2001.

_____. *Inigo: the troubled life of Inigo Jones, architect of the English renaissance.* Londres: Headline Books, 2003.

LEES-MILNE, James. *Earls of creation: five great patrons of eighteenth-century art.* Londres: Hamish Hamilton, 1962.

LEVI, Peter. *The life and times of William Shakespeare.* Londres: Macmillan, 1998.

LEWIS, R. A. *Edwin Chadwick and the public health movement, 1832-1854.* Londres: Longmans, Green and Co., 1952.

LIND, Carla. *The lost buildings of Frank Lloyd Wright*. Londres: Thames & Hudson, 1996.

LINDSAY, Jack. *1764: The hurlyburly of daily life exemplified in one year of the eighteenth century*. Londres: Frederick Muller, 1959.

LINGEMAN, Richard. *Small town America: a narrative history 1620-the present*. Nova York: G. P. Putnam's Sons, 1980.

LITTLE, Lester D. (org.). *Plague and the end of antiquity: the plague of 541-750*. Cambridge: Cambridge University Press, 2007.

LITTLEJOHN, David. *The fate of the English country house*. Oxford: Oxford University Press, 1997.

LOFTS, Norah. *Domestic life in England*. Londres: Weidenfeld and Nicolson, 1976.

LONGFORD, Elizabeth. *Wellington: a new biography*. Stroud, Gloucestershire: Sutton Publishing, 2001.

LOUDON, Mrs. *Practical instructions in gardening for ladies*. Londres: John Murray, 1841.

LOVILL, Justin (org.). *Ringing church bells to ward off thunderstorms and other curiosities from the original notes and queries*. Londres: Bunbury Press, 2009.

LUBBOCK, Jules. *The tyranny of taste: the politics of architecture and design in Britain 1550-1960*. New Haven: Yale University Press, 1995.

LUCIE-SMITH, Edward. *Furniture: a concise history*. Nova York: Oxford University Press, 1979.

LUYRETTE, Henri. *Gustave Eiffel*. Nova York: Rizzoli International, 1985.

LYNES, Russell. *The domesticated Americans*. Nova York: Harper & Row, 1963.

MACINNIS, Peter. *The killer beans of Calabar and other stories*. Sydney: Allen & Unwin, 2004.

MACKAY, James A. *Sounds out of silence: a life of Alexander Graham Bell*. Edimburgo: Mainstream Publishing, 1997.

MANN, Charles C. *1491: new revelations of the Americas before Columbus*. Nova York: Vintage, 2005.

MARGETSON, Stella. *The long party: high society in the twenties and thirties*. Farnborough: D. C. Heath, 1974.

MARK, Robert. *Light, wind and structure: the mystery of the master builders*. Cambridge, Mass.: MIT Press, 1990.

MARSDEN, Christopher. *The English at the seaside*. Londres: Collins, 1947.

MARSTON, Maurice. *Sir Edwin Chadwick*. Londres: Leonard Parsons, 1925.

MATHIAS, Peter. *The first industrial nation: an economic history of Britain, 1700-1914*. 2. ed. Londres: Methuen, 1983.

MATTHEWS, Leonard H. (org.). *The whale*. Londres: George Allen & Unwin, 1968.

MCCURDY, Howard E. *Space and the American imagination*. Washington: Smithsonian Institution Press, 1997.

MCCUSKER, John J. & MENARD, Russell R. *The economy of British America, 1607-1789*. Chapel Hill: University of North Carolina Press, 1985.

MCGEE, Harold. *On food and cooking: the science and lore of the kitchen*. Londres: Unwin Hyman, 1986.

MCLAUGHLIN, Jack. *Jefferson and Monticello: the biography of a builder*. Nova York: Henry Holt, 1988.

MCWILIAMS, James E. *A revolution in eating: how the quest for food shaped America*. Nova York: Columbia University Press, 2005.

MEACHAM, Standish. *Life apart: the English working class 1880-1914*. Londres: Thames & Hudson, 1977.

MELOSI, Martin V. *Garbage in the cities: refuse, reform and the environment 1880-1980*. College Station: Texas A&M University Press, 1981.

_____. *The sanitary city: urban infrastructure in America from colonial times to the present*. Baltimore: Johns Hopkins University Press, 2000.

MENNIM, Michael. *Hall houses*. York: William Sessions, 2005.

MERCER, David. *The telephone: the life story of a technology*. Westport, Conn.: Greenwood Press, 2006.

MERCER, Eric. *Furniture 700-1700*. Londres: Weidenfeld & Nicolson, 1969.

MILES, David. *The tribes of Britain*. Londres: Weidenfield & Nicolson, 2005.

MILLER, Ross. *American apocalypse: the great fire and the myth of Chicago*. Chicago: University of Chicago Press, 1990.

MINGAY, G. E. (org.). *The agricultural revolution: changes in agriculture 1650-1880*. Londres: Adam & Charles Black, 1997.

MITFORD, Nancy. *The Sun King: Louis XIV at Versailles*. Londres: Sphere, 1969.

MITCHELL, James K. & SOGA, Kenichi. *Fundamentals of soil behavior*. Nova York: John Wiley & Sons, 2005.

MORAN, Joe. *Queuing for beginners: the story of daily life from breakfast to bedtime*. Londres: Profile Books, 2007.

MORDANT CROOK, J. *The rise of the nouveaux riches: style and status in victorian and edwardian architecture*. Londres: John Murray, 1999.

MORLEY, John. *Death, heaven and the victorians*. Londres: Studio Vista, 1971.

MORRIS, Richard. *Churches in the landscape*. Londres: J. M. Dent & Sons, 1989.

MOWL, Timothy. *William Beckford: composing for Mozart*. Londres: John Murray, 1998.

MOXHAM, Roy. *Tea: addiction, exploitation, and empire*. Londres: Constable, 2003.

NASAW, David. *Going out: the rise and fall of public amusements*. Nova York: Basic Books, 1993.

NEWMAN, Lucile F. (org.). *Hunger in history: food shortage, poverty and deprivation*. Oxford: Basil Blackwell, 1990.

NEWTON, Norman T. *Design on the land: the development of landscape architecture*. Cambridge, Mass.: Belknap Press, 1971.

OAKLEY, J. Ronald. *God's country: America in the fifties*. Nova York: Dembner Books, 1986.

OLIPHANT, Margaret. *The curate in charge*. 2. ed. Londres: Macmillan, 1876.

OLMSTED, Frederick Law. *Walks and talks of an American farmer in England*. Londres: David Bogue, 1852.

OLSON, Sherry H. *Baltimore: the building of an American city*. Baltimore: Johns Hopkins University Press, 1980.

ORDISH, George. *The great wine blight*. Londres: Sidgwick & Jackson, 1987.

OWEN, David. *The walls around us: the thinking person's guide to how a house works*. Nova York: Villard, 1992.

_____. *Sheetrock & Shellac: a thinking person's guide to the art and science of home improvement*. Nova York: Simon & Schuster, 2006.

OWEN-CROCKER, Gale R. *Dress in anglo-saxon England*. Londres: Boydell Press, 1986.

PALLADIO, Andrea. *The four books of architecture*. Ed. fac-símile. Londres: Isaac Ware, 1738. [*Os quatro livros da arquitetura*. São Paulo: Hucitec, 2010.]

PALMER, Arlene. *Glass in early America*. Nova York: W. W. Norton, 1993.

PARISSIEN, Steven. *Adam style*. Londres: Phaidon, 1992.

_____. *Palladian style*. Londres: Phaidon, 1994.

_____. *The georgian house*. Londres: Aurum Press, 1995.

PASTON-WILLIAMS, Sara. *The art of dining: a history of cooking and eating*. Londres: National Trust, 1993.

PATTON, Mark. *Science, politics and business in the work of sir John Lubbock: a man of universal mind*. Aldershot: Ashgate, 2007.

PEATROSS, C. Ford (org.). *Historic America: buildings, structures and sites*. Washington, DC: Library of Congress, 1983.

PETERSEN, Christian. *Bread and the british economy, circa 1770-1870*. Aldershot: Scolar Press, 1995.

PETROSKI, Henry. *The evolution of useful things*. Nova York: Vintage Books, 1994.

PETTIGREW, Jane. *Tea: a social history*. Londres: National Trust, 2001.

PICARD, Liza. *Shakespeare's London: everyday life in Elizabethan London*. Londres: Orion Books, 2003.

_____. *Victorian London: the life of a city 1840-1870*. Londres: Phoenix, 2005.

PIPONNIER, Françoise & MANE, Perrine. *Dress in the middle ages*. New Haven, Conn.: Yale University Press, 1997.

PLANEL, Philippe. *Locks and lavatories: the architecture of privacy*. Londres: English Heritage, 2000.

PLATT, Colin. *The architecture of medieval Britain: a social history*. New Haven: Yale University Press, 1990.

PLUMRIDGE, Andrew & MEULENKAMP, Wim. *Brickwork: architecture and design*. Nova York: Harry N. Abrams, 1993.

POLLAN, Michael. *The omnivore's dilemma: a natural history of four meals*. Londres: Penguin Books, 2007.

POLLARD, Justin. *Seven ages of Britain*. Londres: Hodder & Stoughton, 2003.

PORTER, Roy. *Flesh in the age of reason*. Londres: Allen Lane, 2003.

POSTGATE, Raymond. *Story of a year: 1848*. Londres: Jonathan Cape, 1955.

PRYCE, Will. *Buildings in wood: the history and traditions of architecture's oldest building material*. Nova York: Rizzoli International, 2005.

PULLAR, Philippa. *Consuming passions: a history of English food and appetite*. Londres: Book Club Associates, 1977.

QUINEY, Anthony. *Town houses of medieval Britain*. New Haven: Yale University Press, 2003.

RABY, Peter. *Alfred Russel Wallace: a life*. Londres: Chatto & Windus, 2001.
RACKHAM, Oliver. *The history of the countryside*. Londres: J. M. Dent & Sons, 1986.
RAPPORT, Mike. *1848: Year of revolution*. Nova York: Basic Books, 2008.
RATHJE, William & MURPHY, Cullen. *Rubbish! The archaeology of garbage*. Tucson: University of Arizona Press, 2001.
READER, John. *Cities*. Londres: William Heinemann, 2004.
_____. *Propitious esculent: the Potato in world history*. Londres: William Heinemann, 2008.
REYNOLDS, Andrew. *Later anglo-saxon England: life & landscape*. Stroud, Gloucestershire: Sutton Publishing, 1999.
REYNOLDS, Reginald. *Beds; with many noteworthy instances of lying on, under or about them*. Londres: Andre Deutsch, 1952.
RIBEIRO, Aleen. *Dress in eighteenth-century Europe, 1715-1789*. Londres: B. T. Batsford, 1984.
RICHARDSON, Tim. *The arcadian friends: inventing the English landscape*. Londres: Bantam Press, 2007.
RIIS, Jacob A. *How the other half lives: studies among the poor*. Londres: Sampson Low, Marston, Searle & Rivington, 1891.
RIVERS, Tony; CRUICKSHANK, Dan; DARLEY, Gillian & PAWLEY, Martin. *The name of the room: a history of the British house and home*. Londres: BBC, 1992.
ROACH, Mary. *Bonk: The curious coupling of sex and science*. Nova York: W. W. Norton & Co., 2008.
ROMER, John. *The history of archaeology*. Nova York: Facts on File, 2001.
ROOT, Waverley & DE ROCHEMONT, Richard. *Eating in America: a history*. Nova York: William Morrow, 1976.
ROSE, Michael. *The English poor law 1780-1930*. Newton Abbot: David & Charles, 1971.
ROSENTHAL, Joel T. (org.). *Essays on medieval childhood: responses to recent debates*. Donington, Lincs.: Shaun Tyas, 2007.
ROTH, Leland M. *American architecture: a history*. Boulder, Colorado: Westview Press, 2001.
ROUECHÉ, Berton. *Curiosities of medicine: an assembly of medical diversions 1552-1962*. Londres: Victor Gollancz, 1963.
RUSSELL, E. John. *A history of agricultural science in Great Britain: 1620-1954*. Londres: George Allen & Unwin, 1966.
RYBCZYNSKI, Witold. *Home: a short history of an idea*. Londres: Pocket Books, 1987.
_____. *Waiting for the weekend*. Nova York: Viking, 1991.
_____. *City life. Urban expectations in a new world*. Londres: Scribner, 1995.
_____. *A clearing in the distance: Frederick Law Olmsted and America in the nineteenth century*. Nova York: Scribner, 1999.
_____. *The look of architecture*. Nova York: Oxford University Press, 2001.
_____. *The perfect house: a journey with the renaissance master Andrea Palladio*. Nova York: Scribner, 2002.

SALMON, Frank. *Building on ruins: the rediscovery of Rome and English architecture.* Aldershot, Hampshire: Ashgate Press, 2000.

SALVADORI, Mario. *Why buildings stand up: the strength of architecture.* Nova York: W. W. Norton, 1980.

_____ & LEVY, Matthys. *Structural design in architecture.* Englewood Cliffs, NJ: Prentice-Hall, 1967.

SAMBROOK, Pamela A. *The country house servant.* Stroud, Gloucestershire: Sutton/National Trust, 2004.

SAVIDGE, Alan. *The parsonage in England: its history and architecture.* Londres: SPCK, 1964.

SCHELLER, William G. *Barons of business: their lives and lifestyles.* Los Angeles: Beaux Arts Editions, 2002.

SCHLERETH, Thomas J. *Victorian America: transformations in everyday life, 1876-1915.* Nova York: HarperCollins, 1991.

SCHNEER, Jonathan. *The thames: England's river.* Londres: Little, Brown, 2005.

SCHOFIELD, John. *Medieval London houses.* 2. ed. New Haven: Yale University Press, 2003.

SCOTT, Geoff. *Building disasters and failures: a practical report.* Londres: The Construction Press Ltd., 1976.

SCOTT, George Ryley. *The story of baths and bathing.* Londres: T. Werner Laurie Ltd., 1939.

SELINUS, Olle. *Essentials of medical geology: impacts of the natural environment on public health.* Amsterdam: Elsevier, 2005.

SHAPIRO, Laura. *Something from the oven: reinventing dinner in 1950s America.* Nova York: Viking, 2004.

SHORTER, Edward. *The making of the modern family.* Londres: Collins, 1976.

SIMMONS, I. G. *An environmental history of Great Britain from 10,000 years ago to the present.* Edimburgo: Edinburgh University Press, 2001.

_____. *Global environmental history: 10,000 BC to AD 2000.* Edimburgo: Edinburgh University Press, 2008.

SIMO, Melanie L. *Loudon and the landscape: from country seat to metropolis.* New Haven: Yale University Press, 1988.

SINCLAIR, David. *The pound: a biography.* Londres: Century, 2000.

SKAGGS, Jimmy M. *The great guano rush: entrepreneurs and American overseas expansion.* Nova York: St. Martin's Press, 1994.

SMITH, Anthony. *The body.* Londres: George Allen and Unwin, 1968.

SMITH, Bernard J. & WARKE, Patricia A. (orgs.). *Processes of urban stone decay.* Londres: Donhead Publishers, 1995.

SMOLLETT, Tobias. *The expedition of Humphry Clinker.* Athens, Georgia: University of Georgia Press, 1990.

SOKOLOV, Raymond. *Why we eat what we eat.* Nova York: Summit Books, 1991.

SOLNIT, Rebecca. *Wanderlust: a history of walking.* Londres: Verson, 2002.

SOUTHERN, R. W. *The making of the middle ages.* Londres: Hutchinson's University Library, 1953.

SPANN, Edward K. *The new metropolis: New York City, 1840-1857.* Nova York: Columbia University Press, 1981.

SPROULE, Anna. *Lost houses of Britain*. Newton Abbot: David & Charles, 1982.
STANDAGE, Tom. *A history of the world in six glasses*. Nova York: Walker & Co., 2005.
STARKEY, David. *Elizabeth: the struggle for the throne*. Londres: HarperCollins, 2001.
STEELE, Valerie. *Fashion and eroticism: ideals of feminine beauty from the victorian era to the jazz age*. Nova York: Oxford University Press, 1985.
_____. *The corset: a cultural history*. New Haven: Yale University Press, 2001.
STEINBACH, Susie. *Women in England, 1760-1914: a social history*. Londres: Weidenfeld & Nicolson, 2004.
STEINGARTEN, Jeffrey. *The man who ate everything: and other gastronomic feats, disputes, and pleasurable pursuits*. Nova York: Alfred A. Knopf, 1998.
STENTON, F. M. *Anglo-Saxon England*. Oxford: Clarendon Press, 1971.
STERN, Robert A. M. *Pride of place: building the American dream*. Boston: Houghton-Mifflin, 1986.
STEWART, Amy. *The earth moved: on the remarkable achievements of earthworms*. Londres: Frances Lincoln, 2004.
STEWART, Rachel. *The town house in georgian London*. New Haven: Yale University Press, 2009.
STRASSER, Susan. *Never done: a history of American housework*. Nova York: Pantheon, 1982.
STRINGER, Chris. *Homo britannicus: the incredible story of human life in Britain*. Londres: Allen Lane, 2006.
STRONG, Roy. *Tudor and jacobean portraits*. Londres: HMSO, 1960.
_____. *A little history of the English country church*. Londres: Vintage Books, 2008.
STROUD, Dorothy. *Capability brown*. Londres: Faber & Faber, 1999.
SULLIVAN, Robert. *Rats: a year with New York's most unwanted inhabitants*. Londres: Granta, 2005.
SUMMERSON, John. *Architecture in Britain 1530 to 1830*. Londres: Penguin, 1963.
_____. *The unromantic castle and other essays*. Londres: Thames and Hudson, 1990.
_____. *The life and work of John Nash, architect*. Londres: Allen & Unwin, 1980.
SUTHERLAND, Daniel E. *The expansion of everyday life, 1860-1876*. Nova York: Harper & Row, 1986.

TANNAHILL, Reay. *Food in history*. Londres: Eyre Methuen, 1973.
_____. *Sex in history*. Londres: Abacus, 1981.
TAYLOR, Christopher. *Village and farmstead: a history of rural settlement in England*. Londres: George Philip & Son, 1983.
TAYLOR, Derek. *Ritzy: British hotels 1837-1987*. Londres: Milman Press, 2003.
TEMPLAR, John A. *The staircase: studies of hazards, falls and safer design*. Cambridge, Mass.: MIT Press, 1992.
THANE, Elswyth. *Potomac squire*. Nova York: Duell, Sloan and Pearce, 1963.
THOMAS, Charles. *Celtic Britain*. Londres: Thames & Hudson, 1936.
THOMPSON, E. P. *The making of the English working class*. Londres: Penguin, 1968.
THOMPSON, F. M. C. (org.). *The Cambridge social history of Britain 1750-1950*. vol. 2. Cambridge University Press, 1990.

THOMPSON, M. W. *General Pitt-Rivers: evolution and archaeology in the nineteenth century*. Bradford-on-Avon: Moonraker Press, 1977.

THORNTON, Peter. *Seventeenth-century interior decoration in England, France and Holland*. New Haven: Yale University Press, 1979.

THURBER, James. *The years with Ross*. Nova York: Ballantine Books, 1972.

THURLEY, Simon. *Hampton Court: a social and architectural history*. New Haven: Yale University Press, 2003.

_____. *Lost buildings of Britain*. Londres: Viking, 2004.

TINNISWOOD, Adrian. *The polite tourist: a history of country house visiting*. Londres: National Trust, 1989.

TIPPER, Jess. *The Grubenhaus in Anglo-Saxon England: an analysis and interpretation of the evidence from a most distinctive building type*. Yedingham, North Yorkshire: Landscape Research Centre, 2004.

TOMALIN, Claire. *Samuel Pepys: the unequalled self*. Londres: Viking, 2002.

TOY, Edward T. *Getting dressed*. Londres: Victoria and Albert Museum, 1981.

TRAILL, David A. *Schliemann of troy: treasure and deceit*. Londres: John Murray, 1995.

TREVELYAN, G. M. *Illustrated English social history. The eighteenth century*. vol. 3. Londres: Penguin, 1966.

TRIGGER, Bruce G. *Gordon Childe: revolutions in archaeology*. Londres: Thames & Hudson, 1980.

TROLLOPE, Frances. *Domestic manners of the Americans*. Nova York: Alfred A. Knopf, 1949.

TUNIS, Edwin. *Colonial living*. Cleveland: World Publishing, 1957.

TURNER, Jack. *Spice: the history of a temptation*. Londres: Vintage, 2005.

TURNER, Roger. *Capability Brown and the eighteenth-century English landscape*. Londres: Phillimore, 1999.

UGLOW, Jenny. *A little history of British gardening*. Londres: Chatto & Windus, 2004.

UPTON, Dell & VLATCH, John Michael (orgs.). *Common places: readings in American vernacular architecture*. Athens, Ga: University of Georgia Press, 1986.

VANDERBILT II, Arthur. *Fortune's children: the fall of the house of Vanderbilt*. Londres: Michael Joseph, 1990.

VAN DULKEN, Stephen. *Inventing the nineteenth century: the great age of victorian inventions*. Londres: British Library, 2001.

VIDAL, Gore. *The last empire: essays 1992-2000*. Nova York: Doubleday, 2001.

VINTEN-JOHANSEN, Peter; BRODY, Howard; PANETH, Nigel; RACHMAN, Stephen & RIP, Michael. *Cholera, chloroform, and the science of medicine: a life of John Snow*. Oxford: Oxford University Press, 2003.

VITRUVIUS. *The ten books of architecture*. Trad. Morris Hicky Morgan. Cambridge, Mass.: Harvard University Press, 1914.

WAGNER, Gillian. *Barnardo*. Londres: Weidenfeld & Nicolson, 1979.

WALLER, John. *The real Oliver Twist: Robert Blincoe: a life that illuminates an age*. Cambridge: Icon Books, 2005.
WARE, Susan (org.). *Forgotten heroes*. Nova York: Free Press, 1998.
WARNER, Jessica. *Craze: gin and debauchery in an age of reason*. Nova York: Four Walls Eight Windows, 2002.
WATKIN, David. *Regency: a guide and gazeteer*. Londres: Barrie & Jenkins, 1982.
WATTS, Sheldon. *Epidemics and history: disease, power and imperialism*. New Haven: Yale University Press, 1997.
WAUGH, Alexander. *Fathers and sons*. Londres: Review Books, 2004.
WEBSTER, Robin G. M. (org.). *Stone cleaning and the nature, soiling and decay mechanisms of stone*. Londres: Donhead, 1992.
WEIGHTMAN, Gavin. *The frozen-water trade: a true story*. Nova York: Hyperion, 2003.
_____. *The industrial revolutionaries: the creation of the modern world, 1776-1914*. Londres: Atlantic Books, 2007.
WEINREB, Ben & HIBBERT, Christopher. *The London encyclopaedia*. Londres: Macmillan, 1985.
WEISMAN, Alan. *The world without us*. Londres: Virgin Books, 2007.
WEST, Anthony James. *The Shakespeare first folio: the history of the book*. 2 vols. Oxford: Oxford University Press, 2001.
WHARTON, Edith & CODMAN JR., Ogden. *The decoration of houses*. Nova York: W. W. Norton, 1998.
WHEEN, Francis. *Karl Marx*. Londres: Fourth Estate, 1999.
WHITE, Gilbert. *The natural history of Selborne*. Londres: Penguin, 1977.
WILBUR, Marguerite Eyer. *The East India Company and the British Empire in the Far East*. Nova York: Richard R. Smith, 1945.
WILKINSON, Philip. *The shock of the old: a guide to British buildings*. Londres: Channel 4 Books, 2001.
WILLES, Margaret. *Reading matters: five centuries of discovering books*. New Haven: Yale University Press, 2008.
WILSON, Bee. *Swindled: from poison sweets to counterfeit coffee — the dark history of the food cheats*. Londres: John Murray, 2008.
WINKLE, Kenneth J. *The young eagle: the rise of Abraham Lincoln*. Dallas: Taylor Trade Publishing, 2001.
WISE, Sarah. *The Italian boy: murder and Gave-Robbery in 1830s London*. Londres: Jonathan Cape, 2004.
WOLMAR, Christian. *Fire & steam: how the railways transformed Britain*. Londres: Atlantic Books, 2007.
WOOD, Margaret. *The English medieval house*. Londres: Bracken Books, 1983.
WOOD, Peter. *Poverty and the workhouse in victorian Britain*. Stroud, Gloucestershire: Alan Sutton, 1991.
WOODFORDE, John. *The history of vanity*. Londres: St. Martin's Press, 1992.
WOOLF, Virginia. *The London scene*. Londres: Snow Books, 1975.
WORSLEY, Giles. *England's lost houses from the archives of country life*. Londres: Aurum Press, 2002.

WRIGHT, Lawrence. *Warm and snug: the history of the bed*. Londres: Routledge & Kegan Paul, 1962.

_____. *Clean and decent: the fascinating history of the bathroom and the water-closet*. Londres: Penguin, 2000.

WRIGHT, Ronald. *A short history of progress*. Toronto: Anansi Press, 2004.

YAFA, Stephen. *Cotton: the biography of a revolutionary fiber*. Nova York: Penguin, 2006.

YARWOOD, Doreen. *The architecture of England: from prehistoric times to the present day*. Londres: B. T. Batsford, 1963.

YERGIN, Daniel. *The prize: the epic quest for oil, money, and power*. Nova York: Simon & Schuster, 1991.

YOUINGS, Joyce. *Sixteenth century England*. Londres: Penguin, 1984.

Para notas e fontes, por favor acesse www.billbryson.co.uk/at home.

Agradecimentos

Como sempre, sou extremamente grato a muitas pessoas por sua ajuda e orientação especializada na elaboração deste livro, em especial às seguintes:

Na Inglaterra: professores Tim Burt, Maurice Tucker e Mark White, da Universidade de Durham; o reverendo Nicholas Holtam, da igreja de St. Martin-in-the-Fields, em Londres; o reverendíssimo Michael Sadgrove, da catedral de Durham; Keith Blackmore, do *The Times*; Beth McHattie e Philip Davies, da English Heritage; Aosaf Afzal, Dominic Reid e Keith Moore, da Real Sociedade; e os funcionários da Biblioteca de Londres e da Biblioteca da Universidade de Durham.

Nos Estados Unidos: Elizabeth Chew, Bob Self, Susan Stein, Richard Gilder e Bill Beiswanger, de Monticello; Dennis Pogue, de Mount Vernon; Jan Dempsey da Biblioteca Pública de Wenham, em Massachusetts; e os funcionários da Biblioteca Lauinger da Universidade de Georgetown e da Biblioteca da Universidade de Drake, em Des Moines.

Também sou grato, por motivos numerosos demais para citar, a Carol Heaton, Fred Morris, Gerry Howard, Marianne Velmans, Deborah Adams, Sheila Lee, Dan McLean, Alison Barrow, Larry Finlay, Andrew Orme, Daniel Wiles e Tom e Nancy Jones. Agradeço em especial aos meus filhos, Catherine e Sam, por sua heroica ajuda, sempre prestada com boa vontade. Sobretudo, e como sempre, meu mais profundo agradecimento à minha querida esposa, Cynthia, por sua infinita paciência.

Lista das ilustrações

p. 20   "Aguardando a rainha": ilustração das *Imagens completas de Dickinson da Grande Exposição de 1851*, 1854: Getty Images.

p. 48   Vere Gordon Childe, Skara Brae, Ilhas Orkney, 1930: RCAHMS © (Coleção de Vere Gordon Childe). Sob licença de www.rcahms.gov.uk.

p. 70   *Um banquete medieval*, 1491, xilogravura alemã: Coleção Particular/ Biblioteca de Artes de Bridgeman.

p. 94   *O fazendeiro Giles, Natal de 1800*, gravura de William Heath, publicada em 1830: Museu da Ciência Pictórica.

p. 124 Hannah Cullwick fotografada por Arthur Munby; limpando sapatos, 1864; com balde e regador, 1864; esfregando a escada, 1872; como limpadora de chaminés, 1862: Biblioteca do Trinity College, em Cambridge.

p. 129 *Grupo familiar*, desenho a bico de pena de John Harden, 1804: cortesia da Biblioteca Nacional da Escócia.

p. 171 *O Grande Corredor Oeste que leva ao Grande salão ou Octógono, abadia de Fonthill*, gravura segundo George Cattermole, 1823: Coleção Particular/ Coleção de Stapleton/ Biblioteca de Artes Bridgeman.

p. 209 "Utensílios de vidro para mesa incluindo decantadores, jarras de vinho tinto e garrafa de água", de *Book of household management*, de Isabella Mary Beeton, 1892: © 2009 Biblioteca Britânica.

p. 227 "Vista de Londres pelos trilhos do trem", gravura de Gustave Doré de *Londres: uma peregrinação*, de Gustave Doré e Blanchard Jerrold, 1872.

p. 235 A Torre Eiffel em construção, com 110 metros de altura, Paris, 1888: Topfoto/Roger-Viollet.

p. 261 Patente da ratoeira "Little Nipper", inventada por James Henry Atkinson, requerida em 27 de junho de 1899 e publicada como GB 13277/1899: cortesia da Biblioteca Britânica.

p. 280 *A recepção*, gravura II de *The rake's progress*, de William Hogarth, 1735: Biblioteca de Guildhall, Cidade de Londres/ Biblioteca de Artes de Bridgeman.

p. 316 Esboço da Villa Rotonda, Vicenza, por sir Charles Barry, 1820: Coleções de Desenhos da Biblioteca RIBA; e gravura do século XIX de Monticello, Virgínia.

p. 332 "Perspectiva de uma escada" de *Um tratado completo de perspectiva*, de Thomas Malton, 1779: Coleção de Fotografias da Biblioteca RIBA.

p. 352 "Anel uretral de quatro pontas", de *Sobre a patologia e o tratamento da espermatorreia*, de John Laws Milton, 1887: Biblioteca Wellcome, Londres.

p. 393 Construção de grandes galerias de esgoto perto de Old Ford, Bow, 1859-65, xilogravura: Biblioteca Wellcome, Londres.

p. 411 *A sra. Prattle consultando o dr. Double Fee sobre seu penteado panteão*, 1772, mezzotinta anônima: Biblioteca Wellcome, Londres.

p. 432 Mulher dando à luz, xilogravura anônima, 1711: Biblioteca Wellcome, Londres.

p. 468 John Lubbock, primeiro barão Avebury, caricatura de Edward Linley Sambourne, *Punch*, 19 de agosto de 1882.

Índice remissivo

Os números de páginas em itálico referem-se a ilustrações

Abadia de Fonthill, Wiltshire, 168, *171*, 214, 465
abelhas, 467
abridor de lata, 92
Abu Hureyra, 57
ácaros, 268, 270, 271, 467
aço, 232, 238, 239, 252, 297, 308, 359, 424
ações, mercados de, 32
Acton, Eliza: *Modern cookery for private families*, 95, 96
Acton, sir William: *The functions and disorders of the reproductive organs...*, 351
açúcar, 83, 85, 101, 109, 110, 175, 202, 203, 324, 451
Adam, Irmãos, 167
Adam, Robert, 166, 177, 180, 284
Adams, John Quincy, 242, 348, 423
Adderley, sir Charles, 440
Addison, Joseph, 132, 161, 283; "Os prazeres da imaginação", 283
adegas, 80, 105, 110, 381
administração doméstica, 95, 112, 349
África, 50, 192, 195, 196, 267, 305, 395, 460
Agecroft Hall, Lancashire, 474
agricultura, 30, 49, 50, 51, 52, 53, 58, 63, 92, 135, 157, 158, 276, 277, 287, 306; crise na, 41, 471, 472; *ver também* culturas; lavoura
Ahlers, Cyriacus, 355
Ailesbury, Conde de, 165
alamanos, 61
Albany, Nova York, 301
Albert, príncipe, 22, 41, 88, 362
alcatrão de hulha, 138, 304
alcatrão e penas (tortura), 204
alcova, 78, 81, 397
aldeias, 51, 93, 217, 282, 286, 362; nivelamento das, 282
Aldini, Giovanni, 147
Alemanha, 62, 239, 394, 449
Alfieri, conde Vittorio Amadeo, 116

algodão, 35, 86, 113, 273, 298, 304, 408, 416, 418, 419, 420, 421, 422, 424; descaroçador de algodão, 421, 424; fábricas de algodão, 35
alho, 96, 100, 187, 340
alimentação, 19, 53, 54, 55, 56, 80, 85, 98, 101, 102, 116, 185, 187, 188, 189, 190, 191, 264, 321, 354, 445
alimento, 33, 67; adulteração, 83, 84, 85, 86; alimentação vitoriana, 98; armazenamento, 90, 91, 92; contaminação, 84, 86; dado aos operários de fábrica, 439; dado aos pobres, 102; dieta do século XVIII, 99; enlatado, 92; medieval, 68, 69; nas casas de trabalho, 444; preservação, 88, 89, 90, 91, 92; safras das Américas, 197; *service à la française* e *service à la russe*, 208
almoço, 97, 101, 123, 202, 211, 298, 439
Alnwick, castelo de, 71
aluguéis, 29, 339, 417, 445, 472
alume, 84, 85, 86, 110, 126
alvaiade, 412
alvenaria, 221
amaranto, 198
Amazonas, rio, 291; bacia amazônica, 50
Amazônia, 290
âmbar-gris, 137
América: situação dos criados, 127, 128
América Central, 50, 51, 54, 55, 198
América do Norte, 51, 54, 143, 199, 215, 238, 272, 275, 289, 301, 394; caçadores de plantas na, 289; *ver também* Canadá; Estados Unidos
América do Sul, 90, 195, 272, 291
American Telephone & Telegraph (AT&T), 252, 253, 254
americanos nativos, 374
Américas, 51, 195, 196, 197, 198, 395, 460
amido de milho, 55
amoreiras, 406
amputações, 358, 359
Andes, 50
Andover Workhouse, Hampshire, 444

anel peniano, 351, *352*
anestésicos, 360, 388
anglicanos, clérigos *ver* clérigos anglicanos
anglos, 60, 61, 62
animais: carniceiros, 295; como alimento, 87, 92; domesticados, 51, 63, 198, 403
Anne, Rainha, 99, 164, 177, 375
Anson, George, 186
antiescorbúticos, 187
Antilhas, 202, 203, 323
antissépticos, 435
antraz, 53, 394
Antrobus, sir Edmund, 471, 474
Apalaches, Montes, 212, 238
aparelhos elétricos, 154, 251
aparelhos para poupar trabalho, 128
Apethorpe Hall, Northamptonshire, 81
aposentos: dos empregados, 111; número de, 110, 163; tamanho dos, 147; tipos de, 76, 77, 110, 111; usos dos, 77, 78
Appert, François ou Nicolas: *The art of preserving all kinds of animal and vegetable substances for several years*, 88
aquecimento, 19, 50, 61, 116, 118, 183, 325, 370, 454
arados, 51
área de serviço, 93, 104, 125
Argand, Ami, 136
Argens, Marquês d', 374
Argentina, 92, 198
argila, 220, 226, 246
Ariès, Philippe, 429, 433; *Centuries of childhood*, 429, 430
Arizona, 274; Universidade do, 270
Arkansas, 198
Arkwright, Richard, 418, 419, 420
armários, 68, 82, 105, 163, 182, 246, 247, 380
armas, 107, 111, 116, 232, 239, 403, 423
arqueologia, 30, 47, 49, 63, 460, 464, 466, 467
arquitetônico, estilo, 311-30
arquitetura, como profissão, 166
arsênico: na alimentação, 191; na cerâmica, 437; nas poções, 412; no papel de parede, 339, 340

arsenito de cobre, 84, 339
artesãos, 50, 59, 178, 182, 312
Artur, rei, 63
Ashenburg, Katherine: *The Dirt on Clean*, 370
Ashtabula, rio, Ohio, 231
Ásia, 176, 195, 196, 267, 272, 275
Aspdin, Joseph, 246
assepsia, 476
Associação Médica Americana, 356
Associação para a Prevenção do Enterro Prematuro, 365
astecas, 192, 198
Aston Clinton, Buckinghamshire, 475
Astor, família, 239
Astor, John Jacob, 210
Atkinson, James Henry, 260, *261*
Atlântico, oceano, 194, 195, 212, 213, 291, 323, 423
átomo, descoberta do, 387
Atos da Navegação, 323
Atos de Townshend, 203
atuariais, tabelas, 434
Aubrey, John, 349
Audley End, Essex, 100
Austen, Jane, 28, 32
Austin, Texas, 274
Austrália, 58, 85, 187, 262, 272, 297, 406
Áustria, 338, 364, 399
Áustria (navio), 146
automação, 248
Auxílio aos pobres, 442
"auxílio de fora", 445
Avebury, Wiltshire, 469
aveia, 53, 472; bolo de, 102
aves, 53, 69, 76, 100, 107, 111, 135, 244, 265, 268, 275, 291, 304, 320, 347, 406; comestíveis, 69
aviões, 236, 248, 272, 476
Ayers, Brian, 16, 63
Ayres, James, 68

Babilônia, 370
bacalhau, óleo de fígado de, 36

bacon, 101, 104, 472
Bacon, John Mackenzie, 30
bactérias, 189, 190, 266, 270, 271, 394
Baker, James, 106
baleias, 136, 137, 138, 360, 424, 460; caça às, 137; óleo de baleia, 136, 137, 138, 140
balneários, 374
balões de ar quente, 30
bancárias, transações, 35
bancos para sentar, 68
Banda, mar de, 194
banheiros: em hotéis, 396; privados, 396, 397, 398
banhos, 370, 373, 374, 375, 376, 377, 378, 414; "banho de ar", 375; de leite, 377; de mar, 375; máquinas de, 376; romanos, 371
Banks, Joseph, 289
banquetes, 69, 76; medievais, 69
Bar Harbor, Maine, 242, 256
Barbados, 326, 395
barbante, 248, 404, 416
barbatanas de baleia, 426
Barber, Elizabeth Wayland, 404, 405
Barclay, James, 329
Barham, casa paroquial, Kent, 104
Baring-Gould, Sabine: "Avante, Soldados de Cristo", 30
Barker, James, 307
Barking Reach, 392
Barnardo, Thomas, 448, 449, 450
Bartholdi, Frédéric, 234
Bastilha, Queda da, 34
Bat Conservation International, 274
batatas, 56, 93, 96, 98, 102, 110, 118, 154, 197, 198, 202, 248, 464
Bates, Henry Walter, 290, 291
Bath, 374, 375; Torre de Lansdown, 175
Bath, pedra de, 222, 226
Baths and how to take them, 378
baús, 67, 176
Bay'Skaill, Orkney, 44
Bayes, ReverendoThomas, 19; Bayes, teorema de, 31, 32

Bayldon, George, 29
Bazalgette, Joseph, 391, 392, 394
Beagle, HMS, 457, 458, 461
Beauchamp, sexto conde, 454
bebidas, 84, 96, 110, 156
Becket, Tomás, 371
Beckford, Louisa, 168
Beckford, Peter, 465
Beckford, sra. Peter (nome de solteira: Pitt), 465
Beckford, William, 168, 170, 172, 173, 174, 175, 214, 244, 279, 465; *Vathek: Um conto árabe*, 169
Bede, o Venerável, 61
Beebe, Frank Huntington, 255
Beecher, Catherine, 136, 350
Beecher, Catherine, e Stowe, Harriet Beecher: *The american woman's home*, 136
Beeton, Isabella, 95, 96, 97, 98, 99, 100, 114, 116, 117, 136, *209*, 451; *Book of household management*, 95, 96, 136, *209*
Beeton, Samuel, 96
beisebol, 300, 387
Belcourt, Castelo, Rhode Island, 243
Belém do Pará, 290
Bell, Alexander Graham, 148, 248, 249, 250, 251, 252, 253
Bell, Alexander Melville: *The Standard Elocutionist (O Orador Padrão)*, 249
Bellamy, Edward, 253
Belloc, Hilaire, 153
Belmont, família, 239
Belmont, Oliver, 243
Belsay Hall, Newcastle, 100
Beresford, lorde Charles, 107
beribéri, 188
Berkeley, M. J., 31
Berlim, 38, 312
Bernhardt, Sarah, 225
Bess of Hardwick (condessa de Shrewsbury), 79
Bessemer, Henry, 232, 308
Bíblia, 462, 463

bibliotecas, 331, 370; governamentais, 331; privadas, 310, 321
Billig, Irving, 265
"Bills of Mortality", 360
Biltmore, Casa, Carolina do Norte, 238, 243, 244, 301, 474
Binney, Marcus, 475
Birkenhead, 24, 297, 298; Birkenhead Park, 298
Bissell, George, 138, 139, 140, 141, 142
Blackstone, William, 353
Blake, William, 294
Blauvelt, William G., 254
Bleasby, F.J., 477
blecaute, 130
Blenheim, Palácio de, Oxfordshire, 117, 163, 164, 165, 166, 169, 279, 286, 474
Bligh, Capitão William, 226
Blindheim, Batalha de, 163
Blondel, François, 337
Blore, Edward, 226
board, 68
Bolívia, 305
Bolsa de Nova York, quebra da, 258
Bolton, Frances Payne, 328
Bolzano, 401
bondes, 130
Bontekoe, Cornelius, 203
Boorstin, Daniel J., 89, 423
Booth, John Wilkes, 141
borboletas, 275
bordéis, 174, 370, 455; *ver também* prostitutas
Borgonha, vinhos, 303
Boston, 88, 89, 90, 91, 93, 128, 143, 144, 147, 179, 203, 212, 249, 250, 251, 354; Franklin Park, 300; incêndios em, 146; lista de mortos, 361; Universidade de, 249
Boswell, James, 132, 135, 158, 357, 374
botões, 18, 152, 196, 231, 407
Botton, Alain: *A arquitetura da felicidade*, 317
Boucher de Perthes, Jacques: *Celtic and antediluvian antiquities*, 462
Bowden, Mark, 465

Boyle, Robert, 295
Bradford, 229
Bramah, Joseph, 383
Brand, Stewart, 327
Brasil, 195, 198
Brathay Hall, Westmorland, 131
Breda, Tratado de, 199
Brenner, Passagem de, 401
Brentwood, Essex, 445
Breslau (Wroclaw), 434, 435
Bretanha, 63
Bretões, antigos, 61
Bridenbaugh, Carl, 217
Bridgeman, Charles, 279, *280*, 281, 283, 285
Bridgewater, Duque de, 159
Brighton, 224, 376
British Leyland, 308
British Medical Entomology Centre, 269
British Medical Journal, 131, 355
Broadhead, Charles, 213
bromo, 190
Brontë, irmãs, 32
Bronze, Idade do, 17, 49, 338
bronze, pó de, 232
Brooke, Arthur, 361
Brookline, Massachusetts, 255
Brookwood, Cemitério de, Surrey, 296, 297
Brown, Bridget (Biddy), 288
Brown, Isaac Baker, 356
Brown, Lancelot ("Capability"), 285, 286, 287, 288, 292
Browning, Elizabeth Barrett, 456
Browning, Robert, 456
Brownlow, William, 430
Brummel, George "Beau", 413, 414, 416
Brunel, Isambard Kingdom, 22, 23, 391
Brunskill, Ronald, e Clifton-Taylor, Alec: *English brickwork*, 221
Bruxelas, Escola Militar de, 148
bubônica, peste, 263, 266, 372
Bucareste, 38
Buckingham, James Villiers, primeiro duque de, 81

Buckinghamshire, Buckinghamshire, Conselho do Condado de, 475
Buckland, Frank, 294, 364
Buckland, William, 30
Budapeste, 38
Budding, Edwin Beard, 307, 308
Buddle, Adam, 30
Buffalo, 215, 301
Burghley, lorde, 81
burgos de bolso", 38
Burke, William, 366
Burlington, terceiro conde de, 159, 285, 317, 438
Burnett, Lucy, 477
Burney, Fanny, 134, 358, 359, 360
Burnham & Root, 229
Bute, Escócia, 38
Buxton, 374
Byfleet, Surrey, 285

cabanas de toras de madeira, 218
Cabo Horn, 90
caçadores-coletores, 49
cachalote, 136, 137
Caddo, tribo, 198
cadeiras, 68, 181, 182
Caen, pedra de, 226
cães, 30, 45, 51, 67, 133, 218, 244, 265, 266, 382, 446
café, 34, 173, 198, 200, 201, 202, 203, 240, 450, 451
café da manhã, 34, 451
cafés/cafeterias, 201
caiação, 342
Calais, 415
calcário, 216, 244, 246, 304, 305
calças, 110, 414, 415, 416, 427
caldo, 102
Califórnia, 90, 256, 273, 274
Callinack, Mary, 40
Câmara de Comércio, 436
camas e roupa de cama, 69, 111, 126, 228, 269, 322, 345-9; infestações, 269, 347, 445

Cambridge, Richard Owen, 288
Camden e Amboy, Estrada de Ferro, 242
caminhas de rodízios, 347
Campbell, Bruce, 158
Campbell, Charles A. R., 273
Campbell, Colen, 315
camundongos, 53, 260, 261, 262, 263, 264, 271, 347, 410
Canadá, 215, 249, 276, 277, 451
canais, 213, 214, 215, 228
câncer de mama, 359
caneta elétrica, 251
canfeno, 138
cânhamo, 404, 405
Cannadine, David, 41, 473
capelas, 66, 170, 295
carbono, emissões de, 480
cardápios, 99; café da manhã, 99; jantar, 33, 93, 99
Caribe, 176, 181, 195
Carlisle, Charles Howard, terceiro conde de, 282
Carlos II, rei da Inglaterra, 80, 137, 165
Carlyle, Jane, 118, 269, 338, 415
Carlyle, Thomas, 118, 119, 120, 121, 122; *A Revolução Francesa*, 119, 120, 121; *O alfaiate retalhado*, 119
carne, 54, 69, 85, 87, 91, 92, 98, 99, 104, 141, 185, 186, 192, 193, 198, 202, 210, 262, 265, 268, 295, 359, 365, 382, 400, 401, 402, 440, 450, 472; contaminada, 87; extrato de, 87; transporte da, 87
Carnegie, família, 239
Caroline de Anspach, rainha, 278
carpintaria, 74
Carroll, Lewis (Charles Lutwidge Dodgson), 32, 455; *Alice no País das Maravilhas*, 283
Carta do Povo, 38
Carter, John, 170
cartistas, 38, 39, 367
Cartwright, Edmund, 29, 419
Cartwright, Henry, 445

carvalho, 29, 72, 73, 152, 176, 218, 294
carvão, 35, 36, 75, 80, 105, 111, 128, 135, 138, 140, 144, 146, 159, 215, 219, 225, 226, 248, 438; minas de, 159
casa paroquial, 15, 28, 41, 43, 82, 93, 101, 104, 108, 143, 156, 215, 254, 277, 301, 307, 339, 397, 398, 461, 477
"casa prodígio", 79
casamento, 350, 351, 352, 353, 361, 478; idade ao casar, 362; múltiplos casamentos, 362
Casanova, Giácomo, 380
casas, 43, 44, 45, 73, 74, 79, 80, 81, 82; posicionamento das vigas, 147
casas de campo, 81, 107, 108, 111, 112, 116, 126, 170, 259, 317, 381, 474
casas de trabalho, 387, 442, 444, 445, 450
casas paroquiais, 93, 477
Cassiobury Park, Hertfordshire, 474
Castelo Howard, Yorkshire, 160, 162, 163, 165, 167, 281, 282, 284, 312, 470, 474; Mausoléu do, 284; Templo dos Quatro Ventos, 282, 312
castelos, 75, 219, 243, 283, 470
castração, 438
Cat, Christopher, 161
catalepsia, 356, 363
Catalhöyük, 57, 58, 59
Catarina de Valois, rainha, 349
cavalgar, 107
Cavendish, Henry, 31
Cawnpore, 206
ceifadeiras, 276
celtas, 62, 63, 357, 462
Cemitério de Brookwood, Surrey, 296, 297
cemitérios, 294, 295, 296, 297, 366, 386
censo nacional, 35
ceorls, 66
cera, 37, 110, 134, 135, 226, 341
cerâmica, 64, 226, 324, 437, 457, 466
cerâmicas, 17, 45
cercamento dos campos abertos, 158
cereais, 103, 190, 191, 263
cerejas, 84, 289

cerveja, 34, 52, 67, 90, 98, 111, 116, 117, 301, 449
cetim, 406
chá, 83, 85, 97, 101, 107, 109, 111, 117, 125, 134, 190, 200, 202-6, 290, 409, 460
Chadwick, Edwin, 366, 386, 394, 442; *A report on the sanitary condition of the labouring population of Great Britain*, 386; *Report on the sanitary condition of the labouring classes of Great Britain*, 366, 386, 387
Chadwick, Henry, 387
Chadwick, James, 387
chalés, 220, 241
Chamberlen, Peter, 436
Chambers, sir William, 168, 180, 288
chaminés, 27, 43, 72, 75, 79, 80, 143, 229, 331, 381, 437, 438; limpadores de, *124*, 437
Chandos, primeiro duque de, 107
chanfros, 218
chão de terra, 68
chapéus, 82, 255, 323, 407
Chapman, Luman, 428
Charleston, 212, 213
Charlotte, princesa, 436
Charrington, Frederick, 449, 450
Chartres, catedral de, 16
Chateau de Blois, 244
Chatsworth House, Derbyshire, 23, 116, 117, 159; Fonte do Imperador, 23
Chaucer, Geoffrey, 219; *Contos de Canterbury*, 69
chave inglesa ajustável, 308
Cheltenham, 375
Chester, bispo de, 107
Chicago, 91, 151, 152, 229, 236, 301; Exposição Colombiana, 152; Federal Building, 230; incêndio de 1871, 147; Monadnock Building, 229; Palmer House Hotel, 151
chicote, 455
Childe, Vere Gordon, 47, *48*, 49, 50, 51, 58; *Man makes himself*, 49; *What happened in history*, 49
Chile, 292, 305

China, 50, 51, 195, 200, 205, 290, 449, 460
Chippendale, Thomas, 177, 178, 179, 180, 181, 295; *The gentleman and cabinet-maker's director*, 178
chita, 416
choupanas coletivas, 64
Chubb, sir Cecil, 474
chumbo, 84, 190, 339, 340, 341, 358, 412, 437; envenenamento por, 190, 340, 437
Churchill, lorde Randolph, 241
Churchill, Winston (estadista), 241
Churchill, Winston (pai do primeiro duque de Marlborough), 295
cidades, 50, 57, 58
cidades-balneário, 375
cientistas, 50, 55, 56, 73, 140, 275, 277, 304, 401, 460, 463
cimento hidráulico, 214, 215
Cinturão do Jurássico, 219
cirurgias, 360, 444
claraboias, 320
Clark e Rockefeller, 141
classe média, 71, 85, 93, 101, 117, 143, 176, 225, 288, 293, 297, 342
Clayton, John, 30
clérigos anglicanos, 28, 29, 30, 31, 32, 33, 34, 41, 173, 461, 477
Cleveland, montes, 219
clima, 36, 50, 143, 204, 264, 275, 285, 320, 322, 348, 420, 479
climatologia, 33; *ver também* mudanças climáticas
Clinton, De Witt, 213
Clinton, James M., 264
clitóris, remoção do, 356
cloreto de sódio, 191
clorofórmio, 388
Clube dos Sem-Nariz, 357
Clutterbuck, lady Maria (sra. Charles Dickens), 93
Coade, Eleanor, 226, 228
Cobham, lorde, 285, 286
cobre, 234, 342, 397, 399, 402; arsenito de cobre, 84, 339

coca, 291
Coca-Cola, 252
coceira, 445
Cockayne, Emily, 433
colchão, 71, 253, 268, 346, 347, 359, 377
Cole, Henry, 21, 28, 41
coleções de arte, 240, 474
cólera, 294, 385-90, 394, 396
Coleridge, Samuel Taylor, 32
Collet, sra., 455
Collingwood, W. G.: T*he life of John Ruskin*, 353
Collins, Wilkie, 364
Colombo, Cristóvão, 194-9, 357
colonial, estilo, 343
Colt, Samuel, 37
Colúmbia Britânica, 289
colunas, tipos de, 313
colza, 137
combustíveis, 24, 45, 58, 75, 133, 135, 138, 142, 144, 145, 192, 349
comensais, 53, 68, 69, 100, 185, 207
comida *ver* alimento
Comissão Metropolitana de Esgotos, 391
Comissários da Igreja Anglicana, 477
Comitê para Promover o Estabelecimento de Banheiros e Casas de Banhos para as Classes Trabalhadoras, 448
cômodas, 19, 67, 182
Companhia das Índias Orientais: Índias Orientais, 202
comunismo, 47, 446
Conan Doyle, Arthur: histórias de Sherlock Holmes, 225
concreto, 246, 247
condimentos, 98, 111, 185, 197
Coney Island, 153
confeitos, 86
Conferência sobre a Origem do Milho, 55
conforto, 157, 183; como termo, 155
Congresso Continental, 326
Congreve, William, 161
Connecticut, 217, 298, 423

Conselho Naval, 187
Constable, John, 288
construção em cortina, 236
construção, materiais de *ver* materiais de construção
Cook, James, 187, 289
Copley, Medalha, 187
coprólitos, 30
coqueluche, 444
corantes, 126, 138, 302, 342, 427; químicos, 427
cordas, fabricação de, 420
Corpo Real de Engenheiros da Grã-Bretanha, 145
corredores *ver* passagens
Cortez, Fernão, 50
cortinados de cama, 349
cortinas, 19, 130, 176, 236, 339, 390, 448
Coryate, Thomas: Coryate's Crudities, 207
cosméticos, 110, 375, 412
Cost of cleanness, The, 128
costura, máquina de, 37, 256
Cotswolds, 219
cotta, 66
Courtenay, William (depois nono conde de Devon), 168
Coventry, Maria Gunning, condessa de, 412
cozinha, 18, 66, 93, 100, 104, 118, 123; distância da sala de jantar, 100; pia, 271; utensílios, 71
cracas, 459, 461
Cracóvia, 38
Crandon, John, 188
craniômetro, 466
Crapper, Thomas, 384
cravo, 193
Crecgan Ford, batalha de, 63
cremação, 367, 368
criados: aposentos dos, 111; carga de trabalho dos, 108, 109, 112, 116, 117, 123; casos amorosos com, 116, 122, 125; demissão dos, 114, 119, 122; dormindo no quarto do patrão, 349; externos, 107; humilhação

dos, 113, 114; invisibilidade dos, 114; número de, 105, 106, 117; regalias e gorjetas, 117; uniformes dos, 113; urbanos e rurais, 116
crianças: de classe média e alta, 451, 452, 453, 454, 455, 456; doenças, 444; morte acidental, 433; pobres, 436-51; suposta falta de interesse pelas, 429, 430, 431
crinolina, 424, 425
cristianismo, 29, 206, 371; e asseio, 371; na Índia, 206; *ver também* clérigos anglicanos
Crockford's clerical directory, 477
Croft, sir Richard, 436
Cro-Magnon, 404
Crompton, R. E., 148
Cromwell, Oliver Eaton, 256
crupe, 205, 444
Cuba, 181, 195, 197
culinária, livros de, 95, 96, 97
Cullwick, Hannah, 123, 125
culturas, 52; de batata, 102, 103; preços, 472; rotação, 157; *ver também* agricultura
Culwick, Hanna, *124*
Cunningham, Louisa Dalton Bird, 328
cura pela água, 375, 376
Curzon, George, primeiro marquês, 241, 454

Daily News, 24
Dale, Antony, 169, 170
Dallas, Texas, 273
Dalton, John, 387
Dam, Henrik, 189
dândis, 413, 414, 415
Dartmouth College, New Hampshire, 139
Darwin, Charles, 96, 147, 457, 458, 459, 460, 461, 462, 463, 467; *Sobre a origem das espécies*, 463; *Uma monografia sobre os Lepadidae fósseis*, 459
Darwin, Charles Jr., 463
Darwin, Emma (nome de solteira: Wedgwood), 457
Darwin, família, 457, 458
Darwin, Robert, 458, 461

datação por radiocarbono, 32, 399
Davis, Mary, 439
Davy, Humphry, 148, 304
death duties, 472
DeBevoise, Charles R., 428
Declaração da Independência (EUA), 98
dejetos humanos, 305, 380
Delano, Warren, 205
dendrocronologia, 73
Departamento de Comércio e Indústria, 333
Departamento de Patentes (EUA), 144
Derby, lorde, 107
Derbyshire, 23, 31, 79, 419, 454, 474
derrubada das florestas, 219
desequilíbrio alimentar, 186
desfiles, 80, 299
desjejum, 97, 99, 108, 123, 134, 202, 211, 243, 284, 381, 455
desnutrição, 440
despensa, 78, 104, 111, 125
destilarias domésticas, 111
"Destruição da Casa de Campo, A" (exposição), 475
detector de metais, 252
Detroit, 301
Devonshire, oitavo duque de, 23, 31, 285
dia de folga pago, 469
diamantes, 36, 80, 240, 413
Dickens, Charles, 24, 93, 121, 344, 382; *Um conto de duas cidades*, 121
Dictionary of national biography, 32, 122, 154, 180, 228, 352
dietas *ver* alimentação
difteria, 385
Dilke, Charles Wentworth, 367
Dinamarca, 61, 467
dinossauros, 30
Diocleciano, imperador romano, 370
Diretório Clerical de Crockford, 477
Disraeli, Benjamim, 229, 469
divórcio, 353, 354
Dix & Edwards, 298
dízimos, 29

Doddington, Cambridgeshire, 28
doenças, 53, 54, 72, 96, 147, 188, 198, 263, 290, 294, 295, 339, 356, 357, 358, 371, 372, 373, 375, 377, 385, 386, 387, 388, 394, 395, 396, 433, 444, 445; de deficiência alimentar, 188; "doença inglesa do suor", 372
Domesday Book, 67, 218
Doncaster, 71
Donkin, Bryan, 92
Dordogne, França, 404
Doré, Gustave, 225, *227*
dormitórios escolares, 455
Dorset, 30, 135, 219, 367, 376, 380
Doudeauville, Duc de, 397
Douglas, David, 289
Downes, Kerry, 161
Drake, Edwin, 139, 140
Dreamland, Coney Island, 153
drenagem, 45, 287, 296
Dresden, 367
Dresser, Edith Stuyvesant (sra. George Vanderbilt), 244
Dreyfuss, Henry, 253, 254
Drinker, Henry e Elizabeth, 374
Drummond, Thomas, 145
Dryas Antigo, período, 50
Dryas Recente, período, 50
Dryden, John, 32
Drysdale, George: *Physical, sexual and natural religion*, 352
Du Pont, família, 239
Dublois, família, 179
Duck, Stephen, 284
Dudley, Midlands, 441
Dulmo, Fernão, 194
Duluth, Mesabi & Iron Range Railroad, 255
Dumas, Alexandre, 236
Dunwich, Suffolk, 38
Durham, catedral de, 170, 464; capela da Galileia, 170

Eagle Creek, Arizona, 274
Eastman, George, 255
Eaton Hall, Cheshire, 110
economia política, 30
Edimburgo, 249, 366, 388; Universidade de, 47
Edison Portland Cement Company, 246
Edison, Thomas, 149-54, 245, 246, 247, 248, 249, 251, 252, 466
Edmund (navio), 44
educação: das mulheres, 350; dos pobres, 440
Edwards, Daniel, 201
Effingham, lorde, 409
Egito, 50, 51, 416
Eiffel, Gustave, 236, 237, 238
Eijkman, Christiaan, 188
Einstein, Albert, 18
Ekirch, Roger, 132
El Mirasol, Flórida, 255, 256, 257, 258
eletricidade, 102, 131, 132, 147, 148, 149, 151, 152, 153, 154, 337
Elgar, Edward, 456
Elizabeth I, rainha da Inglaterra, 69, 80, 373
Elveden, Suffolk, 107
emissões de carbono, 480
Empresa Nacional de Mausoléus e Necrópoles de Londres, 296
encanamento interno, 108, 397
Enciclopédia Britânica, 337
Engels, Friedrich, 385, 446, 447; *A situação da classe trabalhadora na Inglaterra*, 385, 447
engenharia do solo, 287
English Heritage, 475
Englishwoman's Domestic Magazine, 96, 425, 427
engomar, 109, 110, 127, 405
enterros, 16; medo do enterro prematuro, 363
epergne, 184, 185
epidemias, 198, 200, 267, 294, 371, 372, 385, 389, 390, 392, 394, 396, 433
era georgiana, 147
Erasmo de Rotterdam, 67
eremitérios, 284
ergotismo, 267, 372
Erie, canal do, 215, 216, 231
Erie, Lago, 213

Ermen & Engels, 446
ervas, 192
escadas, 43, 79, 99, 105, 108, 111, 125, 172, 319, *332*, 333, 334, 335, 336, 337, 381, 425
escarlatina, 127, 385, 463
Escócia, 44, 102, 166, 193, 231, 250, 272, 289, 466
Escoffier, Auguste, 100
Escola de Economia Doméstica de Boston, 128
escolas públicas (Reino Unido), 455
escorbuto, 19, 186, 187, 188, 189, 195, 201
escravidão, 66, 67, 127, 203, 422, 423
esgotos, 35, 229, 264, 370, 383, 384, 386, 387, 391, 392, *393*
Esmirna, 201
Espanha, 62
espartilhos, 99, 137, 415, 424, 425, 426, 427
especialistas, 49, 64, 153, 177, 320, 334, 399
especiarias, 18, 192, 193, 194, 195, 196, 199, 202, 313, 377
espelhos, 79, 108, 176, 178, 322
Esperança, diamante, 36
Essentials of medical geology, 190
Estação Experimental Rothamstead, 306
Estados Unidos da América: agricultura, 472; bosques, 216; como mercado de exportação da Grã-Bretanha, 323; Congresso, 239, 305, 328; doenças, 263; epidemias, 394, 395; Era Dourada, 239, 240, 241, 242, 243, 244, 255, 256, 257, 258, 330; escassez de materiais de construção, 324; escravidão, 203; exportações, 239; gafanhotos, 276, 277; gramados, 308; Guerra Civil, 276, 423; indústria algodoeira, 420; lesões em escadas, 333, 334, 335; Marinha, 329; morcegos, 272, 273, 274; na Grande Exposição (1851), 37; produção de aço, 239; Suprema Corte, 239; uso da eletricidade, 154
Estatuto dos Artífices, 133
Estatuto dos gorros, 407
esterco como combustível, 135, 144
estilo colonial, 343
estopa, catar, 444

Estreito, João, 194
estúdios, 80
estuque, 167, 173, 219, 223, 224
Eton College, 413, 441, 455
eufemismos vitorianos, 427
Evangelhos de Lindisfarne, 431
Evans, Abel, 165
Evelyn, John, 165, 373, 430
execuções, 365
Exeter, lorde, 228, 250, 288
expectativa de vida, 434
exportações britânicas, 35, 323

fabricação em massa, 177
fábricas, 35, 92, 134, 142, 167, 229, 323, 324, 325, 387, 417, 420, 425, 437, 439; alimentação nas, 101
facas, 109, 111, 123, 208
Fane, sir Francis, 81
Faraday, Michael, 148
farinha, 52, 84, 86, 95, 102, 109, 197, 215, 270, 305, 306, 409
faróis, 145, 148
Farol de South Foreland, 148
Farquhar, John, 175
favelas, 447
febre amarela, 290, 395, 396
febre puerperal, 97, 435
febre reumática, 293, 385
febre tifoide, 271, 385
Federal, estilo, 315
feminismo, 350
Fenimore Cooper, Susana Augusta, 347
fenologia, 32
Feriado Bancário, lei do, 469
feriado laico, 469
Fernández-Armesto, Felipe, 52, 93
Fernden, escola, 455
ferro de passar, 126
ferro forjado, 230, 323
ferro fundido, 25, 174, 230, 231, 232, 308, 397
Ferrovia London and South Western, 467

ferrovias, 24, 242, 276, 467; acidentes em, 231, 242; e jardinagem, 292; e refrigeração, 91; incêndios em, 146
fertilizantes, 102, 135, 157, 304, 305, 306
ferver ossos, 390
Festa do Chá de Boston, 204
fiar e tecer, 416, 417, 418, 419
fibras e tecidos, 404, 405, 406, 416, 417, 418, 419, 420, 421, 422
ficção, mulheres como leitoras de, 354
Filadélfia: Edifício do Banco da Pensilvânia, 395; Exposição do Centenário, 251
Filby, Frederick: *Food adulteration*, 85
Filipinas, 196
filoxera, 302, 303
fim de semana, 476
Finlândia, 267
Fisher, Kitty, 154, 412
FitzRoy, Robert, 461
Flanders, Judith, 84, 101, 126, 355; *Consuming passions*, 101; *The victorian house*, 126
Flitcroft, Henry, 279
Florence Court, Irlanda, 110
florestas, derrubada das, 219
Flórida, 30, 213, 215, 253, 255, 256, 271, 273
Floyer, sir John, 375
flushermen, 389
fogão de Franklin, 144
fogão holandês, 144
fogões, 19, 144, 152, 322; elétricos, 152
Folger, família, 240
Folger, Henry Clay, 240, 473
follies, 282
fome, 71, 103, 135, 277, 290, 361, 407, 446, 447, 455
fonógrafo, 248
Fonthill Splendens, Wiltshire, 169
Forbes, Malcolm, 303
Força Aérea Real, 475
fórceps, 355, 435
Ford, 252
forjado, ferro *ver* ferro forjado
Fortune, Robert, 205, 290, 460

fósseis, 459, 460, 461, 463
Foston le Clay, Yorkshire, 221
fotografia, 149, 225, 476; aérea, 30
Fowler, Orson:, 426
Fowler, solução de, 412
Fracastorious, Hieronymous, 357
França, 36, 63, 136, 148, 160, 193, 234, 236, 302, 303, 322, 352, 354, 373, 377, 381, 397, 409, 415, 417, 423; banheiros na, 398; Bouches-du-Rhône, 302
franceses, e hábitos de higiene, 380, 381
frâncio, 190
francos, 61
Franklin, Benjamin, 128, 143, 187, 348, 375
Fraser, John, 289
Freeze, Ernest Irving, 337
Frere, John, 461, 462, 479
Frick, família, 239
Frick, Henry Clay, 240, 474
frutas, 33, 58, 98, 101, 185, 187, 193, 244, 272, 340; consumo médio de, 101
fumaça (em ambientes fechados), 74, 75
Fundamentos de geologia médica, 190
fungos, 31, 96, 258, 275
Funk, Casimir, 188, 189
furúnculos, 371

gado, 64, 87, 158, 244
gafanhotos, 276, 277
Gales, País de, 34, 111, 224, 241, 367, 375, 397
galheteiros, 185
Gália, 62
Galvani, Luigi, 147
Gama, Vasco da, 186, 195, 196, 313
gansos, colchões de penas, 346
Gardener's Chronicle, 367
garderobe, 78, 379
Gardiner, Juliet, 111, 153, 252; *Wartime*, 131
Garfield, James A., 148, 252, 253, 360
garfos, 18, 109, 207, 208
Garnier, Charles, 237
Garrett, Elisabeth, 109, 136
Garrett, George, 30

Garrick, David, 180
Garrod, Dorothy, 51
Garstange, Richard, 442
Gaskell, Elizabeth, 135
gasolina, 140
Gates, Bill, 420
Geddes, James, 213
geleias, 33, 84, 100, 187, 258, 440, 451, 452
geleiras, 400
gelo como conservante, 88, 89, 90, 96
General Electric, 252
General Motors, 252
Gentleman's Magazine, 170, 381
George I, rei da Inglaterra, 161, 315
George II, rei da Inglaterra, 278
George III, rei da Inglaterra, 169, 173, 376, 409
George IV, rei da Inglaterra (antes, príncipe de Gales), 99, 174, 224, 284
Geórgia, 421, 422
Gerba, Charles P., 270, 271
Gerhard, William Paul, 146
germânicas, tribos, 60
Gesner, Abraham, 138, 140
Gibbon, Edward, 134, 430
Gibbons, Grinling, 165, 166, 474
Gibbs, James, 279
Gillespie, Elizabeth, 445
gim, 84, 291, 382
ginecologia, 355, 356
Girouard, Mark, 77, 115, 143, 381; *Life in the french country house*, 381
Gladstone, William Ewart, 455
Glasgow, 148, 151; Estação Ferroviária St. Enoch, 148
glicoalcaloides, 56
"gloomth", 173
Godalming, 355
Godfrey, Eleanor S., 71, 160
godos, 61, 62, 193
Godric, São, 371
Goelet, May (mais tarde duquesa de Roxburghe), 241

Goldsmith, Oliver, 32; "The deserted village", 282
gonorreia, 354
Goodholme's cyclopedia, 346
Goodwin Sands, 44
Gopnik, Adam, 300
gorros, 407
Gosse, Philip Henry, 463
Gotch, J. Alfred, 65, 77; *The growth of the english house*, 65
Gothick, estilo, 172, 173
Gould, família, 239
governantas, 34, 95, 105, 106, 110, 111, 115, 118, 123, 269, 367, 454, 478
Govett, Salto do, 58
Grã-Bretanha: agricultura, 92; conquista pelos saxões, 62
Graham, James, 377
grama, cortadores de, 308
gramado doméstico, 306, 307, 308, 330
gramíneas, 52, 308
Grande Exposição (1851), *20*, 21, 22, 24, 25, 28, 30, 37, 38, 39, 40, 41, 106, 233, 378, 384, 419, 448, 459; Comitê da Edificação da Real Comissão, 22
Grande Fedor (1858), 390, 391, 396
Grande Galeria, 79
Grande Incêndio de Londres, 146, 200, 217
Grande Ventania, A (1711), 283
Grandes Lagos, 88, 213, 215
grãos, 52, 54, 55, 92, 190, 219, 262, 263, 267, 268, 276, 357, 372, 401
gravidez, 350, 356, 388, 433, 434, 435; e espartilhos, 427
graxa para sapatos, 109
Gray, Elisha, 249, 252
Greene, Catharine, 421, 422
Greene, Nathanael, 421
Greenwell, William, 30, 464
gregos, 72, 370
Grenville, Jane, 74; *Medieval housing*, 74
Grove, sir William, 149
grubenhäuser, 64, 65

Guam, 196
guano, 19, 36, 102, 273, 304, 305
guarda-caças, 107
guarda-chuva, 207, 425
guarda-roupa, 78, 182
Guerra da Coreia, 263
Guerra da Crimeia, 232
Guerra da Independência americana, 34
Guerra da Independência Americana, 212, 222
Guerra Hispano-AmericanaGuerra Hispano--Americana, 30
guerras, 19, 66, 163, 192, 442; máquinas de guerra, 248; sugestão do uso de morcegos em, 272
guerras napoleônicas, 442
guildas, 135
Gurney, sir Goldsworthy, 145
Gwyn, Nell, 295

ha-ha, 282, 283, 285, 330
Halifax, lorde, 161
Halifax, Nova Scotia, 138
Hall, Margaret, 325
Hall, sir Benjamin, 390
Halley, Edmond, 434, 435
Halliday, Stephen, 391
Hallstatt, Áustria, 338
Hamilton, duque de, 474
Hamilton, Lady (antes Emma Lyon), 377
Hammersley, Lily (depois duquesa de Marlborough), 241
Hampton Court Palace, 117, 220, 279, 379
Hanham, capitão, 367
Hanover, New Hampshire, 139, 161
hantavírus, 263
Harcourt, conde de, 282
Harcourt, sir William, 115, 472, 473, 475
Harden, John, 131
Hardwick Hall, Derbyshire, 65, 79, 81, 117, 166
Hardwick Old Hall, Derbyshire, 80
Hare, William, 366
Hargreaves, James, 417, 418, 419

Harington, John, 383
Harley, lorde, 284
Harriman, família, 239
Harris, John, 475
Harrison, William, 75
Harrogate, 375
Harrow School, 441
Hart-Davis, Adam, 86
Hartford, Connecticut, 298, 301
Harvard College, Massachusetts, 321
Harvard, Escola de Medicina de, 188
Harvard, John, 321
Hatton, Christopher, 81
Havaí, 289
Hawker, Robert Stephen, 30
Hawksmoor, Nicholas, 161, 284
Hearst, William Randolph, 240, 397, 474
Helen (barca), 291
Henrique v, rei da Inglaterra, 349
Henrique VIII, rei da Inglaterra, 69, 80, 192, 202, 219
Hepplewhite, George, 179, 180; *Cabinet-maker and upholsterer's guide*, 179
herbicidas, 110, 309, 465
Hereford, bispo de, 69, 158
Herschel, William, 31
Heveningham, Suffolk, 286; Marsham Arms, 478
higiene, 18, 86, 97, 108, 263, 369, 371, 373, 374, 377, 378, 379, 385, 445
Hilliard, Nicholas, 295
hindus, 206
hipogeusia, 190
Hobbes, Thomas, 32
Hoffmann, forno de, 228, 229
Hoffmann, Friedrich, 228
Hoffmann, Heinrich: "A história do menino chupa-dedo", 453; "A terrível história de Pauline e os fósforos", 452, 453
Hogarth, William, 201, 279, *280*, 382; *Gin Lane*, 382; *The Rake's Progress*, 279, *280*
Holdenby House, 81
Holford, George, 241

Holmes, Frederick Hale, 148, 154
Home cookery, 99
"homens dos excrementos", 381, 389
homens livres (*ceorls*), 66
Hooke, Robert, 32, 166, 373
Hooker, Joseph, 463
hora de dormir e hora de acordar, 132, 133
Hoskins, W. G., 157
hotéis, 256, 269, 396
Houdon, Jean-Antoine, 329
Howard, castelo *ver* Castelo Howard, Yorkshire
Howard, família, 474
Howe, Elias, 37
Hoxne, Suffolk, 461, 479
Hoxniano, período, 462
Hubbard, Gardiner, 252
hunos, 61
Hunt, Richard Morris, 242, 243
Hunter, John, 294, 364
Huntington, família, 239
Hussardos, décimo regimento, 413

IBM, 252
Idade da Pedra, 45, 49, 54, 402
Igreja, números de frequência à, 34
ilegítimos, filhos, 442
Illinois, Universidade de, 55
Illustrated London News, 44
iluminação a gás, 30, 154, 476
iluminação elétrica, 150, 154, 466
Iluminismo, 19, 318
imigrantes, 146, 218, 231, 277, 324, 366, 385
Impey, Elizabeth, 438
impostos, 26, 137, 203, 301, 473; imposto de renda, 141, 159, 239, 473; Imposto sobre as Terras Ociosas, 473; Imposto sobre o Incremento de Valor, 473; sobre a sucessão e a herança, 472, 473, 474; sobre as janelas, 26; sobre o chá, 202, 203; sobre o papel de parede, 339; sobre os tijolos, 222, 229
incas, 51, 304
incêndios, 142, 145, 146, 147, 153, 266, 272, 334, 342, 425; em cidades, 146; por falhas elétricas, 153

Índia, 36, 50, 160, 175, 177, 186, 192, 193, 196, 200, 205, 206, 207, 290, 313, 369, 385, 416; costa do Malabar, 192
indianos, 206
Índias Ocidentais, 168
Índias Orientais: Companhia das Índias Orientais, 202, 203, 206
Índico, oceano, 196
índios, 374
indonésia, 197
infância, 305, 331, 347, 351, 429, 430, 431, 452, 454, 457, 467; atitude Vitoriana, 451; origens do termo, 431
infantil, trabalho *ver* trabalho infantil
infecções fúngicas, 445
infidelidade conjugal, 353
insanidade, 353, 375, 376
inseticidas, 55, 269
insetos, 68, 86, 181, 258, 268, 269, 272, 275, 276, 290, 291, 301, 302, 347, 348, 349, 410, 467
Invasão comercial americana, 239
Invasores americanos, 239
Inwood, Stephen, 430
Ipswich, Massachusetts, 93
Irlanda, 30, 68, 102, 103, 110, 159, 176, 193, 287, 366, 449; Grande Fome, 102, 103; pobreza na, 441
Irmãos de Plymouth, 449, 450
Irving, Washington, 298
Isarco, vale, 401
isca para trutas, 464
Islândia, 267, 289
Israel, 57
Itália, 87, 169, 207, 311, 315, 318, 324, 357, 377, 399, 401, 402, 413; Vêneto, 311

Jablochkoff, Paul, 149
Jablochkoff, velas de, 148, 149
Jacob Volk Wrecking Company, 259
Jacobs, Jane: *The economy of cities*, 52, 57, 217
James Ferrabee & Co., 307
James I, rei da Inglaterra, 81, 193, 199, 374

janelas, 71, 79
janelas, imposto sobre as, 26
jantar, horário, 208
Japão, 195, 272, 335
jardinagem, 24, 114, 279, 281, 285, 286, 292, 293, 294, 306, 308; revistas de jardinagem, 24, 293
jardins, 115, 279, 281, 283, 286, 287, 301, 308, 326, 330, 455
Jarrow, monastério, 267
Java, 188
Jefferson, Martha, 321
Jefferson, Thomas, 32, 98, 127, 136, 143, 207, 213, 302, 303, *316*, 317, 322, 326, 329, 330, 343, 380, 423
Jenkins, Simon, 475
Jennings, Anthony: *The Old Rectory*, 477
"Jenny Fiandeira", 417
Jericó, 51, 57
Jerome, Jennie (depois lady Randolph Churchill), 241
Jerrold, Blanchard, 225
Jerrold, Douglas, 21
Johnson, Anthony, 127
Johnson, Samuel, 132, 158, 207, 211
Jones, Inigo, 166, 315
Jones, Owen, 22
jornais, 86, 111, 143, 152, 201, 240, 363, 397
judeus, 449
Jurássico, Cinturão do, 219
Jutlândia, 61
jutos, 60, 61

Kansas, 92, 198
Kaplan, Annie, 446
Karl, Duque da orgonha, 193
Kay, John (inventor da lançadeira volante), 417, 418
Kay, John (relojoeiro), 418
Kelly, Alison, 228
Kelvin, lorde, 151
Kennebec, rio, 90
Kent, William, 166, 279, 284

Kerr, Robert, 110, 115; *The gentleman's house*, 110, 115
Kilkee, 44
Kilvert, Francis, 378
Kimmeridge, baía de, Dorset, 135
King (escravo), 128
Kirkharle, Northumberland, 285
Kit-Cat Club, 161, 163
Knole, Kent, 79
Knox, Robert, 366
Koch, Robert, 394
Kodak, 255
Koh-i-Noor, diamante, 36

lã, 69, 145, 158, 176, 276, 304, 339, 346, 347, 405, 410, 472; preparo da, 420
laca, 177
lacaios, 115, 116, 117
lagartas, 275
lagos, 80, 278, 283, 286, 287, 300
lagostas, 33, 91, 93, 96, 98
Lallemand, François, 352
lâmpada de arco voltaico, 148
lâmpada de Drummond, 145
Lâmpadas de Argand, 136, 145, 322
lâmpadas de Crompton, 149
lampiões, 108, 133, 136, 231
lançadeira volante, 182, 417, 418
Lancashire, 284, 417, 418, 442, 474
Lancet, The, 296, 386, 388, 390, 426
Lanchester, John, 53
Langton, Charles, 457
Langton, Charlotte (nome de solteira: Wedgwood), 457
Langton, Emily (nome de solteira: Darwin), 457
Lanhydrock House, Cornwall, 111, 397
lar: medieval, 67; observações da sra. Beeton, 97; vitoriano, 107-27
laranjas, 87, 187, 452
lareiras, 65, 74, 75, 76, 108, 118, 120, 123, 143, 144, 156, 167, 170, 174, 259, 310, 311, 320, 324, 325, 330, 425, 433, 437, 447

Larrey, Baron, 359
Lascelles, Vitória, Austrália, 262
Laslett, Peter, 361
laticínios, 244, 287
latim, 30, 62, 104, 111, 201, 375
Latrobe, Benjamin, 395, 396
lavanderia, 110, 126, 127
lavar louça, 93
Lawes, John Bennet, 305, 306
Lawrence, Massachusetts, 231
Laws of etiquette; or, short rules and reflections for conduct in society, The, 210
Leeds, 229, 382
Leeds, Edward Thurlow, 64
legados, venda de, 473
Lei da Anatomia (1832), 365
Lei da Medicina (1858), 450
Lei das Fábricas (1833), 134
Lei das Fábricas (1844), 439
Lei das Ilhas de Guano (EUA), 305
Lei de Proteção aos Monumentos Antigos, 470
Lei dos Pobres, 386, 387, 449
Leicestershire, 29, 419
leilão, casas de, 179
leis suntuárias, 406, 407
leite, 84, 86, 91, 95, 102, 111, 158, 202, 395, 414; "doença do leite", 395; banho de, 414
leitura e luz a gás, 143
lesões por quedas, estatísticas, 333
Levante, 57
Levy, Uriah Phillips, 329
Leyland Steam Power Company, 308
Liddell, Alice, 283
Liebig, Justus, 87, 304
Ligonier de Clonmell, Visconde e Lady, 464
limpadores de chaminé, 437
limpadores de fossas, 381, 389
limpeza e polimento, 108, 109, 110
Lincoln, Abraham, 329, 347, 395
Lincolnshire, 81, 475
Lind, James, 187
linhaça, óleo de, 226, 341, 342
linho, 126, 222, 342, 375, 404, 405, 427, 439
linkboys, 133
listas de mortos, 360
Lister, Instituto, 188
Liverpool, 24, 297, 382, 386
Lives of the most eminent british architects, 167
Livingstone, David, 460
Llandidrodd Wells, 375
Locke, John, 436
lojas: horário de funcionamento, 132; horas de trabalho, 469
London and South Western Railway, 467
Londres: Abadia de Westminster, 73, 294; Albert Embankment, 392; Albert Memorial, 41, 396; Banco da Inglaterra, 39, 312; Banqueting House, 438; Barking Reach, 392; Battersea Bridge, 394; Bethlehem Hospital, 389; Billingsgate, 103; Bloomsbury, 223; Broad Street, 389, 390; Brompton Park, 281; Bunhill Fields, 294; Capela Batista Enon, Clement's Lane, 295; Casa do Parlamento, 27, 39, 226, 390; cemitério Kensal Green, cemitério, 296; Charing Cross Road, 394; Chelsea Embankment, 392; Chiswick House, 23, 285, 317, 438, 475; Covent Garden, 455; Deptford, 165; Downing Street, 413; Galeria Doré, 225; Great Cheyne Row, 118; Hammersmith, 286, 301, 302, 394; Hampstead, 389; Highgate, cemitério, 296; Hyde Park, 21, 27, 37, 40, 41, 44, 222, 278, 279, 284, 383; incêndios em, 146, 201, 217; Islington, 389, 390; Kennington Common, 39; Kensington Gardens, 20, 41, 278; Kew Gardens, 24, 284, 288; King's Road, 133; Lambeth, 226, 388, 389; Lambeth Workhouse, 447; Lloyd's Coffee House, Lombard Street, 201; lojas, 132; material de construção, 220, 229; metrô de Londres, 392; Midland Hotel, 396; Mile End Road, 450; Museu Britânico, 38, 39, 467; Museu de História Natural, 40; National Gallery, 294; National Portrait Gallery, 160, 167, 169; Oxford Circus, 224;

521

Palácio de Buckingham, 88, 224, 311; Palácio de Cristal, 20, 21, 25, 26, 27, 36, 37, 38, 40, 41, 44, 225, 230, 301; Pantheon, 169; Piccadilly Circus, 224; pintura das casas, 344; ponte de Londres, 146; Poplar Workhouse, 444; Putney, 394, 430; Queen's House, Greenwich, 315; ratos, 268; Regent Street, 224; Regent's Park, 224, 297; registro de óbitos, 360; Richmond Gardens, 279; Richmond Palace, 383; Rotherhithe, 383; Round Pond, 278, 279; Royal Albert Hall, 40, 82; Royal College of Art, 40; Royal College of Music, 40; Savoy Hotel, 100; Serpentine, 278, 279, 284, 383; Shaftesbury Avenue, 394; Smithfield Market, 87, 158, 225, 382; sob o controle dos saxões, 64; Soho, 389; South Kensington, 281; Southwark, 388, 389; Spitalfields, 382; St. Giles, 382; St. James's Park, 279; St. Martin's Lane, 178; St. Martin-in-the-Fields, igreja, 294, 364; St. Mary-at-Lambeth, 226; St. Marylebone, igreja de, 294; St. Pancras, Estação, 396; St. Paul, catedral de, 21, 27, 162; Stepney, 449; Sydenham, 40; Teatro Globe, 133, 211; Torre de Londres, 83, 123; Trafalgar Square, 178, 224, 294; Universidade de Londres, 469; Victoria & Albert Museum, 475; Victoria Embankment, 392, 394; vitoriana, 35; Westminster, ponte de, 39, 133, 226; Whitehall street, 438

Long Island, 217, 242, 256

Longfellow, Henry Wadsworth, 30, 298

Longleat House, Wiltshire, 166

Longyear, John M., 255

Lonsdale, conde de, 107

"Loucura de Clinton", 213

loucuras (*follies*), 282

Loudon, Jane (nome de solteira: Webb), 292, 293, 308; *Practical instructions in gardening for ladies*, 293; *The mummy! A tale of the twenty-second century*, 292

Loudon, John Claudius: *Breve tratado sobre diversas melhorias feitas recentemente em estufas*, 292; *Observações sobre a formação e a gestão de plantações úteis e ornamentais*, 292; *On the laying out, planting, and managing of cemeteries; and on the improvement of churchyards*, 296; *Os diferentes modos de cultivar o abacaxi*, 292

Loudon, John Claudius:, 292, 294, 296

lounge, 156

Lover, Samuel: *Handy Andy*, 338

Lubbock, John, 467, *468*, 469, 470

Lucie-Smith, Edward, 72

Luftwaffe, 131

Luís XIII, rei da França, 373

Luís XIV, rei da França, 177, 413

lúpus, 445

luto, 362, 363

luz elétrica, 148, 153, 154, 476

Lyell, Charles, 88, 463

macaroni, 413

macarrão, 93, 95

maçãs, 98, 186

Macaulay, Thomas Babington, 39

MacEnery, John, 462

macis, 193, 194

Macpherson, David: *History of the european commerce with India*, 200

madeira, 72, 75, 176, 177, 216, 218; para móveis, 72, 73

Madison, James, 213

Magalhães, Fernão, 196, 199

magiares, 61

magnésio, 145, 190

Mahenjo-Daro, 370

maias, 51

Maine, 90, 204, 242, 256

Malaio, arquipélago, 291

Malakoff, duque de, 425

Malcom, John, 204

Mallaha, 57

Mallowan, Max, 47

Malmesbury, Wiltshire, 438

Malthus, Thomas Robert, 30, 441; *Ensaio sobre o princípio da população*, 30, 441

Malton, Thomas, 332
Malton, Yorkshire, 163
Manchester, 30, 229, 387, 445, 446, 447; Albert Club, 446
Manchester, duque de, 161
Manchester, duquesa de, 425
Manderston, Northumblerland, 109, 153
mangas (frutas), 95, 272
Manhattan, 151, 199, 267, 299, 396
Mann, Charles C., 198
Manning, Joseph: *The nature of bread, honestly and dishonestly made*, 84
manteiga, 55, 83, 97, 101, 111, 202, 261
máquina de costura, 37, 256
máquinas industriais, 425, 439
mar, banho de, 375
Marconi, Guglielmo, 148
Marinha britânica, 83, 176, 187
mariposas, 275
Markham, Eleanor, 363, 364
Marks and Spencer, 169
Marlborough, décimo duque de, 112
Marlborough, duques de, 164, 474
Marlborough, nono duque de, 241
Marlborough, oitavo duque de, 241
Marlborough, primeiro duque de, 161, 162, 163, 164
Marlborough, Sarah Churchill, duquesa de, 99, 160, 163
mármore de Purbeck, 219
Marquette, Michigan, 255
Marsham, família, 478
Marsham, Robert, 32, 33
Marsham, Thomas J. G., 43, 330, 339, 345, 368, 460, 472, 476; aposentadoria e morte, 478; biblioteca, 310, 311, 312; como clérigo, 28, 32, 33, 34, 461, 464, 476; conforto, 157; construção da casa paroquial, 41, 404, 478; cozinha, 104; estúdio, 261; jardim, 307; pinturas, 343; quarto das crianças, 431; sala de estar, 156, 184, 310
Marx, Karl, 35, 106, 378, 446
Mary Rose, 199

Mary, rainha da Escócia, 81
Maryland, 328, 422
máscaras, 80
Mason, frascos de, 91
Mason, John Landis, 91
Massachusetts, 88, 198, 216, 250, 253, 255, 274, 301, 420
Massachusetts Institute of Technology (MIT), 253
mastectomia, 359
masturbação, 350, 351, 377
matemática, 31, 32, 238, 312, 337
materiais de construção, 72, 173, 214-24, 228-30, 246
Maunder, John, 269
Maupassant, Guy de, 237
Maury, Sarah, 91
Mawson, John, 149
Mayhew, Henry, 39, 101, 439, 456; *London labour and the London poor*, 39, 101, 439
McCollum, E. V., 188
McCormick, colheitadeira, 37, 92, 472
McCormick, Cyrus, 37, 472
McLean, Asilo, Belmont, Massachusetts, 301
McPhee, John: *In suspect terrain*, 140
medicina, 188, 355, 356, 365, 388, 389, 449, 476
médicos, 355, 356, 357, 358, 359, 360
Melbourne, lorde, 455
Mellaart, James, 57
Mellon, Andrew, 240, 474
Mellon, família, 239
Melville, Herman: *Billy Budd*, 460; *Moby-Dick*, 460; *Omoo*, 460; *Typee*, 460
Menlo Park, Nova Jersey, 150
menstruação, 354
Menzies, George C., 274
mercados, 33, 50, 58, 87, 91, 92, 192, 194
Mercer, Mary, 122
mercúrio, 149, 151, 190, 340, 358, 445; como tratamento para a sífilis, 358
Mereworth, Kent, 315
mesa, modos à, 210

mesas, 33, 65, 68, 71, 79, 92, 125, 176, 178, 182, 185, 197, 207, 240, 263, 324
mesas de jantar, 68, 92, 109, 207, 208, *209*, 244; requintadas, 208
Mesolítico, período, 469
Mesopotâmia, 50, 55, 57
México, 50, 55, 198
miasmas, 296, 386, 388, 390
Michaux, André, 289
Michell, John, 31
Michie, professor Ranald, 28
Michigan, 217, 218, 255
micróbios, 270, 271, 394, 435
Middleton, sir Arthur, 100
Midland Railway, 24
Milão: teatro de ópera La Scala, 151
milho, 52-7, 144, 191, 197, 198, 304, 347, 357; amido de milho, 55; Conferência sobre a Origem do Milho, 55; praga do, 56
milionários, 239, 473
Mill, John Stuart, 119, 120
Millais, John Everett, 353, 413
Miller, Phineas, 421, 422
minas, 159, 437; crianças em, 437
minerais, 185, 190, 191, 221, 304, 306, 383
mingau, 101
minoicos, 370
missionários: na Índia, 206; na Inglaterra, 448
Mississippi, rio, 213, 239, 276
Mizner, Addison, 256, 257, 258
Mizner, Wilson, 256
mobília, 67, 71, 72, 217, 240, 247, 447; medieval, 67
moda, 407, 408, 409, 410, 411, 412, 413, 414, 415
mogno, 176, 177, 179, 181, 324
Molucas, ilhas, 194
Montanhas Azuis, 58
montes funerários, 294, 295, 296, 364, 463, 464
Monticello, Virgínia, 33, 98, 207, 302, *316*, 317-23, 326, 328, 329, 330, 343, 348, 380
Montreal, 301
monumentos antigos, 469, 470, 471

Moore, George: *Confessions of a young man*, 108
morcegos, 272, 273, 274, 275
mordomos, 109, 110, 111, 113, 115, 123, 349
More, Margaret, 349
More, Thomas, 349
Morgan, J. P., 151, 239, 256, 474
Morris, Gouvernor, 360
Morris, William, 40, 340, 471
mortalidade infantil, 429, 434
morte, 363, 364, 365, 366, 367
Morton, J. Sterling, 244
mostarda, 84, 185, 187
Mould, Jacob Wrey, 299
Moule, Henry, 380
Mount Vernon Hotel, Nova Jersey, 396
Mount Vernon Ladies Association, 328
Mount Vernon, Virgínia, 216, 326, 327, 328, 330, 343
Movimento Nacional pela Eficiência, 239
Mozart, Wolfgang, 168
muçulmanos, 206
mudanças climáticas, 32, 52
mudlarks, 384
mulheres: como jardineiras, 292, 293; direitos legais, 353; divórcio, 352, 353; educação, 350; leitura de ficção, 354; perucas, 410; saúde, 354, 355, 356; sexo, 349, 353, 354, 355, 356; vestuário, 424, 425, 426, 427, 428
Mumford, Lewis: *A cidade na história*, 369
Munby, Arthur, 125
Muroc Lake, Califórnia, 273
Murphy, S. F., 153
Murphy, Shirley Foster: *Our homes, and how to make them healthy*, 345
Museu de Arte de St. Louis, 474

Nantucket, 137
Nápoles, 38
Narrow Baptists, 181
Nash, John, 223, 224
National Geographic, 401
National Geographic Society, 253

National Incorporated Association for the Reclamation of Destitute Waif Children, The, 449
National Trust, 148, 471, 475
natufianos, 51
navios negreiros, 395
Nebraska, 276
Negro, rio, 290
Nelson, Horatio, 377
neogoticismo, 172
Neolítico, período, 469
Neville, George, 200
New Brunswick, Nova Jersey, 348
New Haven, Connecticut, 423
New York Daily Tribune, 446
New York Herald, 152
New York Times, 240, 270, 298
New Yorker, 257, 267, 271, 274
Newark, Nova Jersey, 301
Newcastle, 100, 149, 150, 388
Newfoundland, 36
Newport, Rhode Island, 241, 242
Nightingale, Florence, 96
Nobel, Prêmio, 188
Nollet, Floris, 148
nomadismo, 51
Nomini Hall, Virgínia, 131
Norfolk, 15, 16, 17, 27, 63, 311, 459, 464, 478
Norfolk and Norwich Archaeological Society, 464
Norfolk, duque de, 374
normandos, 17, 75, 78, 219
Noruega, 49, 90, 267
Nostell Priory, Yorkshire, 180
Notes & Queries, 476
Notre Dame, catedral de, Paris, 16
Nottinghamshire, 419
Nova Escócia, 138
Nova Guiné, 50, 194
Nova Inglaterra, 87, 89, 90, 92, 93, 136, 137, 344, 421
Nova Jersey, 150, 246, 247, 348, 396, 428
Nova Orleans, 139, 212, 302, 396
Nova York: Biblioteca Pública, 311; Bolsa de Valores, 312; Carnegie Hall, 82; Central Park, 24, 244, 299, 300, 301, 306, 340; Chrysler, edifício, 238; cólera em, 385, 396; corpos exumados em, 363; Croton, aqueduto de, 396; Delmonico's, 90; Estátua da Liberdade, 234, 236, 242; Fulton Street, 152; Greenwich Village, mercado de aves Gansevoort, 265; imigrantes em, 385; Kew Gardens, Queens, 271; luz elétrica em, 151; Metropolitan Museum of Art, 474; Museu Americano de História Natural, 299; Pearl Street, 151; porto de, 98; Prospect Park, 301; Quinta Avenida, 153, 241, 242, 258, 259; segurança da estação ferroviária de, 335; Sherry's, 240; Sotheby's, 179; Tavern-on-the-Green, 307; Wall Street, 151; Yankee Stadium, 198, 246
Nova Zelândia, 92
noz-moscada, 193, 194
Nuneham Park, Oxfordshire, 282, 283, 472, 475
nursery, 431

O'Connor, Feargus, 39
O'Leary, Sra. Patrick, 147
Ohio, 217, 231, 247, 302, 328
Ohio, rio, 212
Oil Creek, Titusville, Pensilvânia, 139, 140
óleo de fígado de bacalhau, 36
óleo de linhaça, 226, 341, 342
óleo, tintas a, 341
Oliphant, Margaret: *The curate in charge*, 27
Olmsted, Frederick Law, 24, 244, 298, 299, 300, 301, 337, 340; *The cotton kingdom*, 298; *Walks and talks of an american farmer in England*, 298
Ontário, 249
operários, alimentação dos, 101, 102
ópio, 30, 205, 434
Oppegaard, lago, 90
Oppelt, sr., 364
Oriente Médio, 50, 52

Orkney, ilhas, 44, 47, 53, 289, 369, 466
Orléans, duque de, 413
Orsay, conde d', 415
Osborne House, Ilha de Wight, 115
ostrogodos, 61
Otley, Yorkshire, 177
Ötzi (o Homem do Gelo), 399, 400, 401, 402, 403
Ötztal, Áustria, 399
ouro, 41, 157, 190, 193, 195, 221, 240, 241, 256, 406
ovários, remoção dos, 356
ovelhas, 45, 53, 87, 306, 405, 436
ovos, 103, 137, 202, 244, 265, 269
Owen, David, 341
Oxford, 30, 80, 454; Ashmolean Museum, 64; Biblioteca Bodleian, 200; Christ Church, 283; Magdalene College, 200; Museu Pitt Rivers, 466; Universidade de, 47
Oxo, 87

P53 Enfield, rifle, 206
Pacífico, oceano, 196
Pádua, 312
Paine, Thomas, 374, 387
Painshill, Surrey, eremitério de, 284
País de Gales, 34, 111, 224, 241, 367, 375, 397
paisagismo, 279, 285, 287, 301
palácios, 50, 80, 219
Paleolítico, período, 469
Palestina, 51, 57
palha, 68, 69, 74, 79, 145, 347, 349, 433, 437
Palladio, Andrea, 312, 313, 314, 315, 317, 318, 322, 326, 438; *Os quatro livros de arquitetura*, 314
Palm Beach, Flórida, 256, 257, 258; Boca Raton, 258; Everglades Club, 257, 258
Palmerston, lorde, 39
pão: adulteração, 84, 85; como alimento básica, 101; preparação, 52, 85
papel de parede, 322, 324, 339, 340, 448
Pará, Brasil, 290
parasitas intestinais, 445

Paris, 38; École des Beaux Arts, 242; Exposição de Paris (1849), 21; Exposição de Paris (1881), 466; Exposição de Paris (1889), 236; Louvre, 311; Torre Eiffel, 19, 233, *235*, 236, 237, 238, 253, 394; Tratado de Paris, 376
Parker, cimento romano de, 173, 214
Parker, James, 173, 246
párocos, 32, 33, 106, 476, 477
parques, 217, 279, 282, 296, 297, 298, 300, 301, 392
Partido Liberal, 469
parto, 355, 367, 388, 395, 433, 435, 440, 442; morte da mãe no parto ou após, 435, 440
passagens (corredores), 245
Pass-Grille Key, Flórida, 253
Patek, Vaclav, 403
Patrimônio Inglês, 475
pau a pique, 216
Paxton, Joseph, *20*, 23, 41, 44, 116, 225, 230, 285, 289, 296, 297, 301, 367
Peabody, George, 37, 448; conjuntos residenciais de, 448
pedra de Coade, 226, 228
Pedra de Odin, 466
pedra, como material de construção, 219
Pedras de Stennes, 466
Peel, C. S., 445
Peel, sir Robert, 103
peixes comestíveis, 69, 103; mercado de peixe, 103
pelagra, 188
Pengelly, William, 462
peniano, anel, 351, *352*
Pennsylvania Rock Oil Company, 139
Pensilvânia, 127, 139, 141, 143, 274, 395
penteados, 410
Pepys, Elizabeth, 122, 373
Pepys, Samuel, 83, 132, 144, 199, 200, 349, 358, 373, 381, 408
pequena era glacial, 216
percevejos, 19, 269, 270, 340, 347
perfumes, 137, 370, 375, 377, 378, 413
Peru, 36, 198, 304, 305

perucas, 408, 409, 410, *411*, 418, 419; de juízes, 409; femininas, 410; preparo, 408
peste bubônica, 263, 266, 372
Peste Negra, 103, 267, 372, 386, 389
peste pneumônica, 372
pesticidas, 138, 269, 275, 309
Peter (escravo), 128
Petersen, Christian, 85
petróleo, 135, 139, 140, 141, 236, 328
Pett, Peter, 83
Pevsner, Nikolaus, 317
Philosophical Transactions of the Royal Society, 434
Picard, Liza, 358, 424
piccadill, 407
Pickard-Cambridge, Octavius, 30
Pieper (secretário de Karl Marx), 106
Piggott, Stuart, 49
pimenta, 18, 100, 185, 193, 195, 197, 199, 202, 270
Pincot, Daniel, 228
pintas artificiais, 410
pintores, cólica dos, 340
pinturas, 79
piolhos, 268, 269, 371, 375, 445
Pithole City, 140, 141
Pitt Rivers, Alexander, 465
Pitt Rivers, Alice (depois Lubbock), 465, 470
Pitt Rivers, Augustus, 367, 464, 465, 466, 470, 471
Pitt Rivers, George, 466
Pitt, William, o Jovem, 202
plantas: comestíveis, 52, 53, 197, 321; doenças de, 31, 301, 302, 303
plantas, caça às, 288, 289, 290, 291, 460
pneumônica, peste, 372
pó para cabelo, 409
pobreza, 440-50; alimentação dos pobres, 102; e educação, 440
Poe, Edgar Allan, 363
Poison detected: or frightful truths, 84
polinização, 272
Pollan, Michael, 56

poluição, 224, 226, 228
Pompeia, 370
Pool Well, 141
Pope, Alexander, 165
Pope, Franklin, 153
população (Ilhas Britânicas), 45
porcelana esmaltada, 398
portas, 72, 73
Portland, cimento, 246
Portland, pedra de, 226, 246
Porto Rico, 87
Portsmouth, 199
Portugal, 194, 195
Potomac, rio, 326, 328
Potteries, distrito de, 437
prata, 80, 107, 149, 185, 243, 385, 473
prataria, 108
pré-história, 49, 399, 462
Prêmio Nobel, 188
presbitérios, 16, 27, 44, 93, 95
Preston, 418
Price, William, 367
Primeira Guerra Mundial, 191, 456
Princess Alice (navio de recreio), 392, 394
privacidade, 76, 77, 105, 106, 115, 133, 155, 172, 348, 349, 376, 380
privada de terra, 380
privada seca, 380
probabilidade, distribuições de, 31
procronismo, 463
profissões, 28, 74, 384
proprietários de terras, 33, 41, 470, 471
prostitutas, 106, 133, 373
Protestantismo, 449
psicanálise, 457
Puckering, sir John, 80
pulgas, 266, 347
Puloway e Puloroon, 193, 199
Punch, 21, 27, 225, *468*
purgante, 445
pústulas, 357, 371, 372

quadros, 110, 247, 258, 279, 341, 474

quartos: quarto das crianças, 114, 428, 429, 431; quartos de dormir, 77, 78, 110, 162, 174, 269, 345, 346, 347, 348, 349, 397, 404; quartos de vestir, 77, 78, 105, 143, 379, 399, 403, 404
quéchua, língua, 198
Queensberry, marquês de, 414
queijo, 33, 84, 85, 96, 101, 198, 208, 211, 270, 324
querosene, 138, 140, 142, 145, 147, 274
quinino, 291

rádio, 18, 148, 476
radiocarbono, datação por, 32, 399
Radley College, 454
raiva (doença), 273, 274
Rannie, James, 180
raquitismo, 188, 440
Rasmussen, sr. e sra. George S., 257
ratoeiras, 261
ratos, 53, 110, 196, 262, 263, 264, 265, 266, 267, 268, 347, 385
Raunitz, príncipe, 409
Raverat, Gwen, 451
Real Sociedade Protetora dos Animais, 441
Rebelião dos Cipaios, 206
reboco, 74, 223
refeições, 77, 99, 107, 128, 207, 208, 210, 211, 407, 439, 444, 450; horários das, 134
refrigeração, 91, 92, 365, 476
registros de óbito, 360
Reichenberg, Áustria, 364
Reichstag, 312
Reis, Philipp, 249
Rembrandt van Rijn: "Estudante à mesa à luz de velas", 131
Remedello, machado de, 402
Resurgam (submarino), 30
Revolução Americana, 326, 376, 421
Revolução Francesa, 120, 387
Revolução Industrial, 19, 29, 134, 159, 229, 232, 303, 416, 418, 419, 439, 480

Revolução Neolítica, 50, 58
revólver de repetição, 37
Reynolds, George, 450
Reynolds, Joshua, 32
Rhodes, Cecil, 32
Richmond, duquesa de, 373
Richmond, Surrey, eremitério de, 284
Richmond, Virgínia, 474
rio São Lourenço, rota marítima do, 215
Rittenhouse, David, 144
Rivers, George Pitt, 1º Barão, 465
Roach, Mary: *Bonk: The curious coupling of sex and science*, 351
Robert Cary & Co., 325
Roberts, Alice, 456
Roberts, Nathan, 213
Robinson (criado de Brummell), 414
Robinson, Martha, 354
Robinson, William, 351
Rochester, Nova York, 255
Rochosas, montanhas, 276, 277
Rockefeller, família, 239
Rockefeller, John D., 141, 239, 420
roda, invenção da, 51
rodovias, acidentes em, 131
Rogers, Samuel, 160
Rokeby Hall, Yorkshire, 117
Roma, 62, 169, 193, 312, 370, 371; Caracalla, termas de, 370; Igreja de, 69; Panteão, 246
romanos, 72, 220; banhos, 370; e pimenta, 193; latrinas dos, 379; na Inglaterra, 60, 62, 183; vilas, 64, 314
Roosevelt, Franklin Delano, 205
Root, John, 229, 230
Roper, William, 349
Rosebery, lorde, 472, 473
Rosee, Pasqua, 201
Rossetti, Dante Gabriel, 125, 413
rota marítima do rio São Lourenço, 215
Rothamstead, Estação Experimental de, 306
Rothschild, família, 475
roupa de cama *ver* camas e roupa de cama

roupas, 68, 71, 78, 108, 110, 113, 116, 122, 126, 127, 128, 136, 225, 269, 290, 325, 339, 346, 354, 362, 371, 400, 402-5, 424, 426, 427, 437, 449, 450; da idade da pedra, 402; femininas, 424, 425, 426, 427, 428; luto, 362; restrições, 406; roupa de baixo, 415, 427
Rowe, Nicholas, 160
Roxburghe, duque de, 241
Royal Horticultural Society, 23
Royal Society, 19, 31, 187; *Philosophical transactions*, 31, 434
rua, iluminação das, 132, 142
Rubens, Peter Paul, 474
rushlights, 134
Rushmore, Salisbury, 465
Ruskin, Effie (nome de solteira: Gray), 352, 353
Ruskin, família, 211
Ruskin, John, 125, 211, 350, 352, 353
Russell, Jack, 30
Russell, Richard: *A dissertation concerning the use of sea-water in diseases of the glands*, 375
Rybczynski, Witold, 67, 300, 313

saguão, 60, 65, 72, 76, 81, 82, 166, 244, 397
Saint-Méry, Moreau de, 380
sal, 185, 191, 192; deficiência de, 191; minas de, 338
sala de jantar, 100, 105, 131, 151, 172, 184, 207, 310, 314, 321, 380
sala de visitas, 28, 75, 76, 115, 261, 310
Salem, Massachusetts, 137, 250
Salisbury, catedral de, 16, 246
Salmon, Elizabeth, 438
salões, 82, 156
salon, 77, 156
Saltram, Devon, 107
Sambrook, Pamela, 112
Sandys, George, 201
sangria, 36
sapatos, 109, 347, 402, 403, 413, 426, 456
sarampo, 53, 198, 385, 444
Saussure, Nicholas-Théodore de, 304

Savidge, Alan, 477
Saxe-Coburg, 62
saxões, 17, 54, 60, 61, 62, 72, 302; moradias dos, 64, 65
Saxony, 62
Scarborough, 375
Scarborough, lorde de, 161, 409
Scheele, Karl, 339
Schroder's, 305
Science (revista), 253
Scott, George Gilbert, 396
sebo, 83, 87, 134, 135, 206, 342, 383, 410
seda, 80, 133, 323, 329, 363, 406, 408, 416
Seddon, George, 178
sedentarismo, 51, 53
Seely, Martha, 95, 106
Segunda Guerra Mundial, 272, 403, 473
seguro de vida, 434
Self, Bob, 319, 320
"semeadora de perfuração", 157
sementes, dispersão de, 272
Semmelweis, Ignaz, 435
Seneca Oil Company, 141
seringueira, 291
Serlio, Sebastiano, 314
service à la française e *à la russe*, 208
Serviço de Obras, 169
serviço doméstico, mulheres no, 106
servidão, 66, 123, 167
sexo, 349-57; doenças venéreas, 357; frequência das relações sexuais, 349, 350, 351; *ver também* masturbação
Shakespeare, Anne, 348, 362
Shakespeare, Hamnet, 431
Shakespeare, William, 68, 71, 77, 133, 207, 211, 240, 348, 361, 362, 406, 430, 473; *King John*, 431; Primeiros Fólios, 240, 473; *Romeu e Julieta*, 361; *Sonho de uma noite de verão*, 77
Sheffield, 302
Shepherd, William, 30
Sheppard, Jack, 295
Sheraton, Thomas, 179, 180; *Cabinet-maker and upholsterer's drawing-Book*, 179

Sheridan, Thomas, 414
Shetland, ilhas, 135
Shoe and Leather Bank, 251
Shorter, Edward: *The making of the modern family*, 429
Shrewsbury, lorde, 81, 165
Shubakh, 51
Sibéria, 51
Siddal, Elizabeth, 413
Sidney, Lady Mary, 373
sífilis, 195, 198, 357, 358, 373
Silbury Hill, 469, 470
Simon, Helmut e Erika, 399
síndrome do focinho branco, 275
Singer, Isaac M., 256
Singer, Paris, 256
Síria, 57
sitting room, 156
Skaill House, 46
Skara Brae, 45, 46, 47, *48*, 49, 51, 289, 369, 466
Smiles, Willy, 451
Smith, Adam: *A riqueza das nações*, 326
Smith, Anthony, 188
Smith, John, 200
Smith, Sydney, 99, 221
Smollet, Tobias: *The expedition of Humphry Clinker*, 84, 86, 383; *Travels through France and Italy*, 377
Smythson, Robert, 79, 166
Snow, John, 387, 388, 389, 390; *Sobre o modo de transmissão da cólera*, 389
sobrancelhas falsas, 412
sobrevivência do mais apto, teoria da, 461
Sociedade Arqueológica de Norfolk e Norwich, 464
Sociedade dos Antiquários de Londres, 462
Sociedade Inglesa da Cremação, 367
Sociedade Linneana, 463
Sociedade Nacional Protetora das Crianças, 441
Sociedade Obstétrica de Londres, 356
Sociedade para a Promoção de Floreiras nas Janelas entre as Classes Trabalhadoras de Westminster, 448
Sociedade para a Reforma dos Costumes, 160
Sociedade para a Supressão da Vadiagem Juvenil, 448
Sociedade para o Resgate de Meninos Ainda Não Condenados por Qualquer Delito Criminal, 448
Sociedade Protetora dos Animais, 441
sódio, 191
Sokolin, William, 303
solar, 66
Somerset, sexto duque de, 456
Somme, planície de, França, 462
sorvete, 86, 90, 191
sótão, 15, 105, 263, 319, 380, 459, 478
Sotheby's, Nova York, 179
Southampton, 267
Southey, Robert, 202
spa, 374
Spectator, 283
"Spinning Jenny", 417
Sprengel, bomba de mercúrio de, 149, 151
Sprengel, Hermann, 149
Spruce, Richard, 290, 291
St. Augustine, Flórida, 215
St. Vincent Millay, Edna, 112
Stalin, Joseph, 47
Standard Oil, 240
Stanley, Lady Eleanor, 425
Stark, William, 187
Steele, Richard, 161
Steele, Valerie: *The corset — a cultural history*, 426
Stein, Susan, 321
Stennes, Orkney, 466
Stenton, F. M., 61, 62
Sterne, Laurence: *A vida e as opiniões do cavalheiro Tristram Shandy*, 29
Steventon, Hampshire, 28
Stewart, Louisa, 132
Stonehenge, 45, 466, 469, 471, 474
Stotesbury, sr. e sra. Edward Townsend, 255, 256, 257, 258
Stowe House, Buckinghamshire, 279, 285, 286; Vale Grego, 286

Stowe, Harriet Beecher: *A cabana do pai Tomás*, 96
Stowe, Harriet Beecher:, 136
Stratford-upon-Avon, 253
Stratton Strawless, Norwich, 33, 478
Strawberry Hill, Twickenham, 117, 172
Streatlam Castle, County Durham, 474
Strong, George Templeton, 143
submarino, 30
Suécia, 267
Suffolk, condessa de, 339
sufrágio universal, 38
Summers, Eliza Ann, 347
suntuárias, leis, 406, 407
"suor, doença inglesa do", 372
Superimposto, 473
sutiãs, 428
Sutton Courtenay, Oxfordshire, 64
Swan, Joseph, 149, 154, 466
Sydney, Universidade de, 47

tabaco, 37, 87, 127, 242, 358
tabelas atuariais, 434
tafofobia, 364
Taino, índios, 197
tálio, 190
Talman, William, 161, 281
Tâmisa, rio, 39, 174, 225, 228, 285, 306, 382, 383, 389, 390, 392, 394
Tanzânia, 480
tapeçarias, 79, 241, 244, 473
tapetes, 68, 97, 109, 167, 176, 178, 303, 321, 366
Tatton Park, Cheshire, 100
tatuagem, pistola de, 251
Tay Bridge, Escócia, 231
Tayloe, John, 325
Taylor, Harriet, 119
Taylor, sir Robert, 223
tear mecânico a vapor, 29, 419
teares, 30, 419, 420
teatros: horário das apresentações, 211; incêndios em, 145

tecidos, 59, 126, 127, 142, 143, 182, 183, 190, 307, 323, 357, 404, 406, 407, 416, 417, 419, 446
telefone, 162, 248, 249, 250, 251, 252, 253, 254, 394
telescópio, 31, 376
telhados, buracos nos, 72
Tell, Guilherme, 207
têmpera, 341
tempestades: de 1850, 44; "A Grande Ventania" de 1711, 283
Templer, John A.: *The staircase: studies of hazards, falls, and safer design*, 334, 335, 337
Tennyson, Alfred Lord, 30, 32
teologia, 29, 461
teosinto, 54, 55, 56
terebintina, 84, 110, 138, 140, 341
Terra: idade da, 463; peso da, 31
Tesouro nacional, 442
Texas, 198, 273, 274
Thackeray, William Makepeace, 38, 88, 298, 378; *The history of Pendennis*, 38
thatching, 74
The Breakers, Rhode Island, 241, 243
Thomas Jefferson Memorial Foundation, 329
Thompson, Benjamin (conde Rumford), 144
Thompson, sir Henry, 367
Thornton, Anna Maria, 322
Thurley, Simon, 172, 174
tiamina, 188
tifo, 263, 444
tijolos, 22, 23, 26, 39, 43, 75, 167, 220, 221, 222, 223, 228, 229, 322, 325, 382, 392, 420
Times, 36, 39, 394
tintas, 110, 137, 138, 340, 341, 342, 343, 344
tipologia, 466
tiros, 107
Tisenjoch, Passe de, Alpes Tiroleses do Sul, 399
Tissot, Samuel, 351
Titzling, Otto, 428
Toft, Mary, 355
tomates, 97, 197

tories, 161, 412, 469, 472
Torquay, Devon, 462
Torre Eiffel *ver* Paris
toshers, 384, 389
Townshend, lorde, 203, 456
trabalho infantil, 418, 422, 423
trancas, 45, 74
trigo, 29, 45, 52, 53, 54, 86, 92, 198, 276, 401, 409, 472
Trissino, Giangiorgio, 312
Troca Colombiana, 197, 198
Trollope, Anthony, 106
Trollope, Frances, 106
Tryon, Thomas, 347
tuberculose, 30, 215, 249, 360, 426, 444
Tuchman, Barbara: *Um espelho distante*, 430
Tudor, Frederic, 89
Tudors, 74, 220
tuffets, 72
Tulane, Escola de Medicina da Universidade de, 273
Tull, Edward, 27, 105, 156, 261, 398, 403, 431
Tull, Jethro, 157
túmulos: violação de, 365
Tunes, Edwin, 325
Turner, J. M. W., 353
Turquia, 57, 201
Tuttle, Merlin D., 274
Twain, Mark, 453

Uglow, Jenny, 114
Urano, 31
urinóis, 108, 111, 115, 379, 391
us Steel Corporation, 239

vacina, 372
Vale do Indo, 370
Van Dyck, sir Anthony, 474
Van Gogh, Vincent, 341
Vanbrugh, sir John, 159-67, 279, 281, 282, 283, 284, 312, 408; *The provok'd wife*, 160; *The relapse*, 160, 408
vândalos, 61, 62

Vanderbilt, Alice, 153, 240, 243
Vanderbilt, Alva, 243
Vanderbilt, Consuelo (depois duquesa de Marlborough), 241
Vanderbilt, Cornelia, 244
Vanderbilt, Cornelius, 242, 243
Vanderbilt, família, 239, 241, 242, 243, 244, 252, 258
Vanderbilt, George Washington, 243, 473
Vanderbilt, Reggie, 243
Vanderbilt, sra. William K., 240
Vanderbilt, William K., 259
varíola, 53, 357, 360, 372, 373, 385, 386, 412
Vaux, Calvert, 299, 300
velas, 37, 110, 111, 131, 134, 135, 136, 148, 149, 178, 324, 339, 343, 349, 383, 405, 410, 427, 455, 476; velas de junco, 134, 135
Velha Hardwick Hall, Derbyshire, 80
veludo, 126, 406, 413
veneno: da tinta, 340; do chumbo, 190, 437; do papel de parede, 338, 340; dos cosméticos, 412
Veneza, 311, 313
verduras, 33, 101, 190, 202, 308; consumo médio de, 101
Verlaine, Paul, 236
Vermont, 92, 242
Versalhes, 381
Vicenza, 311, 313; Palazzo Barbarano, 312; Villa Capra, 312, *316*, 317, 318; Villa Chiericati, 312; Villa Piovene, 312; Villa Ragona, 313
Victory, HMS, 218
vidro, 21, 24, 25, 26, 27, 40, 44, 68, 71, 88, 91, 150, 185, 225, 324, 342, 398, 401; fabricação, 323; imposto sobre o, 25, 301; janelas de, 71, 79
Viena, 38, 435
vigários, 28, 29
vinagre, 84, 110, 126, 148, 185, 187, 234, 342
vinhedos, 302, 479
vinho, 90, 98, 99, 111, 202, 207, 208, *209*, 210, 302, 303, 323, 359

Vinschgau, 401
Virgínia, EUA, 422
visigodos, 61
visitas de reis, 80
vitaminas, 185, 188, 189, 190
Vitória, Rainha, 23, 29, 40, 88, 115, 211, 229, 315, 362, 363, 388, 436
Vitrúvio, 313, 314, 337
viúvas, 65, 362, 363
viúvos, 362
Volk, Jacob, 259
Völkerwanderung, 61

Walker, dr., 295
Wallace, Alfred Russel, 290, 462; "Sobre a tendência das variedades de se afastarem indefinidamente do tipo original", 462
Wallace, Herbert, 290
Waller, John, 437
Walpole, Horace, 117, 155, 159, 161, 169, 172, 173, 182, 283; como inventor de palavras, 173; *O castelo de Otranto*, 172
Walpole, Robert, 161, 279
Walsingham, sexto barão, 107
Waltham Cross, 81
Ware, Isaac, 222, 437, 438; *The complete body of architecture*, 222, 438
Washington, DC, 329; Biblioteca do Congresso, 331; Capitólio, 330, 331, 395; Casa Branca, 311, 312, 380; Folger Shakespeare Library, 240; Jefferson Memorial, 312, 329; National Gallery of Art, 312
Washington, George, 216, 243, 324, 326, 329, 330, 343, 379, 421, 473
Washington, Lawrence, 326
water closet, 380
Watson, Thomas A., 250, 251, 253
Watt, William, 46
Waugh, Alec, 455
Waugh, Evelyn, 455
Wedgwood, Caroline (nome de solteira: Darwin), 457
Wedgwood, família, 457, 458

Wedgwood, Henry, 457
Wedgwood, Josiah I, 458, 461
Wedgwood, Josiah III, 457
weekend, 476
Weightman, Gavin: *The frozen water trade*, 90
Welch, John, 179
Wellington, Arthur Wellesley, primeiro duque de, 39, 99
Wenham Lake Ice Company, 88
Wenham, lago, 88, 90, 93
Wentworth Woodhouse, Yorkshire, 107
Wesley, John, 378
West Kennet Long Barrow, 469
Westborough, Massachusetts, 420, 421
Western Union, 248, 252
Westminster School, 455
Westminster, Duque de, 110
Westwood, John Obadiah, 301
Weymouth, 376
Wharram Percy, Yorkshire, 74
Whatfield, Suffolk, 397
whigs, 161, 412
Whistler, James McNeil: *A menina branca*, 341
White, Canvass, 214, 215
White, Gilbert: *Natural history of Selborne*, 30
White, James Platt, 356
Whitehorn, Katharine, 398
Whiteley, Londres, 127
Whitemarsh Hall, Filadélfia, 256
Whitney, Eli, 420, 421, 422, 423
Wild, Charles, 22
Wilde, Oscar, 121
Willet, C. & Cunnington, Phillips: *History of underclothes*, 425
William IV, rei da Inglaterra, 315
Williamsburg, Virgínia, 318
Willis, Peter, 417
Wilson, capitão, 44
Wilton House, Wiltshire, 117
Wimereux, 148
Winchester College, 455
Windham, William, 170

Windsor, castelo de, Berkshire, 99, 226, 279
Wingerworth Hall, Derbyshire, 474
Wintle, família, 443
Wisconsin, 218; Universidade de, 188
Woburn Abbey, Bedfordshire, 117
Woking, 367
Women's Own, 398
Wood Allen, Mary: *What a young woman ought to know*, 350
Woodforde, James, 33; *The diary of a country parson*, 33
Woodforde, John, 410
Woodstock, Oxfordshire, 163
Woolf, Virgínia, 112
Worm, Elizabeth, 34, 95, 106, 404, 478
Worth, Iago, 257
Worthing, Sussex, 44
Wortley Montagu, Lady Mary, 374
Wren, Christopher, 32, 162, 165, 166, 284
Wright, Benjamin, 213
Wright, Franklin Lloyd, 258
Wroclaw, 434
Wulfric, 67
Wyatt, James, 168, 169, 170, 172, 173, 174, 180
Wyatt, Matthew Digby, 22
Wyett, Nathaniel, 89
Wymondham, 27; Abadia de, 16

Xerox, 252
xisto, 135

Yale, Universidade de, 421
York, 388

Zagreb, 38
Zambezi, rio, 460
zinco, 53, 148, 152, 190, 397
Zola, Émile, 236

ESTA OBRA FOI COMPOSTA EM MINION PELO ACQUA ESTÚDIO E IMPRESSA
PELA GEOGRÁFICA EM OFSETE SOBRE PAPEL PÓLEN SOFT DA SUZANO PAPEL
E CELULOSE PARA A EDITORA SCHWARCZ EM OUTUBRO DE 2011